Aşk

AŞK

Yazan: Elif Şafak
Çeviren: K. Yiğit Us

Yayın hakları: © Doğan Egmont Yayıncılık ve Yapımcılık Tic. A.Ş.
Bu eserin bütün hakları saklıdır. Yayınevinden yazılı izin alınmadan kısmen veya tamamen alıntı yapılamaz, hiçbir şekilde kopya edilemez, çoğaltılamaz ve yayımlanamaz.

1. baskı / Mart 2009
290. baskı / Şubat 2011 / ISBN 978-605-111-107-0
Sertifika No: 11940

Kapak tasarımı: Uğurcan Ataoğlu
Grafik tasarım: Zeynep Oray
Kapak fotoğrafı: Ebru Bilun
Kapak fotoğrafının yayın hakları Ebru Bilun'a aittir. Hiçbir şekilde kopya edilemez, çoğaltılamaz.

Baskı: Mega Basım, Baha İş Merkezi. A Blok
Haramidere / Avcılar - İSTANBUL
Tel. (212) 422 44 45

Doğan Egmont Yayıncılık ve Yapımcılık Tic. A.Ş.
19 Mayıs Cad. Golden Plaza No. 1 Kat 10, 34360 Şişli - İSTANBUL
Tel. (212) 373 77 00 / Faks (212) 355 83 16
www.dogankitap.com.tr / editor@dogankitap.com.tr / satis@dogankitap.com.tr

Aşk

Elif Şafak

04.09.2011
Atatürk
havalimanı

Çeviren: K. Yiğit Us
(Yazarla birlikte)

Bu kitabı aşkla konuşan, sabırla pişiren dost meclisine...

AŞK'ın hiçbir sıfata ve tamlamaya ihtiyacı yoktur.
Başlı başına bir dünyadır aşk.
Ya tam ortasındasındır, merkezinde,
ya da dışındasındır, hasretinde...

Önsöz

Bir taş nehre düşmeyegörsün, pek anlaşılmaz etkisi. Hafiften aralanır, dalgalanır suyun yüzeyi. Belli belirsiz bir *tıp* sesi çıkar; duyulmaz bile akıntının ortasında, kaybolur uğultuda. Hepi topu budur olduğu olacağı.

Ama bir de göle düşsün aynı taş... Etkisi çok daha kalıcı ve sarsıcı olur. O taş var ya o taş, durgun suları savurur. Taşın suya değdiği yerde evvela bir halka peyda olur; halka tomurcuklanır, ol tomurcuk çiçeklenir, açar da açar, katmerlenir. Göz açıp kapayıncaya kadar, ufacık bir taş ne işler açar başa. Tüm yüzeye yayılır aksi, bir bakmışsın ki her yeri kaplamış. Çemberler çemberleri doğurur, tâ ki en son çember de kıyıya vurup yok oluncaya dek.

Nehir alışkındır karmaşaya, deli dolu akışa. Zaten çağlamak için bahane arar ya, hızlı yaşar, çabuk taşar. Atılan taşı içine alır; benimser, sindirir ve sonra da unutur kolaylıkla. Karışıklık onun doğasında var, ne de olsa. Ha bir eksik ha bir fazla.

Gel gelelim göl hazır değildir böyle aniden dalgalanmaya. Tek bir taş bile yeter onu altüst etmeye, tâ dibinden sarsmaya. Göl taşla buluştuktan sonra bir daha asla eskisi gibi olmaz, olamaz.

Kendini bildi bileli durgun bir göl gibiydi Ella Rubinstein'ın hayatı. Kırk yaşına basmak üzereydi. Nicedir tüm alışkanlıkları, ihtiyaçları ve tercihleri tekdüzeydi. Şaşmaz bir çizgiydi günlerin akışı; öylesine yeknesak, düzenli ve sıradan. Bilhassa son yirmi yıl boyunca hayatındaki her ayrıntıyı evliliğine göre ayarlamıştı. İçinden geçen her dilek, edindiği her yeni arkadaş, hatta en önemsiz kararları bile buna bağlıydı. Hayatına yön veren yegâne pusula evi ve evliliğiydi.

Kocası David tanınmış bir dişçiydi; mesleğinde hayli başarılı ve çok para kazanan bir adam. Aralarındaki bağ pek derin sayılmazdı. Ella bu durumun farkındaydı ama doğrusu evliliklerde (bilhassa onlarınki gibi uzun süren evliliklerde) önceliklerin farklı olduğuna inanırdı. Aşktan ve tutkudan daha önemli şeyler vardı bir evlilikte: Karşılıklı hoşgörü, şefkat, anlayış, saygı ve sabır gibi... Ve tabii bir de her evlilikte elzem olan bir başka nitelik: Affedicilik! Geliyorsa şayet elinizden, ki gelmeli, kusur etti mi kocanız, ki edebilir, ne yapıp edin, affedin!

Aşkmış meşkmiş, ne gam! Ne önemi var? Aşk dedikleri, Ella'nın öncelikler sıralamasında gerilerde bir yerde kalmıştı çoktan. Ancak filmlerde olurdu aşk. Ya da hayal ürünü romanlarda. Bir tek oralarda esas kız ve esas oğlan ölesiye sevebilirdi birbirlerini, masallardan süzülmüş efsanevi bir tutkuyla. Ama hayat, hakiki hayat ne filmdi, ne de roman!

Ella'nın öncelikler listesinin başında çocukları gelirdi. Güzel mi güzel kızları Jeannette üniversitedeydi. İkizleri (kız olan Orly, erkek olansa Avi) tam buluğ çağındaydı. Bir de on iki yaşında bir golden retriever köpekleri vardı: "Gölge". Bu eve geldiğinde minnacık bir enikti henüz. O gün bugündür Ella'nın şaşmaz yürüyüş arkadaşı, yoldaşıydı. Gerçi artık ihtiyarlamış, şişmanlamış, neredeyse kör ve sağır olmuş Gölge'nin vadesi doluyordu. Ama köpeğinin bir gün öleceğini düşünmeye Ella'nın yüreği el vermiyordu. Ne de olsa Ella böyle biriydi, hiçbir zaman kabullenemezdi sonları; ister bir dönem, ister eskimiş bir âdet, isterse çoktan tükenmiş bir ilişki olsun ölümü tanımaktan acizdi. Bir türlü yüzleşemezdi bitişlerle, görmezden geldiği o son burnunun ucunda dikilirken bile.

Rubinstein Ailesi Amerika'da, Northampton'da, krem rengi Viktorya tarzı kocaman bir evde yaşardı. Her ne kadar tadilata, tamirata ihtiyacı olsa da, hâlâ görkemliydi yapı: Tam beş yatak odası, üç arabalık garajı, masif parkeleri ve Fransız usulü kapıları vardı; üstüne üstlük bahçesinde de harikulade bir jakuzisi. Ailecek tepeden tırnağa sigortalıydılar: Hayat sigortası, araba sigortası; hırsızlık, yangın ve sağlık sigortası, emeklilik hesapları, çocuklara üniversite eğitimi birikimleri ve müşterek banka hesapları... Oturdukları evin yanı sıra biri Boston'da, diğeri Rhode Adası'nda iki lüks daireleri daha vardı. Tüm bunları elde edebilmek için, Ella da David de epey alın teri dökmüşlerdi. Her katında çocukların mutlu mesut koşup oynadıkları, fırından zencefilli-tarçınlı kurabiye kokularının yayıldığı büyükçe bir ev hayali bazılarına klişe gibi gelebilir ama onların gözünde hayatların en idealiydi. Bu ortak amaç üstüne kurmuşlardı evliliklerini ve zamanla hayallerinin hepsini olmasa da çoğunu gerçekleştirmişlerdi.

Geçen sene Sevgililer Günü'nde, kocası Ella'ya kalp şeklinde bir elmas kolye hediye etmişti. Yanına da balonlu, ayıcıklı bir kart iliştirmişti:

Sevgili Ella,
Sessiz sakin, müşfik, cömert, evliya sabırlı kadın...
Beni olduğum gibi kabul ettiğin ve karım olduğun için minnettarım.
Seni ilelebet sevecek kocan,
David

Ella kimseye –bilhassa kocasına– itiraf edememişti ama işin doğrusu, bu satırları okurken kendi ölüm ilanını okur gibi olmuştu. "Ben ölünce arkamdan bunları diyecekler herhalde" diye geçirmişti içinden. Ve eğer samimi ve dürüstseler, şu sözleri de eklemeliydiler:

"Ellacığımızın tüm yaşamı, kocası ve çocuklarından ibaretti. Kaderin türlü zorluklarına tek başına kafa tutacak ne bilgisi vardı ne tecrübesi. Hiçbir zaman risk almayı bilmezdi. Tedbiri elden bırakmazdı. İçtiği kahvenin markasını değiştirmek için bile uzun uzun düşünmesi gerekirdi. O kadar utangaç, öylesine munis ve ürkekti; tabiri caizse, pısırığın tekiydi."

İşte tüm bu malum sebeplerden dolayı, kendisi de dâhil olmak üzere hiç kimse anlayamadı, tam yirmi yıllık evlilikten sonra Ella Rubinstein'ın nasıl olup da bir sabah kocasına boşanma davası açtığını ve kendini evliliğinden azat edip, tek başına sonu belirsiz bir yolculuğa çıktığını...

* * *

Ama elbet bir sebebi vardı: Aşk!

Âşık oldu Ella hiç beklenmedik bir biçimde, beklemediği bir adama.

İkisi ne aynı şehirde yaşıyordu ne de aynı kıtada. Aralarındaki fersah fersah uzaklık bir kenara, kişilikleri en az gündüz ile gece kadar farklıydı. Yaşam tarzları ise alabildiğine başkaydı. Arada tam bir uçurum vardı. Normal şartlar altında birbirlerine tahammül etmeleri bile zor iken, aşk odu'nda yanmaları beklenmedik bir hadiseydi. Ama oldu işte. Hem de öyle çabuk oldu ki, Ella başına ne geldiğini anlayıp, kendini koruyamadı bile. Tabii şayet insanın kendini aşktan koruması mümkünse!

Aşk, Ella'nın ömrünün o durgun gölüne gaipten düşüveren bir taş misali indi. Ve onu sarstı, silkeledi, darmadağın etti.

Ella
Boston, 17 Mayıs 2008

Bahardı mevsimlerden. Ilık mı ılık, yumuşacık bir günde başladı bu tuhaf hikâye. Nice sonra Ella geriye dönüp baktığında başlangıç anını zihninde o kadar çok tekrarlayacaktı ki, sanki geçmişte yaşanmış bitmiş bir hatıra gibi değil de, hâlâ evrenin bir köşesinde sürmekte olan bir tiyatro sahnesi gibi gelecekti ona her şey.

Zaman: Mayıs ayında bir cumartesi öğleden sonra.

Mekân: Evlerinin mutfağı.

Ailecek hep beraber oturmuş yemek yiyorlardı. Kocası tabağına en sevdiği yemek olan kızarmış tavuk butları doldurmakla meşguldü. İkizlerden Avi çatal bıçağını baget yapmış, hayali bir davul çalar gibi sesler çıkarıyordu; kız kardeşi Orly ise günde ancak 650 kaloriye izin veren yeni diyetine uymak için toplam kaç lokma yiyebileceğinin hesabını yapıyordu. Büyük kızı Jeannette bir dilim ekmek almıştı eline, dalgın dalgın krem peynir sürüyordu üstüne.

Ailenin yanı sıra bir de Esther Hala vardı masada. Pişirdiği kakaolu mozaik keki bırakmak için şöyle bir uğramış, ama ısrarları kıramayıp yemeğe kalmıştı. Ella'nın yemek biter bitmez yapacak bir dolu işi olsa da henüz masadan kalkası gelmiyordu. Son zamanlarda böyle ailecek bir araya gelemiyorlardı bir türlü. Fırsat bu fırsat, herkesin arayı ısıtacağını ümit ediyordu.

"Esther Hala, Ella sana müjdeyi verdi mi bakalım?" dedi

David birdenbire. "Karım harika bir iş buldu, biliyor musun? Hem de seneler sonra."

Ella üniversitede İngiliz Dili ve Edebiyatı okumuştu. Edebiyatı seviyordu sevmesine ama mezun olduktan sonra düzenli bir iş hayatı olmamıştı. Yalnızca birkaç kadın dergisine ufak tefek yazı takviyeleri yapmış, bazı kitap kulüplerine katılmış, aralarda yerel gazetelere kitap eleştirileri yazmıştı. Hepsi buydu. Bir zamanlar, saygın bir kitap eleştirmeni olmayı istemişse de o günler çoktan geride kalmıştı. Hayatın rüzgârının onu bambaşka mecralara sürüklediği gerçeğini kabullenmişti. Meşhur bir edebiyat eleştirmeni değil, bitmez tükenmez ev işleri ve ailevî yükümlülükleri olan, üstüne üstlük bir de üç çocukla uğraşan titiz bir ev kadını olmuştu sonunda.

Hani bundan da yoktu pek bir şikâyeti. Anne olmak, eş olmak, köpeğe bakmak, evi çekip çevirmek, mutfak, bahçe, alışveriş, çamaşır, ütü derken... zaten yeterince meşguliyet vardı hayatında. Bunlar yetmezmiş gibi bir de aslanın ağzından ekmeği almak için uğraşmasının ne gereği vardı? Her ne kadar feministlerle kaynayan Smith Üniversitesi'ndeki sınıf arkadaşlarının hiçbiri Ella'nın seçimine takdirle bakmasa da, o bunun üstünde durmamış; evine bağlı bir anne, eş ve ev hanımı olmaktan uzun seneler boyunca en ufak bir rahatsızlık duymamıştı. Maddi durumlarının iyi olması, çalışma gereği duymamasını kolaylaştırmıştı tabii. Ella bundan dolayı minnettardı hayata. Edebiyata olan merakını evinden de devam ettirebilirdi nasıl olsa. Hem okuma sevgisi asla bitmemişti ki, hâlâ bir kitap kurduydu –ya da öyle olduğuna inanmak istiyordu.

Ama gün geldi, çocuklar âkıl bâliğ oldu. Dahası, annelerinin sürekli üstlerine titremesini istemediklerini apaçık belli ettiler. Ella da mebzul miktarda boş vakti olduğunu görüp, en nihayetinde bir iş bulmanın iyi olabileceğini düşünmeye başladı. Kocasının onu yürekten teşvik etmesine ve aralarında sürekli bu konuyu konuşup fırsat kollamalarına rağmen, Ella için iş bulmak pek de kolay olmayacaktı. Başvurduğu yerlerdeki işverenler ya daha genç birini arıyordu ya daha tecrübeli. Reddedile reddedile gururu örselenen Ella nicedir iş aramaktan vazgeçmiş, konuyu rafa kaldırmıştı.

Mamafih, 2008 yılı mayıs ayında, bunca sene iş bulmasının önüne dikilmiş her ne engel varsa beklenmedik biçimde ortadan kalktı. Kırk yaşına basmasına birkaç hafta kala, Boston'daki bir yayınevinden cazip bir teklif aldı. İşi bulan da kocasıydı aslında. Müşterilerinden biri vesile olmuştu. Belki de metreslerinden biri...

"Aman canım, büyütülecek bir iş değil" diye hemen açıklamaya koyuldu Ella. "Bir yayınevinde edebiyat editörünün asistanının asistanıyım altı üstü. Tavşanın suyunun suyu yani!"

Ama David karısının yeni işini küçümsemesine fırsat vereceğe benzemiyordu. "Hayatım niye öyle diyorsun?" diye atıldı. "Anlatsana ne kadar saygın bir yayınevi olduğunu."

David Ella'yı dirseğiyle hafifçe dürttü ama baktı ki karısından gık çıkmıyor, kendi söylediklerine şevkle kafa sallayarak kendisi onay verdi: "Gayet meşhur ve itibarlı bir yayınevi bu, Esther Hala. Ülkenin en iyilerinden! Diğer asistanları bir görsen! Hepsi gencecik! Hepsi en iddialı üniversitelerden mezun! Aralarında Ella gibi bunca sene ev hanımı olup da tekrar çalışmaya başlayan tek bir kişi yok. Ne kadın ama, değil mi?"

Ella hafifçe kıpırdayıp omuzlarını dikleştirdi. Zoraki, iğreti bir tebessüm kondu dudaklarına. Bir yandan da merak ediyordu, acaba kocası niye bu kadar çırpınıyordu? Bunca sene onu meslek sahibi olmaktan alıkoyduğu için birdenbire senelerin kaybını telafi etmeye mi çalışıyordu? Yoksa onu aldattığı için pişmanlık duyup bu şekilde arayı yumuşatmayı mı umuyordu? Hangisi doğruydu acaba? Aklına başka bir açıklama gelmiyordu doğrusu. David'in bu kadar iştiyakla bal-

landıra ballandıra konuşmasının başkaca bir izahı yoktu.
"Gözü pek diye buna denir. Hepimiz Ellacığımla gurur du-
yuyoruz" diye konuşmasını taçlandırdı David.

Esther Hala dokunaklı bir sesle katıldı sohbete. "Yaaa, bir
tanedir Ellacık; her zaman öyleydi" dedi. Sanki Ella masa-
dan kalkıp son yolculuğuna çıkmıştı da, kesif bir hüzünle onu
anıyordu.

Masadaki istisnasız herkes şefkatle baktı Ella'ya. Nasıl ol-
duysa Avi kinayeciliği bir kenara bırakmış, Orly ise bir kez
olsun dış görünümü dışında bir şeye dikkatini verebilmişti.
Ella bu sevgi dolu anın tadını çıkarmaya çalıştı ama yapama-
dı. Bir isteksizlik, takatsizlik vardı üzerinde. Nedenini bile-
miyordu. Keşke birisi değiştirseydi şu tatsız konuyu. İlgi oda-
ğı olmaktan hoşlanmıyordu.

İşte o anda büyük kızı Jeannette, bu sessiz duayı duymuş
gibi bir anda söze karışıverdi: "Benim de sizlere bir haberim
var! Müjdemi isterim!"

Tüm başlar Jeannette'e döndü. Merakla, ağızları kulakla-
rında, lafın devamını beklediler.

"Scott ve ben evlenmeye karar verdik" dedi Jeannette pat
diye. "Aman biliyorum şimdi ne diyeceğinizi! Daha üniversi-
teleriniz bitmedi, bir durun hele ne aceleniz var, daha genç-
siniz, falan filan... Ama anlayın ne olur, ikimiz de bu büyük
adımı atmaya hazırız artık."

Mutfak masasına bir tuhaf sessizlik çöktü. Daha bir daki-
ka evvel hepsini saran yumuşaklık ve yakınlık buhar olup
uçtu. Orly ve Avi boş ifadelerle birbirlerine baktılar. Esther
Hala elinde bir bardak elma suyuyla, çılgın bir heykeltıraşın
elinden çıkma komik, şişman bir heykel gibi donakaldı. Da-
vid iştahı kesilmişçesine çatalı bıçağı bir kenara koydu ve
gözlerini kısıp Jeannette'e baktı. O açık kahve gözlerinde bir
gerginlik, tedirginlik vardı. Suratında da bir şişe sirke suyu
içmek zorunda kalmış gibi ekşi bir ifade...

Durumun vehametini kavrayan Jeannette sızlanmaya başladı: "Off, buyrun bakalım! Ben de zannediyordum ki ailem sevinçten havalara uçacak, ama nerdeee? Şu hâlinize bakın! Suratınızdan düşen bin parça. Gören de zanneder ki felaket haberi verdim."

"Kızım, az önce evleneceğini söyledin" dedi David, sanki Jeannette ne dediğini bilmiyormuş da bunu birinden duyması gerekiyormuş gibi.

"Babacım farkındayım, biraz ani oldu ama Scott geçen akşam yemekte evlilik teklif etti. Ben de evet dedim bile."

"Peki ama neden?"

Bunu soran Ella'ydı. Cümle ağzından çıkar çıkmaz kızının kendisine bakışlarından böyle bir soruyu garipsediğini anladı. "Peki ama ne zaman?" diye sorsa, yahut "Peki ama nasıl?" dese, hiç mesele olmayacaktı. Her iki soru da Jeannette'i mutlu ve tatmin edecek; "Hadi o zaman, düğün hazırlıklarına başlayabiliriz" anlamına gelecekti. Oysa, "Peki ama neden?" beklenmedik bir soruydu. Ve Jeannette cevabını vermeye hazır değildi.

"Ne demek *peki ama neden?* Herhâlde Scott'a âşık olduğum için! Başka bir sebebi olabilir mi anne ya?"

Ella kelimeleri tane tane seçerek, sözlerine açıklık getirmeye çalıştı. "Canım demek istediğim... Aceleniz neydi yani? Hamile falan mısın yoksa?"

Esther Hala oturduğu yerde şöyle bir kıpırdandı, kasıldı, üst üste öksürdü. Elma suyunu bırakıp, cebinden bir kutu mide asidi tableti çıkarttı. Çiğnemeye koyuldu.

Avi ise kıkır kıkır gülmeye başladı: "Vay, bu yaşta dayı olacağım desenize!"

Ella, Jeannette'in elini tutup, kendine doğru çekerek hafifçe sıktı. "İşin doğrusu neyse bize rahatlıkla söyleyebilirsin, biliyorsun değil mi? Ne olursa olsun ailen olarak hep arkandayız."

Jeannette sert bir hareketle elini çekti ve patladı: "Anne kes şunu lütfen. Hamile falan değilim, alâkası yok. Beni utandırıyorsun."

"Yalnızca yardım etmek istiyorum" diye mırıldandı Ella, sakin ve metin olmaya gayret ederek. Doğrusu sükûnet ve metanet, son zamanlarda korumakta en çok zorluk çektiği iki meziyetti.

"Bana hakaret ederek mi yardım edeceksin anne? Belli ki sana göre sevdiğim erkekle evlenmek istememin bir tek açıklaması olabilir: Kazara hamile kalmam! Ya, sen beni bu kadar basit mi görüyorsun? Sırf sırılsıklam âşık olduğum için Scott'la evlenmeyi isteyebileceğim aklının ucundan geçmiyor mu? Tam sekiz ay oldu biz çıkmaya başlayalı."

"Çocuk olma" dedi Ella. "Zannediyor musun ki bir erkeğin huyunu suyunu öğrenmeye sekiz ay yeter? Babanla yirmi yıldır evliyiz, biz bile birbirimiz hakkında her şeyi bildiğimizi iddia edemeyiz. Beraberliklerde sekiz ay ne ki? Devede kulak!"

Avi sırıtarak araya girdi: "Ama sonra da diyorsunuz ki Tanrı tüm dünyayı altı günde yarattı! Oo, sekiz ayda neler olur."

Masadaki herkes ters ters bakınca, Avi çenesini kapayıp, olduğu yerde sindi.

Bu arada kaşlarını çatmış düşünen David gerilimin arttığını sezerek ortama acilen müdahale etti: "Canım bak, annen şunu demek istiyor: Biriyle çıkmak başka şey, evlenmekse bambaşka bir şey."

"Ama babacığım, ölene dek flört mü edeceğiz yani?" diye sordu Jeannette.

Ella, derin bir of çekip, tekrar kendini ringe attı: "Valla, lafı evirip çevirmeden bir seferde söyleyeceğim. Ben de baban da daha münasip birini bulmanı bekliyorduk. Bu ciddi bir ilişki sayılmaz ki. Zaten ciddi bir ilişki için yaşın daha ufak."

Kısık, puslu, belli belirsiz bir sesle, "Biliyor musun ne düşünüyorum anne?" diye sordu Jeannette. "Vaktiyle senin korktuğun ne varsa, şimdi benim başıma gelecek zannediyorsun. Hâlbuki sırf sen genç yaşta evlenip, benim yaşımdayken çocuk doğurdun diye, ben de aynı hataları yapacak değilim!"

Suratına okkalı bir tokat aşkedilmiş gibi kıpkırmızı kesildi Ella. Zihninin bir köşesinde hatırlamak istemediği hatıralar canlandı: Jeannette'e hamileykenki hâlleri, çaresizlikleri, ağlama nöbetleri, bunalımları, buhranları... İlk gebeliğinde hayli zorlanmış, hem sağlık sorunları hem depresyonlar atlatmış, üstelik erken doğum yapmak zorunda kalmıştı. Yedi aylık doğan büyük kızı, hem bebekliği, hem çocukluğu boyunca âdeta tüm gücünü emmişti. Öyle ki, sırf bu yüzden tekrar çocuk sahibi olmak için tam altı sene beklemişti Ella.

Bu arada David farklı bir strateji denemeye karar vermiş olacak ki, gayet temkinli bir şekilde araya girdi: "Tatlım, Scott'la çıkmaya başladığınızda, anne baba olarak bizler de memnun olmuştuk. Düzgün çocuk tabii... Son derece efendi. Bu zamanda böyle birini bulmak kolay değil. Ama aceleniz yok ki. Hele bir mezun olun, sonra ne düşüneceğiniz ne belli? Bir bakmışsınız, o zamana işler değişmiş."

Jeannette "olabilir" dercesine başını salladı ama görünen o ki, babasının dediklerine aklı tam yatmamıştı. Sonra birden beklenmedik bir soru atıverdi ortaya:

"Yoksa tüm bu itirazlarınız sırf Scott Yahudi olmadığı için mi?"

David kızının böyle bir yakıştırma yapmış olmasına inanamıyormuş gibi gözlerini devirdi. Ne de olsa hep gurur duymuştu kendisiyle, "açık fikirli, kültürlü, modern, liberal, demokrat bir babayım" diye. Doğrusu sırf bu sebepten ötürü evlerinde ırk, din, cinsiyet, sınıf meselelerini konuşmaktan bile kaçınırdı.

Gelgelelim Jeannette ısrarcıydı. Babasını devre dışı bırakıp, tekrar annesine çevirdi sorgulayan bakışlarını: "Anne gözümün içine bak da söyle. Eğer sevdiğim çocuğun adı Scott değil de Aron Filancastein olaydı, gene böyle itiraz edecek miydin onunla evlenmeme?"

Buruk kırık, diken dikendi Jeannette'in sesi. Ella'nın yüreği sıkıştı. Bu kadar mı öfke ve sitem doluydu kızı ona karşı? Bu kadar mı kinayeli, mesafeli, şüpheci?

"Hayatım bak, hoşuna gitsin ya da gitmesin, madem ki annenim, sana söylemem gereken hakikatler var. Genç olmak, âşık olmak, evlilik teklifi almak, bunlar son derece güzel şeyler, bilmez miyim... Başında kavak yelleri... Ben de yaşadım zamanında. Ama evlilik dedin mi, orda duracaksın! Senden çok farklı birisiyle evlenmek, resmen kumar oynamak demektir. Bizler anne baba olarak tabii ki en doğru seçimi yapmanı isteriz."

"Peki ya sizin için *en doğru* olan seçim benim için düpedüz yanlışsa ne olacak?"

Ella böyle bir soru beklemiyordu. Kaygıyla iç geçirip alnını ovalamaya başladı. Migren krizine tutulmuş olsa bu kadar ağrımazdı başı.

"Ben bu çocuğa âşığım anne. Anlıyor musun? Bu kelimeyi hatırlıyor musun bir yerlerden? Aşk! Hani yüreğin pır pır eder, hani onsuz yaşayamazsın!"

Gayriihtiyarî bir kahkaha patlattı Ella. Kızıyla alay etmek gibi bir niyeti yoktu hâlbuki. Ama öyle çıkıvermişti gülüşü. Öylesine alaycı. Anlayamadığı bir şekilde gerilmiş, gerginleşmişti. Oysa daha evvel onlarca, belki yüzlerce kez kavga etmişti büyük kızıyla. Hiçbirinde böyle diken üstünde oturduğu olmamıştı. Bugünse sanki öz evladıyla değil, çok daha sinsi ve çetrefilli bir düşmanla ediyordu kavgasını.

"Anne niye gülüyorsun, sen hiç mi âşık olmadın?" diye laf çarptı Jeannette.

"Offf yeter! Daral geldi valla içime. Uyan hayatım, uyan lütfen! Bu kadar da saf olunmaz ki, böyle..." Ella bir an takılıp, aradığı kelimeyi bulabilmek için gözleriyle etrafı taradı.

En nihayetinde ekledi. "Bu kadar da *romantik!*"

"Nesi varmış romantik olmanın?" diye sordu Jeannette, gücenmişçesine.

Sahi, nesi yanlıştı ki romantik olmanın? Düşüncelere daldı Ella. Hâlbuki böyle değildi eskiden. Geçmişte kendi kocasını yeterince romantik olmadığı için eleştirecek kadar sahip çıkardı bu kelimeye. Peki ne zamandan beri hoşlanmıyordu "romantik" insanlardan? Cevabını bulamadı. Gene de aynı katı ve yargılayıcı üslupla konuşmaya tam gaz devam etti: "Hayatım, hangi asırda yaşıyorsun? Şunu kafana sok bir kere, bir kadın âşık olduğu erkekle evlenmez. Baktı bıçak kemiğe dayandı, geleceği için bir tercih yapması lâzım, o zaman tutar iyi baba ve iyi koca olacağını tahmin ettiği, sırtını yaslayabileceği adamı seçer. Anladın mı? Yoksa aşk dediğin bugün var yarın yok cici bir histen ibaret."

Ella cümlesini yeni bitirmişti ki kocasıyla göz göze geldi. David ellerini önünde kavuşturmuş, kıpırtısız ve soluksuz, sabit gözlerle bakıyordu ona. Daha evvel hiç böyle baktığını görmemişti Ella. İçi cız etti.

"Ben senin derdinin ne olduğunu biliyorum anne" dedi Jeannette aniden. "Sen benim mutluluğumu kıskanıyorsun. Gençliğimi çekemiyorsun. Benim de tıpkı senin gibi olmamı istiyorsun. Mutsuz, pasif, can sıkıntısından bunalmış bir ev hanımı!"

Ella midesinin ortasına koca bir taş gelip oturmuş gibi kalakaldı. Demek böyle görüyordu onu öz kızı? "Mutsuz, pasif, can sıkıntısından bunalmış bir ev hanımı" öyle mi? Yolun yarısını geçmiş, çökmeye yüz tutan bir evlilik içinde mahpus kalmış, sıradan bir kadın? Demek buydu imajı! Kocası da böyle mi görüyordu onu? Peki ya dostları, komşuları?

Bir anda içini bir endişe kemirmeye başladı: Etrafında kim varsa, gizliden gizliye kendisine acıdığı şüphesine kapıldı. Ve öyle canını yaktı ki bu sinsi şüphe, nefesi kesildi, suspus oldu.

David kızına döndü. "Annenden özür dile çabuk" dedi. Kaşları çatık, suratı asıktı ama ne inandırıcı, ne de doğaldı somurtkanlığı.

"Dert değil. Özür beklediğim yok" dedi Ella, donuk gözlerle. Jeannette inanmaz bir bakış fırlattı annesine. Ve bir hızla, hışımla, önündeki peçeteyi atıp sandalyeyi ittiği gibi masadan kalktı, mutfaktan fırladı. Bir dakika geçti geçmedi, Orly ve Avi de peş peşe ayaklanıp, parmaklarının ucuna basarak çıktılar. Ya beklenmedik bir biçimde ablalarına destek vermek istemiş ya da büyüklerin muhabbetsiz muhabbetlerinden sıkılmışlardı. Onların arkasından Esther Hala da ayaklandı. Son mide asidi tabletini kıtır kıtır çiğneyerek, sudan bir bahaneyle sıvıştı.

Böylece masada sadece David ve Ella kaldı. Havada bir acayip gerilim... Karı koca arasındaki boşluk neredeyse elle tutulacak kadar yoğundu. Ve ikisi de gayet iyi biliyordu ki aslında mesele ne Jeannette idi ne de diğer çocukları. Mesele ikisiydi. Ateşi çoktan tavsayan evlilikleri!

David az evvel masaya bıraktığı çatalı eline aldı, ilginç bir şey bulmuş gibi evirip çevirmeye başladı. "Yani şimdi senin bu dediklerinden sevdiğin adamla evlenmediğin sonucunu mu çıkarmalıyım?"

"Hayır hayatım, tabii ki kastettiğim bu değildi."

"Ne kastettin o zaman?" diye sordu David, hâlâ çatala doğru konuşarak. "Oysa ben evlendiğimizde bana âşık olduğunu zannediyordum."

"Âşıktım" dedi Ella ama eklemeden duramadı. "O zamanlar öyleydim."

"Peki ne zaman bıraktın beni sevmeyi?"

Ella hayret dolu gözlerle kocasına baktı. Ömrü hayatında hiç aynadaki aksini görmemiş birine ayna tuttuğunuzda nasıl şaşırıp kalırsa, o da beklemediği bir hakikatle yüzleşmişçesine donakaldı. Sahi ne zamandır sevmiyordu kocasını?

Hangi eşik, hangi dönüm noktası, hangi milad? Bir şeyler söyleyecek gibi oldu. Kelime bulamadı. Durakladı.

Aslında karı koca her ikisi de her zaman en iyi becerdikleri şeyi yapmaktaydı: "Anlamazdan gelmek." Bir boşvermişlik içinde geçip gidiyordu günler. O bildik, kaçınılmaz güzergâhında, mutada amade, alışkanlıklar üzre, donuk ve tekdüze, âdeta tembel tembel, biteviye akıyordu zaman.

Birdenbire ağlamaya başladı Ella. Tutamadı kendini. David sıkıntıyla yüzünü çevirdi. Kadınların fazlasıyla sulugöz olduklarını düşünür, bilhassa kendi karısını ağlarken görmekten nefret ederdi. Bu yüzden Ella kocasının yanındayken kolay kolay ağlamazdı. Ama işte bugün olan biten her şeyde bir anormallik vardı. Neyse ki tam o anda telefon çaldı ve ikisini de bu gerilimli anın pençesinden kurtardı.

Telefonu David açtı: "Alo... Evet, kendisi burada. Bir dakika lütfen."

Ella uzatılan ahizeyi alırken kendini toparladı, elinden geldiğince neşeli konuşmaya çalıştı: "Alo, buyurun."

"Merhaba Ella! Michelle ben. Yayınevinden arıyorum. Nasıl gidiyor?" diye cıvıldadı genç bir kadın sesi. "Verdiğimiz romanın üzerinde çalışmaya başladın mı diye merak ettim. Editörümüz bir soruver demişti de, onun için aradım. Bizim Steve çok titizdir bu konularda, haberin olsun."

"A, iyi ettin aramakla" dedi Ella ama, içinden sessiz bir of çekti.

Şu ünlü yayınevinde edebiyat editörünün asistanının asistanı olarak ona verilen ilk görev, adı sanı bilinmeyen bir yazarın romanını okumaktı. Evvela kitabı okuyacak, okuduktan sonra da hakkında ayrıntılı bir rapor yazacaktı.

"Söyle Steve'e hiç dert etmesin. Çalışmaya başladım bile" diye ayaküstü yalan söyleyiverdi Ella. Daha ilk işinde Michelle gibi hırslı ve kariyer odaklı bir kızla takışmaya niyeti yoktu.

"Hadi ya, aman çok iyi! Peki nasıl buldun romanı?"

Ella duraladı, ne diyeceğini bilemedi bir an. Elindeki metin hakkında hiçbir şey bilmiyordu ki. Tek bildiği bunun tarihi, mistik bir roman olduğuydu; bir de meşhur şair Rumi ile onun Sufi dostu Şems'i konu edindiği. Bu kadarcıktı bilgisi.

"Şey... eee... valla gayet mistik bir kitap" dedi işi şakaya vurup, vaziyeti idare etmeye çalışarak.

Ama Michelle hafiflikten ya da espriden anlayacak biri değildi. "Hımm" dedi gayet ciddi. "Bak bence bu işi iyi planlamalısın. Böyle kapsamlı bir romanın raporunu çıkartmak tahmin ettiğinden uzun sürebilir" dedi ve telefonda kayboldu.

Michelle'in sesi bir an gitti geldi, geldi gitti. Bu arada Ella telefonun öbür ucundaki genç kadının o anda neler yaptığını kafasında canlandırmaya çalıştı. Bir yandan birilerine talimat yağdırırken, bir yandan da yayınevinin yazarlarından biri hakkında New Yorker'da çıkan bir eleştiri yazısına göz gezdiriyor; satış raporlarını denetlerken yeni e-posta geldi mi diye ekranı kolluyor; ton balıklı sandviçini hızlı hızlı yerken lokmasını buzlu kahveyle yumuşatıyor olabilirdi pekâlâ. Beşaltı işi birden maharetle yapıyor olmalıydı şu esnada.

"Ella... oradasın değil mi?" diye sordu Michelle bir dakika sonra geri geldiğinde.

"Evet, burdayım hâlâ."

"Hah, kusura bakma. Burası o kadar yoğun ki kafayı sıyıracak hâle geldim. Kapatmam lâzım. Aman aklında olsun, işin teslimine üç hafta var. Bir bakalım... bugün mayısın on yedisi. Yani, en geç haziranın onuna kadar rapor elimde olmalı. Anlaştık, değil mi?"

"Merak etme" dedi Ella, sesine mümkün olduğunca azimli bir hava vermeye çalışarak. "Zamanında teslim ederim."

Ama işte, telaffuz ettiği kelimelerden ziyade, aralara serpiştirdiği suskunluklar, duraklamalardı Ella'nın esas duygularını eleveren. İşin aslı kendisine verilen romanı okumak istediğinden bile emin değildi.

Hâlbuki ilk başta gayet hevesli bir şekilde almıştı bu görevi üstüne. Hiç tanınmamış bir yazarın, henüz basılmamış romanının ilk okuru olmak heyecan verici bir oyun gibi gelmişti ona. Romanın ve yazarın kaderinde ufak da olsa bir rol oynayacaktı. Ama şimdi farklı hissediyordu. Pek emin değildi böyle bir metne vakit ayırmak istediğinden. Kendi hayatıyla ilgisi alâkası olmayan bir konusu vardı romanın: Sufizmmiş! Mistisizmmiş! Hele bir de 13. yüzyıl gibi, uzak bir zaman dilimi... Mekân desen daha da uzak: Küçük Asya... Hikâyenin geçtiği yerleri haritada bile bulamazken nasıl kafasını toparlayıp okuyacaktı onca sayfayı? Hiç bilmediği bir konuya zihnini nasıl verecekti?

Bu arada Michelle, Ella'nın tereddütlerini sezmiş olmalıydı. "Ne o? Bir sorun mu var yoksa?" diye sıkıştırdı. Karşıdan hemen bir yanıt gelmeyince de ekledi: "Ella, bana güvenebilirsin. İçine sinmeyen bir şey varsa bu aşamada bilmemde fayda var."

"İtiraf etmeliyim ki şu sıralar kafam pek yerinde değil. Tarihi bir romana aklımı veremezmişim gibi geliyor. Yanlış anlama, Rumi'nin hayatı ilgimi çekiyor elbette ama bu konulara öyle yabancıyım ki. Hani acaba diyorum, okumam için başka bir roman mı versen bana? Yani daha kolay yakınlık kurabileceğim bir şey olsa..."

"Ay bari sen yapma, bu ne kadar sakat bir yaklaşım" diye ofladı Michelle. "Ama ne yazık ki bizim meslekte yeni olan hemen herkes yapar bu hatayı. Sen zannediyor musun ki insan aşina olduğu bir konuda yazılmış bir romanı daha kolay okur? Yok öyle bir kural! Böyle editörlük mü olur? Biz şimdi 2008 yılında Amerika'da, Massachusetts'te yaşıyoruz diye, yalnız bu civarda, bu zamanda geçen romanları mı yayına hazırlayacağız yani?"

"Yok, tabii ki bunu kastetmedim" diye savunmaya geçti Ella. Geçer geçmez de bugün devamlı kendini yanlış anlaşılmış hissettiğini ve savunmak zorunda kaldığını fark etmesi bir oldu. Omzunun üstünden kaçamak bir bakış attı kocasına. Acaba o da böyle mi düşünüyordu? Ama David'in yüzündeki ifade kilitli, mühürlü bir kapı gibiydi. Öylesine sırlıydı. Çözemedi. "Valla çoğu zaman kendi yaşantımızla en ufak bağlantısı olmayan kitapları okumak zorunda kalıyoruz. Bizim meslek böyledir, ben sana söyleyeyim. Bak mesela bu hafta, Tahran'da bir genelev işletirken ülkeden kaçmak zorunda kalan İranlı bir kadının kitabını yayına hazırladım. Ne yapsaydım yani? Kadın İranlı diye, gitsin İranlı bir editöre versin bu kitabı mı deseydim?"

"Hayır, tabii ki öyle değil" dedi Ella kekeleyerek; aptal durumuna düşmüş, suçüstü yakalanmış gibi ezik hissederek.

"Hem edebiyatın gücü uzak diyarlar, farklı kültürler arasında köprüler kurmaktan gelmez mi? İnsanları birbirlerine bağlamaz mı edebiyat?"

"Elbette öyle. Söylediklerimi unut, ne olur. Rapor teslim tarihinden önce masanda olur" diye kestirip attı Ella.

Ona alık bir mahlûk muamelesi yaptığı için Michelle'den nefret etti o an, ama asıl kendinden nefret etti; çünkü bu genç kadına böyle ukalaca konuşma cesaretini ve fırsatını o vermişti!

"Hah şöyle! Oh be! Aynen böyle azimle devam et" dedi Michelle. "Yanlış anlama ama bence ortada unutmaman gereken bir gerçek var. Şu anda senin yerinde olmayı, bu işi almayı isteyen en az yirmi kişi var yedek listemde. Çoğu da senin yarı yaşında. Aklının bir kenarında dursun. Bak nasıl çalışma şevki gelecek."

Ella nihayet telefonu kapattığında kocasıyla göz göze geldi. Vakur bir hâli vardı David'in. Kaldıkları yerden konuşmaya devam etmeyi beklediği belliydi. Oysa artık oturup büyük kızlarının istikbaline hayıflanmak gelmiyordu Ella'nın içinden –tabii eğer tâ başından beri karı koca hayıflandıkları esas mesele buysa...

* * *

Birkaç dakika sonra tek başına verandada, sallanan iskemlesine yerleşmişti Ella. Kızılla turunç arası bir günbatımı hızla yaklaşıyordu Northampton semalarına. Öyle yakındı ki gökyüzü, elini uzatsa dokunacaktı âdeta. Bunca patırtı, bunca nümayişten bunalmış olacaktı ki beyninin içinde çıt çıkmaz olmuştu şimdi. Ne kredi kartlarının ödemeleri, ne Orly'nin yeme bozuklukları ve saplantılı rejimleri, ne Avi'nin kötü giden dersleri, ne Esther Hala ve o zavallı mozaik kekleri, ne Gölge'nin elden ayaktan düşmesi, ne Jeannette'in beklenmedik evlilik planları, ne de kocasının kendisini senelerdir aldatıyor olması... Normalde kafasını meşgul eden tüm sorunları tek tek ensesinden yakaladı, küçümen kutulara sokup üstlerine de birer kilit vurdu.

İşte bu hâlet-i ruhiyeyle Ella, RBT Yayınevi tarafından kendisine verilen metni eline aldı, şöyle bir tarttı. Kağıtlar özenle zımbalanmış, saydam bir dosyaya konulmuştu. Romanın adı ilk sayfaya çivit renkli mürekkeple yazılmıştı:

AŞK ŞERİATI

Yazar hakkında kimsenin bir şey bilmediği söylenmişti Ella'ya. Hollanda'da yaşayan esrarengiz bir adammış. Adı A. Z. Zahara. Herhangi bir telif hakları ajansı tarafından temsil edilmiyormuş. El yazısıyla yazdığı üç yüz sayfalık romanı, Amsterdam'dan postalamış. Yanına bir de kartpostal iliştirmiş.

Kartpostalın ön yüzünde göz kamaştıran güzellikte pembeli, sarılı, morlu lale tarlaları, arkasında da yine zarif bir el yazısıyla yazılmış bir not varmış:

Sayın Editör,
Size bu satırları Amsterdam'dan yolluyorum. İlişikteki hikâyem ise, Anadolu'da geçmekte, 13. yüzyıl Konya'sında. Ama samimi düşüncem şudur ki, işbu hikâye zamandan, mekân-

*dan ve kültür farklılıklarından münezzehtir. Evrenseldir.
Umuyorum ki, İslam âleminin şair-i azamı, en meşhur mu-
tasavvıfı Rumi ile türlü fevkaladeliklerin müsebbibi, fevrî
Kalenderî derviş Şems-i Tebrizî arasındaki emsalsiz dostluğu
konu edinen bu tarihi, mistik romanı okumaya fırsat bulur-
sunuz. Bu temenniyle AŞK ŞERİATI'nı yayınevinize yolluyo-
rum.
Meramınız aşk, aşkınız baki olsun,*

Saygılarımla,
A. Z. Zahara

Ella bu ilginç kartpostalın, yayınevi editörünün merakını
celbettiğini tahmin etti. Ama Steve meşgul adamdı. Oturup
amatör yazarların romanlarına ayıracak vakti yoktu. Bu ne-
denle gelen paketi asistanı Michelle'e vermiş olmalıydı. Oysa
hırsküpü Michelle'in vakti daha da kıymetli ve kısıtlıydı. O
da saman altından su yürüterek romanı yeni asistanına ilet-
mişti. Böylece *Aşk Şeriatı* elden ele geçerek en nihayetinde
Ella'nın üzerine kalmıştı. Kitabı okuyup, hakkında kapsam-
lı bir rapor yazmak artık onun göreviydi.

Nereden bilebilirdi ki Ella, bunun öylesine bir roman ol-
madığını? Nereden bilebilirdi bu kitabın tüm hayatının akı-
şını değiştireceğini? *Aşk Şeriatı*'nı okurken kendi hayatının
da satır satır sil baştan yazılacağını.

İlk sayfayı açtı. Burada yazara dair bazı bilgilerle karşı-
laştı.

*A. Z. Zahara, dünyayı gezmediği zamanlar kitapları, dost-
ları, kedileri, kaplumbağaları ile birlikte Amsterdam'da ya-
şamakta. Aşk Şeriatı onun ilk ve muhtemelen son romanı. Ro-
mancı olmak gibi bir heves taşımayan yazar, bu kitabı sadece
Rumi'ye ve onun sevgili güneşi Şems-i Tebrizî'ye olan hürme-
tinden ve sevgisinden kaleme aldı.*

Ella'nın gözleri bir sonraki satıra kaydı. Ve işte o zaman tanıdık bir cümle buldu sayfada.

Zira her ne kadar bazıları aksini iddia etse de, aşk dediğin bugün var yarın yok cici bir histen ibaret değildir.

Hayretten ağzı açık kaldı Ella'nın. İyi de, bu *onun* cümlesiydi. Daha birkaç dakika evvel mutfakta kızına söylediği cümlenin tıpatıp aynısı hem de!

Bir an saçma bir şüpheye kapıldı. Kâinatın bir köşesinden gizemli bir göz tarafından gözetleniyordu sanki. İçi ürperdi.

Yirmi birinci yüzyıl, on üçüncü yüzyıldan o kadar da farklı değil aslında. Her iki yüzyılın da kaydı şöyle düşülecek tarih kitaplarına: Eşi menendi görülmemiş dini ihtilaflar, kültürel çatışmalar, önyargılar ve yanlış anlamalar; her yere sirayet eden güvensizlik, belirsizlik, endişe ve şiddet; bir de öteki'nden duyulan şartlanmış tedirginlik. Karışık zamanlar. Böylesi zamanlarda, aşk lâtif bir kelime değil, başlıbaşına bir pusuladır.

Kimsenin aşkın inceliklerine vakit bulamadığı bir dünyada "aşk şeriatı" daha büyük önem kazanmakta.

Soğuk bir yel esti Ella'ya doğru, verandadaki kuru yapraklar havalandı, uçuştu etrafta. Batı ufkuna doğru kapandı güneş. Neşesi, sıcağı çekildi göğün.

Çünkü aşk, hayatın asıl özü, esas gayesidir. Mevlâna'nın bizlere hatırlattığı üzere, gün gelir, herkesi, ondan köşe bucak kaçanları bile, hatta "romantik" kelimesini bir suçlama gibi kullananları dahi kıskıvrak yakalar aşk.

Gözleri sayfaya mıhlanmış, alt dudağı hafifçe sarkmış vaziyette, eğilmiş öylece kalakaldı Ella. Düpedüz kendisiydi burada bahsedilen! Eğer okuduğu sayfada, "Herkesi yakalar aşk, Boston yakınlarında yaşayan, Ella Rubinstein adındaki üç çocuk annesi bir ev kadınını bile" yazsa, ancak bu kadar şaşırabilirdi. İçinden bir ses, dosyayı bir kenara kaldırmasını, derhal içeri gidip Michelle'e telefon açarak bu tuhaf kitabı okuyamayacağını söylemesini fısıldadı.

Ne ki kısa bir tereddütten sonra, derin bir iç çekip sayfayı çevirdi ve işte böylece ılık bir mayıs akşamı ismini bile duymadığı bir yazarın, hiç bilmediği bir dünyayı anlattığı romanını okumaya başladı.

AŞK ŞERİATI

A. Z. ZAHARA

... Biz dile söze bakmayız. Gönle hâle bakarız,
... Edep bilenler başkadır,
Canı ruhu yanmış âşıklar başka.
Aşk şeriatı bütün dinlerden ayrıdır.
Âşıkların şeriatı da Allah'tır, mezhebi de.

Mevlâna Celaleddin Rumi
Mesnevi, cilt II, sayfa 133

Bundan uzun zaman önceydi. Bir roman düştü gönlüme. Aşk Şeriatı. Yazmaya cesaret edemedim. Dilim lal oldu, kalemimin ucu kör. Kırk fırın ekmek yemeye yolladım kendimi. Dünyayı dolaştım. İnsanlar tanıdım, hikâyeler topladım. Üzerinden çok bahar geçti. Fırınlarda ekmek kalmadı; ben hâlâ ham, hâlâ aşkta bir çocuk gibi toy...

"Hamuş" derdi Mevlâna kendine. Yani Suskun. Düşündün mü hiç, bir şairin, hem de nâmı dünyayı sarmış bir şairin, yani işi gücü, varlığı, kimliği ve hatta soluduğu hava bile kelimelerden müteşekkil olan ve elli binden fazla muhteşem dizeye imza atmış bir insanın, nasıl olup da kendine SUSKUN adını verdiğini..?

Kâinatın da tıpkı bizimki gibi nazenin bir kalbi ve düzenli bir kalp atışı var. Seneler var ki nereye gidersem gideyim o sesi dinledim. Her bir insanı Yaradan'ın emaneti saklı bir cevher addedip, anlattıklarına kulak verdim. Dinlemeyi sevdim. Cümleleri, kelimeleri ve harfleri... Oysa bana bu kitabı yazdıran şey som sessizlik oldu.

Mesnevi'yi şerhedenlerin çoğu bu ölümsüz eserin "b" harfiyle başladığına dikkat çeker. İlk kelimesi "Bişnev!"dir. Yani "Dinle!" Tesadüf mü dersin ismi "Suskun" olan bir şairin en kıymetli yapıtına "Dinle!" diye başlaması. Sahi, sessizlik dinlenebilir mi?

Bu romanda her bölüm aynı sessiz harfle başlar. "Neden?"

diye sorma, ne olur. Cevabını sen bul. Ve kendine sakla.

Çünkü öyle hakikatler var ki bu yollarda, anlatırken bile sır kalmalı.

A. Z. Zahara
Amsterdam, 2007

Önsöz

Bitmek bilmez iktidar mücadeleleri, dini çatışmalar, mezhep kavgaları, siyasi çalkantılar... 13. yüzyılda Anadolu bunların hepsine yakından şahit idi. Batı'da, Kudüs yolundaki Haçlılar Konstantinopolis'i işgal edip yağmalamışlar; böylelikle Bizans İmparatorluğu'nun bölünmesine yol açmışlardı. Doğu'da, Cengiz Han'ın askeri dehası, yüksek disiplinli Moğol Ordularının nüfuzunun hızla yayılmasını sağlamıştı. Bizans kaybettiği toprakları, refahı ve iktidarı geri kazanmaya uğraşadursun, arada kalan çeşitli Türk Beylikleri de kendi aralarında savaşmaktaydı. Emsali görülmemiş kargaşa ve kavgalar hüküm salmıştı bu yüzyıla. Hıristiyanlar Hıristiyanlarla, Hıristiyanlar Müslümanlarla, Müslümanlar da Müslümanlarla çatışmaktaydı. Ne yana gitseniz husumet ve hamaset, ne yöne dönseniz ıstırap ve hırs, kime rastlasanız gelecek günlerin daha ne yıkımlar getireceğine dair tedirgin, gergin bir bekleyiş...

Tüm bu vaveylanın ortasında, cümle şehirlerden Konya'da, bir İslam âlimi yaşardı. Pek çoklarının Mevlâna, yani "Efendimiz" diye seslendiği bu mümtaz şahsın dört bir yandan gelmiş binlerce müridi, hayranı vardı. Tüm Müslümanlara ışık tutan bir fener addedilirdi. Nâm-ı diğer Celaleddin Rumi.

1244 senesinde Rumi, Tebrizli Şems ile tanıştı. Seyyah bir

Kalenderiye dervişiydi Şems; dilinin kemiği yoktu. Yollarının kesişmesiyle başlayan süreç her ikisinin de yaşamlarını kökünden değiştirdi. Öylesine sağlam, müstesna bir gönül birliğinin başlangıcıydı. Aralarındaki bağı daha sonraki yüzyıllarda yaşayan mutasavvıflar iki ummanın kavuşmasına benzettiler. Bu benzersiz yarenlik sayesindedir ki Rumi, önceleri hâkim çizgiye yakın duran bir din âlimiyken, alışageldik tüm kurallardan çıkmaya cüret ederek adanmış bir gönül ehli, aşkın ateşli savunucusu, semanın yaratıcısı ve tutkulu bir şair oldu. "İslam âleminin Shakespeare'i" diye anılmasına yol açacak muazzam eserler bıraktı geride. Derinlere kök salmış taassupların, önyargıların çağında evrensel, kapsayıcı ve barışçıl bir maneviyatı savundu; kapısını istisnasız her insana ardına kadar açık tuttu. Tıpkı o zamanlar olduğu gibi, bugün de nicelerinin "kâfirlere karşı savaşmak" olarak tanımladığı zahiri bir cihaddansa, insanın kendi içine yönelerek olgunlaşmasını hedefleyen bâtınî bir cihat üzerinde durdu. Kişinin kendi egosuna karşı sonuna kadar mücadele ederek adım adım nefsini yenmesini salık verdi.

Mamafih herkes kabullenemedi bu fikirleri; tıpkı yüreklerindeki aşk tufanına herkesin açık olmadığı gibi. Tebrizli Şems ve Rumi arasındaki o kuvvetli ruhani münasebet, dedikodulara, iftiralara, saldırılara maruz kaldı. Söylediklerinin küfre vardığını iddia edenler oldu. Yanlış anlaşıldılar. Tartışıldılar. Kıskanıldılar. En sonunda belki de en yakınları tarafından ihanete uğradılar. Tanışmalarından üç sene sonra trajik bir şekilde birbirlerinden kopartıldılar.

Ama hikâyeleri burada bitmedi.

İşin aslı, hiç sona ermedi bu hikâye, devam etti. Neredeyse sekiz yüzyıl sonra bile, Şems'in ve Mevlâna Celaleddin Rumi'nin ruhları bugün hâlâ diri ve hercai, sema etmekteler aramızda...

Katil
İskenderiye, Kasım 1252

Bugün artık yaşamıyor. Çoktandır ölü. Ama nereye gidersem gideyim, gözleri benimle; semada asılı iki meşum, kapkara yıldız taşı gibi parlak, beni takip etmekte. Konya'dan uzaklaşırsam, yeterince uzağa kaçarsam, zihnimi burgu gibi delen bu hatıradan kurtulurum diye ummuştum. Beynimin içinde yankılanıyor hâlâ feryadı. Yüzünden kan çekilmezden, gözleri yuvalarından fırlamazdan, ağzı yarım bir dem çekip kapanmazdan evvel çıkardığı o ses, tuzağa düşmüş bir kurdun uluması gibi, hançerlenmiş bir insanın elvedası.

Birini öldürdüğün zaman, muhakkak ki ondan bir şeyler bulaşır sana: Bir resim, bir koku, bir nefes... Bir ah, bir lanet, bir ses... "Maktulün bedduası" derim ben buna. Bedenine yapışır kalır. Başlar oymaya, tenini delip geçercesine. Tâ ki yüreğinin derinliklerine sızana değin. Orada tutunur, yeniden sende yaşam bulur. Rüyalarına girer, uykularını delik deşik böler. Gündüzleri bir şekilde idare edersin ama gece olup yalnız kaldığında, döşeğinde soğuk soğuk terlersin. Her maktul katilinde yaşamaya devam eder. Kabil Habil'i öldürdükten kelli, hiçbir katil kurtulamamıştır kurbanının emanetini yüklenmekten.

Sokakta rastladığım insanlar bunu asla tahmin edemeseler de, bugüne değin canını aldığım her kişiden bir nişan taşıyorum üzerimde. Görünmez kolyeler misali asılı dururlar boynumda, sıkı sıkıya, olanca ağırlıklarıyla. Kolay değildir bu yükle yaşamak. Nefes bile alamazsın bazen. Böyledir bu.

Adam öldürmenin kahrı başka şeye benzemez. Çekilir azap değildir ama alıştım sayarım. Varlığımın bir parçası kabullendim bu durumu. Kaçırmıyor huzurumu. Ya da öyle zannederdim bir zamanlar. Peki ama bu son cinayet nasıl oldu da bu kadar sarstı, silkeledi beni? Tâ başından beri her şey farklıydı bu defa. Mesela işi nasıl bulduğum... ya da, işin beni nasıl bulduğu mu demeli? Sene 1247, güz mevsiminin sonlarıydı. Konya'da kerhane işleten, gazabı ile nâm salmış bir hünsanın fedailiğini yapmaktaydım. Görevim fahişeleri hizaya dizmek, hadlerini bilmeyen müşterilerin akıllarını başlarına getirmek, kabakuvvet kullanarak onun bunun gözünü korkutmaktı.

O günü daha dün gibi hatırlıyorum. Bir kaçağın peşindeydim, kerhaneden kaçmış bir orospunun. Durup dururken bu yollara tövbe edip kendini dine adamaya kalkmıştı haspa. Ona ne oluyorsa! Güzel kızdı, yazık. İçimi sızlatıyordu az biraz. Zira onu bulduğumda yüzünü öyle fena dağıtacaktım ki, bir daha hiçbir erkek bakmak istemeyecekti ondan yana. Lakabı "Çöl Gülü" olan o şapşal kızcağızı yakalamama ramak kala, esrarengiz bir mektup aldım; dikkatimi başka yöne çekerek aklımı meşgul eden beklenmedik bir mektup.

Altında bir imza: "İmanın Bekçileri..."

"Bizler senin kim olduğunu gayet iyi biliyoruz" diyordu mektup. *"Eskiden Haşhaşi fedaisiydin. Hasan Sabbah'ın ölümünden ve tarikatın önde gelenlerinin tutuklanıp zindanlara atılmasından sonra bir daha toparlanamadınız, eskisi gibi olamadınız. Yakalanmamak için Konya'ya kaçtın. Burada saklandın, sırlandın. Kendine başka bir meşgale, bambaşka bir isim buldun. Şimdi tam sana göre bir işimiz var."*

Mektupta, son derece mühim bir konuda hizmetime ihtiyaç duyulduğu yazıyordu. Mükâfatın tatminkâr olacağına dair teminat veriliyordu. Şayet teklif ilgimi çekiyorsa akşam ezanı okunduktan sonra meşhur bir meyhaneye gidecektim. Buluşma yerimiz orasıydı. Pencereye en yakın masaya, sırtımı kapıya verecek şekilde oturacak; başımı önüme eğip, gözlerimi kaldırmadan toprak zemine bakacaktım. Çok geçmeden, beni kiralayacak kişi veya kişiler masama gelecekti. Lâzım olan her malumatı bu adamlar vereceklerdi. Ne geldiklerinde, ne giderlerken, yahut ne de sohbetimiz esnasında başımı kaldırıp yüzlerine bakmama müsaade vardı.

Tuhaf bir mektuptu ya, umursamadım. Müşterilerin türlü huyunu çekmeye alışıktım nicedir. Bunca sene, gel zaman git zaman, her çeşit adam tarafından kiralanmıştım. Hemen hepsi de isimlerinin gizli kalmasını istemişti. Tecrübeyle sabitti: Müşteri kimliğini saklamak konusunda ne kadar ısrarcı davranırsa, ekseriyetle maktule o kadar yakın demekti. Biliyordum bu şaşmaz kuralı. Ama beni alâkadar etmezdi. Benim işim belliydi: Öldürmek. Üzümü yer, bağını sormazdım. Alamut Kalesi'nden çıkalı beri kendime seçtiğim hayat bu minvaldeydi.

Zaten nadiren soru soran biriydim. Ne diye soracaktım ki? Benim bildiğim, bu dünyada hemen herkesin defterini dürmek istediği en az bir kişi vardı. Tutup da cinayet işlememeleri, asla bir cana kast edemeyecekleri anlamına gelmiyordu. Amel defterlerine bu zehir zıkkım günahı yazdırmamış olabilirlerdi, kabul. Ama bu demek değildi ki, gönüllerinden dahi geçirmiyorlardı böyle bir heva ve hevesi.

İşin aslı, istisnasız herkes, bir an gelir, birini öldürebilir. Ama bunu bilmez çoğu kimse. Kabullenmek istemez. Tâ ki beklenmedik bir hadiseyle gözleri dönene kadar. Ellerini asla kana bulamayacaklarından, kimsenin canını almayacaklarından ne kadar da emindirler. Oysa bir rastlantıya bakar her şey. Bazen sırf birinin kaşı gözü oynadı diye atar bir başkasının tepesinin tası. Pireyi deve yapar, buluttan nem kapar, yok yere kavgaya tutuşurlar. Doğrusu, yanlış zamanda yanlış mekânda olmak bile yeter, altın gibi kalbi olan, temiz, namuslu, nezih insanların içindeki cenabetin birdenbire ortaya çıkmasına. Herkes adam öldürebilir. Ama şu hayatta çok az kimse hiç tanımadığı birini soğukkanlılıkla öldürebilir. İşte orada devreye ben girerim. Vazifeyi ben ifa ederim. Başkalarının kirli işlerini yaparım. Benim gibilerine de lüzum var şu hayatta. Allahüteala bile mukaddes nizamını kurarken, can alma işinde Azrail'i kendine naip tayin etmemiş mi? Böylece insanlar her ne felaket gelirse başlarına Azrail'den bilmişler. Ecel meleğini lanetlemiş, ondan çekinmişler. Bu sayede O'nun ismine zeval gelmemiş. Diyebilirsiniz ki adil midir, reva mıdır Azrail'e? Ama zaten bu dünya pek de öyle adaletli bir yer sayılmaz, öyle değil mi?

Her neyse, karanlık çökünce mektupta bahsi geçen meyhaneye gittim. Ama içeri girdiğimde pencere kenarındaki masayı dolu buldum. Yüzünde kırbaç yarası olan bir adam sızmış kalmıştı masada. Herifi uyandırıp yaylanmasını söyleyecektim ama son anda vazgeçtim. Ayyaşların ne zaman ne yapacağı belli olmazdı. Dikkatleri üstüme çekmenin mânâsı yoktu. Bu sebepten, en yakındaki boş masaya oturup pencereye döndüm. Beklemeye koyuldum.

Çok geçmedi, iki adam geldi. Her iki yanıma oturdular, kaldım ortalarında. Yüzlerini göremeyeyim diye sıkı sıkı sarınmışlardı. Gerçi ikisinin de ne kadar genç, şaşkın ve gafil; kalkıştıkları işe nasıl da hazırlıksız olduklarını anlamak için yüzlerini görmeme gerek yoktu ki!

"Methinizi çok işittik" dedi içlerinden bir tanesi, sesinde temkinden ziyade hissedilir bir endişeyle. "Dediler ki bu hususlarda üstünüze yokmuş."

Delikanlının laflarını gülünç bulmuştum ama tebessümümü bastırdım. Benden korktuklarını fark etmiştim ki, bu iyi bir şeydi. Yeterince korkarlarsa yamuk yapmaya cesaret edemezlerdi. O yüzden şöyle dedim:

"Doğru duymuşsunuz. Bu işlerde üstüme yoktur. O yüzden bana Çakal Kafa derler. Vazife ne kadar zor olursa olsun müşterilerimi yüzüstü bırakmam."

"Bu çok iyi işte" dedi genç adam, gergin mi gergin. "Zira bizim senden beklediğimiz iş de pek kolay olmayabilir."

İşte o zaman diğer delikanlı lafa girdi. "Biri var. Baş belası bir herif. Bir sürü düşman edindi kendine. Bu şehre geldi geleli kahırdan başka bir şey getirmedi. Bir hayrını görmedik. Nice kez ihtar ettik ama bir kulağından girdi, diğerinden çıktı. Hatta aklını başına toplamak bir kenara, daha da azdı, azıttı. Bize başka çare bırakmadı."

Ses etmedim. Her zaman böyledir zaten. Müşteriler benimle el sıkışmazdan evvel, nedense tutup izahata girişirler. Öldürtmek istedikleri insanın ne kadar berbat, nasıl da soysuz biri olduğunu anlatırlar. Sanki ben onlara hak verirsem işleyeceğimiz cürüm hafifleyecek.

"Anladım. Peki kimdir bu kişi?"

Ben böyle sorunca tedirgin oldular. Muğlak tariflere giriştiler.

"Dinle imanla alâkası olmayan bir kâfir! İşi saygısızlığa, küfre vardıran bir serkeş. Başıbozuk bir derviş."

Son kelimeyi duyar duymaz tüylerim diken diken oldu. Aklımdan türlü düşünceler, endişeler geçti, asabım bozuldu. O güne kadar her türlü insan öldürmüştüm; genci, yaşlısı, erkeği, kadını, sağlıklısı, sakatı... Ama bir derviş, yani kendini dine imana vakfetmiş biri yoktu aralarında. Benim de kendime göre inançlarım vardı, Allah'ın gazabını üstüme çekmek istemiyordum doğrusu. Zira her şeye rağmen korkardım Allah'tan.

"Maalesef beyler, teklifinizi kabul etmiyorum. Bir dervişin canını almaya niyetim yok. Başkasını bulun kendinize."

Kalkıp gidecek oldum. Ama delikanlılardan biri yalvar yakar koluma asıldı.

"Ne olur kestirip atmayın. Emeğinizin karşılığını alacaksınız elbet. Ücretiniz neyse iki mislini ödemeye hazırız."

"Peki ya üç mislini istersem?" diye sordum ani bir kararla. O kadar yüksek bir ücreti ödeyemeyeceklerinden öylesine emindim ki.

Ama hiç beklemediğim bir şey oldu. Anlık bir duraklamadan sonra, her ikisi de teklifimi kabul ettiklerini söyledi. Tekrar yerime oturdum. Coşmuştum. İyi paraydı doğrusu. Bu cinayeti işlersem uzun seneler rahat edecektim. Başlık parası için tasalanmama gerek kalmayacaktı. Hemen evlenebilecek ve bundan kelli nasıl iki yakamı bir araya getireceğimi düşünmeyecektim. Derviş ya da başkası, bu şartlar altında herkesin canını alabilirdim.

Nereden bilebilirdim o an ömrü hayatımın en büyük hatasını yaptığımı ve sonra pişmanlıktan kahrolacağımı? Bu dervişi öldürmenin ne kadar zor olacağını, öldükten sonra bile hançer gibi bakışlarını sinemde taşıyacağımı nereden bilecektim?

Avluda Şems'i öldürüp kuyuya atalı beş sene geçti. Hâlâ duymadım etinin suya düştüğünde çıkardığı sesi. Çıt bile çıkmadı kuyudan. Sanki suya düşeceğine, arşa yükseldi dervişin bedeni. O öldü öleli kâbussuz bir gecem geçmedi. Ve hâlâ ne vakit bir su birikintisine bakmaya kalksam, soğuk bir dehşet bürüyor tüm vücudumu; ellerim titremeye başlıyor ve midem bulanıyor.

Ne zaman o geceyi hatırlasam iki büklüm olup kusuyorum. Sanki içimde biriken ne varsa çıkarmak istiyorum. Çıkarmak ve kurtulmak... Bir deri bir kemik kaldı kollarım, bacaklarım.

Ne tuhaf! O öldü ama hâlâ yaşıyor. Bense her gün yeniden ölmekteyim.

Bölüm Bir

TOPRAK

*Hayattaki derin, sakin,
katı şeyler...*

Şems
Semerkand yakınlarında bir kervansaray, Mart 1242

Bu akşam yemekte, gene öteki âleminin içine çekildim. Bu kez gördüklerim öyle canlı, öyle gerçek, öyle berraktı ki...

Avlusu tomurcuklanmış sapsarı güllerle bezeli büyükçe bir ev. Avlunun ortasında dünyanın en serin suyuna gebe bir kuyu... Güz sonu, gökte dolunay, sırlı bir gece... Karanlıktan dem alan birkaç hayvan geziyordu ortalıkta; baykuş, yarasa, kurt, kimi ötmekte, kimi ulumada... Bir süre sonra geniş omuzlu, nazik bakışlı, ela gözleri derinlerde, orta yaşlı bir adam çıktı evden. Yüzünde koyu bir gölge, gözlerinde emsalsiz bir keder...
"Şems, Şems, neredesin?" diye seslendi sağa sola.
Deli bir rüzgâr esti, ay bulutlarla tüllendi, sanki tabiat bile çekinmekteydi olacaklara şahitlik etmekten. Baykuşlar ötmez, yarasalar kanat çırpmaz, ocağın ateşi çatırdamaz oldu. Tüm dünyaya mutlak sessizlik, durgunluk çöktü.
Adam ağır ağır yaklaştı kuyuya, eğildi baktı tâ dibine. "Şems, cancağızım" dedi fısıltıyla. "Orada mısın yoksa?"
Yanıt vermek için ağzımı açtım ama dudaklarımdan tek bir ses çıkamadı.
Adam daha da eğildi ve dikkatli gözlerle taradı kuyunun dibini. İlk başta karanlık sulardan başka bir şey göremedi. Sonra birden aşağıda, bir fırtına sonrasında ummanla sallanan, sallandıkça ummanı dalgalandıran bir sal misali avare avare

suyun yüzeyinde gezinen elimi seçti. Ardından, yukarı bakan bir çift gözü fark etti. Kalın kara bulutların ardından peyda olan dolunaya bakıyordu gözler, gözlerim, tâ kuyunun dibinden. Aya bakıyordum atıldığım yerden, katlimin hesabını semaya sorarcasına.

Adam dizlerinin üstüne düştü, göğsünü döve döve başladı feryada: "Öldürdüler! Şems'i katlettiler!"

İşte o an, bir çalılığın dibinden sürünerek geldi bir gölge, vahşi bir kedi gibi zerafetle ve sinsice, süratle bahçe duvarını aştı. Avludaki adam katili fark etmedi. Çektiği ıstırabın altında ezildikçe haykırıyor; haykırdıkça sır tutmamış bir ayna misali çatlıyor, kırılıyordu inceden. Feryadı keskin cam kırıkları gibi dört bir yana dağılıp delik deşik ediyordu geceyi.

"Destur! Delirdin mi be adam? Ne demeye deli dana gibi bağırırsın?"

"..."

"Kime diyorum ulan? Kes şu gürültüyü! Yoksa seni dışarı atarım!"

"..."

"Yahu duymuyor musun sen beni? Kes dedim, kes!"

Kulağımın dibinde çınlayan davudî sesi duymazdan geldim, sırf bir parça daha kalabilmek için öteki âlemde. Nasıl öldüğümü merak ediyordum. Ayrıca gözleri safi hüzün olan şu adamı da bir daha görmek istiyordum. Kimdi acaba? Benimle ne alâkası vardı, bir güz gecesi ne demeye çarnaçar beni arardı?

Ama öteki âlemin kapısından geçmeye fırsat kalmadı, birisi kolumu yakaladı, tutup öyle bir hiddetle sarstı ki beni, dişlerim dökülecek sandım. Böylece zorla bu dünyaya çekilmiş oldum.

Ağır ağır, istemeye istemeye açtım gözlerimi. Davudî sesin sahibini yanı başımda dikilirken buldum. Uzun boylu, şişmanca bir adamdı; ak düşmüş sakalları, ucu mumlanmış pala bıyıkları vardı. Tanıdım onu: Hancıydı bu. Aynı anda iki şeyin birden farkına vardım: Bağırıp çağırmağa, zorbalığa, gözdağı vermeye alışkın bir adamdı. Ve şu anda hiddetten gözü dönmüştü. "Ne var, ne oldu?" diye sordum. "Neden çekiştiriyorsun kolumu?"

"Ne mi oldu?" diye gürledi hancı, alaycı. "Sana sormalı ne oldu? Şu çığlık atmayı kessen diyordum. Müşterilerimi ürkütüp kaçıracaksın be adam."

Hancının mengene gibi ellerinden kurtulmaya çalışırken, "Sahi mi? Çığlık mı atıyordum?" diye sordum kısık sesle.

"Hem de nasıl! Pençesine diken batmış bir boz ayı gibi bağırıyordun az evvel, tavanı başımıza indireceksin sandım. Ne oldu sana durup dururken? Yemek yerken uyuyakaldın, kâbus falan gördün zaar."

Hancının aklına yatacak tek açıklamanın bu olduğunu biliyordum. Sırf beni rahat bıraksın diye suyuna gidip, dediklerini tasdik edebilirdim ama yalan söylemeye dilim varmadı.

"Hayır öyle bir şey olmadı. Ne uyuyakaldım ne de kâbus gördüm" dedim. "Ben zaten hiç rüya görmem."

"Ya ne demeye çığlık çığlığaydın o zaman?" diye üsteledi hancı.

"Çünkü öteki âleme uzandım da geldim. Ben böyle ara sıra öte âleme keşfe çıkarım. Rüya başka keşif başka."

Ağzı açık bir hâlde bana baktı hancı, sinirli sinirli bıyıklarının ucunu emdi. Sonunda şöyle dedi:

"Siz dervişler yok musunuz, hepiniz keçileri kaçırmışsınız. Hele senin gibi gezgin abdal olanlar! Bütün gün oruç tutup dua ede ede dolaşınca güneş başınıza geçiyor. Kafayı üşütüp serap görüyorsunuz herhâlde."

Güldüm. Hakkı vardı. Zaten Allah'ta kendini kaybetmekle aklını kaybetmek arasında incecik bir çizgi vardır demezler mi?

İki uşak belirdi o an, tepeleme dolu heyula gibi bir tepsiyi aralarında taşıyarak. Üstünde taze kızarmış keçi etleri, tuzlama balıklar, baharata yatırılmış koyun pirzolalar, kuyruk yağında pişmiş çörekler, mercimek ve işkembe çorbaları... Uşaklar müşterilere yemeklerini dağıttıkça içerisi soğan, sarımsak ve envai çeşit baharatın rayihalarıyla doldu taştı. Benim bulunduğum masanın ucuna geldiklerinde, bir kâse çorba ile bir dilim kara ekmek aldım.

Hancı şöyle bir süzdü önümdekileri. "Bana bak bunları ödeyecek paran var mı?" diye sordu tepeden bakarak.

"Yok" dedim. "Ama dilersen yemek ve kalacak yer karşılığında bir rüyanı tabir edebilirim."

"Az evvel hiç rüya görmem diyordun hani?"

"Doğrudur. Hiç rüya görmeyen bir rüya tabircisiyim ben."

"Dedim ya, topunuz keçileri kaçırmışsınız" dedi hancı suratını ekşiterek. "Seni kapı dışarı etsem yeridir. Bak, şu laflarımı küpe et kulağına. O taktığın mücerret derviş küpesi var ya, onun yanına asıver! Kaç yaşındasın bilmem ama belli ki her iki dünyaya yetecek kadar dua etmişsin. Bırak artık bu işleri. Git güzel bir kadın bul, evlen barklan. Çoluğun çocuğun olsun. O zaman kök salarsın, ayakların yere basar. Her yerde aynı sefalet varken âlemi gezmenin mânâsı ne? Benden sana nasihat! Yeni bir şeyler bulacağını mı sanıyorsun? Bak dünyanın dört bir yanından yolcular gelir bu handa kalmaya. Birkaç kadehten sonra hepsi aynı hikâyeleri anlatır durur. İnsan, her yerde aynı insan. Aş aynı, su aynı, bok aynı bok!"

"Ama ben farklı bir şey aramıyorum ki. Hakk'ı arıyorum sadece" dedim. "Benim seferim, Rabb'i bulma seferidir."

"O hâlde O'nu yanlış yerde ararsın" diye çıkıştı hancı, sesi birden hoyratlaştı. "Rabb'in gitti! Ne zaman döneceğini sorma çünkü bilmiyorum."

Bu sözleri duyunca ince bir sızı hissettim kalbimde. "Allah'ı kötüleyen, kendini kötüler aslında" dedim. "Bilse de bilmese de böyledir bu."

Hancının dudakları çarpık bir tebessümle kıvrıldı. Yüzünde infial ve çocukça bir gücenmişlik okunuyordu.

Sual ettim: *"Biz size şah damarınızdan daha yakınız* demiyor mu? Allah gökte fersah fersah ötelerde bir tahtta oturmuyor ki. Her an her yerde ve hepimizin içinde. O yüzden asla terk etmez bizleri. Kendi kendisini nasıl terk edebilir ki?"

Hancı bastıra bastıra, "Ama olmaz sandığın şey oldu bile. Bizi terk etti" dedi buz gibi bakışlarla. "Hem inan böylesi daha iyi. Şayet Allah buradaysa ve başımıza türlü felaket gelirken parmağını dahi kımıldatmıyorsa, bu nice Rab'dır söylesene?"

"Kırk kuraldan ilkidir hâlbuki" dedim usulca. **"Birinci Kural: Yaradanı hangi kelimelerle tanımladığımız, kendimizi nasıl gördüğümüze ayna tutar. Şayet Tanrı dendi mi öncelikle korkulacak, utanılacak bir varlık geliyorsa aklına, demek ki sen de korku ve utanç içindesin çoğunlukla. Yok eğer, Tanrı dendi mi evvela aşk, merhamet ve şefkat anlıyorsan, sende de bu vasıflardan bolca mevcut demektir."**

"Hadi canım" dedi hancı. "Tanrı bizim muhayyilemizin ürünü demekten ne farkı var bunun? Bana öyle geliyor ki sen..."

Ancak tam o anda arka sıralarda bir kıyamet kopunca lafı yarım kaldı. Dönüp tantananın geldiği istikamete baktığımızda, sarhoş naralar atan iki irikıyım adam gördük. İkili, gem vurmadıkları bir hayâsızlıkla diğer müşterilere dayılanıyor, onların kâselerinden aşlarını çalıp kadehlerinden içiyor; arada itiraz eden olursa daha da diklenerek, arsız oğlan çocukları gibi önlerine gelen herkesle kafa buluyorlardı.

Hancı bu manzarayı görünce öfkeyle dişlerini sıktı. "Bak hele şu insan müsveddelerine! Belalarını arıyorlar anlaşılan! Seyret derviş. Seyret de öğren!"

Hancının bunu demesiyle, odanın öteki ucuna varması bir oldu. Sarhoş müşterilerden birini boğazından tutup yumruğunu kaldırdığı gibi suratına indiriverdi. Adam bunu hiç beklemiyor olmalıydı ki, boş bir çuval gibi yere yığıldı. Dudaklarından, belli belirsiz bir iç geçirmenin dışında bir ses çıkmadı. Ne var ki diğer müşteri daha dişli çıktı. Var gücüyle karşılık verdiyse de hancının yumruklarına, çok sürmedi, o da yere devrildi. Hancı yerdeki adamın kaburgalarına hırsla, şiddetli bir tekme savurdu. Ardından, ağır çizmelerinin altında elini ezdi, çiğnedi. Kırılan parmakların sesini duyduk.

"Yeter" diye haykırdım. "Öldüreceksin adamı. Bu mu istediğin?"

Sufiyem, canım pahasına savunurum canı; yeminimdir, karıncaya dahi kıyamam. Kuş görsem Süleyman gelir aklıma; balık görsem Yunus. Kollamaktır vazifem, yaşatmaktır. Baktım bir adam bir adama zarar verecek, zayıfı korumak için elimden geleni yaparım. Velâkin şiddet yoktur adabımızda. Elimden gelip geleceği, hancı ile yolcu arasına cansız bir perde gibi çekmek olur şu fani bedenimi.

Hancı hiddetle süzdü beni. "Derviş, sen karışma bu işe, yoksa seni de eşek sudan gelesiye döverim" diye bir tehdit savurdu. Ama ikimiz de biliyorduk ki kuru palavraydı bu laflar.

Çok geçmeden uşak oğlanlar gelip müşterileri yerden topladı. Baktım, birinin parmağı kırılmış, diğerinin burnu. Her yan kan içinde kalmıştı. Korkulu bir suskunluk çöktü hana. Bıraktığı intibaadan memnun, yan gözle bana baktı hancı, haşmetiyle böbürlenerek. Yüzünü benden yana çevirmişse de sözü kamuyaydı. Engin ufuklara hükmeden bir alıcı kuş misali yükseklerde süzüldü sesi:

"Gördün mü derviş efendi, dövüşesim yoktu ama dövüştüm. Ya ne yapsaydım? Bu insan azmanlarına mı bıraksaydım meydanı? Ne zaman ki Allah aşağıdaki kullarını unutur, dişini sıkıp adaleti sağlamak bizlere düşer. Bir daha O'nunla konuşursan, söyle. Bilsin ki kuzuyu tek başına bıraktın mı kurt olup çıkar!"

Omuz silktim. "Yanlış yapmaktasın" diye mırıldandım kapıya yönelirken.

"Bir zamanlar kuzuydum, şimdi kurt oldum demek mi yanlış?"

"Hayır, o kadarı doğru. Hakikaten kurt olmuşsun, görüyorum. Ama şu yaptığına *adalet* diyorsun ya, işte orda yanlışın var."

Hancı ardımdan bağırdı: "Daha dur bakalım, senle işim bitmedi. Bana borcun var. Yemekle yatak karşılığında rüya tabirimi isterim."

"Daha iyisini yapayım istersen" diye önerdim: "Gel, el falına bakayım."

Hancıya doğru yürüdüm, kor alevler saçan gözbebeklerinden ayırmadan gözlerimi. İstemsizce, güvensizce irkildiyse de, sağ elini elime alıp avcunu açtığımda bana karşı koymadı. Falcı, büyücü kısmı insanların ellerinden geleceği okuduğunu iddia eder. Ben ise sadece geçmişi okurum. İnsanın geçtiği, geçip de bir türlü geride bırakamadığı yolları...

Hancının avuç çizgilerini inceledim; derindi, çatlak çatlaktı, istikrarsızdı hatlar. Kısım kısım hareler belirdi gözlerimin önünde. Her insanın etrafında farklı renklerden bir hâle olur. Bu adamınki boza yakın, ölgün bir maviydi. Ruhunun cevheri oyulmuş, kenarları örselenmişti. Dışarıdaki dünyaya karşı kendini savunacak içsel kudreti kalmamıştı âdeta. İçten içe kuruyan bir bitki misaliydi hancı aslında. Yiten ruhsal kudretini ikame etmek için fiziksel kudretini ikiye katlamıştı. İçindeki zayıflık dışına şiddet olarak yansıyordu. Bu sebepten, hep başkalarına meydan okuyordu.

Yüreğim hızla atmaya başladı; zira yeni bir şeyler görmeye başlamıştım. İlk başta zor seçiliyordu gelen resim, sanki bir tül perdenin ardından izler gibiydim her şeyi. Ardından, ne varsa ne yoksa tüm çıplaklığıyla karşıma serildi.

Saçları kestane rengi, çıplak ayakları kuzguni siyah döv-

meli, omuzlarına işlemeli kırmızı bir şal çekili, gençten bir kadın.

"Sevdiğin bir kişiyi kaybetmişsin" dedim. Bu sefer hancının sol avcunu elime aldım.

Kadının göğüsleri damar damar şişmiş; karnı burnunda, sanki yarıldı yarılacak. Yanan bir evde kısılı kalmış. Gümüş eyerli atlılar evi sarmış. Havada yanan saman ve insan eti kokusu ağır mı ağır. Moğol'un atlıları, geniş kemerli burunları, tıknaz ve kalın boyunları, taş kesilmiş yürekleri. Cengiz Han'ın askerleri...

"Bir değil, iki kişi kaybetmişsin" diye düzelttim. "Karın ilk çocuğunuza hamileymiş o zamanlar."

Hancı gözlerini kıstı, deri çizmelerine dikti bakışlarını. Başı yerde, dudakları sıkı sıkıya büzülmüş dururken öylece, yüzü buruştu; okunmaz bir harita oldu. Birdenbire, olduğundan yaşlı gözüktü gözüme.

"Biliyorum ki teselli olmayacak ama söylemem gereken bir şey var" dedim yavaşça. "Karını öldüren ne yangındı, ne duman. Tavandaki tahta kalaslardan birisi üstüne düştü. Hemen o an, yani hiç acı çekmeden can verdi. Sense hep korkunç acılar çektiğini vehmetmiştin. Öyle olmadı."

Hancı kaşlarını çattı, tahayyül edilemez bir yükün altında bel vermiş gibiydi. Elemle çatallanan bir sesle sordu: "Nerden bilirsin bunca şeyi? Büyücü müsün sen?"

Suali duymazdan geldim. "Karını münasip bir şekilde toprağa veremedin diye kendini suçlar durursun. Hâlâ kâbuslarında onun çukurdan sürünerek çıktığını görüyorsun. Ama zihnin sana oyunlar oynamakta. İşin aslı, hem eşin hem oğlun fevkalade bir hâldeler. Birer ışık zerresi gibi hafif ve hür, ebediyeti gezmekteler."

Kelimelerimi tartarak sonlandırdım: "İstersen yine kuzu olabilirsin. Zira hâlâ içinde var. Yitirmedin özünü."

Bu lafı duyar duymaz hancı kızgın tavaya değmiş gibi elini çekip benden uzaklaştı. "Bana bak derviş, seni hiç sevmedim" diye söylendi. "Bu gece burada kalabilirsin. Ama sabah erkenden toz olacaksın. Bir daha buralarda görmeyeyim suratını!"

Başımı salladım. Anlamıştım.

Böyledir işte. Doğruyu söyledin mi, kızar köpürürler. Hele aşktan bahsetmeyegör, hırçınlaşır, hoyratlaşır, senden nefret ederler.

Ella
Boston, 18 Mayıs 2008

Büyük kızı ve kocasıyla yaşadığı tartışmadan sonra evde öyle gergin bir ortam vardı ki, bir müddet *Aşk Şeriatı*'nı okumaya fırsat bulamadı Ella. Sanki tam ortalarında nicedir fokur fokur kaynayan bir kazan vardı da aniden kapağı kalkmış, içindeki tüm buhar ve basınç dışarı taşmıştı. Eski sürtüşmelere yeni küskünlükler eklenmişti. Maalesef o meşum kapağı kaldıran Ella'dan başkası değildi. Üstelik bunu Scott'a telefon açıp kızıyla evlenme kararını gözden geçirmesini söyleyerek yapmıştı.

Çok sonra bu telefon görüşmesinde söylediği şeylerden ötürü derin pişmanlık duyacaktı. Ama henüz değil. Mayısın on sekizi itibariyle o kadar emindi ki kendinden, sırtını yıkılmaz dağlara yaslamış gibi tepeden konuşarak, bir başkasının hayatına müdahale etmekte en ufak bir beis görmüyordu.

"Merhaba Scott. Benim Ella, Jeannette'in annesi!" dedi telefonda, gamsız, girişken, alabildiğine rahat bir sesle. Kızının erkek arkadaşını aramak onun için vaka-ı âdiyedenmiş gibi. "Müsaitsen biraz konuşabilir miyiz?"

"Mrs. Rubinstein, bu ne sürpriz? Tabii buyurun" dedi Scott, dili tutulmuş gibi kekeleyerek. Tüm şaşkınlığına rağmen nezaketi elden bırakmamaya gayret ederek.

İşte o zaman Ella benzer bir nezaketle Scott'a, kendisiyle bir alıp veremediği olmadığını, dolayısıyla şimdi duyacaklarını yanlış anlamaması gerektiğini ancak kızıyla evlenemeyecek kadar genç; üstelik henüz işsiz ve deneyimsiz olduğunu söyledi. Belki şimdi bu telefon görüşmesi kalbini kıracak, üzülecekti. Ama çok yakında Ella'nın ne demek istediğini anlayıp ona hak verecek; hatta vaktinde böyle bir ihtarda bulunduğu için ilerde teşekkür bile edecekti. Mevzuyu sessizce kapatmasında, ayrıca bu telefon görüşmesinden Jeannette'e bahsetmemesinde sonsuz fayda vardı. Bir bir bunları söyledi Ella.

Öyle katı, kesif bir sessizlik oldu ki telefonda...

Scott nihayet konuşacak gücü kendinde bulunca "Mrs Rubinstein, sanırım siz bizi anlamadınız" dedi. "Jeannette'le ben birbirimize âşığız."

Hoppala! Buyrun işte, gene aynı klişe laflar! İnsanlar nasıl bu kadar saf ve bön olabiliyordu, hayret etti Ella. Sanki iki gönül bir olunca samanlık seyran olacak? Aşk dediğin, mübarek, sihirli bir değnek de tek dokunuşuyla her şey âlâ olacak.

Ancak Ella aklından geçenleri değil, şunları söyledi: "Evladım ne hissettiğinizi anlıyorum. Ama daha çok gençsiniz. Kim bilir, bir bakmışsın, yarın bir başkasına âşık olmuşsun."

"Mrs. Rubinstein, ne olur kabalık addetmeyin ama böyle bir ihtimal varsa şayet, herkes için, hatta sizin için bile geçerli değil mi? Kim bilir, bir bakmışsınız, yarın siz de bir başkasına âşık olmuşsunuz."

Sinirli bir şekilde güldü Ella. "Ben evli barklı bir kadınım. Bir ömür boyu sürecek bir seçim yaptım. Kocam da öyle. Sana anlatmaya çalıştığım şey tam da bu işte, Scott. Evlilik hafife alınacak bir karar değil, büyük bir ciddiyetle, dikkatle düşünmeli."

"Yani şimdi siz bana, faraza bir gün başka birine âşık olabilirim diye bugün deli gibi sevdiğim insanı terk etmemi mi salık veriyorsunuz?" diye sordu Scott.

Konuşmanın bundan sonrası yokuş aşağı tepetaklak yuvarlanmaktan farksızdı. Karşılıklı beklentiler, sitemler, hayal kırıklıkları, laf dokundurmalar.... hepsi birbirine karıştı. Sonunda telefonu kapattıklarında, Ella'nın elleri sinirden titriyordu. Hemen mutfağa seğirtti ve ne zaman içi daralsa yaptığı şeyi yapmaya koyuldu: Yemek pişirmek!

* * *

Yarım saat sonra kocasından bir telefon geldi.

"Kulaklarıma inanamıyorum Ella. Kızınla evlenmesin diye Scott'u aramışsın. Olacak iş mi bu? Lütfen, böyle bir saçmalık yapmadığını söyle."

Ella'nın bir an nefesi kesildi. "Vay be, haberler amma tez yayılıyormuş. Peki... Doğru, aradım. Ama izin ver de durumu anlatayım..."

Ama David'in bir şeye müsaade edecek hâli yoktu. Dayanamadı, tekrar lafa girdi. "İzah edecek ne var? Nasıl yaparsın böyle bir şeyi? Scott, Jeannette'e anlatmış. Kızın yıkılmış hâlde. Birkaç gün Laura'da kalacakmış. Seni görmek istemiyor..."

Bir süre duralasa da lafın sonunu getirdi David: "Bana sorarsan, haksız da değil böyle hissetmekte. Herkesin hayatına niye bu kadar çok karışıyorsun?"

O gece eve gelmeyen tek kişi Jeannette değildi. David Ella'ya cepten mesaj yollayıp acil bir durum çıktığını, eve gelemeyeceğini iletmişti. Bu acil durumun ne olduğuna dair hiçbir açıklama yoktu.

Daha önce hiç böyle bir şey yapmamıştı hâlbuki. Evlilikle-
rinin ruhuna aykırıydı davranışı. Çiçekten çiçeğe konuyordu,
orası aşikâr. Başka kadınlarla yatıp kalkıyordu muhtemelen,
hatta avuç avuç para da harcıyordu onlara. Öyle ya da böyle
tüm bunları kanıksamıştı artık Ella. Ama bugüne değin ko-
cası her akşam vaktinde evine gelmiş, yemek masasında ye-
rini almayı bilmişti. Araları ne kadar açık olursa olsun, Ella
onun için yemek pişirmekten, David de tabağına konanları
tebessümle, minnetle yemekten geri durmamıştı. Ve her ye-
mekten sonra David gönülden bir "Eline sağlık" derdi mu-
hakkak. Ella ne zaman bu iki kelimeyi duysa, kocasının ken-
disinden örtülü bir biçimde özür dilediğini varsayardı.

Ve affederdi onu. Hep affetmişti.

Şimdiyse kocası ilk kez böylesine aymaz davranıyordu. El-
la bu durumdan ötürü kendini suçladı. Ama zaten biteviye
suçluluk duymak, başkalarının hatalarını sırtlanıp taşımak,
Ella Rubinstein'ın kişiliğinin ayrılmaz parçasıydı.

* * *

İkizlerle masaya oturduğunda Ella'nın suçluluk duygusu
yerini melankoliye bırakmıştı. Ne Avi'nin pizza sipariş etmek
için tepinmesini dikkate aldı, ne Orly'nin hiçbir şey yemek is-
tememesini. Her ikisini de tıkabasa bezelyelerle, haşlanmış
sebzelerle besledi. İlk bakışta, evlatlarıyla son derece alâka-
dar, ipleri sıkı sıkı elinde tutan o her zamanki anneydi hâlâ.
Oysa günbegün büyüyen bir boşluk taşıyordu içinde. Keyif-
sizdi, nicedir tadı yoktu.

Boşluğa gebeydi sanki. Her geçen dakika, her yeni saat bi-
raz daha büyüyordu içindeki boşluk. Bir gün doğuracaktı
muhakkak, yüzleşmek zorunda kalacaktı duygularıyla. İşte o
an ne yapacağını bilmiyordu.

Yemekten sonra çocuklar odalarına gidince masada tek başına kaldı. Etrafını saran durgunluk ağır geldi bir an, evhamlarının altında ezildi yüreği. Saatlerce emek harcadığı, alınteri döktüğü yemekler gözüne hem sıkıcı hem yavan göründü birden. Farkında bile olmadan kendine acımaya başladı. Kırk yaşına basmak üzereydi. Tastamam kırk sene geçirmişti bu dünyada. Hayatını boşa harcamış olmaktan korktu. Verecek sonsuz sevgisi olduğu hâlde ondan sevgi talep eden kimse yoktu.

Aşk Şeriatı'na gitti aklı. Şems-i Tebrizî karakteri ilgisini çekmişti.

"Keşke etrafımda öyle biri olsaydı" diye mırıldandı kendi kendine, şakayla karışık. "Hayatıma renk gelirdi, orası kesin!"

Aklına nedense deri pantolonlu, motosikletçi ceketli, uzun boylu, kara saçlı, kara bakışlı, gizemli bir adam geldi. Bir de bu adamın omuzlarına gelen saçları olsa, gidonundan rengârenk şeritler sarkan parlak kırmızı bir Harley Davidson kullansa, değme gitsin. Hayalindeki görüntüye gülümsemeden edemedi. Issız bir otobanda son sürat giden yakışıklı, seksi, gizemli bir Sufi motosikletçi! Şimdi yola çıkıp otostop yapsa, böyle bir adam da onu terkisine atsa, ne müthiş bir şey olurdu ama?

"Tebrizli Şems bir de benim el falıma baksaydı, geçmişimde ne görürdü acaba?" diye düşündü.

Acaba açıklayabilir miydi, neden böyle hiç olmadık anlarda zihninin ve benliğinin kapkara endişe bulutlarının etkisi altında kaldığını? Bu kadar geniş bir ailesi varken nasıl olup da kendini böyle yalnız ve kimsesiz hissettiğini söyleyebilir miydi? Merak etti Ella, kendi etrafında da bir hâle var mıydı acaba? Varsa hangi renklerden oluşuyordu? Parlak mıydı renkleri, yoksa solgun mu? Gerçi son zamanlarda hayatında parlak olan ne vardı ki? Hiç olmuş muydu peki?

İşte o an, oracıkta, fırından yayılan ölgün ışıkların aydınlığında mutfak masasında yalnız başına oturan üç çocuk annesi Ella Rubinstein bir şeyin farkına vardı: Her ne kadar ayak direyip inkâr etse de, her ne kadar aleyhinde ileri geri laflar etse de, tâ derinlerde bir yerde nicedir aşka muhtaç, aşka hasretti.

Şems
Semerkand yakınlarında bir kervansaray, Mart 1242

Bir düzine yolcu vardı kervansarayın ikinci katındaki odada. Hepsi de yorgun, hepsi de yalnızlığın yükünü değirmen taşı gibi boynunda taşıyan ve rüyalarına sığınan tüm bu insanların ortasında toz, ter ve küf kokan boş bir döşek buldum. Oraya sırtüstü uzanıp, günboyu olanları bir bir düşündüm, tarttım. Acaba şahitlik etmeme karşın, aceleden yahut gafletimden dolayı kıymetini bilemediğim, idrak etmekte geciktiğim ilahi bir işarete denk gelmiş miydim? Günümü baştan sona bu nazarla gözden geçirdim. Uzun uzun Hakk'a şükrettim.

Çocukluğumdan beri öteki âleme ziyaretlerde bulunur, keşifler yapar, gaipten sesler işitirim. Rab ile konuşurum. O da bana karşılık verir. Anlatır, açıklar. Gün olur, bir fısıltı kadar hafifler, arşın yedinci katına süzülürüm. Sonra ağırlaşarak arzın en derin çukurlarına iner; meşelerin, kestane ağaçlarının, kayınların altına gömülü kayaların sırlandığı toprağa sızarım. Kâh orada kâh buradayım. Ara ara iştahım toptan kesilir, günlerce bir lokma yiyemem. Konuşmayı unuturum. Kelimeler silinir zihnimden. Sonra, göç eden kuşlar gibi bir anda geri dönerler. Bunların hiçbiri korkutmaz beni. Ne var ki insanlara tuhaf geldiğini bilirim. Zamanla öğrendim ki, vecd hâllerinden başkalarına pek bahsetmemeli. İnsanoğlu nedense anlayamadığını kötülemeye meyilli. Kaç kez bizzat tecrübe ettim bu şaşmaz kaideyi.

Öteki âleme gidip gelmemi yadırgayan, keşiflerimden ürken ve bana bu konuda peşin hükümle yaklaşan ilk kişi öz babamdı. Takriben on yaşındaydım. O zamanlar koruyucu meleğimi hemen her gün görmeye başlamıştım. Herkesin benim gördüklerimi gördüğünü düşünecek kadar da saftım. Babamsa kendisi gibi marangoz olmamı isterdi. Bir gün bana sedir ağacından sandık yapmayı öğretirken, dilimi tutamayıp ona koruyucu meleğimden bahsettim.

"Bana bak, hayal gücün fazla çalışıyor senin" dedi babam. "Bu saçmalıklardan kimseye söz etmezsen iyi olur. Elalemin canını sıkma yine."

Birkaç gün evvel birkaç komşu gelip, beni anama babama şikâyet etmişti. Tuhaf davranışlarımla çocuklarını korkutuyormuşum.

"Bak evlat! Armut dibine düşer. Her çocuk ebeveynine çeker, anladın mı? Sen de öylesin" dedi babam. "Bizler gibi sıradan bir insan olduğunu neden bir türlü kabullenmezsin?"

İşte o an, annemi ve babamı sevmeme, hatta sevgilerine aç ve muhtaç olduğumu sanmama karşın, ikisinin de benim için birer yabancı olduklarını anladım.

"Babacım bilesin, bu oğlun kardeşlerinden farklı bir yumurtadan çıktı. Dilersen beni tavuklar tarafından büyütülen bir ördek yavrusu say. Emin ol şu ömrümü kümeste geçirmeyeceğim. Sizin içine girmeye korktuğunuz suda ben can buluyorum. Zira sizin aksinize ben yüzebiliyorum. Benim meskenim ummanlar. Benimleyseniz, siz de ummana dalın. Yok değilseniz, karışmayın ve kümesinizde kalın."

Babamın gözleri önce fal taşı gibi büyüdü; sonra ufaldı, donuklaştı. "Öz babanla bugün böyle konuşuyorsan" dedi keskin bir sesle, "kim bilir büyüyünce düşmanlarınla nasıl konuşacaksın?"

Anne babamın beklentilerinin aksine, büyüyüp serpildikçe

kaybolmadı keşiflerim. Tam tersine daha yoğun, daha cezbeli oldular. Büyüklerim sinirlenirdi, bilirdim. Onları üzdüğüm için kendimi suçlu hissederdim. Ama öteki âleme yaptığım keşifleri nasıl durduracağımı bilmiyordum. Hoş, işin aslı, bilseydim bile durdurmak istemezdim ki.

Çok geçmedi, evden ayrıldım. Bir daha da geri dönmedim. Hazreti Lût'un karısı tuzdan bir heykel kesilmişti durup terk ettiği şehre bakınca. Bense bir kez olsun dönüp bakmadım Tebriz'e. O gün bugündür doğduğum yerin ismi kekremsi bir kelimedir yüreğimde; öyle narin, öyle hassas ki telaffuz eder etmez çiy tanesi gibi erir dilimde. Ne zaman ansam Tebriz'i, üç keskin rayiha sarar sarmalar beni: Talaş, haşhaşlı yassı ekmek ve yeni yağmış, henüz yumuşacık kar kokusu.

O zamandan beri gezgin abdalım. Yeryüzünde ebedi sürgündeyim. Yastık ettiğim taşa ikinci kez baş koymadım, aynı kaptan üst üste iki kez yemek yemedim, abamın altından her gün farklı manzaralar seyreyledim. Aç kaldığımda rüya tabir ederek üç beş kuruş kazanır, kazandığımı muhtaç olanlara dağıtır; bu şekilde Doğu'dan Batı'ya, Kuzey'den Güney'e yedi iklimi gezer, dağda bayırda Hakk'ı ararım Hak için. Yaşanmaya değer bir yaşamın peşindeyim; ve bir de, bilmeye değer bilginin. Köksüzüm, yurtsuzum. Kendimi O'nda yok ettiğimden beri, ölmeden evvel öleli, başlangıçsız ve sonsuzum. Ne pejmürdeyim, ne gariban. Ne kimselere muhtacım, ne kimseye buyuran. Ancak rüzgârda kuru bir yaprak sanmayın beni. Ağzı var dili yok dervişlerden değilim. Ben bizzat dilediği istikamete efil efil esen karayelim.

Seyahatlerimde envai çeşit sarp yollardan geçtim: Cümle âlemin bildiği ticari güzergâhlardan da gittim, in cin top oynamaz, adı sanı unutulmuş patikalardan da. Karadeniz sahillerinden Acem diyarına; Arabistan'ın çöl tepelerinden balta girmemiş ormanlara; çayırlardan bozkırlara vardım. Bin bir kervansaraya, bin bir hana kondum. Kütüphanelerde âlimlere danıştım, ariflere sordum, meczuplarla konuştum. Veremedikleri cevapları suskunluklarında buldum. Mabetleri, türbeleri, mezarlıkları, viraneleri gezdim. Mağaralarda çileye kapanmış münzevilerle tefekküre daldım. Dervişlerle, şeyhlerle zikir çektim. Dolunayın altında şamanlarla dans ettim. Meddahlardan hikâyeler dinledim. Her inançtan, her meşrepten insan tanıdım. Kimseyi kimseye üstün tutmadım. Yaratılanı sevdim, Yaradan'dan ötürü. Sefalet çekenleri de gördüm, sefahat sürenleri de. Kerameti de bilirim, mucizeleri de. Fukaralıktan yıkılan köyler, kavrulup kararmış tarlalar, kan akan ırmaklar; yedi yaşından büyük tek bir erkek kalmayacak şekilde talana ve yıkıma uğramış kasabalar gördüm. Beşerin ettiklerinin en yücesine de en fenasına da tanıklık ettim. Nicedir hiçbir şey şaşırtmaz oldu beni. İşittim ve itaat ettim.

Her badireden ve tecrübeden sonra, hiçbir kitapta yazılı olmayan, sadece can defterime nakşedilmiş kurallara bir yenisini daha ekledim. Bunlara bir ad verdim: **GÖNLÜ GENİŞ VE RUHU GEZGİN SUFİ MEŞREPLİLERİN KIRK KURALI**. Bu kurallar benim için tabiat kanunları kadar evrensel, onlar kadar temeldir.

Bu kuralların kırkını birden tamama erdirmek uzun senelerimi aldı. Nicelerini silip silip yeniden yazdım. Şimdi artık ekleyecek ne bir virgül kaldı, ne nokta. Ne bir harf, ne yeni bir kelime. Artık kırk kural da bittiğine göre, ömrü hayatımın son faslındayım. Nicedir gördüğüm kehanetlerin istikameti bu yönde. Canımı sıkan ölüm değil. Zira bir son addetmiyorum ölümü. Hem inanıyorum ki, herkesin ölümü kendi rengindedir.

Beni esas düşündüren mirassız ölmek. Sineme sığmıyor artık bunca kelime; anlatılmayı bekler durur içimde nice mesel, nice hikâye. Bütün ilmimi, bildiğim öğrendiğim her şeyi, bir inci tanesi gibi avucumda tutup, tek bir kişiye vermek arzusundayım. Ne bir mürşit, ne de mürit bulmak peşindeyim. Aradığım insan, ruhumun aynası. Canımın dengi. Gamdaşım! Ruhdaşım!

İkinci Kural: Hak Yolu'nda ilerlemek yürek işidir, akıl işi değil. Kılavuzun daima yüreğin olsun, omzun üstündeki kafan değil. Nefsini bilenlerden ol, silenlerden değil!

"Yarab" diye fısıldadım rutubetli, karanlık odada. "Ömrüm şu âlemi gezmekle, Sen'in ayak izlerini takip etmekle geçti. Karşılaştığım her insanı senin yeryüzünde halifen olmaya lâyık açık bir kitap, konuşan Kuran belledim. Fildişi kulelerde âlimler, medreselerde şeyhler, makamında şıhlar, tahtında sultanlarla değil; aforoz edilmişlerle, kalbi incinmişlerle, kenara itilmişlerle yârenlik yaptım. Hamdolsun sana ki adım adım Şeytanımı Müslüman ettim. Şimdi ise kabardım taştım. Az kaldı çağlayacağım. İnayetinle nasip ettiğin ilmi doğru kimseye teslim etmek isterim. Müsaade et onu bulayım. Sonra, hakkımda hangi hükmü verirsen ver, bil ki ol hükme razıyım. Çünkü ben her şeyiyle ve her hâliyle Sen'den razıyım!"

O anda, odanın içine ılık bir su gibi solgun bir ışık doldu. Öyle ki döşeklerde yatan yolcuların yüzlerinin maviye çaldığına kendi gözlerimle şahit oldum. Artık oda ter-ü taze kokuyordu, hayat doluydu. Sanki tüm pencereler sonuna kadar açılmış, aniden içeri dolan rüzgâr uzaklardaki bahçelerden leylakların, yaseminlerin, erguvanların kokusunu getiriyordu.

Bir ilahi terennüm edercesine bir nağme çalındı kulağıma, baldan tatlı, tüyden hafif. "Tebrizli Şems, müjde! Duaların kabul olundu! Hazırlan, Bağdat'a gideceksin" dedi bir ses. Tanıdım onu. Çocukluğumun koruyucu meleğiydi.

"Bağdat'ta ne bekler ki beni?" diye sordum.

"Ruhuna eş biri için dua ettin ya, sana bir yoldaş verilecek. Bağdat'a gittiğinde seni doğru istikamete yönlendirecek kişiyi bulacaksın. Onun yanında soluklanıp tekrar yola koyulacağın anı bekleyeceksin. Sabredeceksin."

Gözlerime minnet yaşları doldu. Artık öteki âleme çekildi-

65

ğim zaman gördüğüm o adamın ruhdaşımdan başkası olmadığını biliyordum.

Er ya da geç buluşmak vardı kaderimizde. Onu bulduğumda o derin, ela gözlerin neden öylesine mahzun baktığını öğrenecektim ve tabii bir de hazan mevsiminde bir gece yarısı nasıl öldürüleceğimi...

Ella
Boston, 19 Mayıs 2008

Bir gün sonra öğle sularında Ella kaldığı yeri işaretleyip *Aşk Şeriatı*'nı kenara koydu. Okuduğu romanı sevmiş, hikâyeden hayli hoşlanmış ama doğrusu bilhassa yazarını merak etmişti. İnternete bağlandı, google'da arama motoruna "A. Z. Zahara" yazdı. Her ne kadar merak içinde olsa da, yazar hakkında pek bir şey bulmayı ummuyordu. Belki de en iyisi telefon açıp Michelle'e sormaktı.

Ancak hiç beklemediği bir şekilde Zahara'nın kişisel web sitesi çıktı karşısına. Turkuaz ve eflatun tonlarla örülüydü tüm sayfa. Tepede ağır ağır dönen, döndükçe beyaz etekleri daireler çizen bir figür vardı. Daha önce hiç semazen görmemiş olan Ella resme uzun uzun baktı.

Blog'un adı *Can Yumurtası*'ydı ve aynı isimde bir şiir vardı.

Bir garip kuş misali
Can yumurtası
Kabuğunda uçamazsın;
Korkmadan kır yumurtanı
Selamete uçacaksın!

İnternet sayfası dünyanın dört bir yanındaki şehirlerin, bölgelerin kartpostallarıyla doluydu. Her bir kartpostalın altında o yerle ilgili yorumlar vardı. Ella yorumları okurken üç nokta dikkatini çekti: Birincisi, A. Z. Zahara adındaki A., Aziz demekti; ikincisi Aziz mesleği fotoğrafçılık olan bir Sufiydi; üçüncüsü de şu anda Guatemala'da bir yerlerde seyahat etmekteydi. En son bir gün evvel oradan bir resim ve yazı koymuştu web sitesine.

Sayfadaki bir köprüyü tıklayınca Aziz'in çektiği fotoğraflara ulaştı. Bu fotoğrafların çoğu her renkten, yaştan, kültürden ve kesimden insan portreleriydi. Derin farklılıklarına karşın, bir noktada birbirine benziyordu tüm bu insanlar: Her portrede illâ ki eksik olan bir yan vardı. Bazılarının eksiği basit bir şeydi: bir küpe, bir ayakkabı topuğu ya da bir düğme. Diğerlerininkiyse daha vahimdi: kiminin parmağı yoktu, kiminin bacağı ya da kolu. Şöyle ya da böyle noksan bir şeyler dikkat çekiyordu her birinde. Ella merak etti. Ne demeye bu insanların fotoğraflarını çekiyordu Aziz? Aradığı cevabı fotoğrafların altındaki yazıda buldu.

"Kim olursak olalım, dünyanın hangi yerinde yaşarsak yaşayalım, tâ derinlerde bir yerde hepimiz bir eksiklik duygusu taşımaktayız. Sanki temel bir şeyimizi kaybetmişiz de geri alamamaktan korkuyoruz. Neyin eksik olduğunu bilenimiz ise hakikaten çok az."

Ella web sayfasını aşağıdan yukarıya, yukarıdan aşağıya defalarca taradı; her bir kartpostalın üstüne tıklayarak Aziz'in yorumlarını okudu. Sayfa sonunda bir e-posta adresi buldu: azizZzahara@gmail.com. Bu adresi bir kenara not etti. Altında bir şiir yer almaktaydı.

Ey, kendisinde kaybolmuş kişi
Bilmezsin, bedenin sana mezar olmuş,
Nefsini tanımadıkça, nefsin seni gömer olmuş.

Bu şiiri okurken bir an için de olsa tuhaf mı tuhaf bir hisse kapıldı Ella. Sanki Aziz Z. Zahara'nın kişisel blog'undaki her şey, yani tüm bu fotoğraflar, yorumlar, alıntılar, şiirler... kısacası tek tek her ayrıntı sırf kendisi için hazırlanmıştı. Okuduğu ve gördüğü her şeyi üstüne alındı. İnsanı irkilten, belki kısmen kibire kadar götüren bir fikirdi bu ama, böyle hissetmeye engel olamadı.

* * *

Akşama doğru pencerenin kenarında yorgun, durgun oturdu. Batan güneş sırtına vururken, fırında pişen çikolatalı kekin kokusu yayılmıştı ortalığa. *Aşk Şeriatı* önünde açık duruyor, okunmayı bekliyordu ama zihni o kadar karışıktı ki, romana geri dönmekte zorlandı. Ne kadar çok şey vardı aklında. Sürekli bir sonraki günü, haftayı, seneyi düşünüp, planlar programlar yapmaktan; renkli yapışkan kâğıtlara notlar yazıp oraya buraya asmaktan, bir türlü içinde bulunduğu ana veremiyordu kendini. "Belki ben de kendi kurallar bütünümü oluşturup, kâğıda dökmeliyim" diye mırıldandı. **HEP AYNI YERE KÖK SALMIŞ, HAYATINDAN BIKMIŞ EVLİ BARKLI KADINLARIN KIRK KURALI.**

"Birinci Kural" dedi kısık bir sesle **"Sen sen ol, aşkı arama! Aşktan daha mühim şeyler var hayatta."**

Ne var ki latife diye söylediği sözler, yüzünü güldürmek bir yana, iyiden iyiye keyfinin kaçmasına sebep oldu. Telefonu aldı eline. Kısa bir tereddütten sonra nihayet sabahtan beri kafasını kurcalayan görüşmeyi yapmaya karar verdi. Büyük kızına telefon açtı. Telesekreter çıktı karşısına:

"Jeannette, canım. Benim, annen. Scott'u aramakla hata ettim, biliyorum. Ama inan bana, niyetim kötü değildi. Ben sadece..."

Kelimeler dizildi boğazına. Keşke ne diyeceğini önceden

tasarlamış olsaydı. Telesekreter kaydının döndükçe çıkardığı hışırtıyı duyabiliyordu. Ya da öyle sandı. Geçen her saniye zamanın azaldığını düşünerek biraz daha gerildi. Son bir hamleyle tamamladı cümlesini.

"Jeannette, olanlardan dolayı üzgünüm. Ama bilsen öyle... öyle mutsuzum ki..."

Çat! Kayıt durdu. Ella ağzından çıkanlara inanamadan öylece kalakaldı. Durup dururken ne olmuştu ona böyle? Mutsuz muydu sahi? Böyle hissettiğinin bilincinde değildi. Acaba insan mutsuzken bunun farkına varmadan yaşayabilir miydi?

Ne var ki, bu bir itirafsa dile getirmiş olmaktan rahatsız değildi. Daha ziyade donuktu içi. Zaten nicedir iyi ya da kötü şiddetli bir şey hissettiği yoktu ki.

Az sonra gözü Aziz Z. Zahara'nın e-posta adresini not ettiği kâğıt parçasına kaydı. Basit ve sadeydi adres. Davetkârdı. Pek fazla düşünmeden, ani bir itkiyle bir mesaj yazmaya başladı:

Sevgili Aziz Z. Zahara,

Adım Ella. RBT Yayınevi'nde edebiyat editörünün asistanının asistanı olarak Aşk Şeriatı isimli romanınızı okuyorum. Aslında yeni başladım sayılır ama gayet keyifle ilerliyorum. Tabii bu sadece benim kişisel görüşüm. Yazdıklarımın editörlerin görüşlerini yansıtmadığını baştan belirtmeliyim. Benim sizin romanınızı sevip sevmememin yayınlanması kararında etkisi fazla olmayacaktır.

Belli ki aşkın hayatın özü olduğuna inanıyorsunuz, sizin için başkaca önemli bir şey yok gibi. Ben aynı fikirde değilim ama faydasız tartışmalara girmek değil niyetim. Size yazma gereği duydum çünkü romanınızla yolumun kesişmesi tuhaf bir zamana rastladı. Şu sıralarda büyük kızımı genç yaşta evlenme fikrinden caydırmaya uğraşıyorum. Önceki gün erkek arkadaşına telefon açıp evlilikten vazgeçmeleri gerektiğini söyledim. Şimdi kızım benden nefret ediyor. Küstü, konuşmuyor. Muhtemelen siz kızımla benden daha iyi geçinirdiniz, zira aşka bakışınız aynı gibi.

Şahsi sorunlarımı böyle pat diye anlattığım için kusuruma bakmayın. Niyetim bu değildi. Kişisel blog'unuzda (e-posta adresinizi oradan aldım) yazdığına göre Guatemala'daymışsınız. Dünyayı gezmek heyecan verici olmalı. Bir gün Boston'a uğrayacak olursanız bizzat tanışmak, bir fincan kahve içip sohbet etmek isterim.

En iyi dileklerimle,

Ella

Kelimelere ihtiyacı vardı. Sadece kocasıyla değil, tüm ailesiyle iletişiminin zayıfladığı şu dönemde, Ella kelimelere hasretti. Madem etrafında konuşacak, derin sohbetler edecek kimsesi yoktu, e-posta yoluyla yazışacak birini bulmak hiç yoktan iyiydi. Sözün azaldığı yerde, yazı kâfiydi.

Ella'nın Aziz'e yazdığı bu ilk mektup, öylesine yapılmış bir kahve davetinden ziyade sessiz bir çığlık, bir imdat çağrısıydı aslında. Gerçi, süklüm püklüm mutfağında oturup hiç tanımadığı, hatta ne bugün ne de yarın tanışacağını sandığı, adı sanı duyulmamış bir yazara mesaj yollarken, böyle mühim bir çağrıda bulunduğunun farkında bile değildi.

Ne yaptığının farkında olsa, hiç buna cesaret edebilir miydi?

Efendi
Bağdat, Nisan 1242

Bağdat'taki mütevazı zaviyemize Şems-i Tebrizî'nin adım attığı günü hiç unutmayacağım. O öğleden sonra itibarlı misafirler ağırlıyorduk. Başkadı avenesiyle fakirhanemize uğramışlardı. Zannımca bu ani ziyaret sırf nezaket icabı değildi. Tasavvuf ehlini sevmediği herkesin malumu olan kadı, bölgedeki tüm Sufiler gibi bizleri de yakından denetlemek istiyordu. Gözünün üstümüzde olduğunu bildirmeye gelmiş olacaktı.

Hırslı bir adamdı kadıların kadısı. Yüzü basıktı, göbeği geniş ve sarkık. Bodur parmaklarının her birinde pahada ağır bir yüzük taşırdı. Bu kadar çok yemese sağlığı için daha iyi olacaktı ama sanırım kimsenin, hatta hekimlerinin bile, ona bunu söylemeye cesareti yoktu. Nesebi ezelden din âlimi olduğundan, bir de meşhur ve nüfuzlu bir aileden geldiğinden, bölgenin en sözügeçer kişilerinden birisiydi. Ağzından çıkacak tek bir kelimeyle insanlar darağacını boylayabilirdi. Gene tek kelimesiyle en ağır mahkûmları azâd ettirebilir, zifiri zindanlardan çekip kurtarabilirdi. Ne vakit görsem kürklü kaftanlar, pahalı esvaplar kuşanan kadı, itibarından zerrece şüphesi olmayanların azametiyle taşırdı bedenini. Nefsinin ne kadar şişkin olduğunu bilmekle beraber zaviyenin ve dervişlerimin selameti için bu adamla takışmamaya gayret ediyordum.

"Dünyanın en şahane şehrinde yaşıyoruz" dedi kadı ağzına bir incir atarken. "Bugün Bağdat, Moğol Ordularından kaçan mültecilerle dolup taşmış durumda. Biçarelere sığınacak liman olduk. Daha da oluruz elbet. Zira burası dünyanın merkezidir. Sen ne dersin bu hususta Baba Zaman?"

"Şehrimiz kıymetli bir mücevher, ona şüphe yok" dedim temkinli bir şekilde. "Ama unutmayalım ki şehirler insanlara benzer. Doğar, büyür; evvela çocuk sonra yetişkin olur, sonra yaşlanır, en nihayetinde de ölürler. Şimdilerde Bağdat gençliğini doldurdu. Halife Harun Reşit zamanındaki kadar müreffeh değiliz. Gerçi hâlâ, çok şükür, ticaretin, zanaatın, şiirin merkeziyiz. Ama bin sene sonra bu şehir neye benzeyecek, kim bilebilir? O zaman her şey bambaşka olabilir." "Bu ne bedbinlik!" diye söylendi kadıların kadısı. Kâseye uzanıp bir incir daha aldı. "Abbasi Hükümdarlığı daim olacak; bu coğrafyadaki nüfuzumuz ve refahımız artacak. Tabii şayet aramızdaki bazı nankörler istikrarımızı bozmazlarsa. Kendine Müslüman diyen ama tefsirleri kâfirlerden bile tehlikeli kimseler var aramızda."

Susmayı tercih ettim. Başkadı'nın, İslam'a bâtını tefsirle yaklaşan mutasavvıflara baş belası gözüyle baktığı sır değildi. Bizi Şeriat'a yeterince riayet etmemekle, bilhassa yüksek mercilere, yani kendisi gibi kişilere hürmetkâr olmamakla suçlardı. Ona kalsa tüm Sufileri çoktan Bağdat'tan atmıştı.

"Sakın yanlış anlama. Sizin zaviyenizle bir alıp veremediğim yok Baba Zaman. Ama sence de şu Sufi taifesi kamu nizamından çıkmıyor mu?" dedi kadı sakalını kaşıyarak.

Ne diyeceğimi bilemedim. Neyse ki tam o sırada kapıda bir tıkırtı oldu. Kızıl saçlı çömez destur isteyip, odaya girdi. Dosdoğru bana doğru yürüdü; kulağıma fısıldayarak beklenmedik bir misafirimiz olduğunu haber verdi. Bahçede bekleyen bir abdal varmış. İllâ ki benimle görüşmek ister, başkasıyla konuşmayı reddedermiş.

Başka zaman olsa çömeze, bu Tanrı misafirini sessizce bir odaya almasını, önüne sıcak aş koymasını, kadı ve efradı gidene kadar orada bekletmesini söylerdim. Ama Başkadı'nın sohbetinden illallah demeye başlamıştım artık. Gelen gezgini aramıza buyur edersek, bize uzak diyarlardan hikâyeler anlatır, böylelikle odadaki gergin hava dağılır diye umdum. O yüzden çömeze, "git çağır bakalım o dervişi" dedim.

Birkaç dakika sonra kapı açıldı ve içeriye tepeden tırnağa karalar kuşanmış, dinç ve dimdik, yaşını kestirmesi zor bir adam girdi. Uzun boylu, ince kemikli, geniş alınlı, çevik yapılıydı. Sert hatlı bir burnu, kapkara gözleri vardı. Hayli uzundu saçları, lüle lüle zülüfleri gözlerine düşüyordu. Bol ve uzunca bir harmani, yün bir urba, manda derisi çizmeler giymişti. Boynunda birkaç muska asılıydı. Elinde tahta bir çanak taşıyordu; dünya malından uzak durmak için dilenen Kalenderîler ya da dünyevi payeleri elinin tersiyle iten Melamîler gibi, cemiyetin geleneksel yargılarına kulaklarını tıkamış olmalıydı.

Bu beklenmedik misafiri görür görmez, fevkalade bir kimseyle karşı karşıya olduğumu hissettim. Bakışlarında, tavırlarında, vücudunu taşıyışında, ne denli sıradışı olduğunu eleveren nişaneler vardı. Bilmeyen birine, meşe palamudu alçakgönüllü ve kırılgan gözükür. Hâlbuki, ileride dönüşeceği o mağrur ve koskoca meşe ağacının taşıyıcısı, habercisidir. Tabii gören göze!

Misafir sessizce boyun kırıp selâm verdi.

"Zaviyemize hoş geldin" dedim ve karşımdaki mindere geçmesi için işaret ettim.

Derviş odadaki herkesi tek tek selâmlayıp, gösterilen yere sakince oturdu. Hiçbir teferruatı kaçırmamaya gayret edercesine şöyle bir etrafı taradı. En sonunda bakışları Kadı'l-Kutad'da karar kaldı. Bu ikisi ağızlarından tek kelime dahi çıkmadan uzun uzun birbirlerine baktılar. Taban tabana zıt görünen bu iki adamın karşılıklı ne düşündüklerini merak ettim.

Gezgin dervişe ılık keçi sütü, ballı incir, hurma dolmaları ikram ettiysek de hepsini nezaketle reddetti. Adını sorunca, "Tebrizli Şemseddin" dedi; dağda bayırda Allah'ı arayan bir abdal olduğunu söyledi.

"Aradığını bulabildin mi peki?" diye sordum.

Derviş kendinden gayet emin başını salladı; kara gözlerinde delişmen, gümüşî kıvılcımlar belirdi. "Buldum ya, meğer O hep benimleymiş."

Bunu duyan kadı gizlemeye zahmet etmediği bir pişkinlikle sırıttı. "Yahu siz dervişler yok musunuz, ne demeye zorlaştırırsınız hayatı, bir türlü anlamam. Madem Allah başından beri seninleydi, ya ne demeye O'nu dört bir yanda aramaya çıktın da dağ taş dolaştın be adam?"

Şems başını eğdi. Belli belirsiz bir gölge geçti yüzünden, bir süre ağzını bıçak açmadı. Tekrar konuşmaya başladığında sakin ve emindi; ses tonu ölçülüydü. "Mevlâ aramakla bulunmaz, bu doğrudur amma Mevlâ'yı ancak arayanlar bulabilir."

"Laf-ı güzaf" dedi Başkadı dudak bükerek. "Yani sen şimdi ömrü billâh aynı yerde durursanız, Allah'ı bulamazsınız mı diyorsun bize? Tövbe tövbe! Allah'ı bulmak için senin gibi kara paçavralara bürünüp yollara mı düşecek herkes? Öyle olsa ne cemiyet diye bir şey olurdu, ne medeniyet!"

Odadaki adamlar kadıyı yağlamak için yarışa tutuşunca, ardı ardına içi boş kahkahalar sökün etti hepsinden. Canım sıkıldı. Belli ki kadı ile abdalı yan yana getirmek iyi bir fikir değildi.

"Herhâlde yanlış ifade ettim. Kişi doğduğu evde kalırsa Hakk'ı bulamaz demedim. Elbette mümkündür bu" dedi Şems. "Köyünden çıkmadığı hâlde dünyayı bilen kişiler olmuştur ve olacaktır da."

"Ben de onu diyorum!" diye tasdik etti Kadı Efendi. Muzaffer bir edayla güldü. Ne var ki tebessümü, dervişin hemen sonraki sözlerini işitir işitmez siliniverdi.

"Lâkin demek istediğim şuydu" diye devam etti Şems. "Şayet bir insan para pul, mertebe ve makam peşinde koşuyor, kürkler ipekler kuşanıp inci mercan atlas kaftan içinde yaşıyorsa, yani Kadı Hazretleri, sizin gibi yapıyorsa, Allah'ı bulması imkân dahilinde değildir!"

Odadakiler şaşkına dönmüştü. Herkesin beti benzi atmıştı. Kimseden tek kelime çıkmadı. Başkadı'nın yalakaları nefes bile almaya cesaret edemeden endişeyle birbirlerine bakakaldı. İçlerinden birkaç tanesi kılıcına davrandı.

"Bakıyorum da dilin bir derviş için fazla sivriymiş" diye tersledi Kadı Efendi.

"Söylenmesi gereken bir şey varsa, dünya bir olup yakama yapışsa bile söylerim" diye cevapladı Tebrizli Şems.

Başkadı kaşlarını çattıysa da, dervişi fazla kale almadığını göstermek için omuz silkip geçiştirdi. "Her neyse, boş lafa karnımız tok" dedi. "Her hâlükârda aradığımız kişi sensin. Biz de tam şehrimizin ihtişamından bahsediyorduk. Allah bilir türlü yerler görmüşsündür. Onca diyar içinde Bağdat'tan güzeli var mı söyle bize?"

Şems yumuşayan bakışlarla tek tek herkesi süzdü. "Bağdat'ın takdire şayan bir şehir olduğu su götürmez. Ama bu dünyada hiçbir güzellik kalıcı değildir. Şehirler maneviyat sütunlarının üstünde ayakta durur. Sakinlerinin yüreklerini yansıtırlar, devasa aynalar gibi. Şayet ol yürekler kapanır ya da kararırsa, şehirler de cazibesini kaybeder. Böyle nice şehir soldu, daha nicesi solacak."

Gayriihtiyarî başımı salladım. Şems-i Tebrizî bana döndü, daldığı düşüncelerden bir süreliğine uzaklaşmış gibiydi; gözlerinde dostane bir parıltı vardı. Deli bakışları yüzüme değince güneşe yüz sürmüşçesine ateş bastı içimi. O zaman anladım ki bu adamın ismi ile cismi birdi. Adını aldığı "güneş" gibi kuvvet ve hayat saçıyor, bir ateş topu gibi içten içe yanıyordu. Hakiki güneşti Şems.

Gel gelelim Kadı Efendi farklı fikirdeydi. "Siz Sufiler her şeyi karıştırırsınız zaten. Tıpkı filozoflar ile şairler gibi! Safi laf ebeliği! Bunca kelimeye ne hacet? Öyle laflar ediyorsunuz ki insanların kafası karışıyor. Hâlbuki halk, basit ihtiyaçları olan tembel bir mahlûktur. Baştakilerin görevi halkın yanlış şeyler istemesine mâni olup, yoldan çıkmasına engel olmaktır. Bunun için tek gereken şeriata harfiyen uymak. Onun da nasıl olacağını biz biliriz."

"Şeriat kandil gibidir" dedi Şems-i Tebrizî. "Nuruyla aydınlatır. Ama unutmamalı ki kandil karanlıkta yürürken önünü görmeye yarar. Şeriattan sonra tarikat gelir. Tarikattan sonra marifet. Marifetten sonra hakikat! Şayet ana istikamet unutulur ve insan şeriatı araç değil amaç sayarsa, o kandilin ne faydası kalır?"

Bir evham kapladı içimi. Şeriatın anahtarını kendi elinde tuttuğuna inanan kibirli bir adama şeriatın ötesine geçmek gerektiği hakkında nutuk çekmek, tehlikeli sularda yüzmek demekti. Şems bunu bilmiyor muydu?

Tam ben dervişi odadan çıkartmak için uygun bir bahane ararken, Şems devam etti: "Meramımı daha iyi anlatan bir kural zikredebilirim."

"Ne kuralıymış?" diye sordu kadı şüpheyle.

Şems-i Tebrizî doğruldu, görünmez bir kitaptan risale okurcasına düzgün bir sesle izah etti: "Peygamber Efendimiz Kuran'ın yedi boyuttan okunabileceğini buyurmuştu. Biz bu yediyi dörtte toplarız. **Üçüncü Kural: Kuran dört seviyede okunabilir. İlk seviye zahiri mânâdır. Sonraki bâtınî mânâ. Üçüncü bâtınînin bâtınîsidir. Dördüncü seviye o kadar derindir ki kelimeler kifayetsiz kalır tarif etmeye."**

Şems gözlerinde sihirli bir parıltıyla sözlerine devam etti. "Şimdi, salt şeriata bakanlar ve ötesini görmeyenler, zahiri mânâyı bilir. Sufi taifesi ise bâtınî mânâyı bilir. Evliya, yani veliler, bâtınînin bâtınîsini bilir. Dördüncü seviyeyi ise ancak Allah'ın sevgili dostları ve peygamberler bilebilir."

"Yani sen şimdi diyorsun ki sıradan bir mutasavvıf, Kuran'ın hükümlerini benim gibi bir şeriat âliminden daha iyi bilebilir, öyle mi?"

Dervişin dudaklarının ucuna belli belirsiz bir tebessüm kondu ama yanıt vermedi.

"Lafını sakın da konuş" diye çıkıştı Başkadı. "Haddini aşmaktasın. Günaha girmene az kaldı. Uyarmadı deme!"

Baş kadının bu sözleri hayli tehditkârsa da Şems bunun farkında değilmiş gibi sakin sakin devam etti. "Başkalarını bu kadar çabuk ve kesin kelimelerle yargılamamalı. Kuran'da Allah, *Bana kul hakkıyla gelmeyin* der, yoksa unuttunuz mu? Hem nedir ki inkâr, ya nedir günah? Kavramlara yakından bakmalı" dedi Şems. "Müsaadenizle bir hikâye anlatmak isterim."

Ve işte şu hikâyeyi anlattı bizlere:

Hazreti Musa bir gün bir başına dağları dolanırken, uzaktan yoksul ve yalnız bir çoban görmüş. Çoban dizüstü çökmüş, ellerini semaya açıp dua etmekteymiş. Bu durum Musa'nın çok hoşuna gitmiş ama yaklaşıp da çobanın duasını duyunca afallamış.

"Kurban olduğum Allah'ım. Seni ne kadar severim, bir bilsen. Ne istersen yaparım, yeter ki Sen iste. Sürüdeki en yağlı koyunu kes desen, gözümü kırpmadan keserim Senin için. Koyun kavurması güzeldir Allah'ım, kuyruk yağını da alır pilavına katarsın, tadından yenmez olur."

Musa duaya kulak kabartarak çobana yaklaşmış.

"Yeter ki Sen dile, ayaklarını yıkarım. Kulaklarını temizler, bitlerini ayıklarım. Ne kadar çok severim ben Seni. Sana çok hayranım!"

Duydukları karşısında Musa öfkeden küplere binmiş. Bağıra çağıra kesmiş çobanın duasını: "Sus, seni cahil adam! Ne yaptığını sanırsın. Allah hiç pilav yer mi? Allah'ın ayakları mı var ki yıkayasın? Böyle dua mı olurmuş! Külliyen günaha giriyorsun. Derhal tövbe et!"

Çoban, Musa'dan azarı işitince kulaklarına kadar kızarmış, utancından yerin dibine geçmiş. Özür üstüne özür dilemiş, bir daha böyle kendi kafasına göre dua etmeyeceğine yeminler etmiş. O gün akşama kadar Musa çobanın yanında durup ona temel duaları ezberletmiş. Sonra "Allah benden

razı olur, iyi bir iş yaptım" diye düşünüp yoluna devam etmiş.
Ama o gece bir ses işitmiş. Seslenen Rab imiş.
"Ey, Musa, sen bugün ne yaptın? Sen ayırmaya mı geldin
buluşturmaya mı? Şu garip çobanı azarladın. Onun Bana ne
kadar yakın olduğunu anlayamadın. Ağzından çıkan lafı bil-
mese de, o çoban inancında samimiydi. Kalbi temiz, niyeti ha-
listi. Biz kelimelere bakmayız. Niyete bakarız. Kelimelere ba-
kacak olsak yeryüzünde insan kalmazdı! Biz çobandan razıy-
dık. Başkasına medîh olan söz sana zemdir. Ona bal olan sa-
na zehirdir. Sen işittiklerini inkâr ve küfür saydın ama bilsen
ki bir kabahati varsa bile, ne tatlı kabahattir onunki."
Musa hatasını anlamış. Ertesi gün güneş doğar doğmaz,
çobanı görmek için tekrar dağa çıkmış. Çoban yine duaya
durmuşmuş. Ama dünkü heyecanından, samimiyetinden eser
yokmuş artık. Öğretildiği gibi yakarmaya gayret gösterdiğin-
den, aman bir yanlış laf etmeyeyim diye takılıyor, kekeliyor,
terliyormuş. Musa, çobana ettiğinden pişman olup sırtını ok-
şamış ve demiş ki:
"Ey dost, ben hatalıyım, ne olur affet. Bildiğin gibi dua et.
Allah'ın nazarında böylesi daha kıymetlidir."
Çoban, Musa'dan bunları işitince hayrete düşmüş ama bir
o kadar da rahatlamış. Ne var ki o artık bir üst aşamaya va-
sıl olduğundan, masum inkârına, tatlı günahına dönmeyip,
Musa'nın öğrettiği ezbercilikte de kalmayıp, tüm bunların
ötesine geçmiş. Rabb'ine yakın mutlu mesut, mübarek bir ha-
yat sürmüş.

"İşte bu yüzden, birinin ağzından bal gibi dökülen söz, bir
başkasının kulağına zehir gibi gelebilir" dedi Şems. "Hâlbu-
ki Allah söze değil, niyete bakar. Edep bilenler başkadır. Ca-
nı yanmış âşıkların şeriatı bütün dinlerden ayrıdır. Biz mez-
hep, din veya dil ayrımı bilmeyiz. Kamu âlemi bir tutar, bir-
leriz. Başkasının ağzından çıkan söze "günah" demeyiz.

Çünkü kalpleri Allah bilir, biz bilmeyiz. O yüzden susar, kimseyi ötelemez, incitmeyiz. Bizim tek mezhebimiz var. O da Allah."

Şems susunca gözucuyla kadı hazretlerine baktım. Suratına şaşmaz bir özgüven ve emniyet yontulmuşsa da canının sıkıldığı belli oluyordu. Lâkin gayet cin fikirli olduğundan şunu da sezmişti: Şayet Şems'in anlattığı hikâyeye menfi bir tepki vermeye kalksa, bir adım daha atıp haddini bilmezliğinden ötürü onu cezalandırması gerekecekti. Ama bu kez de işler ciddiye binecek, sıradan bir dervişin koskoca Başkadı'ya meydan okuduğu Bağdat'ta kulaktan kulağa yayılacaktı. Bu durumda en iyisi dert edecek bir şey yokmuş gibi yapması, meseleyi burada noktalamasıydı.

O da öyle yaptı.

Dışarıda güneş batıyor, gökyüzü kızılın ve turuncunun tonlarına boyanıyordu. Aralarda rastgele koyu bulutlar şekilden şekle girerek muazzam bir renk uyumu yaratıyordu. Az sonra kadı efendi ayaklandı; mühim bir meseleye bakması gerektiğini beyan etti. Bana hafifçe selâm verip Tebrizli Şems'e buz gibi bir bakış attıktan sonra yürüdü gitti. Adamları birbirini iterek telaşla ardından seğirtti.

Herkes gittikten sonra, dervişle başbaşa kaldık. "Maalesef başkadı seni pek sevmemişe benzer" dedim.

Şems-i Tebrizî gözüne düşen zülüfleri kenara atıp gülümsedi: "Varsın kızsın, ben ona kızgın değilim. Hem alışkın sayılırım kadılar tarafından sevilmemeye."

Heyecanlanmadım desem yalan olur. Böyle asi, başına buyruk ve durduğu yerden emin, Hakk'a teslim ve gönlü mutmain bir misafirin kırk senede bir geldiğini bilecek kadar uzun zamandır başındaydım bu zaviyenin.

"Anlat hele" dedim. "Yolun nasıl Bağdat'a düştü? Burada ne ararsın?"

Bir yanım anlatsın diye heyecanla beklerken, bir yanım

anlatmamasını istiyordu. Nedendir bilmem, duymayı iple çektiğim cevap, aynı zamanda içime korku salıyordu.

Ella
Boston, 20 Mayıs 2008

Başını mutfak masasının üzerine dayayıp açık duran kitabın yanında ağzı açık bir hâlde uyuyakalmıştı Ella. Rüyasında yol kenarında bir kervansaraydaydı. İçerisi irikıyım savaşçılarla, işvebaz dansözlerle, esrarengiz dervişlerle doluydu. Önlerindeki tabaklarda ev yapımı pasta börek, kurabiye kek vardı. Sonra birden kervansaraydan çıktı, mekânlar kaydı, uzaktan kendisini gördü. Yabancı bir diyarda, bir hisarın içinde, arı kovanı gibi kaynayan bir pazaryerinde telaşla yürüyor; belli ki birini arıyordu. Etrafındaki insanlar ağır ağır hareket ediyor, sanki bir tek onun işitemediği bir nâmeyle raks ediyorlardı. Sarkık bıyıklı, iriyarı bir hokkabaza bir şey soracak oldu. Ama ağzını açtığında konuşamadığını fark etti. Adam ona boş boş baktıktan sonra yürüdü gitti yoluna. Ella, bu sefer tezgâhtarlarla, alışveriş yapan müşterilerle konuşmak istediyse de, aynı sahne tekrarlandı. Kimseye derdini anlatamadı. İlk başta sandı ki bu insanların dilini konuşamadığı için derdini anlatamıyor. Ama ne zamanki elini ağzına götürdü, dehşete düştü: Dili yoktu. Düşmüştü dili, ölü bir tırnak gibi. Panik içinde bir ayna aramaya başladı. Hâlâ aynı insan olup olmadığını bilmek istiyordu. Ama koca pazarda tek bir ayna yoktu. Ağlamaya başladı.

Israrcı bir sesin kulaklarını tırmalamasıyla uyandı. Gözlerini açar açmaz ilk işi dilini yoklamak oldu. Neyse ki yerindeydi. Sesin geldiği yöne doğru baktığında Gölge'nin delirmiş gibi mutfağın arka bahçeye açılan kapısını tırmaladığını gördü. Verandaya bir hayvan girmiş olmalıydı. O orada dolaştıkça, köpek de burada çıldırıyordu. Bilhassa kokarcalara gıcık olurdu Gölge. Geçen kış bahçede bir tanesine denk geldiğinde olanları kimse unutmamıştı. Köpek kokarcaya saldırmış, kokarca da korkunç bir koku salarak intikam almıştı. Zavallı Gölge'yi küvetler dolusu domates suyuyla yıkamak zorunda kalmışlardı. Gene de yanık lastik kokusunu andıran o ağır koku haftalarca üzerinden çıkmamıştı.

Ella duvardaki saate göz attı. Sabahın üçüydü. David hâlâ dönmemişti, belki de hiç dönmeyecekti. Jeannette onu geri aramamıştı ve belki de bir daha aramayacaktı. Doğrusu şu anda Ella'nın hiçbir şeyi hayra yorası yoktu. Hem kocasının hem kızının onu terk ettiği zannı yüreğini daralttı. Bu hâlde kalkıp buzdolabını açtı. Boş gözlerle içine baktı. Buzluktaki çilekli dondurma kabını kapıp kaşıklamak geldiyse de içinden, yeterince fazla kilosu olduğunu hatırlayarak buzdolabını sertçe kapattı.

Ardından, yalnızken içmek hiç âdeti olmadığı hâlde bir şişe kırmızı şarap açtı. Kadehe doldurdu. Güzel şaraptı, hem yoğun kıvamlı, hem ferahlatıcı. Üstelik tam sevdiği gibi buruktu tadı. Orman, mantar ve toprak kokuyordu. Ancak ikinci kadehi doldururken David'in pahalı Bordo şaraplarından birini açmış olabileceği aklına geldi. Telaşla etiketi okudu. Chateau Margaux 1996. Eyvah! David bu şarabı özel bir akşama saklıyordu. Ne yapacağını bilemeden kaşlarını çatarak şişeye baktı. Ama sonra vurdumduymaz bir şekilde omuzlarını silkti. Bu da özel bir akşamdı. Yalnızlığını kutluyordu. Bir dikişte kadehini bitirdi. Ella bu güzelim şarabı bıraksa bile şarabın onu bırakacağı yoktu.

Tekrar masaya dönünce *Aşk Şeriatı*'nı eline alıp karıştırdı ama hemen okumaya başlamadı. Tek satır okuyamayacak kadar yorgun ve uykuluydu. Bunun yerine internete bağlandı ve gelen mesaj kutusuna baktı. Ve orada, yarım düzine lüzumsuz mesajın arasında ve Michelle'in kitap raporunun nasıl gittiğini soran kısa ve sevimsiz notunun hemen altında, beklediği e-postayı buldu.

Aziz Z. Zahara ona hemen yanıt vermişti.

Sevgili Ella,

Beklenmedik mesajın beni Guatemala'da, Momostenango adında ücra bir köyde yakaladı. Burası yeryüzünde hâlâ Maya takvimini kullanan sayılı yerleşim yerlerinden biri. Kaldığım pansiyonun karşısında bir dilek ağacı var. Dallarında akla gelebilecek her renkten ve desenden çaputun bağlı olduğu bu ağaca yerliler Kırık Kalpler Ağacı adını vermişler. Kalp yarası olanlar isimlerini bir kâğıda yazıp, bu ağacın dallarına asıyor, derman bulmak için dua ediyorlar.

Umarım haddimi aşmıyorumdur ama mesajını okuduktan sonra dilek ağacının yanına gittim, kızınla aranızdaki anlaşmazlığı çözmeniz için dua ettim. İnsan sevdiklerinin iyiliğini istediği için onlara müdahale etmeden duramıyor ama bunun bir faydasını da görmüyor aslında. Kendi adıma ben, ancak başkalarına müdahale etmeyi bırakıp, "tevekkül" ettiğim zaman rahat ettim, biliyor musun?

Pek çok insan için tevekkül etmek, pasif kalmak demek; hâlbuki tam tersine. Tevekkül, kabulün ve uyumun getirdiği som bir huzur hâlidir. Edilgen değil, etkindir. Kâinatta değiştiremeyeceğimiz, tam anlamıyla vakıf olamayacağımız hâller arz edebilir. Bu hâller de dahil, tüm var oluşa aşkla yaklaşmak mümkün. En azından deneyebiliriz. Rumi aşkın hayatın can suyu olduğuna inanırdı. Öyleyse eğer, tek bir katresi bile heba olmamalı.

Maya takvimine göre bugün olağanüstü bir günmüş. Büyük değişimlerin, yepyeni, tazelenmiş bir bilincin müjdecisi. Güneş batıp gün sona ermeden bu mesajı yollamalıyım ki enerjisi kaybolmasın.

Dilerim ağacın dallarında sallanan ismin rengârenk çiçek açar. Hiç ummadığın bir anda, beklemediğin bir yerden çıkıverir aşk karşına.

Dostlukla,
Aziz

Ella mesajı iki defa okudu. Ne garip bir adamdı bu Aziz. Ne kadar da içten yazmıştı! Durup dururken kadının teki bana niye e-posta yollamış dememiş, ciddiyetle ve samimiyetle cevap vermişti. Kimin nesiydi acaba? Tanıdığı hiç kimse böyle bir mesaj yazmazdı.

Doğrusu, dünyanın öte ucunda bir yerde, hiç tanımadığı bir yabancının kendisi için dua etmesinden etkilenmişti. Gözlerini kapadı, adının yazılı olduğu kâğıt parçasını düşündü; bir uçurtma misali rüzgârda savruk, başına buyruk, hür, hafif ve bir o kadar mesut...

Birkaç dakika sonra mutfak kapısını açtı, arka bahçeye çıktı. Seher vakti esen meltem, burnunu gıdıkladı, yüzünü okşadı. Gölge hemen yanında dikildi; nedense huzursuz huzursuz havayı koklayarak. Pürdikkat kesilip gözlerini kıstı, kulaklarını havaya dikti.

Baharın bu son demlerinde, Amerika'da lüks bir evin arka bahçesinde, gökte ay ve bulutlar, yerde Ella ve köpeği, yan yana durdular.

Doğrusu ne yaşlı köpek, ne de sahibi alışkındı gecenin tekinsizliğine, hayatın belirsizliğine. İkisi de nefesini tutup baktılar karanlığa; yarı korku, yarı tedirginlikle.

Çömez
Bağdat, Nisan 1242

Başkadı ve avenesini kapıya kadar geçirdikten sonra kirli kapları toplamak için odaya döndüm. Bir baktım Baba Zaman ve gezgin abdal onları bıraktığım gibi duruyor. Ağızlarından tek bir kelime bile çıkmıyor. Göz ucuyla ikisini de yokladım. Acaba konuşmadan sohbet etmek mümkün müdür? Sırf merakımdan oyalandıkça oyalandım. Laf olsun diye yastıkları düzelttim, odayı derledim topladım, halıdaki kırıntıları tek tek ayıkladım. Ne var ki bir süre sonra orada durmak için bahanem kalmadı. Mecburen, onları öylece bırakıp odadan çıktım.

Ayaklarımı sürüye sürüye mutfağa geçtim. Beni görür görmez zalim Aşçı Dede takır takır emir yağdırmaya başlamaz mı! *"Nerde kaldın tembel çömez? Çabuk tezgâhları sil, yerleri süpür! Bulaşıkları yıka! Ocağı temizle, duvardan isi yağı sök! İşin bitince fare kapanlarına bakmayı unutmayasın sakın! Kol kadar sıçan gördüm kilerde, git yakala mendeburu! Yoksa peynir yerine seni koyarım kapana!"*

Bu zaviyeye geleli neredeyse altı ay oldu ama ilk günden beri Aşçı Dede'nin iki eli yakamda. Ha bire karşıma geçip *"Temizlik ibadettir, ibadet temizlik!"* diye nutuk atıyor. Gaddar adam! Onun zoruyla her gün it gibi çalışıyorum. Bu işkencenin adına nasıl "manevi terbiye" diyorlar, bir anlayabilsem! Yağlı tabakları yıkamanın, yerleri ovmanın neresinde maneviyat olabilir ki?

Bir gün gözü karartıp, cevap verecek oldum. "Temizlik ibadet olsaydı Bağdat'taki bütün ev kadınları çoktan Pir mertebesine ulaşmıştı" dedim.

Aşçı Dede kafama bir tahta kaşık fırlatıp avazı çıktığı kadar bağırdı: "Bana bak, derviş olmaya niyetin varsa şu tahta kaşık kadar suskun olacaksın evlat! Pabuç kadar dil, mürit kısmının vasıfları arasında sayılmaz. Az konuş ki, çabuk pişesin!"

Gıcık oluyordum Aşçı Dede'ye. Ama bir o kadar korkuyordum ondan. Bir kez olsun sözünden çıkmamıştım. Yani, bu geceye dek...

Bu sefer Aşçı Dede bana sırtını döner dönmez mutfaktan sıvıştım; ayaklarımın ucuna basa basa misafirin bulunduğu odaya yaklaştım. Aniden çıkagelen şu dervişi tanımaya can atıyordum. Kimdi? Neyin nesiydi? Kalenderî miydi? Burada ne arıyordu? Zaviyedeki diğer dervişlere hiç mi hiç benzemiyordu. Gözlerinde bir deli bakış vardı, serkeş, cevval, asi ve korkusuz. Tevazu içinde başını önüne eğerken dahi kaybolmuyordu bu bakış. Öyle isyankâr, öyle fevri bir hâli vardı ki, insan hem büyüsüne kapılıyor, hem de varlığından rahatsız olup ürküyordu.

Odaya varınca, kapıyı kapalı buldum. Bir delikten gözetlemeye koyuldum. İlk başta bir şey göremedim ama gözlerim loşluğa alışınca içeridekilerin yüzlerini seçebildim.

Az sonra Baba Zaman, Şems'e bir soru yöneltti.

"Anlat hele, yolun nasıl Bağdat'a düştü? Yoksa rüyada mı gördün bu zaviyeyi?"

Derviş başını salladı. "Hayır, buraya gelmeme sebep bir rüya değildi. Ben zaten hiç rüya görmem."

"Herkes rüya görür" dedi Baba Zaman şefkatle. "Hatırlamıyorsundur, o başka. Hatırlamaman rüya görmediğin anlamına gelmez."

"Ama ben rüya görmem" diye tekrarladı Şems. "Allah'la mutabakatımızın parçasıdır. Çocukken kâinatın kimi sırlarının bir bir önüme serildiğine şahitlik ettim. Bunu anneme babama anlattığımda hiç hoşlarına gitmedi, hayal gördüğümü söylediler. Sırrımı arkadaşlarıma açayım dedim, onlar da 'ya hayalcinin ya yalancının tekisin' dediler. Hocalarıma danıştım ama onların tepkisi de farklı olmadı. En nihayetinde anladım ki insanoğlu fevkalade bir hâl işitti mi ona 'hayal ya da rüya' der, geçer."

Bunu söyler söylemez, derviş bir ses işitmiş gibi bir anda sustu. Sonra çok tuhaf bir şey oldu. Doğruldu, sırtını dikleştirdi; ağır ağır, gittiği yeri bilircesine kapıya yöneldi ve bana doğru ilerledi. Tüm bunları yaparken hep benim bulunduğum noktaya bakıyordu. Sanki bir şekilde orada olduğumu, onları gözetlediğimi bilmişti.

Sanki tahta kapının ötesini görebiliyordu.

Kalbim deli gibi atmaya başladı. Mutfağa mı kaçsam diye geçti içimden ama kollarım, bacaklarım, tüm bedenim uyuşmuştu. Şems-i Tebrizî'nin o kara bakışları kapıyı delip geçiyor, ötelere uzanıyordu. Dehşete düşmüştüm ama aynı zamanda vücudumun her zerresine muazzam bir kudret doluyordu. Şems yaklaştı, elini kapının kulpuna attı. Tam kapıyı açıp beni burada suçüstü yakalayacakken durdu. Bu kadar yakında olduğundan delikten bakmak da kâr etmiyordu; yüzünü göremiyordum. Kabir azabı gibi geldi öyle beklemek. Nefesimi tutup, kalakaldım. Derken Şems gene öyle aniden sırtını döndü; kapıdan uzaklaşırken hikâyesini anlatmaya devam etti.

"En sonunda Allah'tan bir daha rüya görmemeyi talep ettim. Böylece ne vakit bir alametle karşılaşsam ya da öteki âlemi keşfe çıksam, bunun bir rüya olmadığını kesinkes bilecektim. Allah razı geldi. Rüya melekesini benden çekip aldı. İşte bu yüzden asla rüya görmem."

Şems odanın öte ucundaydı şimdi. Açık pencerenin başında, ayakta duruyordu. Dışarıda yağmur çiseliyordu. Düşünceli düşünceli yağmuru seyrettikten sonra şöyle dedi: "Allah rüya görme melekemi aldı almasına ama bu noksanı telafi etmek için başkalarının rüyalarını tabir etmeme müsaade etti."

Baba Zaman'ın bu saçmalığa inanmayacağını düşündüm. Her zaman beni nasıl azarlıyorsa dervişi de azarlar sandım.

Ama mürşit usulca başını eğdi ve dedi ki:

"Fevkalade bir kimseye benzersin. Söyle bakalım, sana nasıl faydamız dokunur?"

"Bilmiyorum. İşin aslı, bu sorunun cevabını bana sizin vermenizi bekliyordum."

"Ne demek istiyorsun?" diye sordu Baba Zaman. Kafası karışmış gibiydi.

"Neredeyse kırk yıldır abdalım. Kurdun kuşun karıncanın her türlüsünü bilirim. Zorda kalsam yabani hayvan gibi dövüşürüm ama ben kimseye sataşmam. Gökte burçları, ormanda mantarları, bayırlarda otları, deryada balıkları çeşit çeşit sayabilirim. Allah'ın kendi suretinde yarattığı insanı okurum, açık kitap misali..."

Şems bir süre ağzını açmadı, mürşidin kandili yakmasını bekledi. Sonra sözüne devam etti: "Zira kırk kuraldan biridir. **Dördüncü Kural: Kâinattaki her zerrede Allah'ın sıfatlarını bulabilirsin, çünkü O camide, mescitte, kilisede, havrada değil, her an her yerdedir. Allah'ı görüp yaşayan olmadığı gibi, O'nu görüp ölen de yoktur. Kim O'nu bulursa, sonsuza dek O'nda kalır."**

O titrek loş ışıkta Şems-i Tebrizî'nin boyu daha da uzamış gibiydi. Saçları omuzlarına dalga dalga dökülüyordu.

"Ama ilm-i ledun bir yere akmazsa şayet, beklemiş bir vazonun dibindeki acı su gibidir. İçimde biriken ilmi paylaşacak bir can yoldaşı bulmak için Allah'a çok dua ettim. En sonunda Semerkand yakınlarında bir handa bir sır fısıldandı kulağıma. Kaderimin tecellisi için Bağdat'a gitmem söylendi. İnanıyorum ki bundan sonra ne yöne gitmem gerektiğini bana siz söyleyeceksiniz. Ama bugün ama yarın."

Dışarıda gece çökmüş, ay parelenmiş, açık pencereden huzmeler sızıyordu. Saatin ne kadar geç olduğunu fark ettim. Aşçı Dede beni aramaya çıkmış olmalıydı ama umurumda değildi. Bir kerecik olsun kuralları ihlal etmek muhteşem bir histi!

"Benden ne tür cevap beklersin, bilmem" diye mırıldandı Baba Zaman. "Ama sana vereceğim herhangi bir malumat varsa, zamanı gelince olur elbet. O vakte değin bizimle kalabilirsin. Misafirimiz ol."

Şems hürmetle eğilip selâm etti ve Baba Zaman'ın elini öptü. İşte o an mürşidim, o acayip suali sordu:

"Tüm ilmini bir başkasına aktarmaya hazır olduğunu söylüyorsun. İnci mercan misali birikimini eline alıp, bir zata vermek istersin. Lâkin bir başkasının kalbini maneviyat nuruna yakmak bedelsiz iş mi? Karşılığında ne bedel ödeyebilirsin?"

Ömrü hayatım boyunca dervişin cevabını unutamayacağım. Durdu ve "başımı" dedi usulca. "Karşılığında başımı vermeye hazırım."

Sırtımdan aşağı soğuk terler aktı, irkilerek geri çekildim. Gözümü tekrar kapıdaki deliğe yanaştırdığımda, mürşidimizin de sarsıldığını gördüm.

Baba Zaman iç geçirdi. "Bugünlük bu kadar hasbıhal yeter. Yorgunsundur. Bizim Kızıl Çömez'i çağırayım da sana yatağını göstersin, temiz çarşafla süt getirsin."

Bunu duyunca Şems tekrar kapıya baktı. Bakışlarını yine tâ kemiklerimde hissettim. Sanki duvarları delip geçiyor, sadece kapının ötesini değil, ruhumun en dipte ve en saklı hallerini inceliyor, benden bile gizli sırlarımı tanıyordu. Bir korku bürüdü içimi. Belki de kara büyü biliyordu. Kuran-ı Kerim'in sakınmamızı tembihlediği Babil'in iki meşhur meleği Harut ile Marut eğitmişti Tebrizli Şems'i. Ya da bir başka hüneri vardı da duvarların ötesini görebiliyordu. Her hâlükârda korkutuyordu beni.

"Kızıl Çömez'i çağırmaya gerek yok" dedi Şems. "İçimden bir his onun zaten yakında olduğunu, konuştuklarımızı duyduğunu söylüyor."

Ağzımdan gayriihtiyarî bir hayret nidası çıktı. Panik içinde ayağa kalktım, bahçeye fırladım. Ne var ki orada da hiç tahmin etmediğim bir bela bekliyordu beni: Aşçı Dede! "Seni hergele, demek buradasın!" diye bağırdı aşçı ve elinde çalı süpürgesiyle beni kovalamaya başladı. "Başın büyük belada velet. Yaktım çıranı. Gel buraya!"

Son anda süpürgeyi savuşturup, ok gibi hızla bahçeden kaçtım.

Zaviyeyi ana yola bağlayan patikada var gücümle koşarken Şems-i Tebrizî'nin yüzü gözlerimin önünden gitmiyordu. Nerden bilmişti onları gözetlediğimi? Büyücü müydü bu adam? Fersah fersah uzaklaştığımda bile, değil durmak, yavaşlayamadım. Kalbim ağzıma varacak gibiydi, dilim dudağım kurumuştu.

Dizlerim boşalana, göğsüm tıkanana dek koştum, koştum, koştum.

Ella
Boston, 21 Mayıs 2008

Başucunda boş şarap kadehi, kucağında *Aşk Şeriatı* yatakta uyuyakalmıştı Ella. Ertesi sabah David eve geldiğinde onu bu vaziyette buldu. Bir an yatağa yaklaşıp, karısının üstünü örtecek gibi olduysa da fikrini değiştirerek hızlıca banyoya yöneldi.

On onbeş dakika sonra Ella kendiliğinden uyandı. Kocasının banyoda duş aldığını duymak onu şaşırtmadı. Ne de olsa David başka kadınların evlerine gidebilir, hatta onlarla beraber olabilirdi ama istisnasız her sabah duşunu kendi banyosunda alırdı. Yatakta öylece uzanıp akan suyun sesini dinledi. Az sonra David'in duştan çıktığını duydu. Yeniden gözlerini yumarak uyuyormuş numarası yaptı. Böylece dün gece neden eve gelmediği sorusunu ne o sormak zorunda kaldı, ne de kocası cevaplamak.

Yaklaşık bir saat sonra David ve çocuklar evden çıkınca, Ella gene mutfakta tek başına kaldı. Hayatının nehri her zamanki akışında akmaya devam eder gibiydi. En beğendiği yemek tarifi kitabını açtı: *Kolaycacık Pişirme Sanatı*. Birkaç tarifi dikkatle inceledikten sonra, kendisini tüm öğlen meşgul edecek zorlu bir mönü seçti:

Safranlı, Hindistancevizli, Portakallı Deniztarağı Çorbası
Mantar Sosunda Taze Otlu, Beş Çeşit Peynirli Makarna
Sirkeyle Kızartılmış Sarımsaklı Dana Kaburgası
Kremaya Yatırılmış Karnabahar Salatası

Ardından bir de tatlıda karar kıldı: *Sıcak Çikolatalı Sufle.*
Yemek pişirmeyi bu kadar sevmesinin bir sürü sebebi vardı. Tek başına rahatlıkla kotardığı, ustası olduğu yegâne işti yemek yapmak. Hem onu sakinleştiriyordu da. Gayet sıradan görünen malzemelerden leziz ve latif bir yemek yaratıp, görkemli bir sofra kurmanın insanın ruhunu okşayan bir tarafı vardı. Mutfakta yemekle uğraşırken, esiri olduğu gündelik yaşamın sınırlarından ve sıkıntılarından kurtuluyordu. Mutfak, dışarıdaki dünyadan kaçabileceği, zamanı dilediği gibi ayarlayıp durdurabileceği tek mekândı. Belki bazı insanların sevişmekten aldığı hazzı, Ella yemek yapmaktan alıyordu. Üstelik ikinci bir kişiye ihtiyaç duymadan. Yemek yapmak için tek gereken biraz zaman, emek ve malzemeydi. O kadar.

Televizyondaki yemek programlarını kaçırmadan izler ama hiçbirini sahici bulmazdı. Bu programlarda yemek yapmayı habire "özgünlük", "yaratıcılık", hatta "çılgınlık" ile özdeşleştirmelerini garipsiyordu. Mutfak bir laboratuar değildi ki! Bırakın bilim adamları deney yapsın, sanatçılar acayip olsun! Aşçılık başka bir şeydi. İyi bir aşçı olmak için ne deney yapmak gerekiyordu ne çılgın olmak! İyi yemek yapmak isteyen kişi evvela işin alfabesini öğrenmeliydi. Yemek sanatı yılların, hatta yüzyılların birikimiydi. İnsan yeni bir şeyler icat etmek yerine, hâlihazırda mevcut birikime saygı göstermeliydi. Modern çağda kimse eski âdetleri ya da klasikleşmiş öğretileri orijinal bulmasa da, Ella Rubinstein mutfakta hayli geleneksel bir kadındı.

Aslında Ella genel olarak alışkanlıklarına düşkün biriydi. Ailecek hemen her gün aynı saatte kahvaltı eder, her hafta sonu aynı alışveriş merkezine gider ve her ayın ilk pazarı komşularıyla mangal yaparlardı. David tam bir işkolik olduğundan, tüm evin işlerini çekip çevirmek Ella'ya kalıyordu: Hesabı kitabı o tutuyor, mobilyaları o yeniliyor, her ihtiyaca o koşuyor; evde ne zaman tamirat gerekse ustalarla o muhatap oluyor; çocukları baleye, basketbola, tenise, yaşgünü partilerine o götürüyor, ev ödevlerine gene o yardım ediyor ve tüm bunları aksatmamak için program üstüne program yapıyordu.

Her perşembe akşamı Ella kendisi gibi evkadınlarının oluşturduğu bir yemek kulübüne gidiyordu. (Kulübün üyeleri farklı ülkelerin mutfaklarını inceleyip, eski tarifleri yeni tatlarla zenginleştirerek yemek pişirmenin inceliklerini öğreniyordu) Her cuma, Organik Ürünler Pazarı'nda saatler harcıyor; çiftçilerle mahsulleri konuşup şeker oranı düşük reçelleri inceliyor, yahut kendisi gibi yemek pişirmeye meraklı başka insanlara, örneğin ufak porteballa mantarı nasıl pişirilir, ayrıntısıyla anlatıyordu. Pazardan sonra alışveriş listesinde eksik bir şey kalmışsa, eve dönüşte süpermarketten tamamlıyordu.

Cumartesi günleri ise David Ella'yı dışarı yemeğe, genellikle Tayvan yahut Japon restoranına götürürdü. Dönüşte yorgun, sarhoş ya da keyifsiz değillerse, sevişirlerdi. Kısa kesik öpüşler, tedirgin dokunuşlar, yüzeysel okşayışlar... şehvetten ziyade şefkatle beraber olan bir çiftti onlar. Vaktiyle en mahrem bağları olan cinsellik çoktan albenisini yitirmişti. Artık nadir sevişmeler dışında birbirlerine hiç dokunmuyorlardı. Ve bazen haftalarca, aylarca sevişmedikleri olurdu. Ella'ya kalsa bir şikâyeti yoktu. Gerçi bir zamanlar o kadar önem verdiği cinselliği özlemiyor oluşunu anlamakta zorlanıyordu. Gene de uzun süren evliliklerde tutkunun azalmasını doğal karşılıyordu.

Ne var ki kocası başka türlü hissediyor olmalıydı. Anlaşılan David karısıyla beraber olmaktan soğumuştu ama başka kadınlarla beraber olmaya itirazı yoktu. Bugüne değin Ella ona açıktan açığa kendisini aldatıp aldatmadığını sormamış, şüphelerini yüzüne vurmamıştı. En yakın arkadaşlarının dahi durumdan haberdar olmayışı, meseleyi bilmezden gelmesini kolaylaştırmıştı. Kimseye bir açıklama yapmak zorunda kalmamış, yüzkızartıcı skandallar ya da dedikodularla uğraşmamıştı. David'in bunu nasıl kotardığını bilemiyordu ya, sürekli başka kadınlarla, özellikle de genç sekreteriyle kırıştırdığı düşünülecek olursa, kaçamaklarını sessiz ve derinden yürüttüğü kesindi. Ama ne kadar saklarsa saklasın, sadakatsizliğin kendine has bir kokusu vardı. Ve Ella bu kokuyu tanıyordu.

Doğrusu şimdi durup geriye baktığında bir sebep-sonuç ilişkisi tayin etmekte zorlanıyordu. Önce hangisi gelmişti? Acaba kocası onu aldattığı için mi kendini ve bedenini ihmal etmeye başlamış, cinsellikten soğumuştu? Belki de evvela o kendini ve bedenini salmış, ardından David de başka kadınlara meyleder olmuştu. Bilemiyordu. Her hâlükârda sonuç aynıydı: Yirmi sene ve üç çocuktan sonra evliliklerinin parıltısı sönmüştü.

Takip eden üç saat boyunca Ella aklında binbir fikir ve vesvese cirit atarken bir yandan da sakin sakin yemek hazırladı. Domates dilimledi, sarımsak ezdi, soğan kavurdu, fesleğen doğradı, sos kaynattı, portakal kabuğu rendeledi, hamur yoğurdu. David'in annesinin nişanlandıklarında verdiği altın öğüdü hiç unutmamıştı: "Taze pişmiş ekmek kadar bir erkeği evine bağlayan bir şey olamaz" demişti kayınvalidesi. "Sakın ha marketten ekmek alma. Kendi ekmeğini kendin pişir. Göreceksin, ne mucizeler yaratacak!"

Tüm öğleden sonra çalışan Ella dört başı mamur bir sofra kurdu. Masayla takım kâğıt peçeteleri üçgen üçgen katladı, kokulu mumlar yaktı; tam orta yere sarılı beyazlı çiçeklerden gözalıcı bir buket yerleştirdi. Ardından bez peçeteleri yuvarlayıp, parlak halkaların içine yerleştirdi. Nihayet işi bittiğinde, yemek masası dekorasyon dergilerinden fırlamış gibiydi. Yorulmuştu ama değmişti.

Yapacak işi kalmayınca mutfaktaki televizyonu açıp yerel haberleri dinlemeye başladı. Son yirmi dört saat içinde Boston'da genç bir terapist evinde bıçaklanmış, bir hastanede kısa devre yüzünden yangın çıkmış; duvarlara ve heykellere uygunsuz laflar yazan dört lise öğrencisi tutuklanmıştı. Ella işittiği her yeni haber karşısında biraz daha tedirgin oldu. Amerika'nın en güvenli yerleri olan banliyölerde dahi hayat güvencesi kalmamışken, Aziz Z. Zahara gibi insanlar nasıl olup da dünyanın az gelişmiş bölgelerine gidecek gücü ve cesareti kendilerinde buluyorlardı?

Anlaşılan hayatın bu kadar belirsiz, dünyanın böylesine tuhaf ve tekinsiz olması kendisi gibilerin kaygıyla eve kapanmasına sebep olurken, Aziz gibi insanlarda tam ters etki yaratıyor; onları bir seyahatten bir başkasına, bir maceradan ötekine sürüklüyordu. Buydu Ella'yı en çok şaşırtan. Nasıl oluyor da aynı sebep bu kadar farklı iki sonuç doğuruyordu?

* * *

Rubinstein Ailesi akşam saat 7.30'da kusursuz bir fotoğraf karesini andıran yemek masasına oturdu. Yanan mumlar yemek odasına şık bir hava katıyordu. Şimdi birisi çıkıp da pencereden onları gözetlemeye kalksa, mum ışığı denli zarif ve mükemmel bir aile olduklarını zannederdi. Jeannette'in yokluğu dahi bu pürüzsüz resme halel getirmemişti. Orly ve Avi durmadan okulda olanlar hakkında çene çaldılar. Ella bir kereliğine de olsa ikizlerin bu kadar geveze ve gürültücü olmasından mutlu oldu. Kocasıyla arasındaki sessiz uçurumu örttükleri için minnettardı çocuklarına.

Gözucuyla David'in tabağındaki karnabahara çatalını daldırıp, yemeğini ağır ağır çiğnemesini izledi. O çok iyi tanıdığı, defalarca öptüğü soluk, ince dudaklara, düzgün porselen dişlere takıldı bakışları. Kocasını başka bir kadını öperken canlandırdı hayalinde. Nedense aklına gelen kadın modeli David'in genç sekreteri değil, bir Hollywood yıldızının, Julia Roberts'in iri memeli hâliydi. Zihninde canlanan kumral kadın, gayet atletik ve kendinden emindi. Daracık bir elbiseyle göğüslerini sergiliyor, diz kapaklarına varan yüksek topuklu kırmızı deri çizmeler giyiyordu. O kadar çok makyaj yapmıştı ki, yüzü aşırı fondötenden ay gibi parlıyordu. David'in bu kadını telaşla, tutkuyla, âdeta açlıkla öptüğünü hayal etti. Ailesinin yanındayken takındığı nezaketten tamamen uzaktı...

İşte o zaman ve oracıkta, *Kolaycacık Pişirme Sanatı* kitabından kotarılmış yemeğini yerken, kocasının bir başka kadını nasıl öptüğünü düşüneduran Ella'nın kafasında bir şalter attı. Soğukkanlılıkla bir gerçeğin ayırdına vardı. Evet belki ürkek, sıkılgan ve ailesine fazlasıyla bağımlı bir insandı. Evet, belki hayatı boyunca kendi ayakları üzerinde durmayı öğrenememişti ama bir gün pat diye her şeyi ve herkesi bırakıp gidebilirdi: Mutfağını, köpeğini, zencefilli kurabiyelerini, kokulu mumlarını, çocuklarını, şık malikânesini, komşularını, barbekü partilerini, kocasını, raflardaki dizi dizi yemek kitaplarını... Hepsini öylece terk edip, şu kapıdan tek bir bavulla çıkabilir; bitmeyen bir kaos ve karmaşadan ibaret olan dış dünyaya balıklama atlayabilirdi.

Evet, Ella Rubinstein bu akşam anladı ki, bir gün hiç beklenmedik bir şekilde tepesinin tası atabilirdi. Ve senelerdir yarı merak yarı kaygı ve bol önyargıyla izlediği haber programlarındaki olayların cereyan ettiği o delidolu dış dünyada bulabilirdi kendini.

Efendi
Bağdat, 26 Ocak 1243

Bize katılmasının üzerinden dokuz ay geçti. İlk başta Şems'in her an aklına esip, tası tarağı toplayarak gideceğini sandım. Tekke hayatının katı kurallarından sıkıldığı gün gibi aşikârdı. Herkesle beraber aynı saatte yatıp kalkmaktan, düzenli saatlerde yemek yemekten, başkalarının nizamına uymaktan ölesiye sıkıldığını görebiliyordum. Yalnız bir kuş misali tek ve hür olmaya alışıktı. Zaviye hayatı sabrının sınırlarını zorluyordu. Doğrusu, ne zaman kaçacak diye bekliyordum. Ama hiçbir yere gitmedi. Ruhdaşını bulma arzusu o kadar derindi ki, her şeye rağmen kaldı ve sabırla bekledi. Günün birinde o çok istediği bilgiyi ona vereceğime, nereye ve kime gitmesi gerektiğini söyleyeceğime inancı tamdı. Bu inanç sayesinde bizlerle kaldı.

Bu dokuz ay boyunca onu yakından takip ettim. Zaman onun için daha farklı akıyordu sanki; daha hızlı ve yoğun. Diğer dervişlerimin kavraması haftalar, bazen aylar alan bir mesele, sıra Şems-i Tebrizî'ye gelince saatler, günler alıyordu, o kadar. Yeni ve sıradışı olan her şeye müthiş bir merakla yaklaşıyordu. Her sabah dışarıda gezinip, uzun uzun tabiatı seyredalıyordu. Çoğu zaman onu bahçede bir örümcek ağının dokusunu yahut gece açan bir çiçekteki çiğ tanelerini inceler hâlde buluyordum. Böcekler, bitkiler, kristaller, reçineler, dikenler ve cümle doğa, Şems'e kitaplardan ve risalelerden daha ilgi çekici, daha ilham verici geliyordu. Ama tam da ben kitap okumaya düşkün olmadığını düşünürken, bir bakıyordum elinde asırlık bir el yazması, özenle tek tek çözüyor harflerin mânâsını; daha fazla okumak uğruna günler gecelerce uykusuz kalıyor. Sonra gene bir bakıyordum tek bir kitabın kapağını açmadan haftalar geçirmiş.

Bu durumu kendisine sorduğumda şöyle dedi: "İnsan, aklını aç ve muhtaç bir bebek farz edip kaşık kaşık bilgiyle doyurmalı. Ama nasıl ki bazı yiyecekler bebeğe ağır gelirse, bazı bilgiler de akla ağır gelir, onu da unutmamalı."

Meğer kırk kuralından birisi bu konudaymış.

Beşinci Kural: Aklın kimyası ile aşkın kimyası başkadır. Akıl temkinlidir. Korka korka atar adımlarını. "Aman sakın kendini" diye tembihler. Hâlbuki aşk öyle mi? Onun tek dediği: "Bırak kendini, ko gitsin!" Akıl kolay kolay yıkılmaz. Aşk ise kendini yıpratır, harap düşer. Hâlbuki hazineler ve defineler yıkıntılar arasında olur. Ne varsa harap bir kalpte var!

Şemsi tanıdıkça ferasetine, edebine, kıvrak zekâsına hayranlık beslemeye başladım. Ama aynı zamanda biliyordum ki Şems'in müstesna hallerinin menfi yanları da vardı. Örneğin, lafını hiç sakınmıyordu. Dervişlerime hep başkalarının hatalarını hoş görmeyi, bağışlayıcı olmayı, ser verip sır vermemeyi öğretmiştim. Gel gelelim, Şems hiçbir hatayı affetmiyordu. Yanlışı gördü mü anında söylüyor, lafını ne esirgiyor ne dolaştırıyordu. Başkalarını gücendireceğini bilse de sözlerini yumuşatmıyordu. Hatta sırf karşıdaki öfkelenince içinden nasıl bir çiğlik çıkacak görsün ve anlasın diye insanları kasıtlı olarak kışkırttığından şüpheleniyordum.

Onu sıradan işlere koşmak son derece zordu. Gündelik meselelere tahammülü yoktu. Bir şeye alışır gibi olduğu anda ona karşı ilgisini kaybediyordu. Herhangi bir angaryaya katılması istenince kafese kapatılmış kaplan misali huysuzlanıyordu. Şayet süregiden bir sohbet canını sıkarsa veya biri akılsızca bir laf ederse, anında kalkıp gidiyordu. Herkese eşit davranıyor ama kimseyi de fazla takmıyordu. Çoğu insanın kıymet verdiği rahatlık, refah ve rütbe gibi nimetlerin onun gözünde en ufak kıymeti yoktu. Kelimelere itibar etmezdi. Bu da kurallarından biriydi:

Altıncı Kural: Şu dünyadaki çatışma, önyargı ve husumetlerin çoğu dilden kaynaklanır. Sen sen ol, kelimelere fazla takılma. Aşk diyarında dil zaten hükmünü yitirir. Âşık dilsiz olur.

Zamanla sıhhatinden de endişelenmeye başlar oldum. Elbette en nihayetinde kaderimiz Allah'ın elinde. Yalnız O'dur vademizin ne zaman ve nasıl dolacağını bilen. Gene de elimden geldiğince Şems'in hızını yavaşlatmaya, onu daha sakin ve düzenli bir yaşama alıştırmaya çalıştım. Bir müddet bunu başarabileceğime inandım. Ama sonra karakış başladı. Ve dondurucu soğuklarla beraber uzaklardan mektup taşıyan bir ulak geldi. Ve o mektup her şeyi altüst etti.

Mektup
Kayseri'den Bağdat'a, Şubat 1243

Bismillahirrahmanirrahim,
Muhterem Baba Zaman,
Nice zamandır dünya gözüyle görüşemedik. Allah'tan mu-

radım bu mektubun sizi ve kalbinizi ferahlık içinde bulması-dır. Bağdat'ın eteklerinde kurduğunuz zaviye ile ilgili öteden-beri güzel şeyler işitirim. Bu mektubu yazış sebebim ise nice-dir zihnimi meşgul eden, aramızda kalmasını isteyeceğim bir meseledir. Müsaadenizle baştan başlayayım.

Malumunuz olduğu üzere merhum Sultan Alâeddin Keyku-bad hazretleri, zor zamanlarda mükemmelen hükümdarlık yapmış takdire şayan bir zattı. Kendisinin en büyük hayali, şa-irlerin, sanatkârların ve dahi feylesofların huzur içerisinde ya-şayıp çalışabileceği bir şehir kurmaktı. Dünyadaki onca husu-meti, karmaşayı düşününce, hele bir yandan Haçlısı, bir yan-dan Moğolu saldırırken, pek çok insana bu imkânsız bir hayal gibi gelmişti. Neler görmedik ki bugüne değin: Hıristiyan Müs-lüman'ı, Hıristiyan Hıristiyan'ı, Müslüman Hıristiyan'ı, Müs-lüman Müslüman'ı kesmedi mi? Dinler, mezhepler, kabileler, hatta kardeşler savaşmadı mı? Mamafih, Keykubad dirayetli bir hükümdardı. Hayalini gerçekleştirmek için Konya'yı seçti –Nuh'un Tufanı'ndan sonra su yüzüne çıkan ilk şehri.

İmdi Konya'da bir âlim yaşar, ismini belki duydunuz, belki duymadınız, Mevlâna Celaleddin ise de kimisi Rumi diye çağı-rır zâtını. Ne bahtlıyım ki kendisini tanır oldum, tanımakla da kalmadım hocası oldum ve dahi babasının vefatından sonra, mürşidi oldum ve ondan da yıllar sonra talebesi oldum. Ne ta-lihliyim ki onunla diz dize ilim çalıştım. Evet ya habibi, ben ta-lebemin talebesi oldum. Öyle marifetli, öyle mümtaz ve müstes-naydı ki, bir an geldi kendisine öğretecek hiçbir şeyim kalma-dı. Bu sefer ben ondan öğrenmeye başladım. Tabii, babası da harikulade bir ârifti. Gel gelelim Rumi çok az âlimde olan bir hünere sahiptir: Dinin dış kabuğunu aralayıp, özündeki evren-sel ve ebedi cevheri çekip çıkarma becerisi.

Şunu bilesiniz ki bu yalnız benim fikrim değildir. Rumi genç bir adamken o koca Sufi, o eşsiz eczacı, o meşhur attar ile tanıştığında, Feridüddin-i Attar hazretleri şöyle demişti:

"Çok geçmeyecek, bu oğlan âlemin yüreği yanıklarının yüreklerine ateşler salacak." Muteber feylesof, muharrir ve mutasavvıf İbn-i Arabî Hazretleri ise bir gün genç Rumi'yi babasının peşi sıra yürür görünce şöyle buyurmuştu: "Fesüphânallah! Bir okyanus, bir gölün ardında gidiyor."

Daha yirmi dört yaşındayken Rumi şeyhlik makamına erdi. Bundan tam on üç sene sonra bugün Konya halkı onu kendilerine örnek almakta. Her Cuma dört yandan insan, sırf Mevlâna'nın Cuma hutbelerini dinlemeye şehre üşüşür. Zât-ı alileri fıkıhta, felsefede, ilm-i heyet'te, kimyada ve dahi cebirde emsalsizdir. Denir ki daha şimdiden on bin müridi vardır. Müritleri ağzından çıkan her kelimeye kıymet atfeder. Ve onu sadece İslam tarihinde değil, dünya tarihinde müspet bir değişime yol verecek, yüce bir münevver addeder.

Bundan bir müddet evvel Kayseri'ye taşındım. Uzak da olsak Rumi'yi her zaman evladım sayarım. Müteveffa babasına onu bir an bile dualarımdan eksik etmeyeceğime dair söz verdim. Lâkin benim vadem dolmak üzere, bir ayağım çukurda.

Rumi her ne kadar kâmil ve ilmine vakıf bir kimse olsa da, kimsenin çözemediği bir boşluk taşımakta içinde. Ne ailesinin ne müritlerinin doldurabildiği bir boşluk bu. Birkaç kez bana içini döktüğünde kendisi de buna yakın bir tespitte bulundu. "Şüphesiz ki hamlıktan uzak ve arınmışsın ama aşk odunda pişmedin. Kadehin ağzına dek badeyle dolu olsa da ruhuna öyle bir kapı açmalı ki dolan sular taşsın" dedim. Ne yapmalı diye sual edince, "sana bir yoldaş gerek" dedim ve bir hadisi hatırlattım: "Mümin müminin aynasıdır."

Mesele bir daha açılmasaydı, belki de tümden unutacaktım ama ben Konya'dan ayrılmadan evvel Rumi bana bir rüyadan bahsetti. Uzak bir diyarda arı kovanı gibi bir şehirde birini arıyormuş. Arapça kelimeler yazılıymış etrafta. İnsanın nefesini kesen bir günbatımıymış. Dut ağaçlarında ke-

tum kozalarda vakitlerinin gelmesini bekleyen ipekböcekleri varmış. Sonra kendisini evinin avlusunda, kuyunun başında bir elinde fenerle beklerken görmüş. Birinin ardından ağlıyormuş. İlk başta bu rüyanın neye delalet ettiğini kestiremedim. Anlattıklarında aşina gelen bir şey yoktu. Derken bir gün, "tesadüfen" bir ipek mendil hediye alınca, bilmeceyi çözdüm. İpekböceklerine ne kadar düşkün olduğunuz hatırıma geldi. Zaviyenize dair duyduklarımı hatırladım. Rumi'nin rüyalarında gördüğü yerin sizin dergâh olabileceğini düşünmeye başladım. Hulasası biraderim, Rumi'nin aradığı yoldaşın çatınızın altında olabileceğine kaniyim. İşte bu mektubu yazış nedenim budur.

Böylesi bir kimse zaviyenizde mevcut mudur bilemem ama eğer öyleyse kendisini bekleyen yazgıya dair malumatı ona bildirip bildirmemek size kalmış. Şayet bu coşkun ırmakları birbirine kavuşturup, İlahi Aşk ummanına tek nehirde akıtmaya, iki Hak dostunu tanıştırmaya bir nebze olsun faydamız olursa, ne mutlu ikimize.

Lâkin, hesaba katmamız gereken bir husus daha var. Rumi her ne kadar nüfuzlu, itibarlı, çok sevilen bir zat olsa da sanmayın ki muhalifleri yok. Dahası, ruhani liderlik vasfı gösteren bir insanın değişime uğraması, tasavvur dahi edemeyeceğimiz hoşnutsuzluklar, ihtilaflar doğurabilir. Rumi'nin yoldaşına olan düşkünlüğü, ailesi ve yakınları arasında mesele yaratabilir. Hemen herkesin beğendiği bir kişinin sevdiği insan, gene herkesin kemgözlerini üstüne çekecektir.

Tüm bunlar Rumi'nin can yoldaşını tahmin edilemeyecek tehlikelere atabilir. Bir başka deyişle biraderim, Konya'ya yollayacağın kişi geri dönmeyebilir. Binaenaleyh, Rumi'nin ruhdaşının kim olduğunu bulmazdan, işbu mektubu ona açmazdan evvel, bu meseleyi uzun uzadıya düşünmenizdir talebim.

Sizi zora soktuysam, affola. Ama her ikimiz de biliyoruz ki

Allah kullarına taşıyamayacağı yük vermez. Bu fakirin günleri sayılıdır. Cevabınız geldiğinde, şu âlemden göçmüş olabilirim. Ama netice ne olursa olsun doğru istikameti seçeceğinize itimadım tamdır.

Allah şefaatini ve merhametini zaviyenizden eksik etmesin,

Şeyh Seyyid Burhaneddin

Şems
Bağdat, 18 Eylül 1243

Bir şeyler dönüyor. Geçen kış Şam'dan gelen ulağı görünce hepimizi bir şüphedir aldı. Senenin bu dönemi yoğun kar tüm yolları kapattığından kolay kolay yabancı kimse gelmez buralara. Eğer bir ulak, fırtına tipi demeden bir mektup getiriyorsa, bu ancak iki ihtimale işaret edebilir: Ya önemli bir şey olmuştur, ya da önemli bir şey olmak üzeredir.

Ulak ayrıldıktan sonra zaviyedeki herkes mektupta ne yazdığına dair tahminler yürütmeye başladı. Genç yaşlı tüm dervişler Baba Zaman'a gelen haberi öylesine merak ediyordu ki! Ama mürşit kimseye en ufak bir ipucu vermedi. Yüzü kapalı bir kapı gibiydi. Öylesine sırlı. Sürekli dalgın ve tefekkürdeydi. Vicdanı ile didişen, önemli bir karar vermekte zorlanan insanlara has bir durgunluk geldi üzerine.

Bu zaman zarfında Baba Zaman'ı yakından inceledim. Salt meraktan yapmadım bunu. İçten içe, ulağın getirdiği mektubun beni ilgilendirdiğini seziyor ama nasıl bir alâka olabileceğini kestiremiyordum. Bana yol göstersin diye geceler boyunca tespih çekip, Esmayıhüsnâ'nın doksan dokuzunu zikrettim. Her defasında Allah'ın isimlerinden bir tanesi öne çıktı: *El-Kayyum* –Uykusu ile uyuklaması olmayan, varlıkları yöneten ve yönlendiren, ezeli ve ebedi kaim olan...

Takip eden günlerde dergâhtaki herkes mektubu konuşurken, ben vaktimi bahçede bir başıma, kardan bir battaniyeye bürünmüş olan Tabiat Ana'yı izleyerek geçirdim. En nihayetinde bir sabah mutfaktaki bakır çanın çaldığını işittik. Hepimiz meclise çağırılıyorduk. Odaya varınca en çömezinden en kıdemlisine tüm dervişleri orada oturur vaziyette buldum. Çemberin tam ortasında mürşit vardı. Dudaklarını incecik bir çizgi hâlinde sıkmış, düşünceli düşünceli ellerine bakıyordu. Herkes yerini aldıktan sonra Baba Zaman başını kaldırıp şöyle seslendi:

"Sizleri neden buraya topladığımı merak ediyorsunuzdur. Tahmin edeceğiniz üzre gelen ulakla alâkalıdır. Mektubun kimden geldiğini sormayın. Önemli bir meseleye dikkatimi celbettiğini söylemem kâfi gelsin."

Baba Zaman bir süre durdu, pencereden dışarı baktı. Yorgun görünüyordu, teni solgundu. Şu birkaç günde gözle görülebilecek kadar zayıflamış, hatta yaşlanmış gibiydi. Ama lafına devam ettiğinde sesine beklenmedik bir kararlılık gelmişti.

"Uzak olmayan bir şehirde bir allâme-i cihan yaşar. Kelâmda ustadır; takva ve ibadette kâmil, ilim ve marifette mahirdir. Binlercesi sever ve sayar onu. Sözlerine rağbet eden çok, hayranları gani gani ama İlahi Aşk'ta yok olmadığından, benlik zannından tam olarak kurtulamamıştır. Sizi ve beni kat kat aşan sebeplerden ötürü zaviyemizden birinin gidip kendisine can yoldaşı olmasında fayda vardır."

Pürdikkat dinledim. Nefesimi tuttum. O kadar heyecanlanmıştım ki kalbim sineme sığmaz oldu. Kırk kuraldan birisi daha aklımdan geçti.

Yedinci Kural: Şu hayatta tek başına inzivada kalarak, sadece kendi sesinin yankısını duyarak, Hakikat'i keşfedemezsin. Kendini ancak bir başka insanın aynasında tam olarak görebilirsin.

Baba Zaman sözlerine devam etti: "Bu zorlu bir manevi yolculuktur. Aranızdan bir gönüllü çıkar umuduyla topladım sizleri. Birinizi bu işe tayin edebilirdim ama vazife gibi yapılacak bir iş değildir bu. Ancak aşk için ve aşk ile yapılabilir." Genç bir talip müsaade alıp sordu: "Kimdir bu sözünü ettiğiniz âlim, efendim?"

"İsmini ancak gitmeye gönüllü olan kişiye söyleyebilirim." Bunu duyunca birkaç derviş heyecanla, sabırsızlıkla el kaldırdı. Toplam dokuz gönüllü vardı. Ben de katılınca on olduk. Baba Zaman ellerimizi indirmemiz için işaret etti. Ve usulca ekledi:

"Karar vermeden önce bilmeniz gereken bir şey daha var."

Ve işte o zaman bu seyahatin engebeler ve badirelerle, zahmetler ve tehlikelerle dolu olduğunu, hatta geri dönüş güvencesi olmadığını söyledi. Anında tüm eller aşağı indi. Benimkisi hariç.

Baba Zaman başını benden yana çevirip, gözlerimin içine baktı. Ne zamanki bakışlarımız kesişti, anladım; tâ baştan beri tek gönüllünün ben olacağımı biliyordu.

"Tebrizli Şems..." diye mırıldandı. Sanki ismim diline ağır gelmişti. "Talebinde sebatkârsın, belli. Kararlılığın takdire şayan ama sen bu zaviyenin üyesi sayılmazsın. Misafirsin."

"Ne fark eder, Efendim? Bu neden bir mesele olsun ki?" diye üsteledim.

Pirimiz uzun bir süre sustu. Sonra beklenmedik şekilde ayağa kalktı ve meclisi dağıttı: "Şimdilik bu mesele bir kenarda dursun. Aceleye lüzum yok. Bahar geldi mi bir daha konuşuruz."

Yüreğim sıkıştı, isyan ettim içimden. Bağdat'a geliş sebebimin ruhdaşımı bulmak olduğunu gayet iyi bildiği hâlde Baba Zaman niçin kaderimin tecellisinden beni mahrum ediyordu?

"Pirim, neden hemen şimdi yola çıkmam da beklerim? Ne olur söyleyin. Hangi şehirdedir, kimdir bu âlim? Söyleyin ki bir an evvel gideyim."

Ama mürşit kendisinden duymaya hiç alışkın olmadığımız katı ve mesafeli bir tavırla konuyu kapadı: "Tartışacak bir şey yok. Sohbet sona ermiştir!"

* * *

Ne bitmez, ne çetin bir kış oldu. Bahçeler kaskatı dondu. Sonraki üç ay kimseyle konuşmadım. Her gün tomurcuk açan bir ağaç görebilmek umuduyla karda uzun uzun yürüdüm. Ne ki kış beterdi. Bahar hiç bu kadar ağırdan almamıştı gelişini. Lâkin görenler beni karamsar sansa da içimde hep umut ve minnet vardı. Zira bir başka kuralı aklımdan çıkarmıyordum:

Sekizinci Kural: Başına ne gelirse gelsin, karamsarlığa kapılma. Bütün kapılar kapansa bile, sonunda O sana kimsenin bilmediği gizli bir patika açar. Sen şu anda göremesen de, dar geçitler ardında nice cennet bahçeleri var. Şükret! İstediğini elde edince şükretmek kolaydır. Sufi, dileği gerçekleşmediğinde de şükredebilendir.

En nihayetinde bir sabah bir de baktım, göz kamaştıran bir pembelik boy vermiş karların arasından. İncecik, şiir gibi latif bir kardelen... Kalbim ilham ve saadetle doldu. Hızla zaviyeye dönerken yolda kızıl saçlı çömeze rastladım. Neşeyle el salladım. Delikanlı aylardır beni suskun ve suratsız görmeye o kadar alışmış olmalı ki, ağzı bir karış açık kaldı.

"Gülsene oğul" diye seslendim. "Cemre düştü, bahar yakındır, görmez misin?"

O günden sonra hızla değişti tabiat. Son karlar da eridi, ağaçlar filizlendi; göçmen kuşlar bir bir dönerken serçeler dallarda en güzel nağmelerini şakıdı. Muhteşem bir rayiha dört bir yanı kapladı.

Ve bir sabah yeniden çaldı bakır çan. Bu kez ilk ben vardım meydana. Yine hepimiz pirin etrafına çember olduk. Baba Zaman o uzak olmayan şehirde yaşayan İslam âlimi hakkında konuştu ve gene sordu: "Onun kalbinin kapısını açmaya meyyal kimse var mıdır bu mecliste?" Ve bu yoldan dönüş olmayabileceğini sözlerine ekledi. Yine bir tek ben gönüllü oldum. "Demek bir tek Tebrizli Şems'dir bu seyahate hazır olan. Anlıyorum. Lâkin bir karara varmazdan evvel sonbaharı beklemek isterim."

Hayret içinde kalakaldım. Üç aylık ertelemeden sonra tam ben yola çıkmaya hazır iken, yaşlı pir bir altı ay daha beklememi istiyordu. Yüreğim sinemden fırladı sandım. Israrla Baba Zaman'ın dudaklarından o âlimin adını almaya çalıştım. Ama nafile. Bir kez daha yüzüme bakmadan ayaklandı ve konuyu kestirip attı.

Ne var ki, bu kez beklemek daha kolay olacaktı, biliyordum. Kıştan bahara katlanmıştım ya, bahardan güze de beklerdim, gam değil. Baba Zaman'ın beni gene reddetmiş olması ruhumun ateşini söndüreceğine, daha da canlandırmıştı.

Dokuzuncu Kural: Sabretmek öylece durup beklemek değil, ileri görüşlü olmak demektir. Sabır nedir? Dikene bakıp gülü, geceye bakıp gündüzü tahayyül edebilmektir. Allah âşıkları sabrı gülbeşeker gibi tatlı tatlı emer, hazmeder. Ve bilirler ki, gökteki ayın hilalden dolunaya varması için zaman gerekir.

Nihayet bir sonbahar sabahı bakır çan üçüncü kez çaldı. Bu kez telaş etmeden, önden gitmeden, sakin ve kendimden emin meydana vardım. Sabrın sonunun selamet olacağına, işlerin yoluna gireceğine emindim. Mürşidimiz daha bir soluk ve durgun görünüyordu, içinde bir katre kuvvet kalmamışçasına. Her zamanki konuşmadan sonra gene bir tek benim elimi kaldırdığımı görünce, ne başını çevirdi, ne konuyu değiştirdi. Onun yerine dingin bir ifadeyle başını salladı.

"Eyvallah Şems, anlıyorum ki yola çıkacak olan kişi sensin. Buna şüphe kalmadı. Yarın şafakla beraber zaviyemizden ayrılmış olursun."

Vardım mürşidin elini öptüm. Nihayet aradığım can yoldaşını bulacak, ömrümün bir faslını daha noktalayacak ve muhtemelen bu dünyadaki son uzun mevsimimi yaşamaya başlayacaktım.

Baba Zaman şefkat ve kaygı dolu gözlerle, tıpkı oğlunu harbe yollayan bir baba gibi kederli ama bir o kadar kıvançlı bir teslimiyetle baktı yüzüme. Sonra cüppesinden mühürlü mektubu çıkardı ve bana verdikten sonra odayı terk etti. Birer birer tüm dervişler onunla kalkıp gittiler. Meydanda bir başıma kalınca mum mührü kırdım. İçinde usta bir hattatın elinden çıkmışçasına iki kıymetli malumat vardı. Gideceğim şehrin ve bulacağım kişinin isimleri. Anlaşılan, şehirlerden Konya'ya gidecek ve Mevlâna Celaleddin Rumi nâmlı âlimi bulacaktım.

Bu ismi daha evvel hiç duymamıştım. Meşhur bir zat olabilirdi ama külliyen sırdı benim için. İsmini pare pare ayırdım, harf harf yüreğime yazdım: Kudretli, vefalı, dimdik kendinden emin R harfi; kadife gibi yumuşak, uysal ve merhametli U; yaratıcı, girişken ve gözüpek M ve henüz bir muamma olan, çözülmeyi bekleyen bir sual gibi esrarengiz İ harfi.

Tekrar ve tekrar söyledim bu ismi. Tâ ki "su" gibi, "ekmek" gibi, "süt" yahut "bal" gibi, "Hak" yahut "Hu" gibi, dilime dost olana değin...

Ella
Boston, 22 Mayıs 2008

Bu perşembe sabahı, boğazı yanarak uyandı Ella. Pejmürde bir hâldeydi. Birkaç gecedir alışkın olmadığı bir tempoyla geç saatlere kadar oturduğundan vücudunun ritmi şaşmıştı. Yine de kahvaltı sofrasını zamanında hazırladı ve ailesiyle beraber masaya oturdu. İkizler okulda en havalı araba hangi öğrencinin diye aralarında atışırken onları can kulağıyla dinliyormuş gibi yaptı. Ama aklı fikri kafayı yastığa vurup uyumaktaydı.

Derken aniden Orly bir soru sordu: "Avi diyor ki ablam bir daha eve dönmeyecekmiş. Doğru mu anne?" Ses tonu hem şüphe hem tenkit yüklüydü.

"Tabii ki doğru değil. Ablanla biraz atıştık, o kadar. Her ailede böyle tartışmalar olur. Sonra geçer" dedi Ella.

Bu kez Avi lafa girdi; muzip ve kinayeli. "Gerçekten Scott'u arayıp ablamı terk etmesini söyledin mi anne?"

Ella'nın gözleri kocaman oldu, göz ucuyla kocasına baktı. David kaşlarını kaldırıp ellerini yana açarak, çocuklara haber uçuranın kendisi olmadığını ima etti.

"Öyle olmadı" dedi Ella en otoriter ses tonuyla. "Evet, Scott'la konuştum ama ona ablanızı terk etmesini söylemedim. Tek dediğim evlenmek için acele etmemeleriydi."

"Sen merak etme, ben hiç evlenmeyeceğim anne" diye araya girdi Orly, gayet kendinden emin.

Avi pis pis sırıttı. "Yaaaa, sanki seni alacak kocayı buldun da!"

Ella, ikizlerinin birbirleriyle dalga geçmesini dinlerken, dudaklarının kenarına yapay bir gülümsemenin konduğunu hissetti. Silmeye çalıştıysa da pek başaramadı. Kahvaltı sonrası çocuklarını okul servisine uğurlarken, David ile kapıda ayaküstü birkaç kelime paylaşırken bile o iğreti gülümseme orada takılı kaldı, teninin altına kazınmışçasına.

Yüzünün ifadesi ancak herkes gittikten sonra bir başına mutfağa döndüğünde değişebildi. Tebessüm yerini durgunluğa devretti. Bıkkın gözlerle etrafı süzdü. Mutfağın her yanı batmıştı. Yarısı yenmiş omlete, mısır gevreği kâselerine, kirli tezgâha baktı. Gölge, sabırsızlıkla yürüyüşe çıkmayı bekliyordu bir kenarda. Ama iki fincan kahve ve koca bir bardak multivitamin içeceğinden sonra bile Ella o kadar takatsizdi ki, ancak bahçeye kadar çıkarabildi köpeği.

Geri döndüklerinde telesekreterin kırmızı ışığının yanıp söndüğünü gördü. Düğmeye basar basmaz Jeannette'in kadifemsi sesi odayı doldurdu:

"Anne, orada mısın? E, herhâlde yoksun, yoksa ahizeyi kaldırırdın. (Kıkırdama sesi). Sana çok kızdım biliyor musun? Ama şimdi geçti. Yaptığın yanlıştı tabii, Scott'u aramamalıydın. Gerçi neden böyle yaptığını anlıyorum. Mamiş, beni sürekli koruyup kollamana gerek yok. Kuvözdeki prematüre bebek büyüdü. Üstüme bu kadar düşme! Bırak kendi ayaklarımın üzerinde durayım, olur mu?"

Ella'nın gözleri doldu. Aklına Jeannette'in ilk doğduğundaki hâli geldi. Teni acınası kırmızı, minnacık yüzü kırış kırış, parmak uçları neredeyse şeffaf bir bebekti. Akciğerleri tam olarak gelişmediğinden haftalarca solunum cihazına bağlanması gerekmişti. Bu dünyaya öyle hazırlıksız gelmişti ki. Kaç gece uykusuz kalmıştı Ella. Vaktinden evvel doğan bebeğinin hayata tutunduğundan emin olabilmek için her soluk alışverişine dikkat kesilerek nasıl beklemişti günbegün, haftabehafta. İşte en son o zaman dua etmişti Tanrı'ya.

Mesaj sona ererken Jeannette'in sesi dalgalandı. "Annecim seni çok seviyorum, sakın unutma."

Ella gülümsedi. Aklı hemen Aziz Zahara'nın yazdığı mesaja gitti. Demek Guatemala'daki Kırık Kalpler Ağacı işe yaramış, Aziz'in dileği gerçekleşmişti. En azından yarısı! Jeannette annesini arayıp bu mesajı bırakarak üstüne düşeni yapmıştı. Şimdi sıra Ella'daydı.

Kızını cepten aradı. Ve onu üniversite kütüphanesinde ders çalışırken yakaladı.

"Canım mesajını dinledim. Olanlardan dolayı çok üzgünüm. Beni affet."

Jeannette hafifçe iç çekti. "Dert etme artık. Mesele yok anne."

"Hayır var" diye üsteledi Ella. "Senin hislerine daha saygılı olmam gerekirdi. Hayatına bu şekilde karışmaya hakkım yoktu."

Jeannette yaşından beklenmedik bir olgunlukla, "Unutalım gitsin, olur mu?" dedi. "Her ailede olur bunlar." Duyan da zannederdi ki anne oydu, Ella da isyankâr kızı.

"Tamam" dedi Ella rahatlamış bir şekilde.

O zaman Jeannette alacağı cevaptan korkarcasına mütereddit, mahcup, kısık sesle sordu: "Anne, o gün telesekretere bıraktığın mesaj var ya, bana çok dokundu. Doğru muydu o dediklerin? Gerçekten mutsuz musun?"

"Tabii ki mutsuz değilim, o günkü ruh hâlime ver sen o lafları" diye geçiştirdi Ella. "Üç tane harikulade çocuk yetiştirdim, nasıl mutsuz olabilirim?"

Ama Jeannette pek ikna olmamıştı: "Kast ettiğim, babamla mutsuz musun?"

İyi bir yalan bulamayınca, doğruyu söylemeye karar verdi Ella. "Babanla uzun süredir evliyiz. Bunca sene sonra hâlâ âşık olmak zor. Her çiftin başına gelir."

"Anlıyorum" dedi Jeannette. Ve ne gariptir ki Ella, henüz üniversitede okumakta olan kızının kendisini gerçekten anladığını hissetti.

Telefonu kapatınca uzun zamandır yapmadığı, belki de hep ertelediği bir şey yaptı: Hayatında aşk olmasını diledi. Aşk onun ayağına gelmiyorsa, o aşkın ayağına gidecekti. Peki ama nasıl? Gönlü bu kadar yaralıyken, kendine olan güveni derinden örselenmişken kocasına bir daha âşık olabilir miydi acaba?

Peki ya bir başkasına? Aşk kafiyesizlere kafiye, gayesizlere gaye, canı sıkkınlara bir nebze heyecan ve haz sunmanın dışında neye yarardı bu yaban dünyada? Peki ya aşkı bulma sevdasından çoktan vazgeçenler... onlar ne olacaktı?

Gün bitmeden Aziz'e bir mektup yazdı.

Sevgili Aziz,

Kırık Kalpler Ağacı'na astığın dilek için teşekkür ederim. Belki de sayende bir aile meselesini çözdük. Büyük kızımla aramız düzeldi. Tespitinde haklısın galiba. Hep iki kutup arasında gidip geliyorum: Ya çok müdahaleci oluyorum, ya tamamen edilgen. Ya sevdiklerimin hayatına fazla karışıyorum, ya da olan biten karşısında seyirci kalıyorum.

"Tevekkül"den bahsetmişsin. Bu kelimeyi hayatımda hiç kullanmadım! İtiraf etmeliyim sözünü ettiğin türden huzurlu bir teslimiyeti hiç yaşamadım. Bende Sufi kumaşı yok zaten. Ama bir şeyin farkındayım: Jeannette'le aramız ancak ben diretmeyi ve müdahale etmeyi bırakınca düzeldi. Yoksa benim zorlamamla değil. Tevekkül buysa eğer, işe yarıyormuş.

Ben de senin için dua ederdim ama Tanrı'nın kapısını çalmayalı o kadar uzun zaman oldu ki, beni buyur edeceğini sanmam. —eyvah, senin romanındaki zorba hancı gibi konuştum galiba:) Merak etme, henüz o kadar sirkeleşmedi içim. Henüz değil...

Boston'daki yeni arkadaşın,

Ella

Mektup
Bağdat'tan Kayseri'ye, 29 Eylül 1243

Bismillahirrahmanirrahim,
Muhterem Seyyid Burhaneddin biraderim,
Mektubunuzu almak ve her zamanki gibi Hakikat Yolu'na ömrünüzü adadığınızı görmek bana fevkalade tesir etti. Lâ-

kin itiraf etmeliyim ki aynı zamanda bir tereddüt bastı içimi. Zira Rumi'ye can yoldaşı aradığınızı okur okumaz kimden bahsettiğinizi bildim. Bilemediğim, bundan sonra ne yapmam gerektiğiydi.

Baştan anlatayım: Zaviyemde bir Kalenderî derviş vardı. Adı, Tebrizli Şems. Mektubunuzdaki tarife harfiyen uyuyordu. Riyaziyattan ilahiyata, fıkıhtan kimyaya envai çeşit alanda tanıdığım en bilgili ve zeki insandı. Ancak İlahi Aşk'tan başka her neyi önemseyip putlaştırıyorsak yıkmak istediğinden, bazen okuma yazması bile yokmuş gibi davranır, kafaları karıştırırdı. Şems bu dünyadaki son vazifesinin, bir münevveri kendi içindeki güneşle tanıştırmak suretiyle aydınlatmak olduğuna inanıyordu. Ne bir mürşit, ne bir müritti aradığı. Allah'tan tek talebi bir can yoldaşı, bir ruhdaştı.

Bir keresinde ona niçin daha çok sayıda insana sesini duyurmayı hedeflemediğini sordum. Cevap olarak bana bu âleme sıradan insanlar için değil, tek bir insan için geldiğini söyledi. "Madem ki bu dünya "kün" deyince oldu, yani bir kelimedir varoluşumuzun özü, ben de harflerden kelimeleri, kelimelerden hakikati çıkaracak olan dil cambazı bir kişiye yardıma geldim" dedi.

Mektubunuzu alır almaz, kaderinde Rumi ile kavuşmak olan şahsın Şems olduğunu anladım. Yine de zaviyedeki her dervişime eşit fırsat tanıyabilmek için herkesi meydana topladım. Teferruata girmeden durumu anlattım. Her ne kadar birkaç kişi bu yolculuğu yapmaya gönüllü olduysa da işin zorluklarını duyduktan sonra caydılar. Sebat eden tek kişi Şems'ti. Tüm bunlar geçen kış yaşandı. Baharda ve güzde herkesi tekrar tekrar sınadım, aynı manzara tekrarlandı.

"Neden bu kadar bekledin?" diyeceksiniz. Buna verecek tek bir cevabım var: Şems'i çok sevmiştim. Onu tehlikeli bir sefere yollamak beni sarstı.

Tehlikeli çünkü Şems öyle geçinmesi kolay bir insan değil-

dir. Bir kere fazlasıyla gururlu ve açıksözlüdür. Göçebe bir yaşam sürdüğü müddetçe idare etmişti ama bir şehirde, yerleşik insanlar arasında şimşekleri üzerine çekmesinden ürküyordum. Cahiller onu anlamaz, okumuşlar ise kıskanır katlanamaz. O yüzden seyahatini geciktirmeye çalıştım. Ama gidişini ancak bir yere kadar erteleyebildim.

Şems'in yola çıkmasından önceki akşam ikimiz beraber dut ağaçlarının çevresinde yürüdük. İpek de tıpkı aşk gibi. Hem bunca hassas ve nazenin, hem sanıldığından daha kuvvetli ve dayanıklı, hatta âteşin.

Şems'e dedim ki: "Bak, ipekböceği kozadan çıkarken alın teriyle ördüğü ipeği yırtıp parçalar. Bu yüzden çiftçiler ya ipeği seçerler, ya ipekböceğini. İkisini birden koruyamazlar. Çoğu zaman ipeği kurtarmak için ipekböceğinin canını alırlar. Bir tek ipek mendil için bilir misin yüz ipekböceği can verir?"

Rüzgâr bizden yana esti, usuldan. Ürperdim o an. Yaş kemale erince üşütmek kolay oluyor ama havadan değildi üşümem. Çünkü o an bildim, Şems'i bahçemde son görüşümdü bu. Bir daha görüşemeyecektik. Bu âlemde değil. O da aynı şeyi sezmiş olacak ki, gözlerine bir hüzün çöktü.

Şafak sökerken el öpüp helalleşmeye geldi. Baktım, uzun kara saçlarını kazımış. Şaşırdım ama ne ben sebebini sordum, ne o anlattı. Bir tek şey söyledi: "Bu hikâyede benim payım ipekböceğininkine benzer. Rumi ipektir, ilmik ilmik örülecektir. Vakit tamam olunca ipeğin bekası için ipekböceğinin ölmesi gerekir."

İşte böylece Konya'ya doğru yola çıktı. Allah yardımcısı olsun. Buluşmasında sonsuz hayırlar olan iki canı bir araya getirmekle doğru şeyi yaptığımıza inanıyorum. Ama kalbimde bir ağırlık var. Zaviyemize ayak basan bu en fevri, en hercai, belki de en deli dervişi şimdiden özlüyorum.

En nihayetinde hepimiz Allah'a emanetiz ve hiç şüphe yok ki O'na döneceğiz.

Selametle,
Baba Zaman

Çömez
Bağdat, 29 Eylül 1243

Bana sorarsanız zaviyede derviş olmak kolay. Ne var ki bunda? Sabah akşam otur mır mır dua et, tespih çek, zikir çek. Çocuk oyuncağı! Esas zorluk çömez olmakta! Herkes dervişliğin zahmetlerinden dem vurur ama nedense kimse biz zavallı saliklerin çektiklerinden bahsetmez. Buraya geldim geleli it gibi çalışıyorum. Bazı günler o kadar yoruluyorum ki döşeğe düştüğümde kolumun bacağımın ağrısından uyuyamıyorum. Ama kimin umurumda? Kimseden ne bir teselli duydum, ne müşfik bir bakış gördüm. Ne kadar çalışırsam çalışayım bir türlü yaranamıyorum. İsmimi dahi bildiklerini sanmıyorum. "Cahil talip" diye sesleniyorlar bana, sanki adım sanım yokmuş gibi. Arkamdan da fısıldaşıyorlar: "Havuç kafalı gafil oğlan!"

Ama en kötüsü Aşçı Dede'nin emrinde mutfakta çalışmak! Göğüs kafesinde kalp yerine taş taşıyor adam. Dergâhta aşçı olacağına, savaşın kitabını yazmış Moğol Ordusu'na komutan olsa daha isabetli olurdu. Bir kerecik olsun ağzından tatlı bir söz çıktığını duysam, sağ kolumu keseceğim. Gülümsemeyi bildiğinden bile şüpheliyim.

Bir seferinde dayanamadım, meydancıya sordum. "Bu zaviyeye gelen tüm çömezler merasim hırkası giydirilmeden evvel benim gibi Aşçı Dede'nin zorlu imtihanına tâbi tutulur mu?"

Meydancı müstehzi bir edayla gülümsedi. "Hepsi değil evlat, yalnızca katır kutur ham olanlar" dedi.

Katır kutur ham olanlar ha, öyle mi? Neden diğer çömezlerden daha çok çile çekecekmişim? Nefsim onlarınkinden daha mı büyük, daha mı kötü yani?

Her sabah en erken ben kalkıyorum; dereden kova kova su taşıyorum. Sonra ocağı yakıyor, yüzüm gözüm is içinde kalana dek ekmek pişiriyorum. Kahvaltıda içilen çorbayı hazırlamak gene benim vazifem. Kolay değil, elli kişilik kazanlarda pişiyor her şey. İçine beş kişi girer rahat rahat yıkanır, öyle devasa. Ya sonrasında kim yıkar, ovalar kazanları? Gene ben tabii ki! Bulaşıkçı da benim burada, temizlikçi de, çamaşırcı da. Gün doğumundan gün batımına durmadan emir yağdırıyor Aşçı Dede:

Havuç kafa, yerleri sil! Tezgâhları parlat! Merdivenleri temizle! Avluyu süpür! Git odun kes! Ahşapları cilala! Tencereleri kalayla! Reçel kaynat, acı sos hazırla. Hıyar, patlıcan doğra, ezme yap, turşu doldur -aman tuzu ne eksik ne fazla olsun, suyun üstünde bir yumurta durabilecek kadar olsa yeter. Her şeyi tam istediği gibi yapmazsam Aşçı Dede cinnet geçirir, çanak çömlek eline ne geçerse kafama atar. Haydi, işin yoksa sil baştan.

Tüm bunlar yetmezmiş gibi, eksiksiz her işte, dua üstüne dua okumamı emreder. Yüksek sesle okurum ki, Aşçı Dede beni daha rahat denetlesin. Bir kelime atlayacak olursam vay hâlime, canıma okur. İşte ben böylece, her Allah'ın günü bir yandan dua ezberler, bir yandan harıl harıl çalışırım.

Mutfaktaki zorlukları yenersem, bu yolda daha çabuk olgunlaşırmışım! Böyle diyor Aşçı Dede. *"Hiç etrafında ateş olmazsa kaynar mı kazan? Pişebilir mi nohut? Sen de aynen öyle, ateşin içinde oflaya poflaya, kaynaya kaynaya pişeceksin elbet!"*

Lafa bak! Nohut muyum ben? Bir keresinde dayanamadım, soruverdim: "İyi de ne zamana kadar sürecek bu ateşten imtihan?"

"Binbir gün binbir gece" demez mi gaddar adam! Ardından da pişkin pişkin ekledi: "Masallardaki Şehrazat her gece başka bir öykü uydurabildiyse, sen de onun kadar dayanabilirsin herhâlde."

Kafayı yemiş bu adam! Benim şu perişan hâlimle o çenesi düşük Şehrazat arasında ne tür bir benzerlik olabilir ki? Hanımefendinin tek yaptığı kadife yastıklara, atlas yorganlara yaslanıp bacak bacak üstüne atmak ve bir eliyle zalim hükümdara hurma, incir, üzüm yedirirken bir yandan çılgın hikâyeler uydurmak! Bunun neresi zor Allah aşkına? Gelsin benim çektiğim eziyetlerin yarısına katlansın, değil binbir gece, bakalım bir hafta dayanabiliyor mu?

İmtihanımın bitmesine çok var daha. Sayan var mı bilmiyorum ama ben her gün bir çentik atıyorum duvara: Şafak altı yüz yirmi dört!

Bu zaviyedeki ilk kırk günümü ufacık, basık ve karanlık bir hücrede geçirdim. Ne yayılabilir, ne doğrulabilirsin. Ne sağına ne soluna dönebilirsin. Sürekli dizüstü hazır vaziyette oturmak durumundasın. Sıkı sıkı tembihlediler: Olur da karanlıktan korkarsan, açlıktan miden kazınırsa, ya da maazallah, ıslak rüyalar görür bir kadın vücudu arzularsan, hemen tavandaki çanı çal, manevî destek ara!

Kırk gün kaldım o hücrede. Bir kez olsun çanı çalmadım. Aklıma fena fikirler gelmediğinden değil, Allah biliyor ya sürüsüyle geldi ama o daracık yerde sıkışmış, serçe parmağımı dahi kıpırdatamazken azıcık fena fikirden kime zarar gelir ki?

Çilehaneden kurtulunca bu kez de Sertarik geldi, "eti senin, kemiği benim" diyerek Aşçı Dede'ye teslim etti beni. Meğer mutfakta çekilen çile en beteriymiş. Gene de, ne kadar garez edersem edeyim, aşçının kaidelerinden dışarı hiç çıkmadım, tâ ki Şems-i Tebrizî gelene dek. Onun geldiği gece mutfaktan sıvıştım diye Aşçı Dede feci bir dayak attı. Sırtımda sıra sıra kızılcık sopaları kırdı. Sonra ayakkabılarımı aldı, uçları dışarı bakacak şekilde kapının önüne koydu. Böylece tekke adabına uygun biçimde "evlat, gitme vaktin geldi" diyordu.

"Eğer gönlün emin değilse, boş yere kendini de yorma, beni de" diye ters ters buyurdu Aşçı Dede. "Dere eşeğin ayağına gelmez. Su içmek isteyen eşek kendisi dereye gider, unutma.

Tasavvuf da derya deniz sudur kana kana içmek isteyene!" Bu durumda ben de eşek oluyorum tabii.

İşin doğrusu, Şems-i Tebrizî olmasa çoktan buralardan gitmiştim. Bu gezgin derviş öyle acayibime gidiyor ki, sırf ona olan merakımdan zaviyeye demir attım. Daha evvel hiç böyle bir abdal görmemiştim. Kimseden korkusu yok, kimselere boyun eğmiyor. Aşçı Dede bile ona hürmet ediyor. Ben de içimden karar verdim: Bundan böyle ibret alacağım kişi, Şems olacak. Cazibesi, sivri dili, serkeşliği, asi mizacıyla o olmalı benim mürşidim. Bizim yaşlı, uyuşuk pir efendi değil.

Evet, Şems-i Tebrizî benim kahramanım. Onu gördükten sonra kendi kendime dedim ki "ne demeye munis bir derviş olacağım. Şayet onun yanında feyiz alacak kadar kalırsam, ben de Şems gibi gözüpek, isyankâr olurum." Böyle dedim ve güz gelip de Şems'in temelli gideceğini anlayınca, ben de onun peşinden Konya'ya gitmeye karar verdim.

* * *

Kararımı Baba Zaman'a bildirmeliydim. Odasında oturmuş, kandil ışığında mektup yazarken buldum onu. Beni görünce sevinmişe benzemedi. Varlığım onu yoruyormuş gibi bezgin baktı suratıma:

"Ne istersin Kızıl Çömez?" diye sordu.

Lafı dolandırmadan derdimi anlatmaya koyuldum: "Görüyorum ki Şems-i Tebrizî gidiyor. Ben de onunla gitmek isterim. Yolda yardıma ihtiyacı olabilir."

Baba Zaman dikkatle süzdü beni. "Şems'e yardım etmek istediğin için mi onunla gitmek istersin yoksa vazifelerinden kaçmak mıdır niyetin? İmtihanın daha bitmedi. Mürit sayılmazsın henüz."

"Şems gibi birine yolda eşlik etmek de bir nevi imtihan değil mi?" diye sordum. Haddimi aştığımın farkındaydım ama piri ikna etmek için bunu göze almıştım.

Şeyhim başını eğdi, tefekküre daldı. O sustukça ben de sindim olduğum yerde. Şimdi beni azarlayacak, Aşçı Dede'yi çağırıp bana göz kulak olmasını söyleyecek sandım. Ödüm patladı. Ama böyle bir şey olmadı. Baba Zaman düşünceli bir ifadeyle bana baktı, kafasını salladı.

"Nicedir seni sınamaktaydık. Gerçi meyve ağaçtan sonra vücuda gelir ama hakikatte evvel odur. Kişinin nasıl derviş olacağı, daha çömezliğinden belli olur. Bu yollar sana göre değil, evladım. Her sene tekkeye gelen yedi gençten ancak biri tarikatta kalabilirmiş. Kanaatimce derviş olmaya mayan müsait değil, kısmetini başka yerde araman daha hayırlı olur."

Ne diyeceğimi bilemeden, yutkundum.

Baba Zaman sesini yükselterek lafını tamamladı. "Tebrizli Şems'e seyahatinde eşlik etme fikrine gelince, bunu bana değil, kendisine danışmalısın."

Bu kati ihtarın ardından pir, kapıyı işaret ederek mektubuna döndü.

Böylece tekkeden atılmış oldum. Üzgündüm, gururum kırılmıştı ama doğrusu, rahatlamıştım. Nihayet kuşlar kadar hürdüm.

Şems
Bağdat, 30 Eylül 1243

Bu sabah şafak sökerken Baba Zaman'la helalleşip yola çıktım. Atıma atladığım gibi doludizgin sürdüm. Tepeye varınca durup uzaktan son kez zaviyeye baktım. Dut ağaçlarıyla çevrelenmiş kerpiç bina, çalılıklar arasında gizli bir kuş yuvası gibiydi. Baba Zaman'ın bitkin çehresi zihnimde şimşek gibi çaktı söndü. Benim için endişelendiğini biliyordum ama doğrusu buna sebep görmüyordum. Benim bildiğim Aşk'tan uzaklaşanlara endişelenmek lâzım gelirdi, doludizgin Aşk'a koşanlara değil.

Onuncu Kural: Ne yöne gidersen git, -Doğu, Batı, Kuzey ya da Güney- çıktığın her yolculuğu içine doğru bir seyahat olarak düşün! Kendi içine yolculuk eden kişi, sonunda arzı dolaşır.

Konya'da beni nelerin beklediğini bilmiyordum. Ama şehir bana nasıl bir kader hazırlamışsa, kucaklamaya hazırdım, tüm kahırlarıyla beraber.

On Birinci Kural: Ebe bilir ki sancı çekilmeden doğum olmaz, ana rahminden bebeğe yol açılmaz. Senden yepyeni ve taptaze bir "sen" zuhur edebilmesi için zorluklara, sancılara hazır olman gerekir.

* * *

Zaviyeden ayrılmadan önceki gece odamın tüm pencerelerini ardına kadar açtım. Karanlığın kokusu içeri doldu. Titrek kandil ışığında bir ayna parçasına baka baka saçlarımı kestim. Yumak yumak saç döküldü yere. Bir usturayla tamamen kazıdım kafamı. Sonra tek tek ve usul usul sakalımı, bıyığımı kestim, kaşlarımdan kurtuldum. İşim bitince suretimi inceledim. Artık yüzüm daha genç, daha aydınlıktı. Zerrece kıl olmayınca, ne yaşım, ne adım, ne cinsiyetim kalmıştı. Ne geçmiş, ne gelecek, yalnızca şu ana mühürlüydüm sonsuza dek.

Baba Zaman'ın odasına varıp, hakkını helal etmesini istedim. "Bakıyorum yolculuğun şimdiden seni değiştirmiş" dedi yeni hâlimi görünce. "Hâlbuki daha başlamadı bile."

On İkinci Kural: Aşk bir seferdir. Bu sefere çıkan her yolcu, istese de istemese de tepeden tırnağa değişir. Bu yollara dalıp da değişmeyen yoktur.

Baba Zaman belli belirsiz bir tebessümle beni yanına çağırdıktan sonra, kadife bir kutu tutuşturdu elime. Kutuda üç nesne vardı: Bir gümüş kakmalı ayna, işlemeli bir ipek mendil ve minnacık billur bir şişe. "Bunlar sana yolculuğunda yardım edecek. Lâzım oldukça kullan. Olur da kendine olan güvenin sarsılırsa, bu ayna sana iç güzelliğini gösterecek. İtibarın lekelenirse şayet, bu ipek mendil asıl önemli olanın kalp temizliği olduğunu hatırlatacak. Şişedeki merhem ise hem zahiri hem bâtınî yaralarını iyileştirecek."

Her nesneyi tek tek okşadıktan sonra kutuyu kapattım ve Baba Zaman'a teşekkür ettim. Sonra söylenecek bir söz kalmadı.

Güneşin ilk ışıklarıyla kuşlar cıvıldaşırken, çiğ taneleri dallardan sarkarken, atıma bindim. Konya'ydı istikametim. Kendimi Kadir Allah'ın yazdığı yazgıya teslim ettim. Neler olacağını bilmeden ve bilmeyi istemeden var gücümle ilerledim.

Çömez
Bağdat, 30 Eylül 1243

Bedelini düşünmeden ahırdan bir yağız at çaldığım gibi Şems-i Tebrizî'nin peşine düştüm. Elimden geldiğince aradaki mesafeyi ayarlamaya çalıştıysam da, kendimi belli etmeden onu izlemem hayli zor oldu. Bağdat'a varınca Şems bir pazaryerinde mola verip, yolluk almaya çıktı. Ben de "şimdi tam sırasıdır" diyerek kendimi atının önüne attım.

"Kızıl saçlı kara cahil oğlan, ne demeye yerde yatarsın?" diye sordu Şems atının tepesinden eğilerek. Hem şaşırmış, hem keyiflenmiş gibiydi.

Dizlerimin üstüne çöktüm. Tıpkı dilenciler gibi ellerimi kavuşturup yalvardım: "Seninle gelmek istiyorum. Benim kahramanım sensin. Bırak ben de geleyim."

"İyi de nereye gidiyorum biliyor musun?"

Afalladım. Doğrusu bunu hiç düşünmemiştim. "Hayır, ama ne fark eder? Müridin olmak isterim. Seni kendime ibret alırım."

"Boşuna konuşursun. Ben ne mürşit, ne mürit isterim. Yalnız gezerim. Kimseye ibretlik bir hâlim de yok" diye tersledi Şems. "**On Üçüncü Kural: Şu dünyada semadaki yıldızlardan daha fazla sayıda sahte hacı hoca şeyh şıh var. Hakiki mürşit seni kendi içine bakmaya ve nefsini aşıp kendindeki güzellikleri bir bir keşfetmeye yönlendirir. Tutup da ona hayran olmaya değil.**"

"Destur ver geleyim, ne olur" diye yalvardım. "Hem her meşhur seyyahın yanında muhakkak çırak nevinden bir yardımcısı olur. Ben de senin çırağın olurum."

Şems düşünceli bir edayla çenesini kaşıdı. Bir an için bana hak verdiğini sandım.

"Kızıl Çömez, bana yoldaşlık etmeye gücün yeter mi peki?" diye sordu aniden.

Hevesle ve gayet çevik bir şekilde zıplayarak doğruldum. "Elbette yeter! Gücüm özümden gelir."

"Peki o zaman. Mademki benim müridim olmak istersin, işte ilk vazifen: En yakın meyhaneye git, bir testi şarap al. Gel bu meydanda dik kafana, lıkır lıkır iç!"

Ağzım açık kalakaldı. Bunca zaman tasavvuf yolunda pişmek için çekmediğim zahmet ve mihnet ve eziyet kalmamıştı. Günde yüz defa yerleri cüppemle cilalamaya, dumandan gözlerim yaşarıncaya dek ateş başında tencere tava kalaylamaya, paslı kapanlardan fare ölüleri toplamaya, kısacası her türlü angaryaya hayli aşinaydım. Maneviyatımı güçlendirmek adına bir oturuşta yüz soğan doğramaya, koca kazanlarda yağlı pilavlar, ballı hoşaflar hazırlamaya, sabahtan akşama eşek gibi çalışmaya alışkındım. Ama kalabalık bir pazaryerinde, herkesin gözü önünde şarap içmeye gelince, doğrusu mezhebim o kadar geniş değildi. Dehşet içerisinde kalmıştım.

"Tövbe Estağfurullah' dedim. "Babam duysa bacaklarımı kırar valla. Ailem beni Baba Zaman'ın zaviyesine iyi bir Müslüman olmam için yolladı, kâfir olup yoldan çıkmam için değil. Sonra elalem hakkımda ne düşünür? Konu komşu ne der?"

Şems yakıcı bakışlarla süzdü beni. Tıpkı o ilk gece ben kapı arkasından onu gözetlediğimde olduğu gibi, nazarıyla ezdi bitirdi yüreğimi.

Nihayet, hakkımda hükmünü verdi, atının yularlarını çekti. "Kızıl Çömez, sen bana mürit olamazsın" dedi. "Başkalarının ne düşündüğüne fazla kafa yoruyorsun. Ama bilsen ki başkalarından kabul ve hürmet görmeyi ne kadar çok arzu edersen, onların tenkit ve dedikodularına da o kadar takılırsın."

Şems'e yoldaşlık fırsatını elimden kaçırdığımı anlamıştım. Son bir gayretle kendimi savunmaya çalıştım.

"İyi ama sen bana 'git şarap al' deyince ben de sandım ki itikadımın sağlamlığını sınamaktasın. Beni bilhassa bu imtihana koşmadığını nereden bilecektim? İmanımı sınıyorsun sandım."

Şems kaşlarını çattı: "Bir başkasının itikadının sağlamlığını sınamak biz insanlara düşmez ki. Bu Allah'tan rol çalmak olur. Kulun imanını ölçüp tartmak kul harcı değildir, bilmez misin?"

Çaresiz çevreme bakındım. Dervişin ettiği lafları tartıp biçtim ama hangi kefeye koyacağımı bilemedim. Kafam o kadar karışmıştı ki şakaklarım zonkluyordu. Nefesim sıkışmış gibi yenimi, yakamı açtım.

Şems aynı vakur edayla devam etti: "Kızıl Çömez, tasavvuf ummanına kendini adamak istediğini söylersin ama karşılığında hiçbir bedel ödemeye niyetin yok. Bu iş öyle olmaz! Kimi için para pul, kimi için şan şöhret, kimine kıdem itibar, kimine ten şehvettir esas tuzak! İnsan neye fazlaca kıymet veriyorsa şu dünyada, evvela ondan kurtulması şarttır bu yollarda."

Bunu da dedikten sonra Tebrizli Şems eğilip atının boynunu okşadı. Lafı nihayete erdirmek istercesine, "Zannım odur ki, Bağdat'ta kalsan, anana atana dönsen hakkında daha hayırlı olur. Namuslu bir zanaatkâr bul, ona çırak ol. İçimden bir his diyor ki ileride senden gayet başarılı bir tüccar olur. Aman gözü doymazlardan olma sakın! Şimdi müsaadenle yola düşeyim."

Bana son kez selâm verdi. Topuklarıyla atını mahmuzladıktan sonra deli rüzgâr, taşkın nehir gibi hızlanarak dörtnala uzaklaştı. Atının toynaklarının altında kayıp gidiyordu dünya. Ben de atıma atladım, tâ Bağdat'ın eteklerine varana dek onu kovaladım. Ama aramızdaki mesafe gittikçe açıldı. En sonunda ufukta minnacık bir beneğe dönüştü.

Bekledim. Ve Allah biliyor ya o kapkara benek ufuk çizgisinde damla gibi eriyip kaybolduktan çok sonra dahi, Şems'in yakıcı bakışlarını üzerimde, tâ yüreğimin derinlerinde hissettim.

Ella
Boston, 24 Mayıs, 2008

Bahar mevsimi boyunca Rubinsteinların görkemli malikânesinde her sabah ilk uyanan, mutfağa ilk gelip kahvaltıyı hazırlayan Ella'ydı. Kahvaltının en faydalı öğün olduğuna inanırdı. Kadın dergilerinin birinde okumuştu. Bir araştır-

maya göre düzenli kahvaltı eden aileler, aile fertlerinin aç bî-
ilaç kapıdan fırlayarak güne başladığı ailelere kıyasla çok
daha uyumlu ve mutlu oluyorlardı. Her ne kadar bu kıyasla-
maya inancı tam olsa da, dergide sözü edilen o keyifli kahval-
tıları henüz yaşamamıştı Ella. Kendi evlerindeki kahvaltılar
pek öyle uyumlu filan olmuyordu. Daha ziyade herkes ayrı
bir telden çalıyor, kimse aynı yiyeceği paylaşmıyordu. Biri re-
çelli tost ekmeği yemeyi tercih ederken (Jeannette), diğeri
ballı mısır gevreğini kaşıklıyor (Avi), bir başkası tavada yu-
murtasını tam kıvamında isterken (David); dördüncüsü hiç-
bir şey yememekte ısrar ediyordu (Orly). Gene de Ella'nın
nezdinde kahvaltı önemliydi. Her sabah usanmadan herke-
sin yiyeceklerini hazırlar; böylece çocuklarının okulda abur
cubur yemek zorunda kalmayacaklarını düşünerek, bir anne
olarak kıvanç duyardı.

Ama işte bu sabah Ella mutfağa girdiğinde, her zamanki
gibi kahve hazırlamak, portakal sıkmak ve ekmek kızartmak
yerine, ilk olarak mutfak masasına geçip dizüstü bilgisayarı-
nı açtı. Mesaj kutusunu açar açmaz ışıltılı bir gülümseme
kapladı yüzünü. Beklediği e-posta gelmişti. Aziz Zahara ce-
vap yazmıştı!

Sevgili Ella,
Kızınla aranızın düzelmesine çok sevindim. Ben
de bu sabah erkenden Momostenango'dan ayrıldım.
Tuhaf şey, burada sadece birkaç gün kaldığım
hâlde veda etme zamanı geldiğinde bir burukluk
hissettim. Guatemala'daki bu ufacık köyü bir da-
ha dünya gözüyle görebilecek miydim acaba? San-
mıyorum.
Ne zaman bir yere veda etsem, bir parçamı ge-
ride bırakmış gibi oluyorum. Ama işte ister Mar-
co Polo gibi dünyayı gezelim ister beşikten me-

zara aynı eve kazık çakalım, hepimiz için hayat doğum ve ölümler dizisi demek. Başlangıçlar ve sonlar. Bir anın doğması için bir önceki anın ölmesi gerekir. Yeni bir "ben" için, eski ben'in kuruyup solması gerektiği gibi... Momostenango'dan ayrılmadan evvel meditasyon yaptım, tefekküre daldım. Seni düşündüm, Boston'daki yeni arkadaşım! Her insanın etrafında farklı renklerden bir hâle olduğuna inanıyorum. Gözlerimi kapayıp senin renklerini bulmaya çalıştım. Çok geçmeden üç hare belirdi: Sıcacık sarı, mahcup turuncu ve ketum metalik-mor. Bence bunlar senin renklerin. Çok da güzeller. Hem ayrı ayrı, hem beraber.

Guatemala'da son durağım Chajul isminde ufacık bir kasaba. Burada evler kerpiçten, çocukların gözleri kocaman ve kapkara. Bakışları kendilerinden yaşlı. Her evde her yaştan kadın kilim örüyor. Ben de bir nineden senin için bir kilim satın aldım. Kadıncağıza, Bostonlu bir hanım için hediye aldığımı, seçmeme yardım etmesini söyledim. Bir süre düşündükten sonra evindeki koca yığından bir parça çekti çıkardı. Yemin ederim, orada her renkten ve desenden elliden fazla kilim depolanmıştı ama yaşlı kadının senin için seçtiği kilimde yalnız üç renk vardı: Sarı, turuncu ve mor. Garip bir tesadüf değil mi, tabii kâinatta "tesadüf" diye bir şey varsa...

Bizim sanal âlemde karşılaşmamızın da bir tesadüf olmayabileceğini hiç düşündün mü?

Sevgilerimle,
Aziz

Hamiş: İstersen kilimini postayla yollayabilirim, ya da Boston'da kahve içeceğimiz gün yanımda getiririm...

Mesajı okuduktan sonra tatlı bir pembelik yayıldı Ella'nın yanaklarına. Ne güzel yazıyordu Aziz! Sıcacık, samimi, olduğu gibi... Gözlerini kapadı, bedenini çevreleyen renk kuşaklarını düşledi. İlginçtir, zihninde beliren Ella, yetişkin hâli değil, tâ yedi yaşındaki hâliydi.

Çoktan unuttuğunu sandığı nahoş hatıralar canlandı. Çocukluğunu hatırladı; buruklüğunu, yalnızlığını... Annesini anımsadı; üzerinde fıstık yeşili fırfırlı önlüğü, elinde yuvarlak, ortası delik kek kabı, yüzünde kül rengi bir maske, solgun ve sonsuz bir kederle mutfak kapısında durup öylece dikilmiş bir hâlde... İlk Ella keşfetmişti babasının cansız bedenini. Tavandan parlak kalpler, toplar, kutular sarkıyordu; ışıl ışıldı ortalık. Noel zamanıydı. Ve yeni yıl süslerine karışmak istercesine bir beden sallanıyordu orta yerde. Babası kendini asmıştı.

Tüm gençliği boyunca Ella babasının intiharından annesini sorumlu tutmuştu. Ve henüz genç bir kızken kendi kendine bir söz vermişti. O, annesinin yaptığı hataları yapmayacak, evlenince kocasını hep mutlu edecekti. Onun evliliği ölene dek sürecek, anne babasınınki gibi kısa ömürlü olmayacaktı. Belki de bu yüzden, yani sırf kendi evliliğini farklı kılabilmek için, annesinin yaptığı gibi bir Hıristiyan'la değil, kendi inancından bir Yahudi'yle evlenmek istemiş, eş olarak David'i seçmişti.

Ella ile annesinin aralarının düzelmesi uzun zaman almıştı. Aslında yakın zamana kadar annesine nefreti devam etmiş, ancak birkaç sene önce maziyi deşmeyi bırakabilmişti. Artık yorulmuştu öfke duymaktan. Geçmişe öfkelenmek ağır bir yüktü.

"Anne! Heyoooo!"

"..."

"Dünyadan anneme! Dünyadan anneme! Cevap ver anne!"

"..."

Ella mutfakta dalmış otururken birden bir kıkırdama sesiyle irkildi. Arkasını dönünce kendisine muzipçe bakan dört çift göz gördü: Orly, Avi, Jeannette ve David. Dördü de aynı anda kahvaltıya inmiş olmalıydı. Şimdi yan yana durmuş, tuhaf bir yaratığı incelercesine ona bakıyorlardı. Hâllerine ve yüz ifadelerine bakılırsa orada epeydir durup dikkat çekmeye çalışmış olmalıydılar.

"Mamiş ne oluyo ya? İki saattir sana sesleniyoruz, duymadın bile" dedi Orly.

David gözlerini kaçırarak, "Ekrana nasıl da gömülmüşsün öyle?" diye mırıldandı.

Ella, kocasının bakışlarının odaklandığı yere baktı. Ekranda Aziz Z. Zahara'nın e-postası açık duruyordu. Apar topar dizüstü bilgisayarını kapattı.

"Yayınevi için sürüyle okuma yapmam gerek" dedi Ella. "Raporumu zamanında teslim etmeliyim. Biliyorsun, şu roman üzerinde çalışıyorum."

Avi gayet ciddi bir ifadeyle lafa daldı: "Ama rapor yazmıyordun ki! Ben gördüm! E-postalarını okuyordun."

Ella kıpkırmızı oldu. Buluğ çağındaki çocuklar ne demeye büyüklerin kusurlarını, açıklarını bulmaya bayılırlardı ki? Ama neyse ki diğer aile fertleri konuya ilgilerini yitirmiş gibiydi. Şimdi herkes başını çevirmiş, boş tezgâha bakıyordu. Orly merakla annesine döndü, herkesin aklından geçen soruyu sordu:

"Anne bu sabah bize kahvaltı hazırlamamışsın. İnanmıyorum!"

Söylenen söz Ella'yı da sersemletmişti sanki. Şimdi etrafa bakma sırası ondaydı. Ne kahvenin dumanı tütüyordu, ne ocağın üstünde sahanda yumurta bekliyordu. Ekmek kızartma makinesi boştu. Sahi, ne olmuştu da her sabah robot gibi sofra kuran kadın, bu sabah kahvaltı hazırlamayı unutmuştu?

O an Ella anladı ki aklı fikri Aziz'deydi... Şu an bu büyük ve lüks evde değil de, Guatemala'da onun yanında olmak için neler vermezdi ki...

Bölüm İki

SU

Hayattaki akışkan, kaygan ve değişken şeyler...

Rumi
Konya, 15 Ekim 1244

Bu gece muhteşem bir ay var gökyüzünde. Öyle parlak, öyle gösterişli ki heyula bir inci gibi sallanmakta üzerimizde. Yataktan kalktım. Pencereden dışarı, ay ışığında yüzen avluya baktım. Böylesi bir güzellik hem göze hem gönle ziyafet demek. Fakat ay ne kadar harika olursa olsun, ne kalbimin ne ellerimin titremesine kâr ediyor. Bu gece de sıçrayarak uyandım uykumdan.

"Efendi, betin benzin atmış. Yine aynı rüyayı mı gördün yoksa?" diye fısıldadı Kerra. "Sana bir bardak su getireyim mi?"

"Endişelenme, sen uyumana bak" dedim.

Elinden ne gelecek ki? Ne onun ne benim. Rüyalarımız kaderimizden kopuk olabilir mi? Kaderimiz ise zaten bizim elimizde değil. Dahası, üst üste hep aynı rüyayı görmemin bir sebebi olmalı diye düşünüyorum. Mademki kırk gecedir bu rüyayı görmekteyim, elbette açılacak hikmeti, gördüklerimin neye alamet olduğunu öğreneceğim, ya şimdi ya da yakında. Başlangıcı geceden geceye değişse de sonu hep aynı kalıyor. Sanki rüya bir koca bina ve ben her gece farklı bir kapıdan giriyorum oraya.

Bu sefer rüyamda, yerleri Acem halılarıyla kaplı son derece aşina gelen bir odada, rahlenin başında bir kitap okuyordum. Tam karşımda bir derviş oturuyordu. Uzun, inceydi bedeni; yüzü kalın bir peçeyle kaplıydı. Elinde beş mumlu bir şamdan vardı. Ben rahat okuyayım diye ışık tutmaktaydı.

Bir müddet sonra başımı kaldırıp dervişe baktım. Okuduğum sayfada bir tamlamaya takılmıştım: *Hazine-i Gayb*. Tam bu kelime hakkında bir yorumda bulunacaktım ki, hayret ve dehşet içinde bir şeyi fark ettim: Benim şamdan sandığım şey meğer dervişin sağ eliymiş. Beş mum yerine, beş parmağını uzatırmış. Alev alev yanmaktaymış parmakları. Meğer derviş kendini yaka yaka bana ışık tutarmış.

Telaş içinde su bulmaya uğraştım ama yanımda yakınımda bir lokmacık su yoktu. Ne bir testi, ne bir ibrik. Hırkamı çıkarıp alevlerin üstüne fırlattım. Ama hırkayı tekrar kaldırınca bir de baktım ki altında dumanı tüten bir şamdandan başka bir şey yok. Derviş kaybolmuş.

Rüyanın bundan sonraki kısmı her gece aynı. Evimdeyim. Oda oda dolaşarak o dervişi bulmaya çalışıyorum. Aramadığım delik kalmıyor. Sonra avluya iniyorum, ortalık simin bir sarı gül denizi. Sağa sesleniyorum, sola sesleniyorum ama aradığım kişi sırra kadem basmış.

"Gitme ne olur, cancağızım. Neredesin?" diye yalvarıyorum.

Uğursuz bir ses işitmişçesine irkilerek kuyuya varıyorum; dipte dalgalanan karanlık sulara göz atıyorum. İlk başta hiçbir şey göremesem de kamerin huzmeleri pırıl pırıl sağanak olup üzerime yağınca, avlu birdenbire nura boğuluyor. İşte o zaman bir şey fark ediyorum. Kuyunun dibinde bir çift kara göz var. Ölü gözler dikilmiş gözlerime. Veda ediyor bu âleme.

"Yetişin! Yardım edin! Canına kıydılar" diye bağırıyor biri. Kim bilir belki de benim bu bağıran. Istıraptan o kadar değişmiş ki, tanıyamıyorum sesimi.

Ve haykırıyorum o zaman. Üst üste ve ter içinde defalarca haykırıyorum. Tâ ki karım döşekte kalkıp bana sıkı sıkı sarılıncaya; başımı sinesine yasladığımda, şefkatle mırıldanıncaya dek:

"Efendi, iyi misin? Yine aynı rüyayı mı gördün yoksa?"

* * *

Gecenin ilerleyen bir vakti Kerra tekrar uykuya dalınca, avluya süzüldüm. Kıpırtısızdı gece. Kuyuyu görünce ürperdim ama gene de yaklaştım, varıp yanına oturdum. Ağaçların arasından esen meltemle yapraklar belli belirsiz hışırdadı.

Böyle anlarda içimi tarifsiz bir keder basar, nedenini bilemem. Oysa hayatım aydınlık, bahtım açık, koşullarım âlâdır. Rabbim bana en çok kıymet verdiğim üç nimeti bağışladı: İlim, irfan ve başkalarına doğru yolu gösterme ehliyeti.

Otuz yedi yaşına gelene dek Allah istediğimden fazlasını verdi. Farklı nispetlerde nebilere, velilere, âlimlere kadar uzanan İlm-i Keşf-i İlahi'den nasibimce pay aldım. Müteveffa babam elimden tuttu; zamanın en iyi hocalarının rahle-i tedrisatından geçtim. "Okumak, çalışmak ve başkalarını aydınlatmak kulun Allah'a borcudur" diyerek, şuurumu derinleştirmek için çok okudum, çok çalıştım.

Hocam Seyyid Burhaneddin bana hep derdi ki, Hak tebliğini halka ulaştırmak ve insanların doğruyu yanlıştan ayırmasına yardımcı olmak gibi şerefli bir vazifeyi üstlendiğime göre Allah'ın sevgili kuluymuşum. "*Şükret Celaleddin, herkese nasip olmaz böylesi.*"

Yıllarca medresede müderrislik yaptım, onlarca şeriat âlimiyle ilahiyat tartıştım, fıkıh ve hadiste mesafeler katettim. Her hafta şehrin en büyük camisinde vaaz veririm. Ders verip yetiştirdiğim talebe o kadar çok ki, sayısını da isimlerini de akılda tutamaz oldum. İnsanlar bana gelip de kelimelerimin yüreklerine su serpip rehberlik ettiğini söylediklerinde, bilgimi ve hünerimi methettiklerinde kıvanç duyuyorum. Çok şükür Allah'a ki huzurlu bir ailem, lekesiz itibarım, kadim dostlarım, sadık müritlerim ve benden feyz alan talebelerim var. Ömrü hayatımda fakr-u zarûret bilmedim.

Gerçi ilk zevcemi yitirdiğimde dünya başıma yıkıldı. Ama Allah Kerra'dan razı olsun, sayesinde sevgiyi ve neşeyi yine tattım. Her iki oğlum da mesut bir yuvada büyüdü. Gene de birbirlerinden ne kadar farklılar, şaşırmadan edemem hâlâ. Sanki aynı toprağa yan yana aynı tohumdan iki tane ekilmiş; aynı güneş, aynı su verilmiş ama bir bakmışsınız tamamen farklı iki nebat boyvermiş. İkisiyle de gurur duyuyorum, tıpkı üvey kızımla gurur duyduğum gibi. Sevgili Kimyacık öyle yekta, öyle akıllı, öyle merhamet ve inayet dolu. Kamuda ayrı mutluyum, evimin mahreminde ayrı. Peki ama o hâlde neden anlayamadığım, açıklayamadığım bir boşluk var içimde? Öyle bir boşluk ki günbegün büyümekte? Fare gibi sinsice, sessizce, hırslı ve haris, bu eksiklik duygusu ruhumu kemirmekte. Nereye gitsem içimdeki boşluk da benimle gelmekte.

İnsan bu kadar tam iken gene de hâlâ eksik hissedebilir mi? Ya da mutluyken kederli de olabilir mi? Gündüzlerim bu kadar parlak, tatminkâr ve noksansız iken, başarıdan başarıya mertebeden mertebeye yükselirken, nedendir her gece rüyamda yana yakıla birini arayışım?

Sanki içimde başkalarından değil de esas benden gizlenen bir sır taşımaktayım. Olur da bir gün rüyamdaki dervişi bulursam o sırrın kaynağını ondan dinleyeceğim.

Peki ya taşıyamazsam bu gerçeği? Ya ağır gelirse omuzlarıma?

Ne tuhaf; ben Celaleddin, korku ya da vesvese nedir bilmem sanırdım.

Şems
Konya, 16 Ekim 1244

Bir şehre varmadan önce hiç şaşmadan tekrarladığım kadim bir âdetim var: Şehrin kapılarından geçmezden evvel bir müddet durur ve oradaki tüm velileri selâmlarım içimden.

İster ölü olsun ister diri, ister meşhur olsun ister meçhul, o şehirde yaşamış ya da yaşamakta olan tüm velilere bir selâm yollarım önden. Destur isterim onlardan. Bunca senedir hiçbir şehir, kasaba yahut köy yok ki velilerinden destur almadan ayak basmış olayım. Varacağım yerde ağırlıklı olarak Müslümanlar, Hıristiyanlar, Yahudiler yahut Mecusîler ikamet etsin, hiç fark etmez. Her yerde muhakkak bir veli vardır ve onlar, dini, cemî ve cîsmanî farklılıklardan öteye geçmiştir. Veli dediğin tüm beşerin rehberidir.

Benzer şekilde uzaktan Konya'yı görünce her zamanki âdetimi yerine getirdim. Ama sonrasında tuhaf bir şey oldu. Şehrin evliyası, mutat olduğu üzere selâmıma karşılık vermek yerine kırık mezar taşları gibi sus pus oldular. Beni duymadıklarını zannederek tekrar selâmladım, bu kez daha yüksek sesle. Ama yine bir suskunluk oldu. Anladım ki Konya evliyası beni duymuştu duymasına da, bilmediğim bir sebepten dolayı şehre buyur etmiyordu.

Kelimelerimi alıp dört yana taşısın diye rüzgâra teslim ettim: "Ey Konya'nın velileri, neden destur vermezsiniz bu yolcuya?"

Bir süre sonra, rüzgâr şu cevapla geri döndü: "Ey derviş, destur veririz amma bilesin ki bu şehirde tastamam zıt iki şey var senin için. Ortası yoktur. Ya safi aşk, ya som nefretle karşılaşacaksın. Bunu bir düşün istersen."

"Hâl böyleyse dert edecek bir şey yok" dedim. "Mademki safi aşk var, kâfidir."

Bunu duyar duymaz Konya velileri hep bir ağızdan destur verdi, hayır duası ettiler. Fakat hemen şehre girmek istemiyordum. Bir tepede, yaşlı bir meşe ağacının altına oturdum. Atım etraftaki seyrek çimleri çiğnerken, ben de önümsıra yükselen şehri gözledim. Konya'nın minareleri kırık cam parçaları gibi güneşte parlıyordu. Arada bir köpek havlamaları, eşek anırmaları, çocuk kahkahaları, avazı çıktığı kadar bağıran bezirgânları işitiyordum –hayat dolu bir şehrin alelade sesleri. Kapalı kapılar, kafesli pencereler ardında neler yaşanıyor, ne hikâyeler yazılıyordu acaba? Hiç bilmediğim bir yere ayak basmak üzereydim. Hafif bir tedirginlik duyduysam da kırk kuraldan birini hatırladım o an:

On Dördüncü Kural: Hakk'ın karşına çıkardığı değişimlere direnmek yerine, teslim ol. Bırak hayat sana rağmen değil, seninle beraber aksın. "Düzenim bozulur, hayatımın altı üstüne gelir" diye endişe etme. Nereden biliyorsun hayatın altının üstünden daha iyi olmayacağını?

Beni daldığım düşüncelerden dostane bir ses çıkardı: "Selâmünaleyküm derviş!"

Dönüp bakınca bir kağnının üzerinde sarkık bıyıklı, teni zeytuni, iri yağız genç bir köylü gördüm. Kağnıyı çeken öküz hem çok ihtiyar hem çok zayıftı, belli ki ömrünün son demlerindeydi.

"Ya aleykümselâm" diye seslendim.

"Neden burada bir başına oturursun? At sürmekten yorulduysan, atla kağnıma, Konya'ya kadar götüreyim seni."

Gülümsedim. "Eksik olma ama yayan gitsem, senin şu öküzünden hızlı giderim."

"Öküzümü hafife alma" dedi köylü, besbelli içerlemişti. "Yaşlıdır, zayıftır ama en sadık dostumdur."

Bunu duyunca kelimelerin ağırlığı altında ezildim. Hemen doğruldum, köylünün önünde eğildim. Allah'ın engin devr-i tekvininde bir habbe olan ben, şakadan da olsa, ister insan olsun ister hayvan bir başka canı nasıl küçümser, nasıl öteleyebilirdim? Madem ki bir hata yapmış, kalp kırmıştım, özür dilemeliydim.

"Senden ve öküzünden özür dilerim" dedim. "Kusur ettim, affola!"

Köylü ağzı açık bakakaldı bana. Yüzünde şaşkın bir ifade belirdi. Bir süre boş boş baktı, dalga geçip geçmediğimi anlamak istercesine. "Daha evvel hiç kimse böyle bir şey yapmamıştı" diye mırıldandı. Mahcup, sıcacık gülümsedi. "Demek kimse öküzünden özür dilemedi, öyle mi?" "Eh, o da var tabii. Ama kast ettiğim o değil. Asıl kimse benden özür dilemedi. Genelde öbür türlü olur bu işler. Özür dileyen ben olurum hep. Başkaları kabahatli bile olsa hep ben af dilerim."

Bunu duyunca müteessir oldum. "Delikanlı, Kuran-ı Kerim der ki, Biz insanı en güzel biçimde yarattık. Uludur insan. Kıymetlidir. Ne eziktir, ne aciz. Zaten Allah'ın doksan dokuz sıfatı arasında acz yoktur. Üstelik kurallardan biridir" dedim.

"Ne kuralı?" diye sordu kafasını kaşıyarak.

"On Beşinci Kural: 'Allah, içte ve dışta her an hepimizi tamama erdirmekle meşguldur. Tek tek herbirimiz tamamlanmamış bir sanat eseriyiz. Yaşadığımız her hadise, atlattığımız her badire eksiklerimizi gidermemiz için tasarlanmıştır. Rab noksanlarımızla ayrı ayrı uğraşır çünkü beşeriyet denen eser, kusursuzluğu hedefler."

Köylü gözlerini kırpıştırdı. "Sen de mi vaazı dinlemeye geldin yoksa?" diye sordu. "Öyleyse yola düşsen iyi olur. Bugün her zamankinden de kalabalık olacakmış. Ne muhteşem bir hatip ama değil mi?"

Kimden bahsettiğini anlayınca kalbim duracak gibi oldu. "Söyle hele, Rumi'nin vaazları neden bu kadar ilgini çeker?"

Köylü bir müddet sustu, bir süre ufka daldı gözleri. Zihni hem her yerde, hem hiçbir yerde gibiydi. Sonra şöyle dedi:

"Bizim köy türlü badireler atlattı. Önce kıtlık geldi, ardından Moğollar. Yaktılar, yıktılar, yağmaladılar. Şehirlere ettikleri daha beterdi. Erzurum'u, Sivas'ı, Kayseri'yi aldılar, erleri kestiler, kadınları aldılar. Bense ne sevdiğim birini kaybettim ne evimi ocağımı. Ama gene de derunumda bir yerde mühim bir şey yitirmiş gibiyim. Hep küskün içim. İzah edemem ama nedense hep kederliyim."

"Peki bunun Rumi ile ne alâkası var?" diye sordum.

Köylü durgun, düşünceli mırıldandı: "Herkes diyor ki Efendi Mevlâna'nın vaazlarını birkaç kez dinlersen, kederin geçermiş."

Şahsen ben mahzun olmakta bir kusur görmüyordum. Aksine, riya ve oyun insanları mutlu eder, hakikatleri bilmek ise ağırlaştırıp hüzünlendirirdi. Şu hayatta daha çok şey bilen insanlar daha durgun, daha dingin olurdu. Ama bunları anlatmaya lüzum görmedim. Onun yerine, "gel, Konya'ya kadar beraber gidelim" dedim, "sen de bana yolda Rumi'yi anlatırsın, olur mu?"

Atımın dizginlerini kağnıya bağlayıp, köylünün yanına oturdum. Baktım yaşlı öküz yükünün artmasını dert etmiyor. Öyle ya da böyle, ağır ağır, hep aynı bezgin vezinle yürüyor. Köylü bana ekmekle keçi peyniri ikram etti. Konuşa konuşa yedik. İşte bu hâlde, çivit mavisi bir gök tepemizde tepsi gibi parlarken, şehrin velilerinin nezaretinde Konya'ya adım attım.

Kağnıdan atlarken, "Kendine mukayyet ol dost" dedim.

"Muhakkak vaaza gel" dedi köylü hevesle.

El salladım. "Şimdi değil, sonra..."

Vaazını dinlemek için sabırsızlansam da, Mevlâna'yı görmeye can atsam da öncesinde yapmak istediğim başka bir şey vardı: Şehri tanımalı, bu ulu vaiz hakkında Konya halkı ne düşünüyor öğrenmeliydim. Ruhdaşımı kendi gözlerimle görmezden evvel, göremediği insanlar onu nasıl değerlendiriyor anlamalıydım.

Anlamalıydım ki resmin tamamını kavrayabileyim...

Dilenci Hasan
Konya, 18 Ekim, 1244

Bir bitmez cenderedir yaşadığım. Daima hayat ile ölüm arasında sıkışmış, daima Araf'tayım. Böyle yapar adamı cüzâm illeti, ölmeden mezara sokar, diri diri. Sokaklarda anneler çocuklarını korkutmak için parmakla gösterir beni; yaramaz çocuklarıysa taşa tutar, alay eder. Esnaf dükkân kapılarından kışkışlar, uğursuzluk getirmeyeyim diye kovar, kovalar. Hamile kadınlar başlarını çevirir, sanki gözleri bana değince karınlarındaki bebeler sakat doğacak. Bu insanların hiçbirinin anlamadığı bir şey var: Onlar biz cüzâmlıları görmemek için ellerinden geleni yapadursunlar, esas biz cüzâmlılar uzak durmak istiyoruz onlardan ve acıyan, acıtan bakışlarından!

Cüzâm bir azaptır. Her gün bir parça daha kemirir bedenini, ruhunu. Önce ten değişir, derinin rengi kararır morarır, meşin gibi kalınlaşır. Omuzlarda, dizlerde, kollarda, yüzde bozuk yumurta rengi boy boy bezeler oluşur. Bu safhadayken habire bir yanma, karıncalanma hissedersin. Sonra nedendir bilinmez, acı tavsar, ağrılar azalır, başlarsın uyuşmaya. Derken bezeler büyür, şişer, tombul kabarcıklara dönüşür. Eller pençeleşir, yüz öyle bozulur ki tanınmaz hâle gelir.

Artık bu geç safhadayım, göz kapaklarımı kapatamaz durumdayım. Gözüm benden habersiz ağlıyor, ağzımdan habire salyalar akıyor. Tutamıyorum. Ellerimden altı tırnak düştü, yedincisi yolda. Ne tuhaf, saçım hâlâ yerli yerinde. Herhâlde kendimi şanslı saymalıyım.

İşittim ki, Frenkler cüzâmlıları kale duvarları dışına atarmış. Şehrin kapılarını da sürgüyle kaparlarmış tekrar girmesinler diye. Hâlbuki Konya'da öyle değil. Burada bir çan taşıyoruz üstümüzde. Bu suretle ahaliyi uyardığımız sürece şehirde dolanmamıza müsaade var. Dilenmemize de izin veriyorlar neyse ki. Yoksa açlıktan ölürdük. Cüzâmlıysan hayatta kalmanın iki yolu var: Birincisi başkalarından dilenmek, ikincisi başkalarına dua etmek. İkisi de karın doyurur.

Nedense ahali biz cüzâmlıların dualarının daha bir makbul olduğunu, Allah'ın bize ayrı bir ihtimam gösterdiğini sanıyor. Ne saçmalık! Öyle olsa bu hâlde olur muyuz? Ama inanmışlar bir kere. Bizden iğrenseler bile, illâ ki onlar için dua etmemizi isterler. Hastalarına, kötürümlerine, ihtiyarlarına, başı dertte olanlara dua edelim diye biz cüzâmlıları çağırırlar. Karşılığında para verip karnımızı doyurur, sırtımızı sıvazlarlar. Şu insanları bir anlayabilsem! Sokaklarda cüzâmlılara it muamelesi yapanlar, ne vakit ağır bir hastalıkla yahut ölüm korkusuyla karşılaşsalar, bizim dualarımızdan medet umarlar. Kamuda bir dirhem bile kıymetimiz yoktur ama ölümün kol gezdiği evler var ya, işte oralarda sultan biziz!

Ne zaman dua için tutulsam, başımı önüme eğer, Arapça anlamsız sesler çıkarır, huşu içinde yakarırmış gibi yaparım. Ne yapayım? Numara yapmaktan başka çarem yok, zira Allah'ın biz cüzâmlıları duyduğuna bile inanmıyorum. Bana bunun aksini düşündürtecek bir şey yaşamadım ki.

Kârı daha düşük olsa da dilenciliği para karşılığı dua etmeye tercih ederim. En azından dilenirken kimseyi kandırmıyorum. Cuma günleri haftanın en ballı günüdür. Tabii şayet aylardan Ramazan değilse: Mübarek Ramazan geldi mi dilenci kısmının kazancı tümden tatlı olur. Hele Ramazan'ın son günü yok mu, şehirdeki her dilenci o gün cebini doldurur. O gün en iflah olmaz pintiler, cebinde akrep besleyen tipler bile sadaka vermek için yarışırlar. Ne kadar günah işlemişlerse affolunur umuduyla, Ramazan bitmeden muhakkak bir hayır yapmanın telaşıyla elimize ya yiyecek ya mangır tutuştururlar, üç beş kuruş da olsa. Senede bir kezcik olsun insanlar dilencilerden kaçmaz. Tam aksine sokağa çıkıp köşe bucak dilenci ararlar. Hatta buldukları dilenci ne kadar sefil ve perişan olursa o kadar memnun olurlar. Vicdanları o denli rahatlar. Ne kadar eli açık, hayırsever olduklarını ispatlayabilmek hevesiyle bir günlüğüne de olsa bizden iğrenmeyi bile bırakırlar. Doğrusu, bugün de gayet kârlı bir gün olacağa benzer. Zira Mevlâna, hem vaaz hem hutbe için minbere çıkacak. Cami çoktan doldu, saflar sıklaştı. İçeride yer bulamayanlar sıra sıra avluya dizildi. Mevlâna nerede vaaz verse şehrin tüm dilencileri ve yankesicileri bala üşüşen arılar misali orada toplaşır. Nitekim hepsi buradalar. Tıpkı benim gibi hazır ve nazırlar.

Sırtımı bir akçaağaca verip cami girişinin tam karşısına oturdum. Yağmurun tertemiz kokusu uzaktaki bostanlardan gelen tatlı ekşi rayihaya karışıyordu. Keşkülümü önüme koydum. Diğer dilencilerin aksine bağıra çağıra, yalvar yakar dilenmem ben. Konuşmaya bile lüzum duymam. Koyarım önüme dilenci kâsemi, sabırla beklerim. Cüzâmlı olmanın iyi bir yanı varsa, bu olsa gerek. İnim inim inlemene, yalvarıp gözyaşları dökmene, ne kadar bedbaht ya da perişan olduğunu anlatmana gerek yok. Yüzümü açıp bir kere göstermem, onlarca kelimeye bedel.

Bugün de öyle yaptım.

Çok geçmeden kâseme birkaç mangır düştü. Hepsi de çentikli bakırdan. Keşke bir altın sikke olaydı aralarında. Tuğrası güneş, aslan veya hilal fark etmez. Alâeddin Keykubad tedavüldeki kanunlarını gevşeteli beri Halep Beyleri'nin sikkeleri, Fatımi dinarı, Bağdat Halifesi'nin mangırı, hatta İtalyan florini dahi geçer akçe kılındı. Konya'nın yöneticileri bunları kabul eder de dilencileri kabul etmez olur mu?

Paralarla beraber birkaç kuru yaprak düştü kucağıma. Altında oturduğum akçaağaç kızıl-sarı yapraklarını döküyordu. Her rüzgârda ulam ulam yaprak kâseme düştükçe düşündüm ki akçaağaçla pek çok ortak yanımız var! Sonbaharda yapraklarını döken bir ağaç, her gün bedeninden bir şeyler eksilen bir cüzâmlıya benzemiyor mu?

Çırılçıplak bir ağacım ben de. Derim, uzuvlarım, yüzüm dağılıp dökülüyor. Her gün bedenimin bir başka parçası beni terk ediyor. Ne var ki ağacın aksine, ben kaybettiklerimi geri alamayacağım. Tomurcuklanacak bir ilkbahar yok benim için. Bugün yitirdiğim her şeyi sonsuza dek yitiriyorum.

Ne zaman birisi keşkülüme para atsa, hızla, telaşla, kaçarcasına; gözlerini gözlerime değdirmeden yapar bunu. Niçin insanlar para verirken dilencilerin yüzlerine bakmazlar? Sanki gözlerimize bakarlarsa nazarımızdan bir illet ya da uğursuzluk bulaşmasından korkarlar. Cemiyetin nezdinde bizler hırsızlardan, sabıkalılardan, hatta katillerden bile beteriz. Bu tür vahim yanlışlara sapan insanları tasvip etmeseler de, en azından onlara görünmez adam muamelesi yapmazlar. Hâlbuki sıra bana, benim gibilere geldi mi, bizleri görmezler bile. Bize bakınca tek gördükleri ölüm olur. Ve ölümün bu kadar yakın ve çirkin olabileceğine inanmak istemezler. Bu yüzden kaçırırlar gözlerini gözlerimizden. Bu yüzdendir ki yanımıza gelip para verirken bile yokmuşuz muamelesi yaparlar.

Ben böyle düşüncelere dalmış otururken bir anda arkalarda bir yerlerde şiddetli bir vaveyla koptu. Birisinin haykırdığını duydum: "Geliyor! Geliyor!"

Elbette gelen Rumi'ydi. Hem de ne geliş! Altında süt gibi apak bir at vardı. Kehribar renkli kaftanına altın varaklar, inci mercanlar işliydi. Ardında müridleri, hayranları, taraftarları izdiham oluştururken o önde mağrur, bilge ve asil ilerliyordu. Cazibe, özgüven ve feraset saça saça gelişine bakılırsa bir âlimden çok bir hükümdara benziyordu: Rüzgârın, ateşin, suyun ve toprağın sultanıydı! Atı dahi dimdik ve vakurdu, taşıdığı adamın saygınlığını bilir gibi.

Keşkülümdeki sikkeleri hemen cebime attım. Yüzümün yarısı açıkta kalacak şekilde serpuşumu sıkıca bağladım ve camiye daldım. İçerisi o kadar kalabalık, saflar öyle sıkışıktı, yer bulmak bir yana, nefes almaya bile imkân yoktu. Ama işte cüzâmlı olmanın bir iyi yanı daha varsa, en kalabalık mekânlarda dahi kolaylıkla yer bulabilmek! Ne de olsa kimse yanıma oturmak istemez, beni görenler şöyle bir geri adım atar, açılarak uzaklaşır. Bu sayede bir köşecik buldum kendime, yere çömdüm.

Az sonra vaaz başladı.

"Muhterem cemaat" dedi Rumi, sesi kâh tiz kâh pes perdelerde salınıyordu. "Zaman zaman hepimiz zanlara kapılırız, kendimizi küçük ve sıkışmış hissederiz. Ufacık bir noktayız Kâinat-ı Muazzama'nın karşısında. Etimiz budumuz belli; idrakımızın, irademizin ve aklımızın sınırları ortada. Sırf buna bakıp kiminiz sual eder: Allah için ne mânâsı olacak bu fani canımın? Benim şu koskoca dünyada ne kıymetim olabilir ki? Bugünkü vaazımızda bu sualin cevabını göstermek isterim."

En ön safta Rumi'nin iki oğlu oturuyordu. Tıpatıp rahmetli annesine çektiği söylenen büyük oğlan Sultan Veled ile duru bir çehresi, iri kirpikleri, badem gözleri, geniş bir alnı olan, lâkin etrafını ters ters süzen kardeşi Alaaddin. Her ikisi de besbelli babalarıyla gurur duyuyordu.

Mevlâna bir es verdikten sonra sözlerine devam etti: "Âdemoğulları Havvakızları öyle bir ilimle şerefyap olmuştur ki, ne dağlar ne gökler sırtlanabilir. O yüzdendir ki Kuran'da şöyle der: *'Biz o emaneti göklere, yere ve dağlara arzettik, onlar, onu yüklenmeye yanaşmadılar, ondan korktular da onu insan yüklendi.'* İşte böylesi kıymetli bir makam ve mevki, bu kadar mühim bir paye verilen insan ne demeye Allah'ın kendisi için dilediğinden daha aşağısını hedeflesin? Neden kendini aşağı çeksin? Neden vezir iken kendini rezil etsin?"

Tane tane konuşuyordu Rumi. Çok mürekkep yalamış insanlara has bir eminlikle seçiyordu kelimeleri. Tökezlemeden konuşuyor, bir kullandığı benzetmeyi kolay kolay tekrar etmiyordu.

Dedi ki: Allah yedi kat göğün başında bir tahtta oturmuyor. Tek tek her birimize yakın ve dost. Dedi ki: Çektiğimiz tüm acılar, karşılaştığımız onca kahır ve zorluk aslında bizi Yaradan'a daha da yakınlaştıracak.

"Ellerimize dikkat edin. Sürekli açılıp kapanır parmaklarımız. Tutar ve bırakır, bırakır ve tutarız. Bir içe bir dışa. Yumruğumuzu sıktıktan sonra mutlaka açarız. Öyle olmasaydı felçli gibi olurduk. Varlığımız da böyledir. Bir an gelir açılır, bir an gelir kapanır. Kâh sıkışır yüreğimiz, kâh ferahlar. Bu tezat gibi görünen haller varlığın özüdür. Kanat çırpan kuşlara bakın. Kanatlarının nasıl hareket ettiğine dikkat buyurun, bir aşağı bir yukarı. Bir hüzün, bir saadet. Böyledir hayat. Hoş bir kararda, ahenk içinde, dengede."

İlk başta duyduklarım hoşuma gitti. Neşe ve keder bir kuşun kanatları gibi birbirine bağlı ve bağımlıydı demek. Yüreğim ısındı bunu düşününce. Ama hemen sonra başka bir soru zihnimi tırmaladı. Mevlâna mahrumiyetten, elemden, kahırdan ve evhamdan ne anlardı ki? Nüfuzlu bir adamın oğlu olarak gelmişti şu dünyaya. Ardında babası, yedi ceddi, muteber sülalesi olmuştu hep. Zengin ve müreffeh bir hayat sürmüştü, zorluk nedir bilmeden. Gerçi ilk zevcesinin ölümü onu üzmüş olmalıydı ama bunun dışında hiçbir sıkıntı yaşamamıştı kanaatimce. Ağzında gümüş kaşıkla doğmuş, saygın zümrelerde büyümüş, en iyi âlimlerce eğitilmiş, hep sevilmiş, hep şımartılmış, hep hürmet görmüştü. Benim gibi bir cüzâmlının karşısına geçip de ne cüretle acı çekmenin erdemlerinden bahsediyordu? Kursağımda hınç birikti, ağzımda bir acı tat. Yutkunamadım.

Yüreğim burkularak Rumi ile aramdaki farkın ne kadar vahim olduğunu anladım. Sahi Allah niçin tezatları aynılıktan, ahenksizliği uyumdan, adaletsizliği adaletten çok seviyordu? Ya ifrat, ya tefrit. Ya bir uç, ya öteki uç. İşte benim payıma fakr u zaruret, açlık, sefalet, musibet bahşetmişti. Mevlâna'ya gelince refah, irfan, saadet, sıhhat ve muvaffakiyet. Ben insanların midesini bulandırmamak için yüzümü gizlerken, o orta yere çıkıp paha biçilmez bir mücevher gibi ışıl ışıl parlıyordu.

Merak ettim benim yerimde Mevlâna olsaydı, ne yapar nasıl yaşardı kim bilir? Acaba hiç aklına gelir miydi kendisi gibi imtiyazlı bir kanaat önderinin bile günün birinde takılıp tökezleyebileceği, devrilip düşebileceği? Dışlanmak, horlanmak, itilmek, ötelenmek, haksız yere kem laf işitmek nedir bilir miydi? Bir gün olsun başkalarının dillerinin zehirini tatmış mıydı acaba? Bana verilen şu hayat ona verilseydi gene böyle koskoca Mevlâna olabilir miydi? Aklıma takılan her yeni soruyla beraber hasedim arttı. Sonunda Mevlâna'ya duyduğum hınç, ona beslediğim hayranlığa galip geldi.

Yerimde duramadım, ayağa kalktım. Cemaati ite kaka dışarı çıktım. Etraftakilerden kimisi ters ters, kimisi şaşkınlıkla baktı bana. Bunca insan vaazı duymak için camiye girmeye can atarken, nasıl olup da seyirciler arasından birinin dışarı çıktığına anlam verememişti kimse.

Şems
Konya, 18 Ekim 1244

Başımın üstüne bir dam bulmalıyım bu şehirde.

Köylü beni şehir merkezinde atınca, ilk işim kalacak bir yer aramak oldu. Gezdiğim hanlar içinde Şekerci Han tam bana uygun bir yer gibiydi. Hancı dört oda gösterdi. Eşyası en az olanı seçtim: Bir hasır döşek, küflenmeye yüz tutmuş bir battaniye, fitili dipte bir kandil, yastık niyetine güneşte kurutulmuş tuğla ve bir de güzel manzarası vardı. Balkondan bakınca tüm şehir, çevresindeki tepelerin eteklerine varıncaya dek uzanan bir açıklıkla görülüyordu.

Böylece bir günde, senelerdir sürdürdüğüm gezgin hayatı bırakıp, yerleşik hayata geçtim. Hana yerleştikten sonra ilk iş Konya sokaklarını dolaşmaya çıktım. Her adımda bir başka dil, bir başka din, bir başka âdetle karşılaştım. Çingene çalgıcılara, Arap seyyahlara, Hıristiyan hacılara, Yahudi tacirlere, Budist rahiplere, Frenk ozanlara, Çin-i Maçin'den canbazlara, Hintli yılan oynatıcılarına, efsunperver Mecusilere ve Urum feylesoflarına denk geldim. Köle pazarlarında teni süt beyaz cariyeler gördüm ve bir de şahit oldukları onca zulümden dilleri tutulmuş irikıyım siyahî harem ağaları. Ellerinde hacamat zemberekleri ile bekleşen gezgin berberlere, billur küreli kâhinlere ve ateş yutan sihirbazlara rastladım. Kudüs'e gitmekte olan hacılar, son Haçlı Seferleri'nden kaçkın serseri askerler vardı yollarda. Ceneviz lisanı, Frenk lisanı, Yunanca, Fârisî, Türkçe, Kürtçe, Arapça, Ermenice, Süryanice, İbranice ve hangi lisana ait olduğunu bilemediğim envai çeşit lehçede konuşuyordu ahali. Bitmek bilmez farklılıklarına karşın bu insanların hepsinde ortak bir şey vardı: Aynı tamamlanmamışlık hâli. Her biri yapım süreci devam eden birer eserdi.

Konya şehri Babil Kulesi misaliydi. Her an her şey durmadan değişiyor, ayrışıyor, çözülüyor, bozuluyor, yenileniyor, yineleniyor, aydınlanıyor, aşkınlaşıyor, can bulup can veriyordu. Tam bir keşmekeşti gördüğüm. Bir telaş, bir koşturmaca... Herkesin bir derdi vardı. Kimsenin kimseye deva sunduğu yok! İnsanı insandan ayırmadan baktım herkese ve her yere. Dertlerine uzak ama yüreklerine yakın durdum.

On Altıncı Kural: Kusursuzdur ya Allah, O'nu sevmek kolaydır. Zor olan hatasıyla sevabıyla fani insanları sevmektir. Unutma ki kişi bir şeyi ancak sevdiği ölçüde bilebilir. Demek ki hakikaten kucaklamadan ötekini, Yaradan'dan ötürü yaratılanı sevmeden, ne lâyıkıyla bilebilir, ne lâyıkıyla sevebilirsin.

Genciyle yaşlısıyla çeşitli esnafın günboyu alın teri döktüğü ufak tefek izbe dükkânların olduğu dar sokakları gezdim.

Her köşede birileri muhakkak Mevlâna'dan bahsediyordu. Merak ettim bu kadar sevilmek nasıl bir şeydi acaba? Bu kadar meşhur olmak, daima el üstünde tutulmak insanın nefsini nasıl etkilerdi? Zihnim bu sorularla meşgulken Rumi'nin vaaz verdiği camiye doğru değil, tam karşı istikamete doğru yürüdüğümü fark ettim. Etrafımdaki manzara değişmeye başladı. Şehrin kuzeyine doğru yürüdükçe evler harabeye, bağ bahçe viraneye dönüştü. Sokaklarda kavga patırtı içinde oynayan yoksul, başıboş çocuklara rastladım. Sadece evler ve insanlar değil, kokular da değişti, gitgide keskinleşti; baharat, yağ, sarımsak kokuları bollaştı. En sonunda dar bir sokağa girdim. Burada üç koku ağır basıyordu: Misk, ter ve şehvet. Konya şehrinin adı kötüye çıkmış mahallesine vasıl olmuştum demek.

Örme taştan kaldırımlı, yokuşu dik sokağın başında derme çatma bir ev vardı. Bataklı damı saz çubuklarla pekiştirilmişti. Evin önünde bir avuç kadın sohbet hâlindeydi. Yaklaştığımı görünce susup şüpheyle baktılar. Yarı tedirgin yarı muzip bir ifade sardı yüzlerini. Kadınların yanında bir bahçe vardı; akıllara durgunluk verecek güzellikte katmer katmer açmış güllerle dolu bir gül bahçesi. Bu bağın bağbanı kim ola diye merak ettim.

Bahçeye vardığım sırada evin kapısı gümbürtüyle açıldı ve ızbandut gibi bir kadın dışarı fırladı. Uzun boylu, iri yapılı, asık suratlıydı. Kat kat gerdanı, değirmi bir göbeği vardı. Gözlerini kısınca, et katmanlarının arasında kayboluyordu ela gözleri; iki incecik çizgi kalıyordu geride. Dudakları sarkık ve kalın, çehresi ablaktı. Ve üst dudağının hemen yukarısında tüy tüy kara bıyığı vardı. Anladım ki gördüğüm insan hem kadın hem erkek olarak gelmiştir dünyaya. Hünsadır.

"Sen de kimsin? Ne istersin?" diye sordu hünsa şüpheyle. Yüzü medcezir gibiydi. Kâh yükselen, kâh çekilen sular misali, bir erkek oluyordu, bir kadın.

Kendimi tanıttım. Bir şey demedi. Adını sordum ama duymazdan geldi.

Bir eliyle sinek kovalar gibi kış kış yaparak, "Buralar sana göre değil" dedi hünsa.

"Nedenmiş o?" diye sordum.

"Görmüyor musun ayol, burası kerhane? Siz dervişler habire hu çekip, karı kız görünce öcü görmüş gibi kaçmaz mısınız? Ne işin var burda? Bak seni uyarıyorum. Bir de sanırlar ki kerhane patronuyum diye bende ahlak yok, zevk-ü sefadan çıkmam. Hâlbuki her sene muhakkak zekâtımı veririm, Ramazan'da kapımı kaparım. Şimdi de seni günahtan kurtarıyorum. Bizden uzak dur. Burası şehrin en beter, en pis yeridir, gelme buralara!"

"Hâlbuki bana göre pislik içte olur, dışta değil" diye itiraz ettim. "Bu da kurallardan biridir."

"Ne kuralından bahsediyorsun be adam?" diye tersledi.

"On Yedinci Kural: Esas kirlilik, dışta değil içte, kisvede değil kalpte olur. Onun dışındaki her leke ne kadar kötü görünürse görünsün, yıkandı mı temizlenir, suyla arınır. Yıkamakla çıkmayan tek pislik kalplerde yağ bağlamış haset ve art niyettir."

Ne var ki hünsa dediklerimi duymazdan geldi. "Siz dervişler yok musunuz, kafayı sıyırmışsınız. Bizim buraya her tür müşteri gelir. Ama derviş kısmı asla! Buralarda dolanıp duracak olursan, Allah burayı yakar kavurur. Bir din adamını yoldan çıkarttık diye bizi lanetler. Ocağımızı başımıza yıkar. O yüzden hadi tıpış tıpış yaylan!"

Güldüm. "Bu saçmasapan fikirleri nereden buluyorsun? Yani şimdi sana göre Allah gökten bakan öfkeli, ceberut bir baba mı? Sanır mısın ki her hatamızda başımıza taş ve kurbağa yağdırır? Böyle Hak anlayışı olur mu?"

Kerhane maması hünsa, ip gibi bıyığının ucunu burdu. Az kaldı dövecekmiş gibi öfkeyle baktı.

"Merak etme, kerhane görmeye gelmedim buraya" dedim. "Ben şu gül bağına hayran kaldım, ona bakmak için yaklaşmıştım."

"Ha, o mu?" diyerek omuz silkti hünsa. "Kızlardan birinin işidir. Haspa tutturdu gül yetiştirelim diye, ses etmedim. Çöl Gülü'nün marifetidir bu bahçe."

İlerideki sermayelerin arasında duran genç bir kadını işaret etti. İncecik çenesi, sedef gibi pürüzsüz teni, derin ama dertli bakan ceylan gözleri vardı. Görenin aklını başından alacak kadar güzeldi. Kadına bakınca büyük bir dönüşüm geçirmekte olduğunu sezinledim.

Eğilip, yalnız hünsanın duyabileceği şekilde kulağına fısıldadım: "Bu kızcağız temiz kalpli birine benzer. Gün gelecek manevi bir yolculuğa çıkacak. Bu batağı temelli terk edecek. O gün gelince, sakın ola ona engel olmaya kalkmayasın."

Hünsa geri çekilip, hiddetle süzdü beni. "Cehennemde odun olasıca! Zebaniler koparsın dilini! Sen kendini ne sanırsın? Bu kızlar benim sermayem. Hangisine nasıl davranacağıma ben karar veririm, anladın mı? Buranın ağası benim. Hadi defol burdan! Bi daha görmeyeyim seni! Yoksa Çakal Kafa'yı çağırırım ona göre!"

"O da kim?" diye sordum.

Hünsa parmağını sallaya sallaya "Beladır, hem de öyle böyle değil! İnan bana tanımak istemezsin" dedi.

"Kimse kim" dedim omuz silkerek. "Gidiyorum, ama gene gelebilirim. Beni buralarda bir daha görürsen şaşırma. Ömrünü seccade üzerinde tespih çekerek geçiren dervişlerden değilim. Öyleleri Kuran'ı sathi okur. Bense Kuran'ı her yerde okurum; her başakta, karıncada, bulutta. Nefes Alan Kuran'dır okuduğum."

"Nasıl yani? İnsanları kitap gibi okuyorsun öyle mi?" diye tısladı kerhane sahibi, bir kahkaha patlattı. "Amma saçmalarsın!"

"Her insan açık bir kitaptır özünde. Okunmayı bekler. Her birimiz yürüyen, nefes alan kitabız aslında, yeter ki özümüzü bilelim" dedim. "İster fahişe ol, ister bakire, ister düşmüş ol, ister itibarlı, Allah'ı bulma arzusu hepimizin kalplerinde, derinlerde saklıdır, sırlıdır. Doğduğumuz andan itibaren aşk cevherini içimizde taşırız. Orada durur, keşfedilmeyi bekler. Kurallardan biridir bu."

Bu kez hangi kurallardan bahsettiğimi sormadı. Ben de devam ettim:

"On Sekizinci Kural: Tüm kâinat olanca katmanları ve karmaşasıyla insanın içinde gizlenmiştir. Şeytan, dışımızda bizi ayartmayı bekleyen korkunç bir mahlûk değil, bizzat içimizde bir sestir. Şeytanı kendinde ara; dışında, başkalarında değil. Ve unutma ki nefsini bilen Rabbini bilir. Başkalarıyla değil, sadece kendiyle uğraşan insan, sonunda mükâfat olarak Yaradan'ı tanır."

Hünsa bu kez kollarını çattı, öne eğildi, gözlerini kısıp tehditkâr bir edayla beni tepeden tırnağa süzdü.

"Orospulara vaaz vermeye kalkan deli derviş!" dedi homurdana homurdana. "Kimsin nesin Konya'da ne ararsın bilmiyorum ama ayağını denk al! Bu civarda kimsenin aklını çelmene müsaade etmem, bilesin. Kerhanemden uzak dur. Durmazsan, and olsun, Çakal Kafa gelir, o sivri dilini keser, ben de tuzlayıp afiyetle yerim."

Ella
Boston, 28 Mayıs, 2008

Bu sabah her zamankinden durgun uyandı Ella. Ama öyle mutsuz bir durgunluk değildi bu. Daha ziyade isteksiz, hissiz, âdeta renksiz bir ruh hâlindeydi. Sanki varmaya hiç niyetlenmediği bir eşiğe yaklaşmıştı. Bir şeyler değişiyordu hayatında. Bunu seziyor ve bekliyordu. Mutfakta kahve hazırlarken, geçenlerde oturup yazdığı ve sonra bir çekmeceye kaldırdığı bir karar listesi buldu. Yazdıklarını merakla okudu. Uyguladığı kararların yanına kırmızı kalemle işaret koydu.

Kırk Yaşına Varmadan Muhakkak Yapmam Gereken On Şey:

Bundan böyle daha düzenli ol, vaktini daha iyi kullan, kendine yeni bir ajanda al. (Tamamdır!)

Rejime başla, yağı şekeri unu tuzu kes, mineral desteği ve antioksidan al. (Tamamdır!)

Kırışıklıklara savaş aç. Alfa hidroksil ürünler kullan, Loreal'ın yeni kremini ihmal etme. (Tamamdır!)

Koltukların yüzlerini değiştir, salona yeni süs bitkileri al, yastıkları yenile. (Tamamdır!)

Hayatını gözden geçir. (Eh, tamam sayılır!)

Et yemeyi bırak. Her hafta sağlıklı bir mönü oluştur, bedenine hak ettiği özeni göstermeye başla. (Tamam sayılır!)

Rumi'nin kitaplarını al, her gün en az iki şiirini oku. (Tamamdır!)

Çocukları bir Broadway Müzikali'ne götür. (Tamamdır!)

Yemek kitabı yazmaya başla. (Tamamdır!)

Kalbini aşka aç!!!

Ella bir süre kıpırdamadan durdu, gözleri listenin sonuncu maddesine takılmıştı. Bunu yazarken ne düşünmüştü acaba? Ne vardı aklında? *"Aşk Şeriatı'*nın etkisi olmalı" diye mırıldandı kendi kendine. Aziz Zahara'nın romanı yüzünden son zamanlarda sıkça düşünür olmuştu aşkı.

* * *

Sevgili Aziz,

Bugün benim doğum günüm! Bir dönüm noktasına varmış gibi hissediyorum. Kırkına varınca yaşlandığını anlıyorsun, olanca ağırlığıyla. Özellikle biz kadınlar için geçerli bu. Gerçi Amerika'daki kadın dergileri ısrarla insan ömrünün epey uzadığını, eskiden otuz yaş ne ise şimdilerde kırkın o olduğunu söylüyorlar. (Ve eskiden kırk yaş ne ise şimdilerde altmış oymuş). Ama kimi kandırıyoruz? Kırk yaş kırk yaştır işte. Artık her şeyin daha fazlasına sahibim: Daha bilgili, daha olgun, daha sağduyuluyum. Ve yüzümde daha fazla kırışıklık var, saçımda daha fazla kır. Daha kırgınım ve daha yorgun...

Doğum günleri hep neşelendirirdi beni ama nedense bu sabah göğsümde bir ağırlıkla uyandım. Bir an hayatımın hep böyle geçip gideceğini düşündüm ve bu fikirle ürperdim.

Peki hayatımın değişmesini gerçekten istiyor muyum? Birden anladım ki bu soruya "evet" desen bir türlü, "hayır" desen bir türlü. Her iki sonuç da ürkütüyor beni.

Benden daha keyifli olman dileğiyle,
Arkadaşın Ella

Hamiş: Biraz kasvetli bir mesaj oldu galiba, kusuruma bakma. Bu sıralar kendimle çok uğraşıyorum, belki de romanının etkisidir. Ya da resmen orta yaş bunalımındayım...

* * *

Sevgili Ella,

Doğum günün kutlu olsun! Hem erkekler hem kadınlar için kırk en güzel yaştır. Bence kırk sayısı tılsımlıdır.

Boşuna değil, Nuh Tufanı kırk gün sürdü. Sular her yeri kapladı ama aynı zamanda bu topyekûn yıkım, birikmiş tüm kirleri sildi ve hayata yeniden başlama fırsatı verdi. İslam tasavvufunda kırk sayısı bir mertebe aşmak için sarf edilen zamanı, manevi uyanışı temsil eder. Bilincin dört temel safhası vardır. Her birinde on derece mevcuttur ki toplamda kırk eder. Hazreti İsa kırk gün kırk gece çölde çile çekti. Hazreti Muhammed peygamberlik çağrısını kırk yaşında işitti. Buda ıhlamur ağacının altında kırk gün tefekküre daldı. Ve tabii bir de Şems'in kırk altın kuralını unutmamalı.

Kırk yaşında insan yeni bir vazife üstlenir. Bence muhteşem bir yaşa vardın! Yaşlanmayı da sakın dert etme. Kırk öyle kudretli bir sayıdır ki, kırışıklıklar da saçındaki aklar da yanında cılız kalır.

Kendine iyi bakman dileğiyle,

Aziz

Fahişe Çöl Gülü
Konya, 18 Ekim 1244

Bunca senedir bu beter yolun yolcusuyum, anlamadığım bir şey var. Nasıl olur da insanlar habire fuhuşa karşı olduklarını ve fahişelere acıdıklarını söyledikleri hâlde fuhuş yapan bir kadının tövbe edip hayata sil baştan başlamasına fırsat tanımazlar? "Mademki bir kere düştün batağa, hep orada kal" derler âdeta. Bilmem ki nedendir. Tek bildiğim şu: Bu dünyada pek çok insan başkalarının sefaletinden beslenir. Düşenin belini doğrultup toparlanmasını istemez, yeryüzünden bir sefil eksilse rahatsız olur. Ama kim ne derse desin, aklıma koydum bir kere. Yakında bu kerhaneden ayrılacağım. Gideceğim bu yerden.

Bu sabah uyandığımda içim içime sığmıyordu. Mevlâna'nın vaazını dinlemeyi o kadar çok istiyordum ki gözüm başka bir şey görmüyordu. Patrona gidip müsaade istesem benimle dalga geçecekti, biliyorum. "Orostopollar ne zamandan beri vaaz dinlemeye camiye gider oldu?" diyecekti. Ne zaman böyle alay etse öyle bir gülme krizine tutulur ki yüzü patlıcan moruna döner.

O yüzden yalan söylemeye karar verdim. Gül bahçesini kimin yaptığını soran o uzun boylu, saçsız derviş gittikten sonra baktım bizim hünsayı bir düşüncedir almış. Ne zaman böyle dalgınlaşsa daha anlayışlı olur. Tam zamanıdır deyip yanına vardım.

"Pazarda halletmem gereken bir iki işim var, müsaadenle gideyim" dedim.

Bana inandı. Ne de olsa dokuz senedir yanında it gibi sadakatle çalıştığım için az da olsa güvenini kazanmış sayılırım.

"Tek şartım var" dedi patron. "Susam da seninle gelecek."

Bu hiç mesele değildi. Susam'ı severdim. Yüreği tertemiz, aklı altı yaşında çocuk, kendi çam yarması gibi bir adamdı Susam. Hinlik nedir bilmediğinden son derece namuslu ve emindi. Kimse asıl adını bilmezdi, belki kendisi bile. Helvaya pek düşkün olduğu için ona Susam derdik. Ne vakit kerhaneden bir fahişe sokağa çıkacak olsa, Susam da sessiz bir gölge gibi peşinden giderdi. İstesem de ondan iyi muhafız bulamazdım.

Beraberce bostanların arasından dolanan tozlu yoldan

ilerledik. İlk kavşağa vardığımızda Susam'a beklemesini söyledim. Bir çalının arkasına geçip daha evvelden oraya gizlediğim bir çuval dolusu erkek kıyafetini çıkarttım. Ne var ki üstümü değiştirip erkek kılığına girmek düşündüğümden zor oldu. Göğsüme uzun eşarplar sarıp memelerimi düzlemem gerekti evvela. Sonra kahverengi şalvar, yün yelek, kestane renkli uzun bir cüppe geçirdim üstüme. Bir de sarık taktım kafama. En son olarak seyyah bir Arap sansınlar diye yüzümün yarısını Bedeviler gibi sarıp sarmaladım.

Tekrar Susam'ın yanına vardım. Gözlerini fal taşı gibi açıp irkilerek baktı.

"Haydi, gidelim" diyerek yeninden çekiştirdim ama kıpırdamadı. Peçeyi indirdim. "Benim ya, tanımadın mı beni?"

Susam bir elini ağzına götürüp, hayretle bağırdı: "Çöl Gülü, sen misin? Neden böyle giyindin?"

"Şışşşt. Sana bir sır versem, tutar mısın?"

Susam "tabii" mânâsında başını salladı.

"Tamam" diye fısıldadım. "Kimseye söyleme, bilhassa hünsaya tek kelime anlatmak yok! Şimdi biz pazara gitmiyoruz. Camiye gidiyoruz."

Susam'ın alt dudağı titredi. "Ama hani pazara gidiyorduk" diye çocuk gibi mızmızlandı.

"Tamam oraya da gideceğiz ama şimdi değil, sonra. Önce Mevlâna'yı dinlemeye camiye gidiyoruz."

Susam dehşet içinde yüzüme baktı.

"Lütfen, bu benim için çok önemli" diye yalvardım. "Eğer kabul edip kimseye söylemezsen sana koca bir helva alacağım."

"Helvaaa" diye tekrarladı Susam, daha kelimeyi duyar duymaz ağzına hoş bir tat gelmiş gibi dilini şapırdattı. İşte böylesi tatlı umutlarla Mevlâna'nın vaaz vereceği camiye doğru yola koyulduk.

* * *

Nikea yakınlarında ufak bir köyde doğdum. Annem hep derdi ki, "doğru yerde dünyaya geldin ama yanlış zamanda." Devir kötüydü, yarın ne olacağı belirsiz. Bir seneden diğerine her şey değişiyordu. Önce Haçlıların döneceği söylentileri daralttı içimizi. Konstantinopol'de yaptıkları mezalimi işittik. Malikâneleri yağmalamış, en küçüğünden en büyüğüne kiliselerdeki ikonaları kırmışlardı. Sonra Selçuklu saldırılarından bahsetmeye başladı herkes. Daha Selçuklu Ordusu'nun yarattığı korkunun izleri küllenmemişti ki, acımasız Moğol saldırıları başladı. Sanki düşmanın ismi ve cismi sürekli değişiyor ama başkalarınca yok edilme korkumuz Ida Dağı'nın başındaki kar kümeleri gibi sabit kalıyordu.

Annem babam fırıncıydı. İyi Hıristiyanlar, inançlı insanlardı. Çocukluğumdan hatırladığım en eski şey fırından taze çıkmış ekmek kokusudur. Zengin değildik. Çok küçükken dahi bunun farkındaydım. Ama fakir olmadığımızı da biliyordum. Dükkâna dilenmeye gelen fakir fukaranın gıpta dolu bakışından bilirdim hâlimizi. Her gece uyumadan evvel dizlerimin üstüne çöküp dua eder, bizi aç yatırmadığı için Tanrı'ya teşekkür ederdim. Bir dostla konuşur gibi konuşurdum O'nunla. Zira o sıralar Rab dostumdu benim.

Yedi yaşımdayken annem hamile kaldı. Şimdi düşünüyorum da, daha evvel kim bilir kaç kez düşük yapmış olmalıydı ama o sıralar aklım ermezdi bu işlere. Öyle masumdum ki bebekler nasıl dünyaya gelir diye sorsalar, Tanrı'nın onları yumuşak, taze hamurdan yoğurduğunu söylerdim herhâlde.

Ne var ki annemin karnında yoğrulan hamur devasa bir şeye benziyordu. Çok geçmeden karnı burnuna vardı. O kadar irileşti ki yürüyemez hâle geldi. Köyün ebesi, annemin vücudunun su tuttuğunu söyledi ama ne demek istediğini anlamamıştım; "su tutmak"ın nesi kötüydü ki.

Hâlbuki ne annemin ne de ebenin bildiği bir şey vardı: Meğer tek değil üç bebek varmış rahimde. Üçü de oğlan. Kardeşlerim annemin içinde savaşmaktaymış meğer. Doğuma yakın üçüzlerden biri diğerini göbek bağıyla boğmuş, boğulan bebek de öç almak istercesine çıkışı kapamış. Böylece bebeklerin hepsi sıkışmış, çıkamaz olmuş. Annem dört gün boyunca kardeşlerimi doğurmaya uğraştı. Gece gündüz feryatlarını işittik, tâ ki sesi soluğu kesilinceye değin.

Ebe annemi kurtaramayınca kardeşlerimi kurtarmaya soyundu. Eline bir çift makas alıp annemin karnını yardıysa da ancak bir bebeği kurtarabildi. Erkek kardeşim işte böyle doğdu. Babam bütün suçu ondan bilirmişçesine doğduğu günden beri kardeşime ters davrandı. Hatta vaftiz törenine dahi katılmadı.

Annem ölüp, babam asık suratlı, haşin bir adama dönüşünce hayatın tadı tuzu kalmadı. Fırında işler çarçabuk kötüye gitti. Günün birinde fırına gelen dilenciler gibi olacağımızdan korkuyordum. Yatağımın altına ekmek somunları saklamaya başladım; orada kuruyup bayatlarlardı. Ama esas sıkıntıyı benden çok kardeşim çekti. En azından ben bir zamanlar sevgi, alâka görmüştüm. Kardeşim bunları hiç tatmadı. Bu kadar fena muamele görmesi beni kahrediyordu. Ama doğrusu, babamın gazabına uğrayan ben olmadığım için kendimi şanslı sayıyordum. Keşke kardeşimi kollasaymışım. O zaman her şey farklı olurdu. Ben de bugün Konya'da bir kerhanede olmazdım. Hayat ne tuhaf!

Bir sene sonra babam yeniden evlendi. Kardeşimin hayatında tek değişen şey şu oldu: Eskiden sırf babamdan kötü muamele görürken, şimdi hem babamdan hem üvey annemden kötü muamele görüyordu. Artık her fırsatta evden kaçıyordu. Geri döndüğünde beter arkadaşlar ve daha beter huylar edinmiş olarak geliyordu. Bir keresinde babam onu öyle feci dövdü ki, yaşaması mucizeydi. O günden sonra kardeşim hızla değişti. Gözbebeklerine zalim bir bakış oturdu. Aklından bir şeyler geçirdiğini seziyordum ama ne fena ameller beslediğinden haberim yoktu. Keşke bilseydim. Keşke bu trajediyi önleyebilseydim.

Çok geçmedi, babamla üvey annemi ölü bulduk. Birisi yedikleri ekmeğin ununa fare zehiri karıştırmıştı. Haber duyulur duyulmaz herkes kardeşimden şüphelendi. Muhafızlar sorguya başlayınca, o da korkup kaçtı. Kardeşimi bir daha görmedim. Birdenbire bu dünyada yapayalnız kalmıştım. Anamın kokusu sinmiş evde duramadım. Fırında hiç kalamadım. Sonunda hayatta kalan tek yakın akrabam olan halama gitmeye karar verdim. Evlenmemiş kız kurusuydu. Konstantinopol'da yaşardı. Evi ve fırını öylece bırakıp onun yanına gitmek için yola çıktım. On üç yaşındaydım.

Konstantinopol'a giden bir yolcu arabasına atladım. At arabasındaki en genç yolcu bendim. Yola çıkalı birkaç saat olmuştu ki eşkıyalar önümüzü kesti. Her şeyimizi aldılar; çantalar, heybeler, şapkalar, çizmeler, kemerler, mücevherler, hatta arabacının sosislerini bile. Verecek bir şeyim olmadığından sessiz sedasız bir köşede durdum; bana zarar vereceklerini sanmıyordum.

Ama tam gitmek üzereyken çetenin başı bana dönüp seslendi: "Güzel kız, bana bak kızoğlankız mısın?"

Utançtan kızardım. Böyle münasebetsiz bir suale cevap vermeyi reddettim. Meğer benim kızarmam adamın beklediği cevap imiş.

Çete reisi, "Haydi gidelim" diye gürledi. "Bütün atları alın. Şu kızı da alın!"

Ben ağlaya sızlaya direnirken diğer yolcuların hiçbiri yardımıma koşmadı. Haydutlar beni büyük bir ormana götürdüler. Meğer ormanın ortasında kendilerine ait bir köy varmış. Bir sürü kadın vardı ortalıkta ve bir o kadar çocuk. Her yerde ördekler, kazlar, keçiler, domuzlar tembel tembel eşiniyor, dolaşıyordu. İçinde haydutlar yaşıyor olmasa sanırsın ki dünyanın en şirin köyü burası.

Çok geçmeden çete reisinin bana neden bakire olup olmadığımı sorduğunu anlayacaktım. Meğer haydutların bir lideri varmış. Adam tifoya tutulmuş, durumu ağırmış. Uzunca bir süredir yataktaymış, türlü ilaç denemişler ama faydası olmamış. Nasıl olduysa birisi kulağına sihirli bir deva fısıldamış: "Bir bakireyle yatarsan hastalığın ona geçer, sen pirüpak olur, şifa bulursun."

Hayatımda hatırlamak istemediğim nice şey var. Ormanda geçen günlerim bunların arasında. Bugün bile ne vakit ormanı ansam, bir tek çam ağaçlarını düşünürüm. Köydeki kadınların yanında duracağıma, gider ağaçların arasında bir başıma oturur, ağlardım. Buradaki kadınlar haydutların karıları ya da kızlarıydı. Bir de kendi istekleriyle gelmiş fahişeler vardı. Bir türlü aklım almazdı neden buralara geldiklerini. Bense kararlıydım, ilk fırsatta kaçacaktım.

Zaman zaman ormandan geçen at arabaları görürdüm, çoğu da asilzadelere aitti. Bu arabaların neden soyulmadıklarını bir türlü çözemezdim. Sonradan anladım ki arabacılar ormandan geçmeden önce haydutlara rüşvet verir, karşılığında güvenle geçer giderler. İşlerin nasıl yürüdüğünü anladıktan sonra bir plan yaptım ve büyük şehre giden bir arabayı durdurup arabacıya beni alması için yalvardım. Param olmadığını bildiği hâlde yüksek bir ücret talep etti. Bedelini başka şekilde ödedim.

Konstantinopol'e varıp da birkaç gün geçirince ormandaki fahişelerin neden orada olmayı seçtiklerini anlayacaktım. Şehir ormandan beterdi. Halamı aramaya gerek bile görmedim. Benim gibi düşmüş birini evinde istemezdi ki. Bir başımaydım. Şehrin ruhumu ezmesi çok sürmedi. Bambaşka bir âlemin içindeydim artık; şiddetin, şerrin, tecavüzün, zulmün, hastalıkların dünyasında. Peş peşe defalarca hamile kaldım. Şişleye şişleye nice çocuk aldırdım. Öyle harap oldu ki bedenim, âdet görmeyi kestim; genç yaşta gebe kalamaz oldum.

O sokaklarda öyle şeylere şahit oldum ki kelimeler kifayetsiz kalır. Şehirden ayrıldıktan sonra askerlerle, canbazlarla, oyuncularla, kâhinlerle, Çingenelerle gezdim; hepsinin keyfine köle oldum. Sonra Çakal Kafa adında bir zorba beni buldu; tuttu Konya'daki bu kerhaneye getirdi.

Hünsa patron işine yaradığım müddetçe nereden geldiğimi önemsemedi. Bebek doğuramadığımı duyunca pek sevindi, gebelik sorunu olmayacaktı. Kısırlığıma atıfta bulunmak için bana "Çöl" lakabını taktı. Ama bu ismi fazla kuru bulmuş olacak ki yanına bir de süsleme ekledi: "Gül". Böylece Çöl Gülü oluverdim.

Aldırmadım. Alınmadım. Gülleri severdim. Kaybedecek neyim kalmıştı ki?

Düşünüyorum da iman da gizli bir gül bahçesi gibi. Vaktiyle o bahçe içinde dolaşıp baygın kokularını içime çekerdim ama bir gün pat diye kendimi dışarıda, cennetten kovulmuş buldum. Tanrı'nın bana tekrar kucak açmasını ne çok isterim; tıpkı çocukluğumda olduğu gibi ona yönelebilsem keşke. Bu arzuyla iman bahçesinin etrafını dolaşıyor, açık bir kapı arıyorum.

Bulamıyorum.

* * *

Nihayet Susam'la camiye vardık. Gözlerime inanamadım. Her meşrepten, her meslekten ahali köşe bucağı doldurmuştu. Kadınlara ait haremlik kısmını bile erkekler kaplamıştı. İğne atsan düşmez kalabalıkta nasıl yer bulacaktım? Tam umudumu yitirip geri dönecektim ki, önüm sıra bir dilencinin hızla kalktığını, kalabalığı yararak caminin çıkışına ilerlediğini gördüm. Çabucak onun yerine oturdum. Susam ise dışarıda kaldı.

İşte böylece, ben Çöl Gülü tepeden tırnağa erkek dolu bir camide buldum kendimi. Tedirgindim. Aralarında erkek kılığına girmiş bir kadının oturduğunu bilseler ne yaparlardı acaba? Daha bunu tahayyül edemezken, bir de o kadının fahişe olduğunu öğrenmeleri hâlinde olacakları aklımdan geçirmek dahi istemiyordum. Ne var ki Mevlâna'yı dinlemeye gelmiştim. Bana yol gösterecek bir sese ihtiyacım vardı. Tüm vehimleri vesveseleri savuşturup, dikkatimi vaaza verdim.

Rumi tane tane konuşuyordu: "Yüce Allah kederi yaratmış ki, tezatından saadet doğsun" dedi. "Bu dünyaya boşuna Âlem-i Kevn-ü Fesad, yani Oluş ve Varoluş Âlemi denmemiştir. Burada her şey tezatından tezahür eder. Bir tek Rabb'ın zıddı yoktur. O yüzden O hep sır kalır."

Vaiz konuşurken sesi dağ pınarları gibi coşup kabarıyordu. "Aşağıda toprak, yücede sema... Dünyanın her hâli böyledir. Bolluk ve kıtlık, barış ve savaş... Her nesnenin muhakkak karşıtı var. Unutmayın, Allah hiçbir şeyi boşa yaratmamıştır. Tek bir tanenin bile bu ilahi nizamda yeri var."

Anladım ki şu âlemde tesadüfi veya fuzuli olan bir şey yok. Her şey bir amaca hizmet eder. Anamın hamileliği, üç kardeşimin ana rahminde tutuştukları amansız savaş, kardeşimin yalnızlığı, hatta babamın ve üvey anamın katli, ormanda yaşadığım o korkunç günler, Konstantinopol sokaklarında maruz kaldıklarım... hepsi ve her biri hikâyeme katkıda bulunmuştu. Her zorluğun ardında ve ötesinde bir başka sır, bir başka sebep vardı. Anlatamıyor ama yüreğimde hissediyordum.

Bu öğleden sonra hıncahınç kalabalık bir camide Rumi'yi dinlerken bir dinginlik, bir huzur geldi üstüme. Öyle bir teslimiyet ki anamın pişirdiği ekmekler kadar sıcak ve yumuşak...

Dilenci Hasan
Konya, 18 Ekim 1244

Başı pek, karnı tok Mevlâna nasıl da rahat anlatıyor sıkıntı çekmenin erdemini. İnsan bildiği şeyden bahsetmeli, bilmediğinden değil. Baktım dayanamıyorum, kendi kendime söylene söylene camiden ayrıldım. Gidip tekrar akçaağacın dibine oturdum. Camideki cemaat dağılıncaya kadar kimsenin keşkülüme para bırakmasını beklemediğim için miskin miskin etrafı gözetlemeye başladım. Neredeyse uykuya dalacaktım ki daha evvel hiç görmediğim bir adam ilişti gözüme. Tepeden tırnağa karalar giyinmişti, yüzünde ise hiç kıl yoktu; elinde uzunca bir asası vardı, tek kulağında da gümüş bir küpe. Öyle sıradışı bir edası vardı ki gözlerimi ondan alamadım. Derviş sağa sola bakındı. Derken beni fark etti. Görmezden gelinmeye o kadar alışkındım ki, adamın hemen başını çevirmesini bekledim. Ama derviş sağ elini yüreğine götürerek ezelden beri dostmuşuz gibi bana selâm verdi. Şaşırdım. Acaba başkasına mı selâm verdi diye gayriihtiyarî etrafıma bakındım. Ama bir ben, bir de akçaağaç vardık işte. Nihayet selâmın muhatabı olduğumu anlayıp, ben de elimi yüreğime götürmek suretiyle karşılık verdim.

Ağır ağır yanıma yaklaştı. Başımı eğdim, herhâlde keşkülüme bakır para atacak yahut kuru ekmek verecekti. Hâlbuki derviş yanı başımda diz çöktü, benimle aynı hizaya gelip, gözünü gözüme dikti.

"Selamünâleyküm kardeş" dedi.

"Aleykümselâm derviş" dedim. Kendi sesim bana yabancı geldi, çatal çatal. Birden anladım ki birileriyle konuşmayalı uzun zaman olmuş. Neredeyse kendi sesimin neye benzediğini unutmuştum.

Kendini tanıttı, ismi Tebrizli Şems imiş. Adımı sordu.

Güldüm. "Benim adım olsa ne olur, olmasa ne olur?"

Derviş itiraz etti. "Her insanın bir ismi vardır. Allah'ın ise sayısız ismi var. Biz bunlardan ancak doksan dokuzunu biliyoruz. Düşün hele, Allah'ın bunca adı varsa O'nun ruhundan üflediği bir insan nasıl adsız yaşar?

Bu soruya ne cevap vereceğimi bilemedim. Denemedim bile. İkrara vurdum işi: "Vaktiyle bir anam, bir de karım vardı. Bana Hasan derlerdi."

Şems başını sallayarak, "Öyleyse ben de Hasan diyeyim" dedi.

Sonra hiç beklemediğim bir şey yaptı, koynundan gümüş bir ayna çıkarıp bana uzattı. "Al bunu" dedi. "Bağdat'ta mübarek bir zat vermişti. Lâkin sana nasipmiş. Olur da özünü unutursan, sana içindeki İlahi Güzellik'i gösterir."

"Cüzâmlı bir adama ayna mı verirsin?" dedim hayretle. "Bunca çirkinliğime rağmen..."

Devam etmeye fırsat kalmadı, arkamızda bir patırtı koptu. Önce sandım ki camide bir yankesici yakaladılar. Ama bağırtı çağırtı katlanarak arttı. Belli ki daha vahim bir mesele vardı ortalıkta. Bir yankesici için bu kadar şamata kopartmazlardı.

Çok geçmeden ne olduğunu öğrendik. Meğer kadının teki erkek kılığında camiye girmeye kalkmış. Üstelik namuslu bir kadın değil, düpedüz fahişeymiş. Yakalamışlar. Baktık birtakım adamlar kadını ite kaka dışarı çıkarıyorlar. Arkalarında bir güruh hiddetle bağırıyor:

"Kırbaçlayın şu sahtekârı! Kırbaçlayın orospuyu!"

Öfkeli ayaktakımı sokağa vardı. Ortalarında erkek kıyafetli genç bir kadın gördüm. Korkudan ölecekmiş gibi kanı çekilmiş, bembeyaz kesilmişti. Badem gözlerinden dehşet fışkırıyordu. Bu güne dek sayısız linç hadisesine tanık olmuştum. Her defasında hayret ederdim. Nasıl oluyor da tek başlarınayken gayet mütevazi, mazbut ve hatta munis olan insanlar, kalabalık içine girer girmez değişiyor, kabalaşıyor, acımasızlaşıyordu. Kimi zanaatkâr, kimi tezgâhtar, kimi çerçi, kimi dülger olan, belki karınca dahi incitmeyen şahıslar bir güruh hâlinde hareket edince gaddarlaşıyordu. Meydan dayakları vaka-ı âdiyedendi. Çoğunlukla sonları kanlı biterdi. Cesetler ibret olsun diye meydana asılırdı.

"Zavallı kadın" dedim dervişe. Ama dönüp baktığımda Şems'in yerinde yeller esiyordu.

Bir de baktım ki derviş rüzgâr olmuş gidiyor. Mübarek

sanki yaydan fırlamış ok! İnanılmaz bir hızla ve kararlılıkla güruha doğru rap rap yürüyor! Ben de derhal peşinden seyirttim. Yetişmek ne mümkün!

Ayaktakımı alayının başına varınca Şems asasını bayrak gibi havaya kaldırdı ve avazı çıktığı kadar bağırdı: "Durun!" Kalabalık şöyle bir dalgalandı. Adamlar kadını itip kakmayı bırakıp, yollarını kesen bu siyahlar içindeki çılgına baktılar.

"Utanın, bu ne hâl?" diye bağırdı Şems ve asasının demir ökçesini yere vurdu. "Otuz adam bir kadına karşı, öyle mi? Adil midir bu yaptığınız?"

Ablak suratlı, iriyarı, bir gözü tembel bir adam derhal öne çıktı. "Bu kadın adil davranılmayı hak etmiyor ki" dedi. "Adalet hak edene verilir."

Tavrına bakılırsa kendini bu güruhun lideri ilan etmişti. Yaklaşınca adamı tanıdım. Baybars adında bir muhafızdı. Konya şehrinin tüm dilencileri yaka silkerdi ondan.

"Bu kadın cemaati kandırmak için erkek gibi giyinip camiye sızdı ve utanmadan Müslümanların arasına karıştı" diye devam etti Baybars.

"Yani sen şimdi diyorsun ki bu insan evladı camiye vaaz dinlemeye gelmiş, buna ne ceza verelim, öyle mi?" diye sordu Şems. "Ne zamandan beri Cumaya gelmek suçtur, sorarım size?"

Kalabalıktan çıt çıkmadı bir an.

Öfkeden yüzü kıpkırmızı bir başka adam, "Kadınlara Cuma zaten farz değil, gelmesinler!" diye haykırdı geriden. "Üstelik bu kadın iffetli bir avrat değil. Orospudur! Mübarek camide ne işi varmış?"

Bunun üzerine arka sıralarda birkaç kişi gemi azıya aldı. Hemavaz bağırdılar: "Kaltak! Soysuz!"

Galeyana gelen bir delikanlı öne atıldı, kadının sarığına yapıştığı gibi var gücüyle asıldı. Sarık çözülünce kadının parlak, uzun, buğday sarısı saçları dalga dalga saçıldı. Herkes nefesini tuttu. Fahişenin gençliği, güzelliği insanın aklını alıyordu. Şems ahalinin içindeki karışık hisleri bilmiş olacak, herkese seslendi: "Karar verin kardeşlerim. Bu kadını hor mu görüyorsunuz, yoksa hoş mu görüyorsunuz?"

Bunu demesiyle Şems'in fahişenin elini tutup kendine doğru çekmesi bir oldu; böylece kadını bir hamlede ayaktakımından uzaklaştırdı. Genç kadın dervişin arkasına sığınıp, anasının eteklerine gizlenen küçük bir kız çocuğu gibi olduğu yerde sindi.

Baybars Şems'in üstüne yürüyerek sesini yükseltti: "Büyük bir hata yapmaktasın derviş. Bu şehrin yabancısısın, bizim âdetlerimizi bilmezsin. Sen bu meseleye burnunu sokma."

Bir başkası lafa girdi: "Hem sen ne mene dervişsin? Fahişe korumaktan önemli işlerin yok mu?"

Şems-i Tebrizî bir süre itirazları değerlendirir gibi sessizce durdu. Yüzünde öfkeden eser yoktu. Sakin ve kararlıydı: "Peki siz en başta bu kadını nasıl fark ettiniz? Demek camiye gidip, sağdakine soldakine bakıyorsunuz. Hakiki mümin, yanındaki çıplak dahi olsa haramı fark etmez. Her kim gerçekten Allah'ı zikrederse, O'ndan başka her şeyi unutur. Siz bugün aslında bu kadını enselemediniz, kendinizi ele verdiniz! Onu yakalayarak aklınızın fikrinizin başka yerde olduğunu gösterdiniz! Şimdi camiye geri dönün, inşallah bu sefer doğru dürüst iman edersiniz."

Koca sokağa tuhaf ve kesif bir sessizlik çöktü! Kaldırımlarda uçuşan toz topakları dışında hiçbir şey ve hiç kimse kıpırdayamadı.

Nihayet Şems-i Tebrizî asasını sallayarak, "Haydi, hepiniz! Geri dönün, doğruca Mevlâna'yı dinlemeye" diye kalabalığı kışkışladı.

Gözlerime inanamıyordum. Herkes afallamıştı. Kimse dönüp gitmedi ama kalabalıktakilerin çoğu birkaç adım gerilemişti. Ne yapacaklarını bilemeden etrafa boş boş bakınanlar çoğunluktaydı. Tam o sırada fahişe, dervişin arkasında saklandığı yerden çıktı. Ürkek dağ tavşanı gibi sıçrayarak, uzun saçları savrula savrula başladı koşmaya. Göz açıp kapayıncaya kadar en yakın ara sokakta gözden kayboldu. İki kişi onu kovalayacak oldu. Ama Şems-i Tebrizî asasını adamların ayaklarına doğru öyle ani savurdu ki, ikisi de takılıp yere kapaklandılar. Etraftakiler gülmeye başladı. Ben de katıldım.

Şaşkınlıktan serseme dönen iki adam ayağa kalkmayı becerdiğinde, fahişe çoktan gözden yitmiş, dervişse orada işi bittiğine kanaat getirmiş olacak ki yürüyüp gitmişti.

Sarhoş Süleyman
Konya, 18 Ekim 1244

Başımda bir ağırlık, kollarımda bir tatlı uyuşukluk, gözlerimi kapadım. Tam sızmak üzereydim ki dışarıda kopan patırtıyla sıçradım. Ödüm patladı.

"Ne oluyor yahu?" diye haykırdım. "Yoksa Moğollar mı saldırdı?"

Kıkır kıkır gülme sesleri yükseldi. Etrafa bakınca diğer müşterilerin benimle dalga geçtiğini gördüm. Bak şu zibidilere!

"Meraklanma ayyaş Süleyman!" diye bağırdı meyhane sahibi Hıristos. "Sokaktan geliyor bu patırtı. Mevlâna vaazdan dönüyor. Peşinde de hayranları."

Pencereye gidip baktım. Hakikaten dediği gibiydi. Mevlâna'nın talebe, hayran ve müritleri uzun bir yürüyüş alayı olmuş, sokaktan geçiyordu. Kalabalığın ortasında, atının üstünde dimdik duruyordu Rumi.

Pencereyi açtım, yarı belime kadar eğilerek cümbüşü seyretmeye başladım. Salyangoz hızıyla ilerliyordu kalabalık. O kadar yakınımdaydılar ki elimi uzatsam birilerinin kafasına değebilirdim. Birden muzipçe bir fikir geldi aklıma. Kimseye çaktırmadan birkaç kişinin sarıklarını değiştirecektim! Bi koşu gidip Hıristos'un tahta sırt kaşıyıcısını kaptım. Bir elimle pencereye tutundum, diğer elimle kaşıyıcıyı sarkıttım. İyice öne eğildim, tam adamın tekinin külahını çekecektim ki kalabalıktan biri tesadüfen yukarı baktı, beni gördü.

"Selamünâleyküm" dedim işi pişkinliğe vurarak.

"Tavernadan selâm mı yolluyorsun, tüh ahlaksız! Üstelik Müslüman'sın! Utan yahu, utan" diye kükredi adam. "Şarap şeytan işidir, bilmez misin?"

Ağzımı açıp bir şey söylemek üzereydim ki kafamın üstünden sert bir şey vın diye geçip arkaya düştü. Neler olup bittiğini anladığımda dehşete düştüm. Birisi taş atmıştı. Son anda eğilmesem kafamı yaracaktı. Açık pencereden içeri giren taş beni teğet geçerek tam arkamda oturan İranlı halı tüccarının masasına güm diye inmişti. Ne olduğunu anlayamayacak kadar çakırkeyf olan tacir şimdi taşı eline almış, inceliyordu.

Hıristos endişeyle seslendi: "Süleyman! Çabuk kapa şu camı, masana geç!"

"Ne oldu gördün mü?" diye sordum heyecandan zangır zangır titreyerek. Masama döndüm. "Adamın teki bana taş attı. Ölebilirdim yahu!"

Hıristos tek kaşını kaldırdı. "Kusura bakma ama ne bekliyordun? Bilmez misin meyhanede Müslüman görmekten hoşlanmaz bazıları. Sen de tutmuş, ağzın içki koka koka, burnun olmuş kandil kendini sergiliyorsun. Ya ne olacaktı?"

"Olsun, günah benim, kime ne" diye mırıldandım. "Ben insan değil miyim?"

Hıristos sırtımı sıvazladı. "Bu kadar alıngan olma be Süleyman!"

"Olurum. Zaten bu yüzden bağnazlardan bıktım usandım! Tanrı'yı yanlarına aldıklarından o kadar eminler ki, geri kalan herkese tepeden bakıyorlar. "

Hıristos yanıt vermedi. O da dindar bir adamdı ama sarhoş müşterilerini yatıştırmayı bilecek kadar da mahir bir meyhaneciydi. Az sonra bir testi kırmızı şarap koydu önüme. Ben kafama dikip içerken o da bir kenardan izledi. Dışarıda uğultulu bir rüzgâr esti. Bir an için durup beraberce kulak kabarttık, dilini çözmeye çalışırcasına.

"Şu şarap niye günahtır, anlamam" diye mırıldandım. "Madem fenadır cennette niye serbest? Madem cennette serbesttir burada neden yasak?"

Hıristos gözlerini devirdi. "Aman gene başlama" diye söylendi. "Bu kadar çok soru sorman şart mı?"

"Elbette şart. Eğer düşünüp soru sormazsak, hıyardan, lahanadan ne farkımız kalır? Düşünelim diye vermiş Çalap bize bu aklı."

"Süleyman, dostum, bazen senin için endişeleniyorum."

"Beni merak etme sen" diye geçiştirdim.

Ama Hıristos konuyu kapamadı. "Bunca zamandır birbirimizi tanırız. Müşteriden saymam seni. Arkadaşımsın. Harbi adamsın, kimseye bir fenalık yaptığını görmedim ama dilin pek sivri. Bu yüzden kaygılanıyorum. Konya'da her türlü insan var. Bazısı bir Müslümanın içki içmesinden hazzetmiyor. Umuma karışınca dikkat et. Dilini tut, kendini sakın."

Gayriihtiyarî sırıttım. "Gel Hayyam'dan bir rubaiyle taçlandıralım şu lafları."

Hristos'un bir şey demesine fırsat kalmadan konuşmamıza kulak misafiri olan İranlı tacir yan masadan seslendi: "Hay yaşa! Hayyam'dan rubai isteriz!"

Diğer müşteriler de aşka gelip alkış tutmasın mı? Dayanamayıp masanın üstüne çıktım ve başladım okumaya:

Bizim şarap içmemiz ne keyfimizden,
Ne dine, edebe aykırı gitmemizden

İranlı tacir neşeyle bağırdı: "Elbette ya, ha şunu bi anlatamadık!"

Bir an geçmek istiyoruz kendimizden
İçip içip sarhoş olmamız bu yüzden.

Bunca senedir içki içerim. Meşrebim böyle, ne yapayım? Bildiğim bir şey varsa herkesin kumaşına göre içtiğidir. Kimi var, her akşam küp gibi içer, gene de kimseye zarar vermez. Sadece çakırkeyif türkü çığırır, sonunda sızar kalır. Kimi var, bir damla bade koysa ağzına, canavara dönüşür, ona buna dayılanır, saldırır. Demek ki mesele badede değil, bizde.

Çok içtim mi aklım azalır. İçmedim mi neşem dağılır
Ne sarhoş ne ayık bir hâl var ya, en iyisi o hâlde yaşamaktır.

Bir alkıştır koptu. Hıristos bile kendini tutamadı alkışladı.

Konya'nın Yahudi mahallesinde, bir Hıristiyan'ın meyhanesinde, her inançtan her mizaçtan biz cümle demkeşler neşeyle kadehlerimizi kaldırdık. Ve kim bilir belki bir an için de olsa ayrı gayrı kalmadı aramızda. Ve hepimiz, tüm kusurlarımız ve noksanlarımıza rağmen Allah'ın bizleri affettiğini, hatta bizi bizden çok sevdiğini öyle lafta değil, tâ yüreğimizde hissettik.

Ella
Boston, 30 Mayıs 2008

"Bu ipuçlarına dikkat: Kocanız eve geldiğinde ceketini, gömleğini kontrol edin. Yabancı bir parfüme ya da makyaj lekesine rastlarsanız şüphelenmekte haklısınız" diye yazıyordu **Evli Kadınların Muhakkak Bilmesi Gereken Bilgiler** isimli bir internet sitesinde. "Bilhassa ruj lekesine dikkat!"

Mayısın son günü, Ella Rubinstein evinde *Aşk Şeriatı*'nı okumaya ara verdiği bir sırada, tesadüfen ziyaret ettiği bir internet sitesinde rastladığı testi cevaplandırıyordu: *"Kocanızın Sizi Aldatıp Aldatmadığını On Soruda Nasıl Anlarsınız?"* Sorular alabildiğine basit ve bayattı. Ama gene de cevaplamaktan kendini alıkoyamamıştı. Kadın erkek ilişkilerine dair testler son derece vasat ve entipüften şeyler olsa da, Ella artık biliyordu ki hayatın kendisi de bazen en az o kadar bayağı olabiliyordu. Tecrübeyle sabitti.

Testi bitirdiğinde puanlarını toplayıp sonuçlara bakması gerekiyordu ama yapmadı, bıraktı. Soruları hevesle cevaplasa bile, kocasının kendisini aldattığını bir başkasının ağzından, hele hele bir web sitesinden duymak istemiyordu ki! Tıpkı bu meseleyi David'le konuşmak istememesi gibi. Eve gelmediği o gece nerede kaldığını bile sormamıştı henüz. Bu günlerde vaktinin çoğunu *Aşk Şeriatı* hakkında raporunu yazarak geçiriyordu. Kendi hayatıyla en ufak bir bağlantısı olmayan bu hayali kurgu garip bir şekilde sarmıştı onu. Zahara'nın yazdığı romanı okurken tek başına bir köşeye çekiliyor; kafasını kurcalayan meseleleri düşünmeden, sessiz, sakin ve doygun bir şekilde hikâyenin akışında huzur buluyordu.

Onun dışında gündelik hayatı bir tekrardan ibaretti. Çocuklar etraftayken karı koca her şey yolundaymış gibi davranıyor, gayriihtiyarî rol yapıyordu. Gel gelelim yalnız kaldıklarında aralarındaki kopukluk hızla su yüzüne çıkıyordu. Ella bazen David'i dikkatle, âdeta hayretle kendisine bakarken yakalıyordu. Nasıl olur da bir kadın kocasına geceyi nerede geçirdiğini sormaz, bunu anlamaya çalışıyordu sanki.

Oysa Ella'nın David'e soru sormamasının bir sebebi vardı: Cevaplarla nasıl baş edeceğini bilmiyordu! Ne yapacağını bilmediği bir bilgi ne işine yarayacaktı? Ne kadar az bilirsen bilmek istemediğin şeyleri, o kadar az incelir derin, incinir kalbin. O kadar az kanarsın. Böyle bakınca aslında, cehalet o kadar da kötü bir şey değildi.

Bu yapay saadeti bozabilecek tek hadise geçen yılbaşında yaşanmıştı. Ella bir sabah tesadüfen eve gelen mektupların arasında bir otelin damgasını taşıyan bir zarf görmüştü. Açtığında beklemediği bir bilgiyle karşılaşmıştı. Civardaki otellerden birinin Müşteri Hizmetleri Müdürü, David Rubinstein'a konaklamalarından memnun kalıp kalmadığını soruyor, doldurması için bir memnuniyet anketi yolluyordu. Ella hiçbir şey olmamış gibi zarfı masanın üstüne bırakmıştı. Akşam David mektubu açıp okuduğunda, o da bir kenardan izlemişti. Tek soru sormadan. Yorum yapmadan.

"Bir bu eksikti! Sanki başka işim yok" diyerek mektubu kenara kaldırmıştı David. Ardından bir açıklama yapma gereği duymuş olmalı ki, hızlıca eklemişti: "Geçen sene bu otelde diş hekimleri olarak konferans düzenlemiştik. Katılımcıları müşteri listesine almışlar demek."

İnanmıştı Ella. İnanmak istediği için. Durgun suları bulandırmaktan korkan yanı derhal kabul etmişti bu açıklamayı. Ama bir yanı tatmin olmamış, şüphe içinde kalmıştı. En sonunda merakına yenik düşerek, rehberden otelin telefonunu bulmuş, resepsiyonu aramış ve zaten tahmin ettiği şeyi onlardan duymuştu. Ne bu sene, ne de daha evvelki sene, o otelde herhangi bir diş hekimliği konferansı yapılmamıştı.

Aldatılmak, Ella'da hem aşağılık kompleksi hem suçluluk duygusu yaratıyordu. İçten içe kendine kızıyordu. Artık ne gençti, ne alımlı. Şu son altı sene içinde çok kilo almış, kendini salmıştı. Geçen her ay cazibesi biraz daha eksilmiş, pırıltısı tavsamıştı. Haftada bir katıldığı aşçılık dersleri fazla kilolarını vermeyi iyice zorlaştırmıştı. Gerçi kursta ondan çok daha iyi yemek pişiren ve sık yiyen ama hiç de kilolu olmayan bir sürü kadın vardı, o başka.

Ne zaman çocukluğunu ve gençliğini hatırlasa, hiç isyan etmemiş olduğunu görüyordu. Mizacı böyleydi: yumuşak, munis, pelte gibi. Genç kızlığının en delişmen günlerinde bile arkadaşlarıyla gizli saklı buluşup sigara içmemiş; zil zurna sarhoş olup barlardan atılmamıştı. Hiç yanlış adamlara âşık olmamış, pişman olacağı ilişkiler yaşamamış, tutkulu sevişmelerin ardından panik içinde uyanıp "ertesi gün hapı" kullanmak durumunda kalmamıştı. Hemen hemen tüm yaşıtlarının başına gelen kaza ve sarsıntılar ona uğramamıştı bile. Hiç panik atak yaşamamış, öfke nöbetlerine yakalanmamış, depresyon ilacı kullanmamıştı. Oldum olası itaatkârdı. Annesine ya da öğretmenlerine hiç yalan söylememiş, bir kez olsun derslerini asmamıştı. Lise son sınıfta pek çok arkadaşı hamile kalıp kürtaj kliniklerini ziyaret eder ya da bebeklerini evlatlık verirken o bütün bu trajedileri uzaktan izlemişti, bir belgesel izler gibi. Televizyondan Etiyopya'daki açlığı izlemek gibi bir şeydi yaşıtlarının bunalımlarına tanıklık etmek. Başlarına gelenlere üzülüyor, hatta zaman zaman kendisi de maceralar tatmak istiyor ama son tahlilde yaşıtlarından apayrı bir evrende yaşadığına inanıyordu.

Hiç çılgın partilere gitmemişti. Genç kızlığından beri cuma akşamları dışarı çıkıp insanlara karışmak yerine koltuğa uzanıp güzel bir kitap okumayı tercih ederdi.

Mahalledeki anneler kızlarına "Neden Ella gibi olamıyorsun?" diye sorardı hep. "Bak, o ne kadar mazbut ve mütevazı. Hiç başını derde sokuyor mu?"

Anneler Ella'ya tapadursun, yaşıtları ona uyuz oluyordu. Eğlenmeyi bilmeyen, habire okuyan ineğin tekiydi! Hâliyle hiçbir zaman popüler bir öğrenci olmamıştı. Hatta bir keresinde bir sınıf arkadaşı karşısına geçip, "Senin derdin ne biliyor musun?" diye diklenmişti. "Hayatı o kadar ciddiye alıyorsun ki, ruhun yaşlanmış senin."

Seneler var ki saç kesimini değiştirmemişti: Uzun, düz, bal sarısıydı saçları. Ekseriya ya sımsıkı bir topuzla toplar ya da arkadan örerdi. Makyajı hep belli belirsizdi. İddialı olmayı sevmezdi. Tek sürdüğü hafif kırmızı-kahverengi bir ruj ile açık yeşil göz kalemiydi (ki büyük kızına bakılırsa gözlerini ortaya çıkarmak yerine tam tersine kapatıp saklıyormuş!). Zaten Ella bugüne kadar göz kalemiyle simetrik iki çizgi çekebilmiş değildi. Yanlışlıkla bir gözünü diğerinden kalın boyardı hep.

Bir yerlerde bir şeyleri hep yanlış yaptığına inanıyordu. Ya etrafındaki insanlara aşırı müdahale ediyordu, (Jeannette'in evlilik planlarını duyunca yaptığı gibi) yahut fazlasıyla edilgen ve uysal oluyordu (kocasının kaçamakları karşısında yaptığı gibi). Bir yanda deli gibi başkalarının üstüne düşen, onları denetleyen bir Ella vardı; diğer yanda ise hâlim selim, pasif Ella. Ne zaman, hangisinin ortaya çıkacağını o bile bilmiyordu sanki.

Bir de üçüncü Ella vardı. Her şeyi sessizce bir kenardan izleyen, vaktinin dolmasını bekleyen Ella. İşte şimdi saklandığı yerde kıpırdamaya başlayan, yüzeye çıkmaya hazırlanan Ella buydu. Ve uyarıyordu: "Böyle devam edecek olursan bir gün çökecek kurduğun sistem." An meselesiydi. Biliyordu.

Mayısın son gününde bunları düşünürken Ella uzunca bir süredir yapmadığı bir şey yaptı: Dua etti.

"Tanrım, uzun zamandır kapını çalmadım, biliyorum. Açıkçası beni hâlâ dinler misin, emin değilim. Ama hâlimi görüyorsun. Bunalıyorum. Bana ya hakiki bir aşk ver –ver ki kurtulayım bu sıkıntıdan, sıkışmışlıktan- ya da beni öyle duyarsız yap ki hayatımda aşk olmayışını umursamayayım."

Durdu. Hafifçe yutkunup, kısık bir sesle ekledi: "Yalnız hangisini seçersen seç, lütfen elini çabuk tut. Biliyorsun, artık kırk yaşıma bastım, genç sayılmam. Bu benim son fırsatım."

"Ya aşkı öğret bana, ya da aşkın yokluğuna üzülmemeyi."

Fahişe Çöl Gülü
Konya, 18 Ekim 1244

Bir hayvan gibi yaka paça camiden dışarı attılar beni. Ellerinden kurtulur kurtulmaz dar sokaklar boyunca koştum, arkama bakmaya korkarak. En sonunda kalabalık pazaryerine varınca bir duvarın arkasına düşercesine çöktüm ve nefes nefese oracığa saklandım. Ancak o zaman arkaya bakmaya cesaret edebildim. Hayretle ve ferahlayarak gördüm ki kimsenin beni takip ettiği yok. Meğer arkamdan gelen ayak sesleri zavallı Susam'a aitmiş. Nihayet yanıma varınca göğsü körük gibi ine kalka dizlerinin üstüne çöktü. Suratında şaşkın bir ifade. Neler olup bittiğini, neden böyle çıldırmış gibi sokak sokak koşmaya başladığımı anlayamamıştı belli ki!

Her şey o kadar çabuk cereyan etti ki olan biteni ancak şimdi birleştirebiliyorum. Camideydim. Tüm dikkatimi vaaza vermiş oturuyordum. Mevlâna'nın her kelimesi yakut gibi kıymetliydi. O kadar dalmışım ki yanımdaki delikanlının, yüzümü örten poşunun ucuna bastığını fark etmemişim. Daha ne olduğunu anlamadan poşu açıldı, sarığım kaydı, yüzüm gözüm meydana çıktı. Derhal toparlandım, kimsenin durumun farkına varmadığını umarak. Ama başımı kaldırdığımda ön saflardan birinin bana dik dik bakmakta olduğunu gördüm. Buz mavisi gözler, soğuk bir ifade, sert bir çehre. Tanıdım hemen. Tanımamak ne mümkün? Baybars'tı bu.

Baybars kerhanedeki hiçbir kızın bulaşmak istemediği başa bela müşterilerdendi. Nedendir bilmem, bazı erkekler hem fahişelerle yatmadan duramaz, hem de bizim gibilerden nefret eder. Baybars da böyleydi. Sürekli açık saçık şakalar yapar, küfürlü konuşur, hakaretler yağdırır, çatacak yer arar, hemencecik parlardı. Bir keresinde kızın birini öyle kötü dövdü ki, paraya putmuş gibi tapan hünsa patron bile dayanamadı, "çek git, bir daha da gelme" diyerek defetti onu. Ama

Baybars gene geldi. En azından birkaç ay boyunca. Sonra bilmediğim bir sebepten ötürü uğramaz oldu. Bir daha da rastlamadım ona. Ama şimdi baktım, camide oturuyordu. Sofu gibi çember sakal bırakmıştı ama bakışları aynıydı. Yine o vahşi parıltı vardı gözbebeklerinde. Bakışlarımı kaçırdım. Ama geç kalmıştım. Beni tanımıştı.

Baybars yanındaki adama bir şeyler fısıldadı. Sonra ikisi birden arkalarını dönüp, buz gibi bakışlarla süzdüler beni. Derken bir üçüncü adama işaret ettiler, sonra bir başkasına... Böyle böyle o saftaki tüm adamlar bir bir dönüp bana bakmaya başladı. Yüzümü ateş bastı, kalbim yerinden oynayacak gibi oldu ama kımıldayamadım. Çocuksu bir umutla olduğum yerde durur, gözlerimi kaparsam, olay kendiliğinden kapanır sandım.

Hâlbuki tekrar gözlerimi açtığımda, bir de baktım Baybars kalabalığı yara yara bana doğru geliyor! Kapıya yönelmek istediysem de insan denizinden kurtulmak imkânsızdı. Baybars bir hamlede bana yetişti. O kadar yakınımda bitiverdi ki nefesinin kokusunu alabiliyordum. Kolumdan tuttu.

"Ulan o...u, senin gibi yollu karının burda ne işi var?" dedi. "Hiç mi utanman arlanman yok?

"Bırak da gideyim" dedim kekeleyerek ama beni duymadı bile.

Derken arkadaşları yetişti. Her biri birbirinden hırslı, hırçın ve haşin adamlardı bunlar. Öfke kokuyor, öfke soluyorlardı. Camide olduğumuzu unutmuş gibi etrafımı sarıp, hakaret yağdırmaya başladılar. Herkes dönüp merakla bizden yana baktı, hatta birkaç kişi cık cık edip ayıpladıysa da kimse müdahale etmedi. Yufka gibi oldu bedenim, dizlerimin bağı çözüldü. İte kaka dışarı çıkardılar beni. Sokağa varınca Susam imdadıma yetişir diye umuyordum. Bir yolunu bulup kaçarım sanıyordum. Ama öyle olmadı. Sokağa adım atar atmaz adamlar daha cüretkâr, daha atılgan ve saldırgan oldular.

Dehşet içinde anladım ki camide imama ve cemaata hürmeten seslerini fazla yükseltmemişlerdi. Ama sokakta onları durduracak hiçbir şey yoktu.

Şu hayatta çok daha hazin anlarım oldu ama galiba hiçbir şey bu kadar sarsmamıştı beni. Seneler sonra nihayet bu yollara tövbe etmeyi düşünür olmuş, Tanrı'ya yaklaşmak için kendimce ve kadrimce bir adım atmıştım. Peki ama O nasıl karşılık vermişti? Beni evinden yakapaça kovarak!

"Keşke hiç gitmeseydim camiye" diye kendi kendime yüksek sesle söylendim. "Adamlar haklı. Benim gibisinin ne işi var kutsal mekânda? Ne camide yerim var, ne kilisede!"

"Böyle konuşma" dedi bir ses.

Dönüp bakınca gözlerime inanamadım. Oydu. O saçsız sakalsız derviş! Hemen ayağa fırlayıp elini öpmeye davrandım ama bana mâni oldu.

"Aman estağfurullah, el öptürmem ben" dedi kati ama sakin bir sesle.

"Hayatımı borçluyum size" diye fısıldadım.

"Bana bir borcun yok" dedi omuz silkerek. "Tek borcumuz Allah'a. Hâlbuki O Kuran'da ne der bilir misin? 'Bana güzel bir borç verin!' Hiç düşündün mü koskoca Rab kullarından neden borç ister?"

Boş boş baktım.

"İman etmek, O'na güzel bir borç vermek demektir. Eğer kalpten verirsen, O da sana katbekat geri öder."

Bunları söyledikten sonra derviş kendini tanıttı. Tebrizli Şems imiş adı. O kara gözlerini yüzüme dikip, hayatımda duyduğum en acayip lafı etti.

"Kimi insan vardır, hayata muhteşem bir hâleyle başlar. Etrafında hareler ışıl ışıl parlar. Ama zamanla renkleri solar, kararır. Sen de onlardansın. Bir zamanlar hâlen simli sihirli bir beyazmış. Aralarda sarılar ve pembeler benek benekmiş. Oysa şimdi soluk kahverengi bir şerit var vücudunun etrafında, o kadar. Yazık değil mi? Özlemedin mi hakiki renklerini? Özünle birleşmek istemez misin?"

Ağzım açık bakakaldım. Söylediklerinde kaybolmuştum. "Hâlen parıltısını yitirmiş, çünkü kendini kötü ve kirli olduğuna inandırmışsın."

Dudaklarımı ısırdım. "Ama öyleyim... kirliyim..." dedim usulca. "Yoksa söylemediler mi kim olduğumu? Neyle geçinirim bilmez misin?"

Şems cevap vermek yerine, uzaklara dikti gözlerini. "Müsaadenle sana bir hikâye anlatmak isterim" dedi.

Ve işte şu hikâyeyi anlattı:

Vaktiyle bir fahişe yolda yürürken bir sokak köpeğine rastlamış. Hayvancağız güneşin altında o kadar susuz kalmış ki dili damağına yapışmış. Fahişe anında ayakkabısını çıkartmış, bir eşarba bağlayıp en yakındaki kuyudan köpeğe su çekmiş. Sonra yoluna devam etmiş.

Ertesi gün ilmi derin bir Sufi'ye denk gelmiş. Sufi kadını görür görmez eline yapışıp, hürmetle öpmüş. Fahişe şaşırmış, utanmış. Hayatında kimse elini öpmemiş ki! Neden böyle yaptığını sorunca Sufi demiş ki, "dün sen o susuz köpekçiğe samimiyetle şefkat gösterdin ya, Rab tüm günahlarını oracıkta affetti. Kardan paksın şimdi..."

Derin bir iç çektim. Şems-i Tebrizî'nin ne demek istediğini anlamıştım anlamasına ama bir türlü inanasım gelmiyordu. "Hikâyen güzelmiş ama seni temin ederim ki Konya'daki tüm sokak köpeklerini doyursam gene de yetmez kefaretime."

"Onu sen bilemezsin" dedi Şems. "Orasını ancak Allah bilir. Dahası, bugün seni camiden atan adamların O'na senden daha yakın olduğunu nereden biliyorsun?"

"Öyle olsa bile gel de bunu o adamlara anlat" dedim bıkkınlıkla.

Ama derviş kafasını salladı. "Hayır, öyle dönmez bu dünyanın çarkı. Onlara bunu anlatacak biri varsa, o da sensin."

"Nasıl yani? Sanki beni dinlerler! Adamlar benden nefret ediyor. Az kalsın öldürüyorlardı görmedin mi?"

"Dinlerler!" dedi Şems kararlılıkla. "Zira 'onlar' diye ayrı bir varlık yok, tıpkı 'ben' diye bir şey olmadığı gibi. Aklından şunu çıkarma: Kâinatta ne varsa birbirine bağlı. İnsan, hayvan, nebat, cemad... Yüzlerce, binlerce farklı ve ayrı mahlûk değiliz. Hepimiz Tek'iz."

Ne demek istediğini anlamamıştım. Açıklamasını bekledim. Ama o coşkuyla konuşmaya devam etti.

"Bu da kurallardan biri. **On Dokuzuncu Kural: Başkalarından saygı, ilgi ya da sevgi bekliyorsan, önce sırasıyla kendine borçlusun bunları. Kendini sevmeyen birinin sevilmesi mümkün değildir. Sen kendini sevdiğin hâlde dünya sana diken yolladı mı, sevin. Yakında gül yollayacak demektir.**"

Hiçbir şey diyemeden öylece durdum. Bir yanım bu lafları anlamakta güçlük çekedursun, bir yanım dinledikçe rahatlıyor, âdeta bu maddi âlemden kayıp gidiyordu.

"Sen kendini güzel muameleye lâyık görmezsen, sana iyi muamele etmediler diye başkalarına kızabilir misin?" dedi Şems.

Bugüne değin beraber olduğum erkekleri düşündüm: Kokuları, nefesleri, nasırlı elleri, boşalırken haykırışları... Öyle tuhaf dönüşümlere şahitlik etmiştim ki hayatta: Temiz aile çocuklarının yatakta canavarlaştığını da görmüştüm, canavar gibi görünen adamların içlerinin meğer ne kadar yumuşak ve şefkatli olduğunu da!

Vaktiyle kabadayı, kavgacı bir müşterim vardı. Sevişirken suratıma tükürmeyi huy edinmişti: "Pislik" diye bağırırdı her seferinde. "Seni pis kaltak!"

Oysa şimdi karalar giymiş dervişin teki karşıma dikilmiş, dağ pınarları gibi tertemiz olduğumu söylüyordu. Şaka gibiydi. Ama gülmeye kalktığımda bir yumru oturdu boğazıma; değil gülmek, yutkunamadım bile.

Şems aklımdan geçenleri okumuş gibi usulca tebessüm etti. "Mazi bir girdaptır. Fark ettirmeden içine çeker" dedi. "Hâlbuki sana lâzım olan bir tek şu andır. Şu anın hakikatini yaşamaktır aslolan."

Bunu dedikten sonra cüppesinin iç cebinden ipek bir mendil çekti, bana uzattı.

"Al bunu" dedi. "Bağdat'ta mübarek bir zat vermişti, meğer sana nasipmiş. Temiz tut bu mendili. Ne zaman şüpheye düşsen, sana kendi içinin temizliğini hatırlatır."

Bunları söyledikten sonra Şems asasını kaptı, gitmeye hazırlandı. "Bir an evvel o kerhaneden çık. Bir daha da oraya dönme! Sen Anka'sın, mezbelede işin ne? Yürü git. Ardına bakma sakın."

"Ama nereye gidebilirim ki? Kalacak yerim yok. Zaten beni hemen bulurlar. Kerhaneden kaçan kızların sonu vahim olur."

"Sonumuzu biz bilemeyiz" dedi Şems. "**Yolun ucunun nereye varacağını düşünmek beyhude bir çabadan ibarettir. Sen sadece atacağın ilk adımı düşünmekle yükümlüsün. Gerisi zaten kendiliğinden gelir.**"

Başımı salladım. Sormama gerek yoktu, belli ki bu da Şems'in kurallarından biriydi.

Sarhoş Süleyman
Konya, 18 Ekim 1244

Badeden kalan ne varsa bir dikişte kafama dikip, gece yarısına doğru meyhaneden ayrıldım. Hıristos kapıya kadar geçirdi beni. Uğurlarken de sıkı sıkı tembihledi: "Aman Süleyman. Sakın dediklerimi unutmayasın. Dilini tut."

Başımı salladım. Bir yandan da içten içe sevindim. İnsanın kendisi için kaygılanan bir dostunun olması güzeldi. Kendimi talihli saydım. Ama karanlık sokağa adım atar atmaz daha evvel hissetmediğim bir bitkinlik çöktü üzerime. Keşke yanımda bir şarap testisi olsaydı. Bir yudumcuk içsem canlanırdım.

Çarıklarım kaldırımda takır takır sesler çıkartarak yürürken, aklıma Mevlâna'nın alâ u vâlâ ile sokaktan geçişi geldi. Koca vaizin hayranlarının beni kınaması canımı sıkmış, ağrıma gitmişti. Tanımaz etmezlerdi beni. Sırf meyhanede içiyorum diye nifak bellemişlerdi. Bu dünyada canımı en çok sıkan şey büyüklük taslayan insanlardı. Herkesin günahı kendineyken ve herkes kendinden mesulken, onlara ne oluyordu, bir anlayabilsem yahu! Bu yaşıma kadar ne çektiysem iffetli geçinen insanlardan çekmiştim. Bu tipler tarafından öyle çok itilip kakılmıştım ki sırf onları aklımdan geçirmek bile tüylerimi diken diken etmeye yetiyordu.

İşte bu düşüncelerle boğuşarak köşeyi döndüm, yan sokağa daldım. Sağlı sollu dizilen heyula gibi ağaçlar yüzünden burası daha karanlıktı. Yetmezmiş gibi birden ay bir bulutun ardına saklanınca ortalık zifiri karanlığa büründü. Hâl böyle olmasa idi yaklaşan iki bekçiyi daha evvel fark ederdim.

"Selâmünaleyküm" dedim adamları görünce.

Ama bekçiler selâmıma karşılık vermediler. Onun yerine gecenin bu vaktinde sokakta ne işim olduğunu sordular.

"Hiiç, evime yürüyordum" dedim kekeleyerek.

Karşılıklı durduk. Aramızda buz gibi bir sessizlik oldu; uzaktan uluyan köpeklerin sesi olmasa ortalıkta çıt çıkamayacaktı. Derken adamlardan biri bana doğru bir adım atıp, havayı kokladı:

"Pöf, ne berbat kokuyor ortalık" dedi abartılı bir eda, müstehzi bir bakışla.

Diğeri anında lafa karıştı: "Evet yahu, leş gibi şarap kokuyor!"

İşi makaraya vurmaya karar verdim. "Hiç merak etmeyin. Gerçek değil bu koku. Madem hakiki mey murdardır ve yalnız mecazi meydir mubah kılınan, şu kokladığınız koku da mecazi olsa gerek."

Bekçilerden daha genç olanın hiç hoşuna gitmedi bu cevap. "Cehenneme direk olasıca, ne saçmalıyorsun?" diye homurdandı.

Tam o sırada ay bulutların arasından peyda oldu, ışığıyla hepimizi yıkadı. Artık karşımdaki bekçiyi daha rahat görebiliyordum. Ablak suratı, sivri çenesi, buz mavi gözleri, şahin gagası misali bir burnu vardı. Bir gözü kaymasa ve tabii suratındaki sabit somurtma olmasa, yakışıklı denebilecek bir adamdı.

Bekçi tekrar sordu: "Gecenin bu vakti sokaklarda ne sürtersin? Nereden gelir, nereye gidersin?"

"Nereden gelir, nereye mi gideriz?" diye papağan gibi tekrar ettim. "Evlat, bunlar derin mevzular. Şayet cevabını bilseydim, ulemadan olurdum."

Bekçi kaşlarını çattı. "Benle dalga mı geçiyorsun, seni aşağılık herif!"

Ben daha ne olduğunu anlamadan bir kırbaç aldı eline, havada şaklattı.

Gayriihtiyarî güldüm. Dayılanacak yer arıyordu delikanlı! Sanki oyun oynuyordu mübarek, hareketleri öyle abartılı. Ama aniden göğsüme inen kırbaçla sarsıldım. Öyle ani olmuştu ki bu darbe, dengemi kaybedip yere düştüm.

"Eh, tekdir ile uslanmayanın hakkı..." dedi genç muhafız ve kırbacı bir elinden diğerine geçirdi. "İçki içmek günahtır bilmez misin?"

Ağzımda ılık, tuzlu bir tat hissettim. Anladım ki kendi kanımı tadıyorum. Hadisenin daha fazla büyümemesi için çenemi kapatmalıydım ama oğlum yaşında bir delikanlıdan da-

yak yemeyi gururuma yediremedim. Dilimi tutamadım.
"Şayet cennete senin gibiler gidecekse, ben gelmesem de olur
zaten" dedim. "İçkimi içer, günahımı sırtlanırım, daha iyi."
"Ulan deyyus!" diye gürledi genç muhafız. Ve ardından
başladı kırbaçlamaya. Elimi yüzüme siper ettiysem de faydası olmadı. İnen her darbede boğuk bir çığlık çıktı ağzımdan.
Fakat birden aklıma eski, oynak bir türkü geldi. Başladım
mırıldanmaya.

Aman yârim, can yârim, bu can sana kurban,
Sen meysin, ben kadeh, doldur yandan yandan

Ben türkü çığırdıkça bekçinin hiddeti katlandı; kırbaçlar
daha şiddetli inmeye başladı. Can havliyle ben de gitgide daha yüksek sesle söylüyordum. Karşılıklı bir kısır döngüdeydik. Ben bağırdıkça, o küfrediyor; o küfrettikçe, ben bağırıyordum. Kolu yorulur sandım ama yorulmadı. Hayret, insanda bu kadar hınç olurmuş demek!
Sonunda sesim kısıldı. Bir ışık huzmesi gözümün önünden
kaydı ve aniden her şey karardı. Belli belirsiz diğer muhafızın sesini duydum: "Baybars, yeter! Dur be adam!"
Kırbaç darbeleri aniden kesildi. Bir şeyler söylemek istedim. Son lafı ben ederim sandım ama ağzıma dolan kanla konuşamadım. Midem bulandı, kendi üstüme kustum.
"Şu hâline bak! Yazıklar olsun senin gibi adama, resmen
acınacak vaziyettesin" dedi Baybars. "Ama kendin kaşındın!"
Benimle işleri bitmişti. Sırtlarını döndüler; uzaklaşan
ayak seslerini duydum.
Orada öylece ne kadar yattım bilemiyorum. On dakika da
olabilir, saatler boyu da. Zaman bir sis perdesi gibi inceldi.
Gökkubbede ay bu hâlimi görmek istemez gibi gene bulutların arasına saklandı. Yaşamla ölüm arasında berzahta yüzüyordu bilincim, bedenim. Derken her tarafımı kaplayan

uyuşukluk silindi; vücudumdaki her bir kesik zonklamaya başladı. Yaralı bir hayvan olmuştum. Orada öylece inledim durdum.

Nice sonra birinin yaklaştığını işittim. Önce korkudan taş kesildim. Ya hırsızın, belalının tekiyse? Sonra gülesim geldi. Muhafızlardan meydan dayağı yemişken, haydutlardan mı korkacaktım?

Gölgeler arasından uzun boylu, ince yapılı bir derviş çıkageldi. Yaklaştı, selâm verdi, kalkmama yardım etti. Kendini tanıttı, Tebrizli Şems'miş. Adımı sordu.

"Konyalı sarhoş Süleyman emrinize amadedir. Şerefyap oldum" dedim.

Şems yüzümdeki kanları silmeye koyuldu. "Yaralısın" diye fısıldadı. "Hem bâtınen, hem zahiren. İçte ve dışta."

Cüppesinin cebinden billur bir şişe çıkarttı. "Bu merhemi yaralarına sür" dedi. "Bağdat'ta mübarek bir zatın hediyesidir, demek sana nasipmiş. İçteki yaran, dıştakinden derin."

"Sa-ğo-la-sın" diye kekeledim, şefkatinden müteessir olmuştum. "Beni kırbaçlayan adam dedi ki benim gibiler yeryüzünde fazlalıkmış."

Bunları söylerken sesim titredi, ağlamaklı oldum. Zayıflığımdan utandım.

"Yanlış laf etmiş" dedi Şems. "Hâlbuki tek tek herkes elzem ve vazgeçilmezdir. Tesadüfi olan ya da fazladan olan bir şey yoktur. Kurallardan biridir bu."

Ne kuralından bahsettiğini sorunca şöyle dedi:

"Yirmi Birinci Kural: Hepimiz farklı sıfatlarla sıfatlandırıldık. Şayet Allah herkesin tıpatıp aynı olmasını isteseydi, hiç şüphesiz öyle yapardı. Farklılıklara saygı göstermemek, kendi doğrularını başkalarına dayatmaya kalkmak, Hak'ın mukaddes nizamına saygısızlık etmektir."

"Dediklerin iyi hoş ama" dedim zorlukla. "Ben her şeyden şüphe ediyorum. Tanrı'dan da."

Şems-i Tebrizî yorgun gülümsedi. "Şüphe fena bir şey değil ki. Şüphedeysen, hayattasın demektir. Arayıştasın."

Bir kitaptan okur gibi canlı bir ezgiyle konuşmaya devam etti:

"İnsan bir gecede iman sahibi olmaz Süleyman. Kişi kendini inançlı zanneder ama sonra beklenmedik bir iş gelir başına, tereddüte düşer, yalpalar. Tekrar toparlanır, imanı kuvvetlenir, ardından yine yuvarlanır şüphe çukuruna... Bu böyle devam eder. Belli bir safhaya ulaşıncaya dek bir o yana bir bu yana sallanırız. Kâh mümin, kâh münkir, kâh mütereddit. Kâh cennetlik, kâh cehennemlik. Ancak böyle ilerleyebiliriz. Her adımla Hakk'a biraz daha yaklaşırız. Şüphe duymadan iman olmaz."

"Hıristos böyle konuştuğunu duysa, telaşlanır valla. Ağzından çıkanı sakın diye tembih yağdırır" dedim. "Bana hep nasihat eder: Her kelam her kulağa uymazmış."

Şems-i Tebrizî güldü. "Eh, o da haklı" dedi. Sonra birden ayaklandı. "Haydi, seni evine götüreyim. Yaralarını saralım, sonra da uyuman gerek."

Kolumun altına girip doğrulmama yardım etti. Ama yürüyemeyecek hâldeydim. O zaman derviş hiç düşünmeden beni kaldırdığı gibi sırtına aldı. Kendi kokum burnuma çalındı. Utandım.

"Taşıma beni, leş gibi kokuyorum" dedim.

"Dert etme, sen evinin yolunu tarif et yeter."

Ve işte böylece, Tebrizli Şems üstümdeki kanı, sidiği ve kusmuğu umursamadan Konya'nın dar sokakları boyunca taşıdı beni. Derin uykuda evlerin, dükkânların, kulübelerin yanından geçtik. Bahçe duvarlarının ardında köpekler havladı.

"Hep merak ettiğim bir şey var" dedim. "Sufilerin methettiği mey hakiki midir yoksa mecazi mi?"

Şems çocukla konuşur gibi şefkatle gülümsedi. "İlahi Süleyman! Bunu mu merak edersin? Ne fark eder?" dedi. Nihayet evimin önüne varmıştık. Dikkatlice sırtından indirdi beni. Ve ardından şöyle dedi: "**Yirmi İkinci Kural: Hakiki Allah Âşığı bir meyhaneye girdi mi orası ona namazgâh olur. Ama bekri aynı namazgâha girdi mi orası ona meyhane olur. Şu hayatta ne yaparsak yapalım, niyetimizdir farkı yaratan, suret ile yaftalar değil.**"

Şems beni evime bıraktıktan sonra, uzun ve yorucu bir gecenin sabahında döşeğime yüzüstü uzandım. Yaralarımın ağrısından uyumak mümkün olmasa da, içimde bir yerlerde bilmediğim türden bir huzur, bir teslimiyet vardı.

Her yanım ağrıyordu ağrımasına ama ne tuhaf, artık o kadar yanmıyordu canım.

Ella
Boston, 3 Haziran 2008

Beklemiyordu. Haziranın ilk günlerinde başına öyle şeyler geldi ki hiçbirine hazır değildi. Özellikle de Gölge'yi mutfakta ölü bulmaya. Köpeğinin yaşlandığını, vadesinin dolduğunu içten içe bilse de bunca zamandır evdeki en yakın arkadaşı olan varlığı kaybetmek Ella'yı derinden sarstı. Ardından Orly'nin okul müdüründen bir mektup aldı. Mektupta kızının gençlik buhranı geçirdiği ve bir psikolog görmesinde fayda olabileceği yazılıydı. Meğer sınıfındaki herkes durumun farkındaymış. Ella derin bir suçluluk duygusuyla karşıladı bu haberi. Nasıl olmuş da öz evladının bunalımda olduğunu anlayamamıştı? Neden burnunun dibindeki hakikatleri fark etmekte geç kalıyordu? Belki suçluluk duygusu Ella için yeni bir unsur değildi ama anneliğinden şüphe etmek var ya, işte o yeniydi.

Bu zaman zarfında Ella her gün Aziz Z. Zahara ile yazışmaya başladı. Günde iki, üç, hatta bazen beş altı mesaj yazdıkları oluyordu. Aklına gelen, canını sıkan her konuyu Aziz'e anlatıyordu. O da gecikmeden cevaplıyordu. Bu kadar seyahat etmesine ve dünyanın en ücra yerlerine gidip gelmesine rağmen nasıl olup da internet bağlantısını yitirmediği bir muammaydı Ella için. Farkında bile olmadan Aziz'in kelimelerinin müptelası olmuştu.

Artık her fırsatta e-postalarını denetliyordu. Sabah uyanır uyanmaz, kahvaltı sonrası, sabah yürüyüşünden dönünce, öğlen yemek pişirirken, dışarı çıkmadan evvel, hatta sokakta alışveriş yaparken bile internet kafelere dalarak mesajlarına bakıyordu. En sevdiği diziyi izlerken, Füzyon Yemek Pişirme Kulübü'nde domates doğrarken, komşularıyla telefonda konuşurken, yahut ikizlerin okul ve ev ödevi dırdırlarını dinlerken bile dizüstü bilgisayarı hep yanında, mesaj kutusu hep açıktı. Aziz'den yeni posta gelmemişse eskileri baştan okuyordu. Ve ne zaman yeni bir mektup gelse liseli âşıklar gibi heyecanlanmadan edemiyordu. Zira artık biliyordu ki bu yazışmalar masum bir arkadaşlıktan ibaret değildi.

Aziz'le yazışmaları hız kazandıkça Ella o eski hâlim selimliğinden uzaklaştığını hissediyordu. Griler ve bejlerle dolu bir tuvale benzeyen hayatına şimdilerde capcanlı bir renk ekleniyordu: Parlak, simli, neredeyse çığırtkan bir mor. Çekiniyordu bu renkten. Ama çekimine kapılmamak mümkün değildi, biliyordu.

Aziz öyle havadan sudan mesajlar yazan bir adam değildi. Kalbini kılavuz kılmayan, aşka teslim olmayan kim varsa Aziz'e göre nebattan farksızdı. Laf olsun diye yazmıyordu Aziz. Mesajlarında hep bir özen vardı. Temel meseleler hakkında yazıyordu: ölüm ve dirim, inanç ve felsefe, bir de aşk hakkında. Ella bu tür kallavi konularda fikir belirtmeye hiç alışkın olmadığı hâlde ona açılıyordu.

Bu ilişkinin bir yerinde saklı bir flört hâli varsa, ki vardı, bunun zararsız bir flört olduğuna inanıyordu Ella. Siberuzay denen sonsuz olasılıklar labirentinin iki ayrı köşesinden birbirlerine kur yapmalarında ne sakınca olabilirdi ki? Bu sayede evliliği boyunca aşınan özgüvenini yeniden kazanabilirdi. Öte yandan orta yaşlı, evli barklı Amerikalı bir kadının ilgisine mazhar olmak Aziz'in de gururunu okşuyordu belki. Her hâlükârda az bulunur cinsten bir erkekti. Karşısındaki kadının kendisine ilgi duyduğunu anlar anlamaz havalara girip kurt kesilmeyen bir erkek.

Çoluk çocuk sahibi bir kadınken yabancı bir adamla sabah akşam mektuplaşıp içli dışlı olmak Ella'nın vicdanını kemiriyordu. Ama nasıl olsa hiçbir zaman tenselliğe dökülmeyecekti bu ilişki. Hep platonik kalacaktı.

Masum bir günahtı bu. Masum bir kabahat...

Ella
Boston, 5 Haziran 2008

Bir önceki mesajında şöyle yazmıştın: Akılcı kararlar alıp planlar yaparak hayatımızın akışını denetleyebileceğimizi zannediyoruz. Oysa balık yüzdüğü okyanusu denetleyebilir mi? Bu sadece sahte beklentiler ve hüsranlar yaratır.

Benimse hayatım hep planlar ve listeler yapmakla geçiyor Aziz. Ailemizin her ihtiyacından ben sorumluyum. En ufak ayrıntısına kadar her şeyi denetliyorum. Beni tanıyan kime sorsan sana bunu anlatacaktır. Kuralcı bir anneyim. Koyduğum kuralların dışına çıkılmasından hazzetmiyorum (benim kurallarım Şems'inkiler gibi cazip değil tabii). Bir keresinde büyük kızım bana sinirlenip, hayatlarına gerilla taktiği uyguladığımı söylemişti. Onlarla dürüstçe konuşup, topyekûn savaşmak yerine "hayatlarına sızma" tekniği kullanıyormuşum. Hani bir şarkı var: "Que sera, sera" hatırlar mısın? "Her Şey Olacağına Varır" Benim şarkım değil. Hiç koyuveremiyorum kendimi. Sen dindar bir adamsın ama ben değilim. Gerçi her hafta ailecek Şebt'i kutlarız ama bu dini bir gereklilikten ziyade kültürel bir uygulama gibi bizim için. Üniversitedeyken bir ara Doğu Mistisizmine merak salmış, Budizm ve Taoizm'i hayli incelemiştim. Bir kız arkadaşımla işi Hindistan'a gidip, aşramlarda kalma planları yapmaya kadar vardırmıştık. Ama hayatımın o evresi çok uzun sürmedi. Mistik öğretiler ne kadar müthiş olsa da modern insanın ihtiyaçlarına karşılık veremiyor diye düşünmüştüm o zamanlar.

Umarım dine soğuk yaklaşmam seni incitmiyordur. Sana karşı hep dürüst olmak istediğim için bunları yazıyorum; zamanı gelmiş bir itiraf addet.

Seni görmeden özleyen,
Ella

* * *

Sevgili Gerilla Ella,

Mesajını Amsterdam'dan Malavi'ye gitmek üzereyken aldım. AIDS'in yaygın olduğu, çocukların üçte ikisinin öksüz kaldığı bir köyün fotoğraflarını çekmeye gidiyorum. Her şey yolunda giderse dört gün sonra evime dönmüş olurum. Bunu umut edebilir miyim? Evet. Peki, kontrol edebilir miyim? Hayır.

Yapacağım tek şey dizüstü bilgisayarımı yanıma almak, iyi bir internet bağlantısı bulmaya çalışmak ve şu hayatta bir gün daha yaşayacağımı umarak hareket etmek. Gerisi benim elimde değil. Ne de senin.

İşte bu kontrol edemediğimiz kısma Sufiler "beşinci unsur" adını verirler. Ateş, toprak, rüzgâr ve suyun yanı sıra dünyayı şekillendiren beşinci unsur: Boşluk. Açıklanamaz, denetlenemez, dolayısıyla gerilla taktiği uygulanamaz boyut. Biz insanlar bu unsuru tam olarak kavrayamasak da varlığının farkındayız.

Teslimiyeti bilmediğini söylemişsin. Eğer bundan kastettiğin hiç irade ya da direnç göstermemek, fikir beyan etmemek ise, ben de buna inanmıyorum. Benim teslimiyetten anladığım beşinci unsura riayet etme gerekliliği.

Tasavvufla tanıştığımda Tanrı'nın huzurunda kendime söz verdim. Doğru yoldan ayrılmamak için elimden geleni yapacağıma, egoma boyun eğmeyeceğime ve bundan ötesini O'na, yalnız O'na bırakacağıma yemin ettim. Benim sınırlarımın ötesinde şeyler olduğu gerçeğini kabullendim. Kısacası O'na inandım. İnanç aşk gibidir. İspat istemez. Mantıksal bir açıklama beklemez. Ya vardır, ya da yok.

Beni dindar biri saymışsın. Hâlbuki değilim. Dindar olmakla inançlı olmak aynı şey değil. Bu iki kavram arasındaki fark belki de hiç bugün olduğu kadar açılmamıştı. Modern dünyada gitgide büyüyen bir açmaz var. Dinden, devletten ve toplumdan bağımsız olarak "akılcı birey"in özgürlüğünü temel alan bir sistem kurduk. Öte yandan insanlık maneviyat arayışından vazgeçmedi. Aklın ötesini bilmek istiyoruz. Bunca zaman akla dayandıktan sonra zihnimizin sınırlı olabileceğini kabullenmeye başladık.

Bugün, tıpkı modernite öncesinde olduğu gibi, maneviyata ilgide patlama yaşanıyor. Tüm dünyada giderek daha fazla sayıda insan, hızlı ve meşgul yaşamlarında ruhaniyete yer açmaya çalışıyor. Ne var ki ruhaniyet yeni bir "hobi" değil. Hayatımızda ve kişiliğimizde temel değişiklikler yapmadan vakıf olabileceğimiz bir şey değil.

Yemek pişirmeyi sevdiğini söylemiştin. Tebrizli Şems, dünyayı koca bir kazana benzetirdi. İçinde mühim bir aş pişmekte. Yaptığımız, hissettiğimiz, söylediğimiz, hatta düşündüğümüz her şey bu kazana malzeme olarak giriyor. Öyleyse bu evrensel aşa ne kattığımızı kendimize sormamız gerek. Kırgınlıklar, kızgınlıklar, kan davaları ve şiddet mi? Yoksa aşk, inanç ve ahenk mi?

Peki ya sen sevgili Ella? İnsanlık denen çorbaya nasıl malzemeler katıyorsun? Ben ne zaman seni düşünsem, kazana kattığım malzeme kocaman bir tebessüm oluyor. Seni daha tanımadan özlüyorum...

Sevgilerimle,
Aziz

Bölüm Üç

RÜZGÂR

*Hayattaki terk, göç
ve devr eden şeyler...*

Mutaassıp
Konya, 19 Ekim 1244

Birdenbire sokaktan köpek havlamaları duyunca, döşekte doğruldum. Yakınlarda bir eve girmeye çalışan bir hırsızın yahut yoldan geçen bir sarhoşun kokusunu almış olmalılar. Namuslu insanlara huzur içinde uyumak haram oldu artık. Her köşe başında bir sefahat ve düşmüşlük almış başını yürümüş. Evvelden Konya böyle miydi? Daha birkaç sene evveline dek emniyetli, namuslu bir yerdi bu şehir. Ama işte ahlaki yozlaşma denilen illet balçıktan, bataklıktan farksız. Kenarından kıyısından değdin mi bir kere, ya üstüne yapışır, ya içine çeker. Öyle bir musibettir ki zengin-fakir, genç-yaşlı demeden herkesi pençesine alır. Bir de bakmışsın ki rüzgârla yayılan ateş gibi dört bir yanı kaplamış. İşte, şehrimizin bugünkü ahvâl ü şeraiti... Medresede hocalık vazifem olmasaydı çoğu sabah evden dışarı adımımı atmazdım vallahi.

Devir kötü ama neyse ki kamu nizamı başsız da değil, bekçisiz de. Cemaatin menfaatini ferdi menfaatlerin önüne yerleştirerek, sabah akşam düzeni kollayanlar var. Mesela yeğenim Baybars! Karım da ben de iftihar ediyoruz onunla. Baybars ve öteki muhafızlar gecenin şu kör saatinde mücrimler ortalıkta fink atmasınlar diye, sırf biz döşeklerimizde rahat uyuyalım diye devriye gezmekteler.

Seneler evvel biraderim vadesi dolup bu dünyadan göçünce Baybars'ın velisi ben oldum. Onu kendi oğlum gibi yetiştirdim. Delifişektir, çetin cevizdir. Bundan altı ay evvel muhafız oldu. Dedikodulara bakılırsa, ben medresede hoca olmasam Baybars'ın iş bulacağı yokmuş. Kuyruklu yalan! Baybars bu vazifeyi layıkıyla yerine getirecek basirette ve cesarettedir. İstese mükemmel bir asker olurdu. Ama başta Kudüs yolundaki Haçlılar olmak üzere dinimizin düşmanlarına karşı cengâverlik etmek için yanıp tutuşsa da buralardan gitmesini ne ben arzu ettim ne zevcem. İstedik ki burada kalsın, evlenip barklansın. Bir yuva kurmasının vakti geldi de geçiyor.

"Evladım, mertsin, kuvvetlisin, tuttuğunu koparırsın; sana burada ihtiyacımız var" diye itiraz ettim. "Amacın cihat etmekse bu şehirde de cihat edecek çok şey mevcut."

Hakikaten öyle. Daha bu sabah zevceme söyledim: "Zor zamanlardan geçmekteyiz hatun. Yozlaşma almış başını yürümüş."

Her gün bir facia yaşanıyor bir yerlerde, haberlerini alıyoruz. Tesadüf değil. Eğer Moğollar bu denli muzaffer olabildilerse, Hıristiyanlar davalarını ileri götürebildilerse, İslam düşmanları köy köy, şehir şehir yağmaladılarsa, bütün bunların sebebi Allah'ın ipini bırakanlar! Lafta Müslüman olup İslam'ın kurallarına uymayanlar! Bir yerin ahalisi yoldan çıkarsa şayet, aynen böyle iflah olmayacak hâle gelir. Moğollar günahlarımızın kefaretidir. Bu sebeple gönderildiler. Moğollar olmasaydı bu kez ya deprem olurdu, ya açlık, ya da sel. Günahkârlar tüm bunlardan bir ders alsın da nedamet getirsin diye daha kaç felaket yaşayacağız? Başımıza gelmedik bir gökten taş yağması kaldı; bu gidişle o da olur artık. Sodom ve Gomore'nin rezil sakinlerinin yolundan gidersek, toptan hepimiz silineceğiz.

Şu ferdi ve fevri Sufiler yok mu, ne berbat örnek oluyorlar herkese! Müslümanlara yakışmayacak herzeler ağızlarından düşmezken, bir de dinden imandan dem vurmaları yok mu, çileden çıkıyorum. Pespaye fikirlerini pekiştirmek için Peygamber Efendimiz'in aziz ismini ağızlarına almıyorlar mı kanım çekiliyor âdeta. Neymiş, bir savaş sonrası Hazreti Muhammed halka dönüp, "artık küçük cihadı bitirdik, bundan sonra büyük cihada geçiyoruz" demiş. Buradan hareketle mutasavvıflar da diyor ki, artık yegâne düşman nefsimizdir, kimseyle kavga etmeyelim! Belki kimilerinin kulağına hoş gelir böyle şekerriz sözler ama bıçak kemiğe dayanıp da iş kâfirler ve mülhitler ordusuyla savaşmaya gelince bize ne faydası var?

Bu tasavvuf ehli işi iyice abartıp, "Önümüz sıra dört kapı vardır; şeriat, marifet, tarikat ve hakikat basamak basamak çıkılır" diyorlar. Kimileri de ekliyor ardından; "Şeriat sadece bir menzildir." Sorarım onlara, bu neyin menziliymiş?

Bir de çekinmeden diyorlar ki, "Dördüncü kapıya varanı birinci kapının kuralları bağlamaz. Hakikat ehli, şeriatın kaidelerine uymak zorunda değildir." Hoppala! Yüce mertebeye ulaştıklarını zannediyorlar öyle mi? Sade suya tirit bahane! İçki içmek, raks etmek, musiki aleti çalmak, şiir yazmak, resim yapmak... onlara göre dini vecibelerden daha önemli. Sürekli vazedip duruyorlar, "madem İslam'da rütbe yok, herkesin Allah'ı kendine göre bulmaya hakkı var" diyorlar. Kulağa zararsız, hatta masumane geliyor bu laflar ama halka tebliğ ettikleri laf salatasının altında, ben biliyorum ki, sinsi ve habis bir niyet var: "Dini mercilere kulak asmayın, onlara ne gerek var!" diyorlar. Aslında bizimle uğraşıyorlar.

Sufilere sorsan mübarek Kuran-ı Kerim esrarengiz sembollerle, işaretlerle, rumuzla dolu. Ayetleri harf harf ebced hesabına döküp gizemli mânâlar arıyorlar. Her bir kelimenin bir zahiri mânâsı varmış, bir de bâtınî. Bu sebepten ince ince katman katman bakıyorlar her ayete. Gafiller! Arayacak ne var? Allah hiçbir buyruğunu saklamamış ki! Açıkça sıralıyor. Sufi taifesi örtük atıflar, saklı mesajlar aramakla o kadar bozmuş ki aklını, yüce Allah'ın apaçık söylediklerini anlamaya fırsat bulamıyor.

Sufilerden bazıları tutturmuş "İnsanoğlu Konuşan Kuran'dır" diye. Tövbe estağfurullah. O nasıl lakırdı? Düpedüz küfür bu! Hele bir de gezgin abdallar yok mu, hem başıbozuk, hem serâzad. Kalenderî, Haydari, Camii, Cavlâkî... Binbir isim altında dolanıp duruyorlar, çeşit çeşitler... Zannımca en beteri onlar. Bir yere kök salmaktan aciz bir adamdan cemaate ne fayda gelir? Aidiyet duygusundan yoksun, rüzgârda kuru yaprak misali her yöne savrulan, tüm dünyaya "evim" diyen kişi, Şeytan'ın arayıp da bulamadığı suç ortağıdır.

Gel gelelim feylesofların da Sufilerden eksik kalır yanı yok. Sanki o sınırlı akılları kâinatın sınırsızlığını tahayyül etmeye yetebilirmiş gibi düşünür de düşünürler. Kukumav kuşu musunuz mübarek? Feylesoflarla Sufiler, şıracıyla bozacı gibi. Buna dair bir hikâye de vaki.

Bir gün bir feylesof yolda giderken bir dervişe rastlamış. İkisinin de çabucak birbirlerine kanları kaynamış. Günlerce konuşmuşlar. Cümleye biri başlar, diğeri son buldururmuş.

En nihayetinde vedalaştıklarında, etraftakiler her ikisine de böyle hararetli hararetli ne konuştuklarını sormuş. Feylesof şöyle yanıt vermiş: "Konuştuk ve anladım ki benim bildiğim her şeyi o zaten görüyor."

Sufi ise şöyle demiş: "Konuştuk ve anladım ki benim gördüğüm her şeyi o zaten biliyor."

Demek gafil Sufi gördüğünü sanır, gafil feylesof ise bildiğini. Hâlbuki ne o bir şey bilir, ne berikinin bir şey gördüğü var. Niçin kabullenmezler basit, sınırlı ve en nihayetinde fani varlıklar olan biz insanların haddimizden fazlasına gücümüzün yetmeyeceğini? İnsan denilen mahlûk çabalasa çabalasa kaç yazar? Bir arpa boyu yol bile gidemez. Kadir Allah ne yazmışsa alnımıza o olacak. Hepsi bu. Bize düşen Yaradan'ın emirlerini yorumlamak değil, anlamaya çalışmak hiç değil, sadece ve sadece harfiyen yerine getirmek!

Hele Baybars eve gelsin, bunları bir bir konuşacağız. Artık bizde âdet oldu bu hasbıhâller. Her gece devriye dönüşü yorgun argın eve geldiğinde, beraber tandırın etrafında otururuz. Baybars karımın pişirdiği çorbayı ekmeğe katık yaparken, bir yandan da hâl ve şerait üzerine sohbete dalarız. İştahlıdır. Ne de olsa delikanlıdır. Elbet gücü kuvveti yerinde olmalı. Onun gibi genç, cesur ve namuslu birinin bu Allahsız şehirde yapacak çok işi var.

Kâfir olsun, fâsık olsun, hizaya getirecek çok insan var, çok!

Şems
Konya, 29 Ekim 1244

Buz gibi soğuk bir gece Şekerci Han'ın cumbasında oturuyordum. Mevlâna'yla tanışmama az kalmıştı. Tefekküre dalmıştım. Allah'ın, ne yöne dönersek dönelim O'nu hem arayalım, hem bulalım diye kendi suretinde yarattığı kâinatın muazzamlığı karşısında kalbimiz sevinç ve sevgiyle dolmalıydı. Ne ki bu minnettarlık hâlini âdemoğulları nadiren yaşıyordu.

Konya'ya vardığımdan beri tanıştığım insanları hatırladım: Dilenci Hasan, sarhoş Süleyman ve fahişe Çöl Gülü. Başkaları tarafından hor görülen ve ezilen bu insanlar yaygın bir dertten muzdaripti: "Ayrı bir Benlik zannı." Cemiyetin kenarında kıyısında sıkışmışlardı. Fildişi kulelerinde oturan âlimlerin görüş alanlarına girmeyen kimselerdi bunlar. Merak ediyordum, acaba Mevlâna'nın onlarla arası nasıldı? Eğer Mevlâna toplumun düşkün kesimlerini henüz kucaklamamışsa, bu hususta ona yardım etmek, onunla düşkünler arasında köprü olmak isterim.

Şehir en nihayetinde uykuya daldı. Leylî hayvanların bile hüküm süren huzuru bozmamaya gayret ettikleri saat şimdi. Bir şehrin uykusunu dinlemek hem tarifsiz keder, hem tarifsiz mutluluk verir. Kapalı kapılar ardında ne hikâyeler yaşanır acaba? Hayatta başka bir yol çizseydim ben ne tür hikâyeler yaşardım, bunu da düşünürüm. Ama bilirim ki ben bu yolu seçmedim kendime. Bu yol beni seçti.

Bir abdal bir şehre gelmiş. Buranın halkı yabancılara hiç güvenmezmiş. "Defol!" diye bağırmışlar dervişe. "Hiçbirimiz seni tanımıyoruz!"

Derviş sükunetle yanıt vermiş. "Ben kendimi tanıyorum ya, önemli olan o. İnan olsun, şayet öbür türlü olsaydı, yani siz beni bilseydiniz ama ben kendimi bilmeseydim, çok daha fena olurdu."

Varsın Konya halkı beni tanımasın. Ben kendimi tanıdığıma göre her şey yolundaydı. Nefsini bilen, O'nu bilirdi.

Yirmi Üçüncü Kural: Yaşadığımız hayat elimize tutuşturulmuş rengârenk ve emanet bir oyuncaktan ibaret. Kimisi oyuncağı o kadar ciddiye alır ki ağlar, perişan olur onun için. Kimisi eline alır almaz şöyle bir kurcalar oyuncağı, kırar ve atar. Ya aşırı kıymet verir, ya kıymet bilmeyiz.

Aşırılıklardan uzak dur. Sufi ne ifrattadır ne tefritte. Sufi daima orta yerde...

Yarın sabah ben de herkesle beraber büyük camiye gidip Rumi'yi dinleyeceğim. Dedikleri kadar mahir bir hatip olabilir ama eninde sonunda her hatibin sözlerinin derinliği, onu dinleyenlerin ne anladığıyla ölçülür. Vaaz dinlerken duymak istediğini duyar insan. Hâlbuki esas kulağa hoş gelmeyen sözlerde keramet vardır. Kanımca Mevlâna'nın vaazları, ısırgan otları, devedikenleri, fundalıklarla süslü bir yabani bahçe gibidir. Oraya giren her misafir gözüne hoş görünen çiçekleri derer, geri kalan otlara bakmaz bile. Dikenli, kaba görünümlü bitkilere meyledenlerin sayısı pek azdır. Oysa şu âlemde nice derdin devası işte bu tür bitkilerden elde edilir. Aşkın bahçesi de böyle değil mi? Şayet yalnız hoşlukları, kolaylıkları toplayıp, zorlukları bırakırsak buna "aşk" denebilir mi? Güzeli sevip çirkini elinin tersiyle itmek en kolayı. Esas mesele iyiyi de kötüyü de sevebilmek; ayrım yapmadan. Sadece hoşumuza giden şeylere şükretmekte ne var? O kadarını Belh'in köpekleri de yapıyor zaten. Kemik verirsen seviniyor, şükranla kuyruklarını sallıyorlar. İnsan şüphesiz ki bundan fazlasını yapabilir. İyinin ve kötünün ötesine geçmek mümkün! Bir yer daha var: Tüm sıfatların mânâsını yitirdiği bir başka boyut!

Yarın Rumi'yi göreceğim.

Ey Mevlâna! Kelimelerin, harflerin, mânâ âleminin efendisi! Ey dünyanın sarrafı!

Bakınca yüzüme görecek misin beni?

Gör beni!

Gör beni!

Rumi
Konya, 30 Ekim 1244

Bu can tende durdukça Tebrizli Şems ile tanıştığım günü unutmayacağım. Cemâziyelevvel'in son günleriydi. Havada ayaza yakın taze bir esinti vardı. Rüzgâr sonbaharın tüm azametiyle ilerlemekte olduğunu muştuluyor, uğulduyordu.

Cami her zamanki gibi hıncahınç kalabalık, saflar sıkışıktı. Ne zaman bu kadar çok insana seslenmem gerekse, cemaatimi ne düşünür, ne düşünmemezlik ederim. Arada incecik bir çizgide konumlanırım. Bunun tek yolu var: Dinleyicileri onlarca, yüzlerce ayrı insan olarak değil, tek bir kişi gibi görmek! Her hafta beni dinlemeye yüzlercesi gelir ama ben hep tek bir insana hitap ederim. O kişinin sözlerimin yankısına kulak verdiğini, beni sadece onun duyduğunu varsayarak konuşurum.

Vaaz bittikten sonra camiden çıktım. Baktım atımı hazırlamışlar. Yelesine altın teller örüp, gümüş ziller takmışlar. Atın her adımında zillerin belli belirsiz çalışını dinlemeyi severdim ama etraf o kadar çok insanla çevrili, yol tıkalıyken hızlı gitmek ne mümkün! Önde ben ve öğrencilerim, arkamızda büyük bir güruh, adım adım, ağır aksak, derme çatma evlerin, kutu kutu dükkânların önünden geçtik.

Öyle bir patırtı vardı ki etrafımda! Yolda dizilenlerin tezahüratları arzuhalcilerin yakarılarına, çocukların mızıldanmaları anne babaların azarlarına; satıcıların bağrış çağrışları dilencilerin çığırtkanlıklarına karışıyordu. Bu insanların çoğu onlar için dua etmemi bekliyor, bir kısmı da sadece bana dokunmak ya da yanımda yürümek istiyordu. Daha büyük taleplerle gelenler de vardı: ölümcül hastalıklarına şifa bulmamı talep edenlerden tutun, büyü bozmamı rica edenlere kadar. İşte bunlar beni endişelendiriyordu. Görmüyorlar mı ki ne peygamberim keramet göstereyim, ne lokmanım şifa dağıtayım?

Bunları düşüne düşüne ilerliyordum. Köşeyi dönüp Şekerci Han'a yaklaştığımızda bir dervişin delici gözlerini üzerime dikip, kalabalığı yararak bana doğru yürüdüğünü gördüm. Hareketleri bir menzile odaklanmış kimselere has kararlılıktaydı. Etrafındaki herkesten ve her şeyden apayrı, âdeta yalıtılmış bir duruşu vardı. Tek başınaydı. Sadece şu an değil, sanki tüm hayatı boyunca hep tek başına olmuştu. Baktım, saçı, sakalı, kaşı yoktu. Bir insanın yüzü ancak bu kadar açık olabilirdi amma gel gör ki ifadesi sırlıydı. Okunamıyordu. Merakımı esas celbeden dervişin dış görünüşü değildi. Konya şehri gezgin abdalların uğrak yeridir. Allah'ı arayan türlü türlü nice derviş gelip geçmiştir buradan. Kollarında göz alıcı dövmeler, kulaklarında ve burunlarında sıra sıra halkalar, boyunlarında borazanlar, boynuzlar taşıyanları da çok gördüm. O yüzden bu dervişi ilk gördüğümde beni şaşırtan kılığı kıyafeti değildi. Ben onun bakışlarına takıldım. Hançerden keskindi kara bakışları. Kollarını iki yana açarak kaldırdı ve sokağın orta yerinde öylece dikiliverdi. Sanki sadece beni ve peşim sıra gelen konvoyu değil, zamanın akışını durdurmaktı niyeti. Birden tüm bedenim ürperdi; yüreğimden bir yıldız kaydı sanki. Atım huysuzlandı; huzursuz huzursuz kişnemeye başladı. Hayvanı sakinleştireyim dedim ama ne mümkün. Arka ayaklarının üzerine kalktı. Az kalsın beni yere atacaktı.

Tam o anda derviş gözlerini atıma odaklayıp yaklaştı ve hayvanın kulağına bir şeyler fısıldadı. Anında at duruldu, sakinleşti; burun deliklerini geniş geniş açarak solumaya başladı. Etrafımızı saran kalabalık gözlerinin önünde cereyan eden hadiseyi nefesini tutarak izlemişti. Fısıldaşmaları duydum: "Büyücü bu adam. Ata büyü yaptı!"

Derviş ise etrafından habersiz gibiydi; şimdi gözlerini bana çevirmiş, gizemli bir ifadeyle bakıyordu.

"Ey, allâme-i cihan Rumi, Doğu'da Batı'da emsalsiz Mevlâna, hakkında güzel şeyler işittim. Müsaade edersen bunca yolu sana bir soru sormaya geldim."

"Elbette" dedim usulca.

"O hâlde evvela şu atından in de benimle aynı hizaya gel."

Bunu duyunca öyle bir afalladım ki ağzımı açamadım. Yanımdakiler de şaşkındı. Bugüne dek kimse benimle böyle konuşmaya cesaret edememişti.

Yüzüm kızardı. Yüreğimde bir darlık, hatta kızgınlık his-
settim ama nefsime hâkim olup attan indim. Derviş çoktan
sırtını dönüp uzaklaşmaya başlamıştı. Yetişip durdurdum. "Hey, bekle! Sualini duymak istiyorum."
Derviş zınk diye durdu, arkasını döndü, ilk defa gülümse-
di. "Şu ikisinden hangisi daha ileridedir sence: Hazreti Mu-
hammed mi, Sufi Bayezid-i Bistâmî mi?"

"Bu ne biçim soru böyle?" diye tersledim. "Son peygamber,
Resûlullah sallallahu aleyhi ve sellem efendimiz ile bir sufi-
yi bir mi tutarsın?"

Etrafımızda meraklı bir kalabalık toplanmıştı ama derviş
izleyicileri umursamıyor gibiydi. İfadesini hiç bozmadan üs-
teledi: "Bir düşün: Peygamber Hazretleri şöyle buyurmamış
mıydı? 'Yarabbi, Seni tebcil ederim. Seni lâyıkıyla bileme-
dim'. Hâlbuki Bayezid-i Bistâmî 'Ben kendimi tebcil ederim,
benim şanım yücedir. Zira hırkamda Allah var' dedi. Madem
biri Allah'a nazaran ufak hissederken kendini, diğeri Allah'ı
içinde taşır, bu ikisinden hangisi daha ileridedir sence?"

Birden nefes alamadım, yutkundum. İlk duyduğumda saç-
ma sapan gelen bu soru birden başka bir anlam kazandı.
Sanki bir örtü kalktı, altından ilginç bir bulmaca çıktı. Der-
vişin yüzünde kaçamak bir tebessüm belirip kayboldu. Artık
karşımda dikilen adamın meczubun teki olmadığını biliyor-
dum. Benden samimiyetle bir şey istiyordu. Daha evvel dü-
şünmediğim bir soruyu düşünmemi.

"Ne demek istediğini anladım" dedim. "Bu iki kelamı kar-
şılaştırıp, her ne kadar Bistâmî'nin sözü daha iddialı görün-
se de, aslında Peygamber Efendimizin sözünün ondan daha
ileride olduğunu açıklamaya çalışacağım."

"Kulak kesildim, seni dinliyorum" dedi derviş.

"Allah aşkı derya deniz gibidir. Kendi meşrebince her in-
san ondan su alır. Fakat kimin ne kadar su alacağı kabının
büyüklüğüne bağlıdır. Kiminin kabı fıçıdır, kiminin kova; ki-

minin kırbadır, kiminin matara."

Ben konuştukça dervişin yüzündeki ifade değişmeye başladı. Yavaş yavaş gözlerine kendi fikirlerinin yankısını başkasının sözlerinde duyan bir adamın yumuşak, dostane parıltısı geldi. "Bistâmî'nin kabı Peygamber Efendimizinkine nazaran ufaktı. O bir avuç içti, kandı. O kadarla mesut ve sarhoş oldu. Ne güzel, kendinde ilahi varlıktan eser bulmuş. Ama o hâlde kalmak, yola devam etmemek demektir. O mertebede bile Allah ile nefs ayrı gayrıdır. Peygamber Efendimize gelince, Allah'ın sevgili kuludur, onun kabı kolay dolmaz. O yüzden Allah, Kuran'da şöyle buyurmuş: *Açıp genişletmedik mi senin kalbini?* Kalbi böyle genişleyince, yani kabı büyüyünce, doymak bilmez bir susuzluk hasıl olmuş içinde. Boşuna değil, 'seni lâyıkıyla bilemedik' deyişi. Hâlbuki kimse Allah'ı onun gibi bilemedi."

Derviş sakin, kendinden emin gülümsedi. Baş kırıp selâm verdi. Sonra minnet belirtir şekilde elini kalbine attı, bir süre öylece durdu. Gözlerini tekrar kaldırdığında, batan güneşin ölgün ışığında, yepyeni bir ilgiyle baktı bana.

Karşımda hürmetle eğildi. Ben de onun önünde hürmetle eğildim. Ne kadar süre öyle durduk bilmem, gökyüzü eflatuna çalmaya başladı. Etrafımızdaki kalabalık huzursuz, mırıl mırıl konuşarak kıpırdanmaktaydı. Aramızda geçenleri önce merak, sonra giderek artan bir şaşkınlıkla izlemişlerdi. Ama sonunda hayret yerini tepkiye bırakmıştı. Zira şimdiye dek kimsenin önünde eğildiğimi görmemişlerdi. Sıradan bir abdal karşısında eğildiğimi görmek müritlerimin hoşuna gitmemişti.

Derviş halkın hoşnutsuzluğunu sezmiş olacaktı. Fısıltıya yakın bir sesle şöyle dedi: "Ben artık gitsem iyi olur. Hayranlarından alıkoymayayım seni."

Hafif bir sitem, hatta ince bir alay mı vardı bu sözlerde, bilemedim. Ama derhal itiraz ettim. "Dur" diye seslendim ardından. "Gitme, kal!"

Dönüp, dikkatle baktı yüzüme. Bir bulut geçti gözlerinden. Dudaklarını iştiyakla sıktı, sanki bir şeyler söylemek istiyor ama söyleyemiyordu. Ve o an, o suskunlukta, dervişin bana baştan beri sorduğu asıl soruyu, saklı ve sessiz soruyu duydum:

"Ya sen, koca hatip? Senin kabın ne kadar büyük?"

Dervişe doğru bir adım attım. Kara gözlerindeki delişmen ışıkları seçecek kadar yakınlaşmıştım. Birden tuhaf bir hisse kapıldım. Sanki bu anı daha evvel yaşamıştım. Hem öyle bir kere değil; belki on, belki kırk kere. Bölük pörçük görüntüler üşüştü zihnime. Uzun, ince bir adam, yüzünde bir peçe, parmakları alev alev yanmakta... İşte o an anladım. Karşımda duran derviş, rüyalarımdaki adamdan başkası değildi.

Canımı, cananımı bulduğumu biliyordum. Sevinçten dizlerim titredi. Ama hayatta hiçbir mutluluğu bu kadar yarım ve yaralı yaşamamıştım.

Sevinirken dahi soğuk bir dehşet sardı içimi...

Ella
Boston, 8 Haziran 2008

Bahar yaza devrederken Aziz ile Ella'nın yazışmaları sıklaşmıştı. Ella sır gibi sakladığı bu beklenmedik gelişme karşısında şaşkındı. İkisi hemen her açıdan o kadar farklıydılar ki, nasıl olup da birbirlerine yazacak bu kadar çok şey bulduklarını bilmiyordu. Biri çıkıp da "ortak neyiniz var?" diye sorsa, cevap verebileceğinden bile emin değildi.

Ella'nın gözünde Aziz Z. Zahara, parça parça yerli yerine oturtmaya uğraştığı bir yapboz gibiydi. Ondan gelen her yeni e-postayla beraber hakkında yeni bir bilgi daha öğreniyor, elindeki bulmacanın bir parçasını daha tamamlıyordu. Gerçi resmin bütünü hâlâ bir muammaydı ama en azından bu aşamada *Aşk Şeriatı*'nın yazarı hakkında epey bilgilenmiş sayılırdı. Mesela Aziz'in profesyonel bir fotoğrafçı olduğunu biliyordu. Merak ediyordu, acaba mesleğinden dolayı mı bu kadar seyahat ediyordu yoksa seyahat etmeyi sevdiği için mi bu mesleği seçmişti? Göçebe ruhluydu Aziz. Onun için dünyanın en ücra köşelerine gitmek, mahalle parkında gezintiye çıkmaktan farksızdı. En çetin yolculuklar bile gözünü korkutmuyordu. Sebatkâr bir seyyahtı, evreni sırtında taşıyan azimli bir kaplumbağa gibi...

Dünyanın neresine giderse gitsin kendini evinde hissediyordu. Sibirya'da, Şanghay'da, Kalküta'da, Casablanca'da... Sadece sırt çantası ve bir neyle yolculuk ediyordu. Ella'nın haritada asla bulamayacağı yerlerde kadim dostları vardı. Gitmediği yer kalmamıştı. Yabancı bir yere gitmenin tedirginliği; suratsız, insafsız gümrük görevlileri; laçkalaşmış bürokrasi çarklarından vize almanın imkânsızlığı; içme sularındaki parazitler; besin zehirlenmeleri, mide rahatsızlıkları, soyulma tehlikesi... kısacası her turistin kâbusu olan meseleler Aziz için sıradan ayrıntılardı. Ella dünyayı "güvenli Avrupa ülkeleri" ve "geri kalan tekinsiz bölgeler" diye ayıradursun, Aziz için Doğu, Batı, Kuzey, Güney birdi.

Ella'nın hayatı durgun bir göl ise Aziz'inki taşkın bir nehirdi. Ella adım atmaya korkarken, o dört nala gidiyordu. Ella bir adım atmadan önce bin defa düşünürken, Aziz evvela adımını atıyor, sonra düşünüyordu; tabii eğer düşünürse. Canlı, rengârenk bir kişiliği vardı; ideallere, tutkulara sahipti. Pek çok ismi vardı ve her ismin de uzun bir hikâyesi.

Ella kendini liberal, açık fikirli, demokrat, nazik, medeni, "dinsel değil kültürel anlamda" Yahudi ve günün birinde et yemeyi tümden bırakmaya kararlı bir vejeteryan adayı olarak tanımlıyordu. Her şeyi ve herkesi iki kategoriye ayırıyordu: "Sevdiklerim" ve "Nefret ettiklerim."

Tam anlamıyla agnostik olduğu söylenemezdi. Ne de olsa zaman zaman ailesiyle beraber birkaç dini vecibeyi yerine getirdiği olurdu. İşin aslı, Ella dinden de dindarlardan da pek hazzetmezdi. Tıpkı tarihte olduğu gibi günümüz dünyasında da en korkunç ve en kanlı kavgaların din adına yapıldığını düşünüyordu. Dinlerin insanlığa ne faydası vardı, insan ırkını birbirine kırdırmaktan başka? Hangi dinden olursa olsun bağnazlığa tahammülü yoktu. Gene de (her ne kadar bunu Aziz'e itiraf etmemişse de), İslam'daki köktendinciliğin, Hıristiyan ve Yahudi köktendinciliğinden daha tehlikeli olduğuna inanıyordu. Tüm Semavi dinler birbirine benziyordu ama İslamiyet daha katı, daha kapalı bir din değil miydi? Hele kadınlar için. Açıkçası Ella Rubinstein, Müslüman kadınlara uzaktan uzağa acıyor, hepsini aynı kefeye koyuyor ve onlardan biri olarak doğmadığı için kendini şanslı sayıyordu.

Aziz ise din ve inanç meselelerini ciddiye alan, maneviyatı kuvvetli biriydi. Güncel politikadan alabildiğine uzak duruyordu. Hayatta nefret ettiği hiçbir şey yoktu. "Nefret" kelimesini silmişti kişisel sözlüğünden. Vejeteryan filan olmadığı gibi et yemeye düşkündü. Söylediğine göre, iyi pişmiş kebabı hayatta reddedemezdi.

Aziz İskoçyalıydı. 1970'lerin ortalarında katı bir ateist iken Müslüman olmuştu. "Kerim Abdülcabbar'dan sonra, Yusuf İslam'dan önce" diyordu şaka yollu. O günden bugüne her ülkeden, her din ve kültürden mistiklerle hemhâl olup ekmek paylaşmıştı. Kendini bildi bileli pasifistti, şiddete karşıydı. Şu dünyada yaşanan çatışma ve savaşların bir "din sorunu" değil, "dil sorunu" olduğuna inanıyordu. İnsanlar sürekli birbirlerini yanlış anlıyor, birbirleri hakkında yanlış hükümlere varıyordu. "Yanlış çevirilerle" yaşıyorduk. Böyle bir dünyada herhangi bir konuda ısrarcı olmanın ne anlamı vardı? En güçlü kanaatlerimiz dahi basit bir yanlış anlamadan kaynaklanıyor olabilirdi. Zaten hayatta hiçbir konuda sabitfikirli ve katı olmanın gereği yoktu; zira yaşamak demek habire değişmek demekti.

Aziz ile Ella farklı zaman kuşaklarında yaşıyorlardı. Hem fiili hem mecazi olarak. Ella için zaman "gelecek" demekti. Gününün dikkate değer bir kısmı sonraki seneyi, sonraki ayı, sonraki günü, hatta sonraki anı planlayarak geçiyordu. Alışverişe çıkmak, bulaşık makinesini tamir ettirmek gibi gayet süfli işler dahi bundan payını alıyor, en ufak ayrıntı planlanıp, titizlikle hazırlanmış listeler ve takvimler şeklinde çantasının içindeki yerini alıyordu.

Oysa Aziz için zaman şu an demekti. "Şimdi" dışında her şey bir yanılgıdan ibaretti. Aynı sebepten ötürü, aşkın ne "gelecek planları" ne "dünün hatıraları" ile ilgisi olduğuna inanıyordu. Aşk sadece şimdi ve buradaydı.

"Sufiyim. Vaktin oğluyum. Şimdi'nin çocuğuyum..." yazmıştı bir seferinde.

Ella yanıtında şöyle demişti: *"Habire maziyi deşmeye, geleceği didik didik planlamaya alışkın bir kadın için öyle tuhaf ki söylediğin..."*

Alaaddin
Konya, 10 Aralık 1244

Babamın yoluna o tuhaf kılıklı saçsız dervişin çıktığı gün orada değildim. Birkaç arkadaşımla ava çıkmıştık, ancak ertesi gün dönebildim. Konya'ya varınca bir de baktım ki babamla dervişin tanışmaları tüm şehrin dilinde. Herkes aynı soruyu soruyor: Kimdir bu ne idüğü belirsiz adam? Nasıl oldu da Mevlâna gibi bir âlim onu ciddiye aldı, karşısında eğildi?

Çocukluğumdan beri herkesin babamın önünde eğildiğini görmeye alıştığımdan, gün gelip babamın da birine benzer şekilde hürmet gösterebileceğini aklımdan dahi geçirmiyordum. Benim babam ancak bir hükümdarın ya da baş vezirin önünde diz çökebilirdi, bundan alt seviyedeki kimselerin değil. O yüzden duyduklarıma inanmayı reddettim. Ne var ki eve geldiğimde Kerra hikâyeyi doğruladı. Bugüne değin üvey annemin yalan söylediğini ya da mübalağa ettiğini duymadığım için, çaresiz inanmak durumunda kaldım. Demek babam çarşıda, herkesin gözü önünde çulsuz bir dervişin elini öpmüştü. Dahası, Tebrizli Şems nâmındaki bu davetsiz misafir, Kerra'nın dediğine göre bundan böyle bizimle kalacaktı.

Gökten zembille inercesine babamın karşısına çıkan, hayatlarımızın orta yerine taş gibi fırlatılan bu yabancı kimdi? Kendi gözlerimle görmek istiyordum. Kerra'ya sordum: "Niye karşımıza çıkmıyor bu adam?"

"Şşş, sessiz ol" diye fısıldadı Kerra endişeyle. "Babanla derviş kütüphaneye kapandılar."

Uzaktan mırıl mırıl sesleri geliyordu ama ne dediklerini anlamak mümkün değildi. Tam o yana seğirtiyordum ki Kerra yoluma çıktı.

"Beklesen daha iyi olur Alaaddin. Rahatsız edilmek istemiyorlar."

Koca gün boyu kütüphaneden çıkmadılar. Sonraki gün de, ondan sonraki gün de... Bu kadar çok konuşacak ne buluyorlardı? Babam gibi bir adamla alelade bir dervişin ortak nesi olabilirdi ki?

Bir hafta geçti, sonra bir hafta daha... Kerra her sabah kahvaltılarını hazırlayıp bir tepside kapılarının önüne bırakıyordu. Her gün bir öncekinden leziz yemekler hazırlamasına rağmen, babam ve Şems bir dilim buğday ekmeği ve bir bardak keçi sütü dışında ne varsa reddediyorlardı.

Evdeki düzenimiz allak bullak oldu. Her geçen gün asabım

biraz daha bozuldu; aksileştiğimi görüyor ama sinirlerime mâni olamıyordum. Günün çeşitli saatleri kapıdaki deliğe gözümü yapıştırarak kütüphanenin içini gözetliyordum. Kapıyı birden açsalar beni çömelmiş, konuşmalarını dinler vaziyette bulurlardı. Ama umurumda bile değildi. Usanmadan her gün onları gözetledim. Fakat pek bir şey görebildiğim yoktu. Perdeler yarı yarıya çekildiğinden odanın içi loştu. Ara sıra yakaladığım kelimeler sayılmazsa, tek duyduğum bitmek bilmez bir fısıltıydı. Görecek, işitecek bir şey olmayınca kafamda kurmaya başladım.

Bir keresinde Kerra beni kulağımı kapıya dayamış hâlde yakaladı ama ne kızdı ne kınadı. O da en az benim kadar merak içindeydi. Neler olup bittiğini öğrenmeye can atıyordu. Zaten kadınların tabiatı meraklıdır. Ellerinde değil.

Ama bir başka gün ağabeyim beni suçüstü yakaladı. "Başkalarını gözetlemeye hakkın yok" dedi azarlarcasına. "Bilhassa öz babana bunu yapman yakışık almıyor."

Omuz silktim. "Babamızın gece gündüz tüm vaktini bir yabancıyla geçirmesi, ailesini ihmal etmesi sana batmıyor da benim kapı dinlemem mi batıyor? Babamın yüzünü görmeyeli bir aydan fazla oldu. Böyle kenara atılmak seni üzmüyor mu?"

"Kimsenin kimseyi kenara attığı yok!" diye kestirip attı ağabeyim. "Babamız Tebrizli Şems'te senelerdir aradığı dostu, ruhdaşı, yoldaşı buldu. Çocuk gibi şikâyet edip sızlanacağına, onun için sevinmen gerek. Eğer bir insanı hakikaten seviyorsak onun mutlu olmasını isteriz."

Al işte, tam da ağabeyimin ağzına yakışır saflıkta bir laf! İstiyor ki her şey sütliman, herkes mesut olsun! Çocukluğumuzdan beri böyleydi. O babamın gözdesi, terbiyeli, kâmil oğlan; bense haylaz, ele avuca sığmaz ve anlaşılmaz olan. Belki de herkesin yerine getirmesi gereken bir rol var bu dünyada. Ve eğer bütün fiyakalı roller kapılmışsa, sen de üstüne düşen kısmı sırtlanırsın, istesen de istemesen de. Aile büyüklerinin biricik veliahtı, babamın ilk göz ağrısı olmak ağabeyimin rızkıydı. Benim payımsa geride kalmış sıfatları üstlenmek!

* * *

Babamın Şems'le kütüphaneye çekilmesinden kırk gün sonra bu sabah tuhaf bir şey oldu. Yine kapı önüne çömmüş içerideki sessizliği dinliyordum ki dervişin konuştuğunu duydum: "Artık bu odadan çıkma vakti geldi Mevlâna. Geçen her gün **GÖNLÜ GENİŞ VE RUHU GEZGİN SUFİ MEŞREP-LİLERİN KIRK KURALI**'ndan bir tanesini tefekkür ettik. Bugün son kuralı da tamamladığımıza göre insan içine çıksak iyi olur. Yokluğun aileni kaygılandırmış olsa gerek."

Babam derhal itiraz etti. "Merak etme. Zevcem de oğullarım da yokluğuma anlayış gösterecek kadar olgundurlar."

"Zevceni bilmem ama iki oğlun yaz ve kış kadar farklı" dedi Şems. "Hadis-i Şerif der ki: 'Oğul babanın sırrıdır.' Ama hangi oğul? Büyük oğlun ayak izinden yürür ancak küçük oğlan bambaşka bir mecraya akmakta. Haset, şüphe ve tenkit etmek yüreğini karartmış."

Bunları duyar duymaz yüzümü ateş bastı. Vay densiz derviş! Daha beni tanımazken hakkımda böyle laflar etme cesaretini nereden buluyordu?

Ama ben daha aklımdan bu soruyu geçirir geçirmez, içeride Şems bana cevap verircesine söze devam etti: "Küçük oğlun onu tanımadığımı sanır, oysa tanırım" dedi. "Zira o kırk gündür kulağını kapıya yapıştırıp, deliklerden bizi gözetlerken, ben de onu seyrediyordum."

Tüylerim diken diken oldu. Hiç düşünmeden kapıyı ardına kadar açtım ve paldır küldür odaya daldım. Babamın gözleri hayretten fal taşı gibi büyüdü. Bir dakika geçti geçmedi, şaşkınlığın yerini kızgınlık aldı.

"Alaaddin, ne yapıyorsun? Bu ne kabalık oğul? Aklını mı yitirdin?" diye gürledi. "Ne cüretle bizi rahatsız edersin?"

Peş peşe yağan soruları duymazdan gelip, işaret parmağımı Şems'e doğrulttum. Niyetim bağırmak değildi ama heyecandan zangır zangır titrerken sesimin yükselmesine mâni olamadım: "Bana çatacağına, önce şu herife sorsan ya ne cüretle hakkımda böyle konuşur?"

Babam tek kelime etmedi. Sadece iç çekti; varlığım boynunda değirmen taşıydı sanki. Öylece durdu ve bana baktı. Yüzü demir bir kapı gibi kapandı.

"Babacım, Kerra sizi çok özledi. Talebeleriniz de. Şu çapulcu dervişe bu kadar zaman ayırıp sevdiklerinize nasıl arkanızı dönersiniz?"

Bu laflar ağzımdan çıkar çıkmaz pişman olmuştum ama ne fayda. Babamın benzi sarardı, gözlerine hüzün ve hüsran çöreklendi. Daha evvel bana hiç böyle baktığını görmemiştim.

"Alaaddin, derhal bu odayı terk et" dedi. "Aklın avare olmuş. Git sessiz bir köşe bul. Orada otur ve yaptığın hatayı düşün. Kendi içine bakıp pişman olmadan oradan kalkma. Çiğliğini görüp tanıyana kadar yanıma gelme!"

"Ama baba..."

"Haydi çık!" diye tekrarladı babam, bu sefer daha haşin ve hırçın bir sesle.

Elim ayağım titreyerek dışarı attım kendimi. Avuçlarım ter içindeydi, dizlerim tutmuyordu.

İşte o an bende şafak attı. Tebrizli Şems yüzünden hayatımız altüst olmuştu. Bundan böyle hiçbir şey aynı olmayacaktı. Annemi seneler evvel, daha çocuk sayılacak yaşta kaybetmiştim. Şimdiyse ikinci büyük kaybımı yaşıyordum. İnsanın babası hem hayatta hem ölü olur mu? Olurmuş demek...

Rumi
Konya, Aralık 1244

Bomboştu dünya. Koca sokaklar, bulutsuz sema ve bütün Konya. Tebrizli Şems yoluma çıkıp bana o soruyu sorduğunda her şey ve herkes kayboldu sanki, bir anlığına da olsa. Bir tek o ve ben kaldık bu şehirde: Soran ve cevaplayan. *"Söyle bana Bistâmî mi daha ileride yoksa Peygamber Efendimiz mi?"* Bu soruyu elinin tersiyle itmek ya da geçiştirmek kolay. Hiddetlenip karşıdakini susturmak kolay. Zor olan ne sorulduğunu anlamaya çalışmak ve tabii bir de yanıtı bulmak.

İnsan hayatı daimi bir seyr ü sefer. Beşikten mezara yolculuk hâlinde, seferdeyiz. Önümüzde uzanan yedi ayrı merhale, yedi basamak. Bilenler güzergâhtaki her menzile bir isim vermiş. Nefsimiz buralardan bir bir geçmeden, kendini ayrı bir varlık sanmaktan vazgeçmeden yolculuğunu tamamlayıp Hak ile bütünleşemez. İnsan yalandadır, ziyandadır, zandadır. Yedi basamağı çıkmadıkça hakikate eremez.

İlk mertebenin adı *Nefs-i Emmare*. Yoz, Ham ve Daima Başkalarını Suçlayan Nefs merhalesi. Ne yazık ki pek çok insan ömrü boyu bu aşamada takılıp kalır. Kurtulamaz cendereden. Dünyevi işlerden gayrısını düşünmeyen, paraya iktidara makama tamah eden, şişkin ve semiz bir "Ben" zannıyla yaşayan insan bu makamdadır. Buraya demir atmış kişileri hemen tanırsın. Hep başkalarını suçlar, eleştirir, çekiştirir; nefes alır gibi doğallıkla dedikodu ve iftira eder; katiyen kendilerinde kusur bulmaz; başkalarını yargılar; şüphe, kuşku ve kibir ikliminde yaşarlar. Bilirsin onları. Kendinden bilirsin. Çünkü madem ki insanız ve madem ki beşer dediğin şaşar, Nefs-i Emmare'ye düşmeyenimiz yoktur. Önemli olan o çukurdan çabuk çıkabilmek.

Ol kişi ne zaman ki nefsinin arızalarını, takıntılarını, hatalarını ayırdeder ve düzeltmeye niyetlenir, işte o zaman içsel bir yolculuğa çıkar. Bundan böyle gözleri dışarıya değil, kendi içine çevrilir. Böyle böyle adım adım bir sonraki makama varır. Bu makam bir bakıma öncekinin tam tersidir. Burada kişi hep başkalarını suçlayacağına, sürekli kendinde kusur bulur. Olan biten her şeyde kendini didik didik inceleyerek eleştirir. "Âlem güzel, ben çirkin" aşamasıdır bu. İşte bu safhada nefs, *Nefs-i Levvame* olur. Yani Suçlanan yahut Kınanan Nefs.

Üçüncü mertebede kişi biraz daha pişer. *Nefs-i Mülhime*'ye erişir. Bu noktada, insanın nefsi, İlham Alan olduğundan, kişi dünyada gördüğü her şeyden ve herkesten esinlenir. Teslimiyet denilen hâlin nasıl bir özgürlük olduğunu kıyısından köşesinden hissetmeye başlar. Nasibiyse İlim Şehri'ne adımını atar. Zaman zaman kabz, yani sıkılma ve daralma yaratsa da, ekseriya bast, yani genişleme ve ferahlama getirdiğinden gönle hoşluk verecek kadar güzeldir bu makam. Fakat cazibesi aynı zamanda en büyük tehlikesidir. Zira bu aşamaya gelenlerden çoğu buradan çıkmak istemez. Zanneder ki yolun sonuna gelindi. Oysa yol daha uzun ve çetindir.

Ahenkli ve renklidir ya burası, nice kişi daha öteye gitme iradesini, basiretini veya cesaretini gösteremez. Bu nedenledir ki üçüncü makam her ne kadar cennet bahçesi kadar latif olsa da, yüceleri hedefleyenler için bir tuzaktır.

Buradan öteye geçmeyi başaran kişi İlim Şehri'ni kat eder ve *Nefs-i Mutmaine* safhasına ulaşır. Artık nefs eskisi gibi değildir, tamamen değişmiştir. Bu sebepten ona Tatmin Olmuş Nefs adı verilir. Kişi artık çok daha üstün bir şuura sahiptir. Gözü doymuş, gönlü genişlemiştir. Para pul, ad san, mal mülk makam derdinde değildir. Başkalarıyla iyi geçinir, sadece seccade üstünde namaz kılarken değil, her zaman huzurdadır. Daimi namazdadır. Kalp kırmaz, kul hakkı yemekten gözü gibi sakınır ve kimsenin kusuruna bakmaz, hatta başkalarının kusurlarını örter. Malı ve mülkü, Mâlik-ül-mülk olan Allah'a teslim eder.

Buradan ötesi Tevhîd Şehri'dir. Son üç mertebeye kemal mertebeleri denir. Oraya ulaşabilen insan hakikaten çok azdır. Ve onlar, Allah kendilerini hangi hale sokarsa soksun, mesut, munis ve müteşekkirdir. Son üç safhadan ilkinde *Nefs-i Raziye*'ye erdiklerinden dünyevi meselelere aldırmaz, aldanmazlar.

Sonraki makam, *Nefs-i Marziye*'dir. Bu safhadan Allah razı olduğu için ona Razı Olunmuş Nefs denir. Buraya ulaşan kişi başkalarına deniz feneri olur. Işığını kime isterse ona tutar, hakiki bir kutûb, sönmeyen bir kandil gibi aydınlatır. Bazen şifa dahi dağıtabilir. Davranışlarında ifrat ve tefritten kaçınır. Hiçbir konuda aşırılık sergilemez; tam tersine ayrı düşenleri buluşturur, düşmanları uzlaştırır, ortamları yumuşatır; en hırçın iklimlerde esen ılık bir yel gibidir.

Yedinci ve sonuncu makamda kişi *Nefs-i Kâmile*'ye ulaşır. Burada ayrı bir "benlik" zannı toz duman olur. Ama bu makamı bilen, bilse de hakkında konuşan olmadığından oradan bakınca âlemin nasıl göründüğüne dair malumatımız sınırlıdır.

Hak Yolu'ndaki makamları tek tek sıralamak kolay, yaşamak ise zordur. Güzergâhın kendine has engebeleri yetmezmiş gibi, dümdüz bir çizgi hâlinde ilerlemek de mümkün değildir. İlkinden sonuncusuna makamlara giden yol doğrudan değil, dolambaçlıdır. Üstelik üst makamlara varan kişinin orada kalacağının garantisi yoktur. Hatta "artık piştim, erdim, ben bu yolları çözdüm" zannedip de yukarıdan aşağılara tepetaklak yuvarlananlar vardır. Hâl böyle olunca, geçmiş ve gelecek, yaşamış ve yaşayacak bunca insan arasında çok azı, o da ancak her asırda bir, en nihai makama kadar varabilir.

* * *

İşte bu sebepten, Şems bana Hz. Muhammed ve Sufi Bis-
tâmî hakkında o soruyu sorduğunda benden sadece kitabi bir
kıyaslama yapmamı beklemiyordu. Aynı zamanda bana, yani
şahsıma bir soru yöneltiyordu. "Hak'ta yok olmak için nefsi-
ni tamamen yok etmeye hazır mısın?" Beni düşünmeye davet
ediyordu. İlk sorusunun altında ikinci bir soru yatıyordu.
"Ya sen, yüce vaiz?" diye soruyordu. "Peki sen yedi makam-
dan hangisindesin? Bulunduğun yerden memnun musun?
Söyle, senin kabın nicedir?
"Yolun sonuna kadar gitmeye yeter mi yüreğin?"

Kerra
Konya, Aralık 1244

Bugünlerde öyle keyifsiz, o kadar takatsizim ki. Mevlâna ile
Şems gece gündüz kapanıp fısır fısır sohbet ettikçe, ben daha
derin batıyorum sessizliğe. Keşke fıkıh, hadis, felsefe, tarih ve
mantık gibi hususlarda bilgili olsaydım. Bazen öyle anlar olu-
yor ki kadın yaratıldığıma isyan edesim geliyor. Bu dünyaya
kız olarak gelince durmadan çalışmayı öğretiyorlar: Yemek pi-
şirmek, temizlik yapmak, kirli çamaşırları külle ovmak, dere-
den su taşımak, eski çorapları yamamak, yağı sütten ayırıp çö-
kelek yapmak, hamur açmak... hepsini belliyorsun peş peşe.
Kimi kadınlar bunların yanı sıra ya da yerine vücutlarını kul-
lanarak erkeklerin aklını başından almayı öğreniyor. Ama işte
hepsi bu. Öyle ya da böyle hep hizmet ediyorsun. Kimsenin ka-
dınların ellerine kitap verdiği yok. Oysa Mevlâna'nın, bugün
Şems'le konuştuğu gibi benimle de hararetli hararetli konuş-
masını, bana da akıl danışmasını nasıl istiyorum.

Evlendiğimizin ilk senesiydi. O zamanlar yalnız kaldığım her
fırsatta kocamın kütüphanesine sokulmayı huy edinmiştim.

Mevlâna'nın gözü gibi baktığı kitapların, el yazmalarının arasında bağdaş kurup oturur; köhnemiş ve küflü kokularını solur, içlerinde ne tür sırlar gizlediklerini hayal ederdim. Kitaplarına düşkündür Mevlâna, hem de çok. Kütüphanesi birbirinden kıymetli el yazmalarıyla doludur, çoğu rahmetli pederinden miras. Bu kitaplar arasında gözbebeği *Ma'arif*'i satır satır ezbere bilir. Nice geceler şafak sökene kadar uyumaz, habire okur. Hâlbuki çoktan hatmetmiş olmalı her kelimesini. İnsan sonunu bildiği bir kitabı her seferinde yeni bir merakla okur mu?

"Bana çuvalla altın verseler, babamın kitaplarının bir sayfasına değişmem" der Mevlâna. "Bu paha biçilmez kitapların her biri bana ceddimden kalma. Babamdan devraldım onları, vakti gelince oğullarıma aktaracağım."

Maalesef, Mevlâna'nın kitaplarına ne kadar kıymet verdiğini uzun zaman önce acı bir şekilde öğrendim. Evliliğimizin ilk senesi dolmamıştı. Evde yalnızdım. Birden aklıma esti. Elime bir bez, bir kova alıp, kütüphaneye daldım. Kararlıydım. Kocamın kitaplarını bir bir temizleyecek, böylece onu şaşırtıp sevindirecektim. Tüm kitapları raflardan indirdim; bir kadife parçasını gül suyuna banarak her kitabın kapağını bir güzel sildim.

Bu yörenin inanışına göre kitaplara dadanıp sayfalarını kemirmekten zevk alan haylaz bir cin varmış. İsmi Kebikeç! İşte bu cini defetmek için her kitabın başına muhakkak bir uyarı yazmak gerekirmiş. *Ya Kebikeç! Bu kitaptan uzak dur! Sana göre değil bu sayfalar!* Ben de her bir kitabı sildikçe bu yazıya bakıp gülümsüyordum.

O öğleden sonra kütüphanedeki bütün kitapların tek tek tozunu aldım. Çalışırken bir yandan da İmam Gazali'nin *İhya-i Ulûmi'd-Din* adlı kitabını karıştırıyor, anlamaya çalışıyordum. Okuma yazmam vardı ama kitapların dünyasını kavramak için salt okumayı bilmek yeter mi! İşte öyle kendi kendimle cebelleşerek ne kadar vakit geçti bilmem ama dalmış olmalıyım. Aniden soğuk bir ses duydum.

"Hatun, burada ne yapıyorsun?"

Arkamı döner dönmez Mevlâna'yla göz göze geldik. Ne zaman gelmişti eve? Ayak seslerini duymamıştım. "Hoşgeldin bey" dedim ama ses etmedi. Öyle tuhaf bir ifade vardı ki yüzünde, bir an için kendi kocama değil, bir yabancıya baktığımı sandım. Sekiz yıllık evliliğimiz boyunca bir tek o zaman benimle böyle sert konuştu.

"Temizlik yapıyordum sadece" diye yanıtladım, cılız bir sesle. "Hoşuna gider sanmıştım."

"Ama gitmedi" dedi Mevlâna. "Niyetinin iyi olduğuna şüphem yok fakat rica ediyorum kitaplarıma el sürme. Temizlenmeleri gerektiğinde onları ben temizlerim. Senden ricam bu odaya girmemen ve kimseyi de buraya sokmaman."

O günden sonra kocamın kitaplarına bir daha el sürmedim. Evde kimse yokken bile kütüphaneye girmedim. Anladım ki kitapların kapısı bana kapalı. Meğer kocamın kitaplarından uzak durması gereken bir tek Kebikeç değilmiş, ben de varmışım. Bana göre değilmiş o sayfalar!

Ağrıma gitse de, nicedir kanıksamıştım bu durumu. Hatta unutmuştum bile. Tâ ki Şems-i Tebrizî evimize gelinceye kadar. O ve Mevlâna kırk gün boyunca kendilerini kütüphaneye kapattıklarında eski hatıralar hızla canlandı. Demek bana yasak olan odanın kapıları, Şems'e ardına kadar açıktı. Zoruma gitti. İçimde bir yerde, derinimde, varlığını dahi bilmediğim bir yara kanamaya başladı.

Kimya
Konya, Aralık 1244

Beni evlatlık edindiklerinde on iki yaşındaydım. Hakiki anam babam basit, köylü insanlardı; gündoğumundan günbatımına tarlada bağda çalışıp, vaktinden evvel yaşlanan kimseler. Ufacık, tek göz bir evde yaşardık. Kız kardeşimle ben odanın bir ucunda aynı döşekte yatardık. Yanımızda ölü kardeşlerimizin hayaletleri uyurdu. Hepsi de peş peşe basit hastalıklardan can vermiş beş bebe. Evde bir ben görürdüm hayaletleri. O ufacık ruhların neler yapıp ettiklerini ne zaman bizimkilere anlatmaya kalksam, kız kardeşimin ödü kopar, annem ağlamaya başlardı. Açıklamaya, anlatmaya çalışırdım ama ne fayda! Oysa ne endişelenecek bir şey vardı, ne üzülecek. Çünkü küçümen hayaletlerin hiçbiri mutsuz görünmüyordu. Ya da korkutucu. Ama işte bunu aileme bir türlü anlatamıyordum.

Günlerden bir gün köyümüze yaşlı bir bilge uğradı. Yorgundu, hayli bitap ve aç. Saçı sakalı birbirine karışmış, güneşe karşı gözlerini kısmaktan yüzünde çizgi çizgi açıklıklar oluşmuştu. Babam soluklanıp dinlenmesi için adamcağızı evimize davet etti. O gece hepimiz mangal başında oturduk. Bilge de bize uzak diyarlardan efsunlu hikâyeler anlattı. O yeknesak bir sesle konuşurken, ben de gözlerimi kapayıp onunla beraber Arap Çölleri'ne, Afrika'nın şimalîndeki Bedevi çadırlarına, suları masmavi Akdeniz'e seyahat ettim. Bilge nereyi anlattıysa, hayalimde canlandırarak ziyaret ettim. Bir kumsalda kocaman bir şeytan minaresi buldum, cebime koydum. Kumsalı bir uçtan bir uca yürümeye başlamıştım ki aniden keskin, beter bir koku çalındı burnuma, mecburen durdum. Ve gözlerimi açtım.

Kendimi yerde buldum. Meğer bayılmışım. Meğer rüyadaymışım. Evdeki herkes tepeme dikilmiş endişeyle bana bakıyordu. Annem bir eliyle başımı tutmuş, diğer eliyle burnuma yarım soğan dayamış, koklayayım diye zorluyordu.

Kız kardeşim neşeyle ellerini çırptı: "Ayıldı! Yaşasın, Kimya geri geldi!"

Annem derin bir oh çekerek, "Şükürler olsun yarabbi" dedi. Sonra bilgeye dönüp durumu açıkladı. "Küçüklüğünden beri Kimyacık rahatsızdır. Durup durup bayılır."

Bilge bir şey demedi, sadece dikkatle baktı bana, zihnimi okumaya çalışırcasına. Ertesi sabah erkenden hepimize tek tek teşekkür ve veda edip, yola koyulmak için ayaklandı. Ancak yola düşmeden evvel babamı yanına çekip, şöyle dedi: "Senin kızın müstesna bir çocuk. Allah ona büyük bir kabiliyet vermiş. Böylesi hediyenin kıymeti bilinmezse yazık olur. Kimya'yı muhakkak mektebe gönderin..."

Konuşmaya kulak kabartan annem hemen atıldı: "Kız çocuğuna okul ne gerek?"

Bilge bu müdahaleye aldırmadı. "Evladınız kız diye Allah'ın gözünden düşmemiş, Hak ona kabiliyet bahşetmiş. Siz Allah'tan daha mı iyi bileceksiniz?" diye sordu. "Madem okul yok, kızınızı bir âlimin yanına verin."

Annem "hayatta olmaz" mânâsında kafasını salladı. Ama babamın aklı karışmıştı. Bilgenin sözlerinden etkilendiği belliydi. Tahsilli kişileri, ilmi ve fenni önemserdi. Beni de pek severdi babacığım. "Ama ulemadan tanıdığımız kimse yok. Nereden bulmalı?" diye sordu.

İşte o an yaşlı bilge hayatımın akışını tümden değiştirecek bir teklifte bulundu. Dedi ki: "Konya şehrinde harikulade bir zat yaşar. İsmi Mevlâna Celaleddin Rumi. Kimya gibi bir kızı yetiştirmeye gönüllü olabilir. Kızını ona götür. Pişman olmazsın."

Bilge gidince annem kollarını "fesüphanallah" dercesine iki yana açtı. Başladı söylenmeye: "Hamileyim. Kimya bana yardım etmeli. Hem kız kısmının kitaba ne ihtiyacı var? Olacak iş mi? Evinde otursun. Çocuk bakmayı öğrensin."

Keşke annem gitmeme başka nedenlerden dolayı karşı çıksaydı. Hasretime dayanamayacağını, geçici de olsa kızını başka bir aileye vermeye gönlünün razı olmadığını söyleseydi, ben de bu hevese kapılmaz, köyümde kalmayı tercih ederdim. Ama bunların hiçbirini demedi. O sırf evde yardıma ihtiyaç olduğu için gitmeme karşı çıktıkça, ben de daha çok ikna oldum gitmeye. Bu arada babam, bilgenin sözünü ettiği o meşhur âlimi beraber ziyaret etmeye karar verdi.

Böylece çok geçmeden babamla ikimiz yollara düşüp Konya'ya geldik. Ders verdiği medresenin kapısında Mevlâna'yı bekledik. Efendi babamı ilk görüşüm o gündür. Peşinde talebeleriyle dışarı çıktı. Elimi ayağımı nereye koyacağımı şaşırdım, başımı kaldırıp da yüzüne bakamadım. Ellerine baktım. Zarif parmakları uzun inceydi, bir âlimden çok sanatkâr eli gibiydi.

Babam Mevlâna'nın yoluna çıkıp, beni işaret etti.

"Efendi Hazretleri. Kızım Kimya özel bir çocuk. Ama anası da ben de basit insanlarız. Onu layıkıyla yetiştiremeyiz. Bu yörenin ilmi en kuvvetli kişisi sizmişsiniz. Kimya'yı öğrenciniz olarak kabul eder misiniz?"

Gözucuyla Mevlâna'nın yüzüne baktım. Şaşırmışa benzemiyordu. Böyle taleplere alışık olmalıydı. O babamla ayaküstü sohbete dalınca, ben de arka bahçeye yürüdüm. Orada bir avuç çocuk vardı ama hiç kız yoktu aralarında. Medrese sadece oğlanlar içindi. Ama dönüşte köşede tek başına dikilen genç kadını görünce afalladım. Alımlı, hoş bir kadındı. Ay gibi yuvarlak ve berraktı suratı. Teni bembeyazdı, mermerden yontulmuşçasına. El salladım. Kadın şaşkınlıkla baktı bana. Anlık bir tereddütten sonra o da bana el salladı. Yanına gittim.

"Merhaba küçük kız, yoksa beni görebiliyor musun?" diye sordu.

Ben başımı sallayınca kadın sevinçle gülümsedi. "İşte bu harika! Senden başka kimse göremiyor beni."

Kadınla beraber Mevlâna ile babamın yanına döndük. Yanımdaki yabancıyı fark edince konuşmayı keseceklerini sandım ama öyle olmadı. Kadın haklıydı; benden başka kimse onu göremiyordu.

"Gel bakalım Kimyacık" dedi Mevlâna. "Babanın dediğine göre kendi kendine okuma yazma öğrenmişsin. Özel yeteneklerin varmış ve okumayı çok seviyormuşsun. Söyle bakalım, kitapların nesini seversin?"

Boğazıma bir şey düğümlendi, dilim kilitlendi. Yanıt veremiyordum.

"Hadi Kimya, Efendi Hazretlerine anlatsana" diye üsteledi babam. Mevlâna'yı hayal kırıklığına uğratmaktan endişe eder gibiydi.

Doğru yanıtı vermek istiyordum. Babam benimle gurur duysun istiyordum ama bir türlü konuşamadım. Ve eğer yanımdaki genç kadın müdahale etmeseydi belki de hiç konuşamayacaktım. Köye elimiz boş dönecektik.

Ama genç kadın usulca elimi tuttu. "Hadi güzel kız, anlat Mevlâna'ya. Söz veriyorum her şey güzel olacak."

O zaman kendime güvenim geldi. Mevlâna'ya döndüm: "Efendimiz sizin yanınızda yetişmek bana şeref verir. Zorluktan kaçmam, okumayı severim. Öğrenmeye açım. İyi bir öğrenci olacağıma sizi temin ederim."

Mevlâna'nın gözleri parladı. "İşte bu çok güzel" dedi ama sonra içini çekti. Sanki aklına tatsız bir ayrıntı gelmişti. "Ama sen kızsın. Biz beraber durup dinlenmeden çalışsak, yollar kat etsek bile çok geçmeden evlenecek, çoluk çocuğa karışacaksın. Onca senelik tedrisat boşa gidecek."

Ne diyeceğimi bilemedim. Şevkim kırılmıştı. Babam da sıkılmış gibiydi, gözlerini çarıklarına dikmişti, sessizce bekliyordu. İşte o zaman bir kez daha genç kadın imdadıma koştu.

"Mevlâna'ya de ki, zevcesi hep küçük bir kızları olsun isterdi. Allah şimdi seni gönderdi. Eğer bir kız çocuğunu eğitirse karısı buna çok sevinir."

Bu cümleleri aynen iletince Mevlâna güldü. "Bakıyorum evime uğrayıp zevcemle konuşmuşsun. Ama Kerra benim derslerime karışmaz evladım."

O zaman genç kadın ağır ağır başını salladı ve kulağıma şunları fısıldadı: "Kerra'dan bahsetmediğini söyle. O ikinci eşi. Sen Gevher'den bahsediyorsun. Oğullarının anası." "Kerra Hatun'dan değil Gevher Hatun'dan bahsediyordum" dedim isimleri dikkatle telaffuz ederek. "Oğullarının anasından."

Mevlâna'nın yüzü gölgelendi, gülümsemesi söndü. "Gevher öldü çocuğum" dedi. "Rahmetli eşimi nereden bilirsin? Şaka mı bu?"

Babam telaşla araya girdi. "Kötü bir niyeti yoktur efendim. Kimya saygılı bir kızdır. Büyüklerine hürmette kusur etmez."

Doğruyu söylemek zorunda olduğumu anladım. "Rahmetli eşiniz burada, yanımda. Elimi tutuyor, beni konuşmaya teşvik ediyor. Koyu kahve badem gözleri, çillenmiş yüzü, uzun sarı bir elbisesi var..."

Genç kadın terliklerini işaret edince, onu da anlattım. "Terliklerinden bahsetmemi istiyor. Parlak turuncu ipekten yapma, üstünde ufacık al çiçekler işli. Çok güzeller."

Mevlâna'nın gözleri doldu. "O terlikleri Gevher'e Şam'dan almıştım. Pek severdi rahmetli..."

Bunları söyledikten sonra koca âlim sessizliğe büründü. Vakur, dalgın, mesafeli bir ifadesi vardı. Ama yeniden konuşmaya başladığında tavrı nazik ve dostaneydi, sesinde kederden eser yoktu.

"Şimdi anlıyorum neden herkesin kızınızı kabiliyetli bulduğunu" dedi Mevlâna babama. "Haydi, burada dikilmeyelim. Evime gidelim. Beraber yemek yer, Kimya'nın istikbalini konuşuruz. Eminim çok iyi bir talebe olacak; hem de pek çok oğlanı geride bırakacak."

Yola koyulmadan evvel Mevlâna usulca sordu. "Bunları Gevher'e de iletir misin evladım?"

"Gerek yok ki efendim. O sizi duydu bile" dedim. "Bana dedi ki şimdi gitmesi gerekiyormuş. Ama gittiği yerden daima muhabbetle sizi izliyormuş."

Mevlâna candan gülümsedi. Babam da öyle. Az evvel aramıza giren gerginlikten eser kalmamıştı. O an bildim ki Mevlâna'yla tanışmamın etkileri çok ötelere uzanacak. Annemle aramız hiçbir zaman yakın olmamıştı ama şimdi Allah sanki anamın gönlümdeki boşluğunu doldurmak için bana iki baba birden veriyordu: gerçek babam ve Efendi babam.

Sekiz sene önce Mevlâna'nın evine varışımın hikâyesi işte böyle. İlme aç, içine kapanık, çekingen bir çocuktum buraya geldiğimde. Ama yeni aileme çabuk ısındım. Zamanla Kerra kendi anamdan ileri oldu; her zaman müşfik ve sevecendi. Mevlâna'nın oğulları bana kucak açtı, özellikle büyük oğlu gerçek bir ağabey oldu. Alaaddin beni başka türlü sever, bir şey demese de hissediyorum. Ama ben ona sadece bir ağabey gözüyle bakıyorum.

Sonunda köyümüze uğrayan o bilge haklı çıktı. Babamı ve kardeşimi ne kadar özlesem de, Konya'ya gelip Mevlâna'nın ailesine katılmaktan bir kez bile pişmanlık duymadım. Bir kez bile bu çatının altında huzursuzluk yaşamadım.

Tâ ki Şems-i Tebrizî gelene kadar. O geldikten sonra bir daha hiçbir şey eskisi gibi olmadı, olamadı.

Ella
Boston, 9 Haziran 2008

Bir başına kalmaktan hoşlanan biri olmamıştı hiç. Oysa son zamanlarda hayatında belki de ilk defa, evde yalnız olmak için fırsat kolluyordu. Her fırsatta *Aşk Şeriatı*'yla uğraşıyor; roman hakkında yazdığı yayın raporunun son rötuşlarını tamamlıyordu. Michelle'e telefon açıp bir hafta daha ek süre talep etmişti. Aslında biraz dişini sıksa raporu zamanında bitirebilirdi ama bunu istememişti. Zahara'nın romanı kendi zihnine çekilmeye bahane oluyor, bu sayede hem ailevi yükümlülüklerden hem de uzun süredir bekleyen karı koca çatışmalarından kaçıyordu. Bu hafta ilk defa Füzyon Yemek Kulübü'nü aksatmıştı. Yaşadığı hayatla ne yapacağını bilemez bir duruma düşmüşken, benzer hayatlar süren on beş kadınla yan yana dizilip yemek pişirmek zoruna gitmeye başlamıştı.

Bu arada Ella, Aziz'le yazışmalarını bir sır gibi kendine saklıyordu. Ne tuhaf, son zamanlarda bir sürü sırrı olmuştu: Mesela Aziz, romanı hakkında Ella'nın bir değerlendirme raporu hazırladığını bilmiyordu. Yayınevi, Ella'nın raporunu hazırladığı romanın yazarıyla sürekli yazıştığını bilmiyordu. Öte yandan çocukları ve kocası ne yalnız kalma bahanesiyle romana deli gibi kaptırmasının, ne de yazarla arasındaki yakınlaşmanın farkındaydı. Birkaç hafta içerisinde durağan, tekdüze bir hayat süren bir kadın olmaktan çıkıp, geçiştirmeler, kaçamaklar ve sırlarla dolu bir başka kadına dönüşmüştü. İşin tuhaf yanı bu değişimden hiç rahatsız değildi. Garip bir sükunet gelmişti üzerine. Sabırla önemli bir şeyler olmasını bekliyordu. Yeni ruh hâlinden şikâyetçi değildi. Tam tersine, uzun zamandır ilk defa yüreğinin pır pır ettiğini hissediyordu.

Bir zaman sonra e-postalar yetmez oldu. Telefonlaşmaya başladılar. Öyle ki, artık yedi saatlik zaman farkına rağmen hemen her gün telefon başındaydılar. Aziz'le konuşurken yumuşak, kırılgandı Ella'nın sesi. Gülmeye başladı mı dalga dalga yayılıyordu kahkahası, gülmeye doyamaz gibi. Hayatta hiçbir zaman kendini koyvermeyi becerememiş, başkalarının dediklerine kulak asmamayı öğrenememiş, kendini hep bastırmış ve sansürlemiş bir kadının kahkaha denemeleriydi bunlar.

Bu arada Ella'nın evinde aynı anda birkaç şey birden oluyordu. Matematikten üst üste çakan Avi özel ders almaya başlamıştı. Orly ise yeme bozuklukları için bir psikoloğa görünüyordu artık. Aylardır ilk kez bu sabah bir omletin yarısını yemeyi becermiş, hemen ardından kaç kalori aldığını hesaplamışsa da mucizevi bir şekilde pişmanlık duymamış, kendini açlıkla talim etmeye kalkmamıştı. Öte yandan Jeannette Scott'la ayrıldıklarını açıklayarak herkesin kafasını karıştırmıştı. Neler olduğunu soranlara bir müddet yalnız kalmaya ihtiyacı olduğunu söylemişti. Ama Ella'nın gördüğü kadarıyla kızının pek de yalnız kaldığı yoktu. Eskiden olsa hemen yargılar, karışır, kızardı. İnsanların ilişki kurma ve yıkma hızı, daha önce hiç olmadığı kadar düşündürüyordu Ella'yı. Acaba Aziz'le yakınlaşması da öyle bir şey miydi? Bugün var yarın yok? Kitapla ilgili çalışma bitince bu yakınlık da kendiliğinden sönecek miydi? Bundan endişe ediyordu.

Çocuklarıyla ilişkisinde tahakkümperver olmamaya azami gayret ediyordu. Aziz'le yazışmalarından öğrendiği bir şey varsa, o da talepkâr ve ısrarcı olmaktan vazgeçip sakin ve dingin oldukça, çocuklarının ona açıldığıydı.

Eskiden kendini bu ailenin merkezi sayar, tek tek herkesi denetleyip tutmazsa tüm yapının dağılacağına inanırdı. Tutkal Kadındı o. Tüm aileyi ve evin her şeyini dengede tutan merkezi güç! Oysa şimdi tutkallıktan istifa etmiş, sabırlı ve sakin bir gözlemciye dönüşmüştü. Günler geceler geçiyor; olayların gelişimini tarafsız bir nazarla izliyordu. Kontrol edemediği şeyler için hayıflanmayı bırakalıberi bir başka kadın olmuştu. Daha vakur, daha yalnız, daha duyarlı biri.

David karısında bir tuhaflık olduğunun farkındaydı. Acaba bu yüzden mi onunla daha çok vakit geçirmeyi ister olmuştu? Bugünlerde eve erken geliyordu. Bir süredir diğer kadın(lar)la görüşmediğini tahmin ediyordu Ella.

"Tatlım iyi misin? Her şey yolunda mı?" diye soruyordu David, günde birkaç kez.

Ella her defasında aynı üslupla, "Gayet yolunda" diyor, gülümsüyordu.

Tek başına bir köşeye çekilip, kendine ait bir dünya yaratınca, evliliklerini olduğundan parlak ve başarılı gösteren cila dökülmüştü. Rol yapmayı bırakalıberi ikisinin de defolarını, hatalarını tüm çıplaklığıyla görebiliyordu. "Miş" gibi yapmaya son vermişti. İçinden bir his David'in bundan etkilendiğini söylüyordu.

Konuşacak çok fazla şeyleri kalmamıştı. Karı koca bir sabah bir de akşamları, çocuklarla beraber mutfak masası etrafındayken birkaç çift laf ediyorlardı birbirlerine, o kadar. Sonra susuyorlardı, yalın gerçeği kabullenircesine. Bazen kocasını dikkatli dikkatli kendisine bakarken yakalıyordu. David ondan bir şeyler sormasını bekler gibiydi. Belki de Ella konuyu açsa kocası her şeyi itiraf etmeye hazırdı. Bugüne kadarki tüm flörtlerini, sadakatsizliklerini anlatmaya razı olabilirdi. Bekliyordu sanki; o basit soruyu bekliyordu çözülmek için. Ama Ella'nın bir şey sorduğu yoktu.

Eskiden, evliliklerine zeval gelmesin diye suları bulandırmaz, bilmezden gelir, dünyadan haberi yokmuş gibi davranırdı. Şimdiyse olan biteni bildiğini ama umursamadığını anlatıyordu her hareketiyle. Belki de kocasını korkutan Ella'nın bu yeni kişiliğiydi. Bu soğuk, mesafeli duruş; bu aldırmazlık hâli... Ella hiç olmadığı kadar güçlü hissediyordu kendini. Oysa çok değil bundan belki bir ay öncesine kadar nasıl da farklıydı duyguları. O zamanlar David evliliklerini toparlamak için minnacık bir adım atmış olsa sevinçten havalara uçardı. Ama şimdi değil. Bu duruma nasıl gelmişti? Üç çocuk annesi kadın nasıl olmuştu da bedbinliğini keşfetmiş, kendiyle yüzleşmişti?

Velev ki telefonda Jeannette'e itiraf ettiği kadar mutsuzdu, öyleyse neden mutsuz kadınların yaptığı şeyleri yapmıyordu? Neden kendini banyoya kapatıp, yerlerde ağlamıyor, mutfakta iş yaparken gözyaşı dökmüyordu; neden evden kaçarcasına uzun yürüyüşlere çıkmıyor ya da öfke krizlerine kapılıp camı çerçeveyi aşağı indirmiyordu? Bir garip sükunet sinmişti Ella'nın üstüne. Her sabah aynada çehresine bakıyor, yüzünde belirgin bir değişim arıyordu. Bir yandan, hiçbir şey değişmemişti hayatında. Ailesi aynı aile, o aynı insandı. Bir yandan, hiçbir şey eskisi gibi değildi. Biliyordu ki bir değişimin tam ortasındaydı.

Kerra
Konya, 5 Mayıs 1245

Bedir, Şems-i Tebrizî geleli, altı kez belirdi, altı kez kayboldu. Bu süre boyunca kocam, tıpkı hilâl gibi her gün biraz daha değişerek, benden ve oğullarından uzaklaştı. Başka bir adama dönüştü. İlk başta sandım ki gelip geçici bir hezeyandır; nasıl olsa birbirlerinden sıkılırlar ama öyle olmadı. Tam tersine, günbegün daha sıkı kenetlendiler. Bir aradayken ya garip bir suskunluğa bürünür yahut fısır fısır konuşurlar. Nasıl böyle uzun uzun sustuklarını da anlayamıyorum, bunca sözü nereden bulduklarını da. Şems'le her sohbet sonrasında Mevlâna farklı bir adama dönüşüyor; öylesine uzak, düşünceli, sanki vücudu burada ama kendi yok.

Onlarınki iki kişilik bir dünya. Üçüncü birine yer yok aralarında. Her söze aynı anda, aynı şekilde tepki veriyorlar. Aynı anda durulup hüzünleniyor, susup dalıyorlar. Ruh halleri birbirine bağlı. Öyle günler oluyor ki rüzgârda sallanan beşik gibi sakinler; ne yiyor, ne içiyorlar. Bazı günlerse taşkın nehirler gibi durup dinlenmek bilmeden konuşuyor, okuyor, yürüyorlar. Sekiz senelik kocam, öz evladımmış gibi evlatlarını yetiştirdiğim adam, beraber çocuk yaptığım insan bir yabancıya döndü. Ona bir tek derin uykuda olduğu zaman yakın hissediyorum. Çoğu gece uyumadan yanında yatıyor, nefes alışverişini dinliyorum. Ancak o mahremiyette kendimi karısı gibi hissediyor, aramızdaki eski bağın canlanacağına dair bir teselli buluyorum.

Kendi kendime devamlı ümit veriyor, her şeyin düzeleceğine inanmaya çalışıyorum. Şems bir gün gidecek elbet. Ne de olsa o bir gezgin abdal. Mevlâna burada benimle kalacak. O bu şehre, dinleyicilerine ve talebelerine ait. Tek gereken beklemeyi bilmek. Ne zaman sabrım incelse, eski günleri anımsıyorum; Rumi'nin her ne olursa olsun yanımda durduğu günleri.

Evleneceğimiz haberi ilk duyulduğunda, hakkımda ileri geri laflar söyleyenler olmuştu: "Kerra eskiden Hıristiyan'dı. Bu kadın Rum asıllıdır. Hak dinine dönmüş olsa bile nasıl güvenirsin? Eldir, bizden sayılmaz. Senin gibi bir İslam âlimine doğma büyüme Müslüman bir kadın almak yakışır."

Ama Mevlâna onları kale almadı. Ne o zaman, ne daha sonra. Bundan dolayı ona hep minnet duyacağım.

Anadolu dinlerin, inançların, âdetlerin, masalların karışımı bir alaca diyar. Aynı yemeği yiyip aynı şarkılarla içleniyor, aynı batıl itikatları paylaşıp, gece oldu mu aynı rüyaları görebiliyorsak neden beraber yaşayamayalım? İsa Peygamber'in adını taşıyan Müslüman bebekler bilirim, Müslüman sütannelerin emzirdiği Hıristiyan bebekler de. Su gibi berrak ve akışkandır Anadolu, burada her hikâye birbirine karışır. Şayet Hıristiyanlıkla Müslümanlık arasında bir sınır kapısı varsa, bunun her iki taraftaki bağnazların iddia ettiği gibi geçilmez bir hudut olduğunu sanmıyorum.

Mevlâna gibi meşhur bir bilginin karısı olunca herkes sanıyor ki âlimlere fazla kıymet veriyorum ama öyle değil. Din adamları belki çok şey biliyor, ama inanç denilen şey aklen ve naklen mi anlaşılır yoksa birebir kalben yaşayarak mı? Hocalar bazen anlaşılması o kadar güç laflar ediyorlar ki ne dediklerini takip edemiyorum. Müslüman âlimler Teslis'i kabul ettikleri için Hıristiyanları yeriyor; Hıristiyan âlimler ise "Kuran kusursuzdur" dedikleri için Müslümanları. Sanki her iki din birbirinden fersah fersah uzakmış gibi konuşuyorlar. Hâlbuki din bilginleri aralarında tartışadursun, Anadolu'da yaşayan sıradan Hıristiyanlarla sıradan Müslümanların ortak yanları öyle çok ki. Aynı toprağın çocuklarıyız biz. Aynı göğün altında...

Diyorlar ki Hıristiyanlığa dönen bir Müslüman için en zoru Teslis'i kabul etmekmiş. Keza Hıristiyanlıktan dönen bir Müslüman için en zoru Teslis'i bırakmakmış. Bana gelince, İsa'nın Allah'ın oğlu değil, kulu olduğuna inanmakta zorlanmadım. Kuran'da Hazreti İsa ne diyor? *Şüphesiz ben Allah'ın kuluyum. Bana kitabı verdi ve beni bir peygamber yaptı.* Müslümanlığa geçerken bunu baştan kabul ettim. Benim esas zorlandığım husus Meryem'i terk etmek oldu. Bunu kimseye söylemedim, Mevlâna'ya bile. Ama bazen Meryem'in o müşfik, kahverengi gözlerini özlüyorum. Yüzü hep huzur verirdi bana. Anaç, merhametli, sevecen, kadife bakışlı Meryem...

İşin aslı, Tebrizli Şems evimize geleli beri kafam öyle karışık ki Hazreti Meryem'e her zamankinden fazla hasretim. Meryem'e dua etme arzumun önüne geçmekte zorlanıyorum. Böyle zamanlarda suçluluk duygusu içten içe yiyor bitiriyor beni. Meryem'i düşünerek yeni dinim İslamiyet'ten sapıyor muyum acaba? Mevlâna'ya sormak isterdim ama yüzünü bile zor görürken böyle hassas bir soruyu nasıl sormalı?

Bu sırrı kimse bilmiyor. Başkaca her konuda sırdaşım olan komşum Safiye bile. Anlayamaz ki. Keşke derdimi kocama açabilsem, ama nasıl? Onu kendimden daha da uzaklaştırmaktan korkuyorum. Mevlâna eskiden her şeyimdi. Şimdi ise bir gölgeden farksız.

Bilmezdim. Öğrendim. Demek şu hayatta bir erkekle aynı

çatı altında yaşamak, aynı yatağı paylaşıp gene de ona hasret kalmak mümkünmüş. Demek sadece uzaktakileri özlemezmiş insan. En yakınındakini de pekâlâ özleyebilirmiş. Aynı yastığa baş koyduğun kocan bir sabah aniden bir yabancıya dönüşebilirmiş.

Şems
Konya, 12 Haziran 1245

Bunca korku, vehim ve yasak... Öyle insanlar var ki, her Ramazan sektirmeden oruç tutar, her bayramda günahlarının kefareti için kınalı koyun keser, hacca umreye gider, günde beş vakit alnı secdeye değer ama yüreğinde ne sevgiye yer vardır, ne merhamete. Bre adam, o zaman ne demeye uğraşır durursun ki? Aşksız inanç olur mu? Sevmeden ve sevilmeden, habire bir şeylere söylenip homurdanarak iman etmek mümkün mü? Aşk yoksa "ibadet" bir kuru kelimeden, yan yana gelmiş altı harften ibaret. Dışı kabuk, içi oyuk. İnsan aşkla ve aşkta iman etmeli; damarlarında gürül gürül hissederek Allah ve insan sevgisini!

Yaradan'ın gökyüzünde, tepede bir yerlerde olduğunu sanırlar. Kimileri de O'nu Mekke'de, Medine'de arar! Ya da mahalle camisinde! Allah bir mekâna sığar mı? Ne gaflet! O tek bir yerdedir ancak: Âşıkların gönüllerinde.

O yüzden şöyle dememiş mi: *"Ne yer ne gök kucaklayabilir beni. Ancak ve ancak inanan kullarımın yüreğine sığabilirim."*

Vah ki vah o budalaya, Allah'la pazarlık etmeye kalkar. Yani sen şimdi her türlü art niyeti aklından geçir; onun bunun dedikodusunu yap, kuyusunu kaz; karısının kızının namusuna dil uzat; elin işte olsun, gözün oynaşta; camiden çıkar çıkmaz kıldığın namazı unut; sonra da iki koyun kesmekle, dört dua ezberlemekle her şey halloldu zannet! Boş yere abdest almakla uğraşma, eğer kalbini temizlemeyi bilmiyorsan evvela. Benim Rabbim tüccar değil ki, senin gibilerle ticaret yapsın! Benim Rabbim bakkal değil ki, defterinin bir köşesinde günah hanesi, bir köşesinde sevap hanesi, toplayıp çıkarsın! Ne bir elinde terazi tartmak peşinde, ne öteki elinde kalem yazmak derdinde... Benim Rabbim bayağı hesaplardan münezzehtir. O muhteşem bir güzellik, kaynağı kesilmeyen nur, sonsuz merhamet ve rahmettir.

Ne demeye puta ya da ilaha tapayım? Benim Rabbim her zaman diridir. İsmi Hay. Ne demeye müeyyideler, yasaklar, zanlar, hesaplar içinde kalayım? Seven ve sevilen bir Hak benimki. İsmi Vedud. Nasıl başka insanlar hakkında dedikodu yapabilirim ki, Allah'ın her an her şeyi duyduğuna inanıyorsam şayet? İsmi Rakib. Dizlerim kopup dermanım kalmayıncaya, nefesim kesilip kalbim atmayıncaya dek O'nu hamd etmek için şarkı söyleyip, dans edeceğim. Çember olup döneceğim. Madem ki Ruhundan ruh üfledi bana, ben de her nefeste O'nu yad edeceğim. Sonsuzlukta bir zerre, aşkta habbe ve O'nun imar ettiği muntazam yapının tozunun tozu olana dek nefsimi tuzla buz edeceğim. Tutkuyla, sebatla O'na yöneleceğim. Sadece bana verdiği şeyler için değil, benden esirgedikleri için de şükredeceğim. Çünkü yalnız O bilir benim için neyin hayırlı olduğunu.

Yirmi Dördüncü Kural: Madem ki insan eşref-i mahlûkattır, yani varlıkların en şereflisi, attığı her adımda Allah'ın yeryüzündeki halifesi olduğunu hatırlayarak, buna yakışır soylulukta hareket etmelidir. İnsan yoksul düşse, iftiraya uğrasa, hapse girse, hatta esir olsa bile, gene de başı dik, gözü pek, gönlü emin bir halife gibi davranmaktan vazgeçmemelidir.

Şeriat der ki: "Seninki senin, benimki benim." Tarikat der ki: "Seninki senin, benimki de senin." Marifet der ki: "Ne benimki var ne seninki." Hakikat der ki: "Ne sen varsın, ne ben." Kendilerini Allah Aşkı'nda yok edeceklerine, nefisleri ile cihada girişeceklerine o mutaassıplar habire başkalarıyla dövüşüp, nesilden nesile, dalga dalga korku saçarlar. Eğer insanın taktığı gözlüğün camlarına olumsuzluk sinmişse, tabii ki olumsuzluk görür baktığı her yerde. Ne vakit bir yerde deprem, kuraklık ya da başka bir felaket olsa, Allah'ın gazabının alâmeti sayarlar. Hâlbuki apaçık dememiş mi, "Rahmetim gazabımı geçer" diye? Buna rağmen bekler dururlar. Hakk'ın onlar için öç almasını isterler. Hayatları bitmek bilmez bir hamaset ve husumetle doludur; sevgisizlikleri üzerlerini örten bir kara buluttur.

Ağaçlara takılıp ormanı gözden yitirme. Tek tek şu ayete, bu ayete takılma. Parçaları bütünün ışığında okumak gerekir. Ve bütün, özde gizlidir.

Mukaddes Kuran'ın özünü ve bütününü kucaklamak yerine, bağnazlar belli başlı bir iki ayete kafayı takar, çatışmacı zihinlerine yakın buldukları emirlere öncelik verirler. Herkese durmadan nutuk atarlar: "Mahşer günü geldiğinde kıldan ince, kılıçtan keskince Sırat Köprüsü'nden geçmeye mecbur kalacağız. Köprüyü geçemeyen günahkârlar alttaki cehennem çukurlarına düşüp zebaniler elinde ilelebet azap çekecek. Faziletli yaşam sürenlerse köprünün öbür ucuna varıp hurmalarla, hurilerle mükâfatlandırılacak." Hülasası budur ahiretten anladıklarının. Ya cehennemden korkar, ya cennette ödül beklerler. Oysa aslolan Allah aşkıdır. Onu unuturlar!

Yirmi Beşinci Kural: Cenneti ve cehennemi illâ ki gelecekte arama. İkisi de şu an burada mevcut. Ne zaman birini çıkarsız, hesapsız ve pazarlıksız sevmeyi başarsak, cennetteyiz aslında. Ne vakit birileriyle kav-

gaya tutuşsak; nefrete, hasede ve kine bulaşsak, tepetaklak cehenneme düşüveririz.

Geçmişte çok kötü bir günah işlemiş, şimdi de vicdanı aç bir fare gibi beynini kemiren bir adamın çektiği azaptan daha beter cehennem olabilir mi? O adama sor, anlatsın sana cehennem nedir. Ya da insanlığa maddi manevi hayrı dokunan, kalp kırmak yerine kalp onaran, sonsuz bir muhabbet zincirinde halka olmayı başaran ve kâinatın sırlarına parmaklarının ucuyla dokunan kişinin doygunluğundan öte cennet mi var? O adama sor, anlatsın sana cennet nedir.

Ölümden sonrasını niçin bu kadar dert edersin? Aşk'ın hayatımızdaki varlığını da yokluğunu da dosdoğru yaşayabileceğin tek zaman şu andır. Âşıklara ne cehennemde azap çekme korkusu ne cennette ödüllendirilme arzusu rehberlik eder. Onlar sonsuz bir Ledûn denizinde yüzer. Sufi taifesi Allah'ı sever. Dolaysız bir sevgidir bu. Dolambaçsız, beklentisiz...

Ah minel Aşk! Aşk'tan önce Aşk'tan sonra... Aşk yeryüzündeki en eski, en dirençli gelenektir. Âşık dışlanır ama dışlayamaz. Âşık incinir ama karıncayı bile incitemez. Âşık olunca anlarsın. Yüreğin bir kadife keseye dönüşür, içinde sırma bir yumak; sen bu yufka gönülle kimselere kıyamazsın. Yaşayan ve yaşamış âşıkların safına katılırsın. Korkma! Aşkta yok olunca zahiri tarifler, zihinlerdeki kategoriler buhar olur uçar. O noktadan itibaren "Ben" diye bir şey kalmaz. Tüm benliğin olur koca bir sıfır. Orada ne şeriat kalır, ne tarikat, ne marifet. Sadece ve sadece hakikat...

Geçen gün Mevlâna ile bu meseleleri düşünürken, birdenbire gözlerini kapadı ve şu mısralar döküldü o canım dudaklarından:

Ben ne Hıristiyan'ım,
ne Musevi, ne Farisi, ne de Müslüman;

Ne Doğu'danım, ne de Batı'dan.
İkiliği bir kenara koydum,
İki âlemin bir olduğunu gördüm.

Mevlâna, "Benden şair olmaz, zaten pek şiir sevmem" diyor. Hâlbuki içinde bir şair var. Hem de ne muhteşem bir şair! Kozasını yırtmaya hazırlanıyor. İkiliği bir kenara koymuş çoktan. Başkasına ayrı ayrı görünen, ona bir ve tek görünür. Evet, Mevlâna haklı. O ne Doğu'dan ne Batı'dan. Apayrı bir diyardan geliyor ve besleniyor, bambaşka bir damardan: Aşk Şeriatı'ndan.

Ella
Boston, 12 Haziran 2008

Bitirmişti nihayet. *Aşk Şeriatı'nın* sonuna varmıştı. Hem kitabı okumuştu, hem de yayın raporunu tamamlamıştı. Ella her ne kadar romanı hakkındaki düşüncelerini Aziz'le paylaşmaya can atsa da bunun profesyonelce olmayacağı düşüncesiyle kendini tutmuştu. İş ve aşk birbirine karışmamalıydı! Önce kendisine verilen görevi tamamlamalıydı. Hatta Aziz'e kitapçıdan Rumi hakkında ne bulduysa aldığını, artık yatmadan önce her gece Mesnevi'den birkaç sayfa okuduğunu bile söylememişti. Yazarla olan etkileşimi ile roman hakkındaki çalışmasını titizlikle ayırmıştı. Ama haziranın on ikisinde öyle bir şey oldu ki iş ve aşk arasına çektiği sınırı ihlal etti.

Ella Rubinstein o güne kadar Aziz'in neye benzediğini bilmiyordu. Nereden bilsin? Hiçbir fotoğrafını görmemişti ki. Aziz internet sitesine çektiği fotoğraflar arasına kendi resmini koymamıştı. Doğrusu Ella yazıştığı insanın neye benzediğini bilmemekten ayrı bir keyif almıştı ilk başlarda. Tipi, görünüşü önemli değildi. Ne Aziz'in fotoğrafını görmek istemiş, ne de ona kendi fotoğrafını gönderme ihtiyacı duymuştu. Böylesi daha iyi, daha gizemliydi. Ama zamanla merakı ağır basmaya başladı. Aziz'den aldığı mesajlara bir yüz yapıştırmak istiyordu. Onun kendisinden fotoğraf istememiş olması da tuhafına gidiyordu. Bu çağda, her şeyin görüntü odaklı olduğu bir dünyada insanın tipini bilmeden bir başkasıyla dostluk etmesi, hele hele yakınlaşması mümkün müydü?

Sonunda Ella damdan düşer gibi bir gün Aziz'e eski bir fotoğrafını yollayıverdi. Fotoğrafta verandada oturuyordu, yanında sevgili Gölge; üzerinde ince kumaştan, mercan rengi bir elbise. Gülümsüyordu, yarı mesut yarı buruk bir şekilde. Parmakları sıkı sıkıya yapışmıştı köpeğin tasmasına, ondan güç alırcasına. Tepelerinde gökyüzü yamalı bir bohça gibi açılmıştı; griler, morlar, eflatunlar. En sevdiği fotoğraflarından biri değildi ama mistik bir hava vardı bunda. Ya da en azından öyle hissediyordu Ella. Fotoğrafı e-postaya iliştirip yolladı. Böylece bir anlamda Aziz'den de kendi fotoğrafını göndermesini istemiş oluyordu.

Çok geçmeden geldi o fotoğraf. Ve işte Ella ilk o zaman gördü Aziz Z. Zahara'nın neye benzediğini.

Uzakdoğu'da bir yerlerde çekilmiş gibiydi fotoğraf; kadrajda bir düzineden fazla çocuk vardı, hepsi kara saçlı, çekik gözlü, farklı yaşlarda. Ve ortalarında Aziz duruyordu. Uzunca siyah keten bir gömlek, siyah pantolon giymişti. İnce uzun bir burnu, sert hatları, ama bir o kadar yumuşak ve şefkatli bir ifadesi vardı. Elmacık kemikleri çıkık, alnı genişti; uzun kara saçları dalga dalga omuzlarına dökülmekteydi. Gözleri durgun bir yeşildi; derinlerde bir yerde kendinden eminlik okunuyordu. Sağ kulağında tek bir küpe takılıydı; boynunda da güneş şeklinde bir kolye. Arkada gümüşî bir göl ayna gibi parlıyordu ve kadraja girmeyen, belki de orada olmayan birinin esrarengiz gölgesi alt köşeye vuruyordu.

Ella fotoğraftaki adamın her ayrıntısını içine çekerken, onu bir yerden tanıdığı hissine kapıldı. Çok garipti ama önceden tanışıyorlardı sanki. Birden durumu kavradı, onu kime benzettiğini anladı. Elbetta ya! Aziz Z. Zahara şaşırtıcı ölçüde Şems-i Tebrizî'yi andırıyordu.

Romanda Rumi ile tanışmak için Konya'ya gitmeden evvel Şems nasıl tarif edilmişse Aziz de aynen öyleydi; en azından sima olarak. Ella çok merak etmişti: Acaba Aziz Zahara kitabındaki baş karakteri bilerek mi kendine benzetmişti? Tanrı nasıl insanları kendi suretinde yaratmışsa bir edebiyatçı olarak Aziz de karakterlerini kendi suretinde yaratmayı istemiş olabilirdi.

Ama bir başka olasılık daha vardı: Ya hakiki Şems-i Tebrizî romanda tarif edildiği gibiyse? Şu durumda, sekiz yüz sene arayla yaşamış iki erkek arasındaki benzerlik hayli şaşırtıcıydı. Acaba bu fiziksel benzerlik yazarın bilgisi ya da iradesi dışında mı gelişmişti? Ella bu açmaza kafa yordukça, Tebrizli Şems ile Aziz Z. Zahara arasında basit bir edebi oyunun ötesinde bir yakınlık olabileceğinden şüphelenmeye başladı.

Keşfettiği benzerlik Ella'da beklenmedik iki etki yarattı. İlk olarak Aşk Şeriatı'nı sırf hikâye açısından değil de farklı bir gözle; Şems-i Tebrizî'de gizlenmiş olan Aziz'i, yani baş karakterde gizlenen yazarı bulmak amacıyla yeniden okumaya karar verdi.

İkincisi, Aziz'in kişiliği daha çok ilgisini çekmeye başladı. Kimdi bu Aziz? Neydi acaba hikâyesi? Daha önceki bir mail'inde İskoç olduğunu söylemişti, madem öyle neden bir Doğulu Müslüman ismi benimsiyor, "Aziz" adını kullanıyordu? Peki gerçek ismi neydi? Zahara'nın bir anlamı var mıydı? Bunlar bir yana, Sufi ne demekti? Sufilik tam olarak nasıl bir şeydi?

Zihnini meşgul eden bir şey daha vardı: Arzu!

Bir erkeği arzulamayalı, kendini kadın gibi hissetmeyeli o kadar uzun zaman olmuştu ki bu duygunun neye benzediğini bile unutmuştu. Belki de bu yüzden kendiyle yüzleşmekte bu kadar geç kalmıştı. Ama işte şimdi tam karşısında duruyordu hakikat: Kuvvetli, kışkırtıcı, kural tanımaz bir çekim gücü. Ella fotoğraftaki adama baktıkça onu ne kadar arzuladığını gördü.

Öyle beklenmedik, o kadar rahatsız edici bir arzuydu ki bu, dizüstü bilgisayarını çarçabuk kapadı. Mutfaktan uzaklaştı. Yoksa fotoğraftaki adam hayatına sızacak ya da daha beteri, elinden tutup onu da kadraja çekecekti sanki.

Cengâver Baybars
Konya, 10 Temmuz 1245

Başlar ayak olmuş, ayaklar baş! Amcam Şeyh Yasin diyor ki, "dünya her geçen gün yozlaşarak çürümekte. Asr-ı Saadet bitti biteli medeniyet tarihi yokuş aşağı inişten ibaret!" Amcamı sayar, her konuda dinlerim. Ama bu hususta yanıldığını düşünüyorum. Zira bana sorarsanız insanın olduğu her yerde savaş ve şiddet olmuş ve daha da olacak. Peygamber Efendimiz zamanında bile böyle değil miydi? O devirde husumetler yok muydu sanki? Mücadele ve cenk hayatın özünde var. Bak tabiata! Aslan geyiği yer; leşini de akbabalar didikler, geriye apak kemikler kalır. Zalimdir tabiat. Bakmaz gözünün yaşına. Havada, denizde ve karada her an her yerde büyük küçüğü, cabbar çelimsizi yutar. Bu sebeptendir ki hayatta kalmak için tek kaide var: Hasmından daha kurnaz ve daha kudretli olmak! Başın omzunun üstünde dursun, kalbin göğüs kafesinde atsın istiyorsan, dövüşeceksin. Bu kadar basit.

Ve dövüşüyoruz biz de. Bu gün, bu devirde en safımız bile bilir ki bu işin başkaca yolu yok. Beş sene önce Cengiz Han'ın barış antlaşması için yolladığı yüz elçi birden katledilince işler sarpa sardı. Cengiz Han öfkeden küplere binip, İslam'a savaş açtı. Elçilerin niye öldürüldüğü hâlâ bir muamma; kimse bilmiyor. Bazıları da "Cengiz Han elçileri kendisi öldürdü" diyor, böylece saldırmak için bahane yaratmış. O kadarını bilmem. Tek bildiğim Moğolların Horasan'ı dörtnala tarumar ettiği beş sene içerisinde taş üstünde taş, omuz üstünde baş kalmadığı. Yetmezmiş gibi Kösedağ'da Selçuklu ordusuna galebe çalıp, Koca Sultanı haraç vermeye, kendilerine biat etmeye zorladılar. Şayet Moğollar hepimizi silip süpürmedilerse sebebi bizi sevmeleri değil, boyunduruk altında olmamızı yeğlemeleri.

Tâ ezelden beri, yani Kabil Habil'i öldüreli savaşlar var. Ama şu kana susamış Moğol Ordusu gibisini görmedik. Harp sanatını hatmetmişler: her biri farklı amaca hizmet eden envai çeşit silah kullanıyor; her bir neferi cevşenler kuşanmış; şeşber, teber, şimşir ve kargıyla donanmış. Bir de zırh delen, bariyerleri geçen, zehir saçan, bedendeki en sert kemiği dahi kırabilen okları var. Bir taburdan diğerine ıslıkla haber salan oklar bile yapmışlar. Savaşta maharetleri öyle gelişmiş ki önlerine çıkanı ezip geçtiler. Buhara gibi yaşlı şehirler bile viraneye dönüştü. Hem derdimiz yalnız Moğollar değil ki. Haçlılar bir yandan, Bizans bir yandan; tabii bir de Şii-Sünni rekabeti var. Her yandan düşmanlar tarafından kuşatılmışken barıştan ve huzurdan dem vurmak neyimize?

İşte bu sebepten Mevlâna gibi tipler sinirimi bozuyor. Herkesin onu bu kadar sevip sayması umurumda değil. Benim nazarımda korkağın teki. Evvelden iyi âlim olabilir ama bugünlerde kâfir Şems'in dümen suyunda. İslam düşmanları heyula gibi başımıza dikilmişken Rumi gençlere ne nasihat veriyor? Edilgenlik! Ödleklik!

Nerde dert varsa, deva oraya gider
Nerde yoksulluk varsa, nimet oraya varır
Müşkül nerdeyse cevap ordadır,
Gemi nerdeyse su orda...

Öyleyse nasıl direnecek, ayakta kalacağız? Mevlâna'nın cevabı hazır: Sabrederek. Ensemize vursunlar, ağzımızdan lokmamızı alsınlar, öyle mi? Mevlâna resmen teslimiyet öğütlüyor. Müslümanları aciz ve itaatkâr bir koyun sürüsüne dönüştürmek istiyor. Diyor ki her milletin bir nasibi ve bir mevsimi varmış. Ne yani, vaktimizin dolmasını mı bekleyeceğiz? "Aşk" dışında en sevdiği kelimeler: "sabır", "uyum", "huzur", "hoşgörü", "tevekkül..." Cici bici, şeker şerbet, ne etliye ne sütlüye bulaşan onca kuru laf! Ona kalsa hepimiz evde oturup, düşmanların bizi kesmesini beklemeliyiz. Eminim o zaman deliğinden çıkar, enkaza bakıp, "n'apalım nasip böyleymiş, buna da şükür" der. Bir de dedikodu duydum; diyorlar ki garip garip laflar etmiş geçenlerde: "Camiler medreseler yıkılsın" demiş. Bu nasıl laf böyle?

Rumi henüz çocukken ailesiyle beraber Afganistan'dan kaçıp Anadolu'ya sığınmış. O dönemin kudretli zenginleri Selçuklu Sultanı'ndan açık davet almışlar; Rumi'nin babası da onlardan biriymiş. Karınları tok, sırtları pek, bir elleri yağda bir elleri balda Afganistan'ın keşmekeşinden çıkıp Konya'nın latif bağlarına sığınmışlar. Mazisi böyle olan adamın "her şeyi hoş gör" demesinden kolay n'ola?

Daha geçen gün Şems-i Tebrizî'nin pazarda toplananlara bir hikâye anlattığını işittim. Demiş ki peygamber halefi, eshâb-ı kirâmdan damadı Hazreti Ali bir gün bir kâfirle meydanda cenk ediyormuş. Hazreti Ali tam zülfikârı adamın kalbine daldıracakken birdenbire kâfir başını kaldırıp nefretle suratına tükürmüş. Hazreti Ali hemen kılıcını bırakmış, derin bir nefes alarak yürüyüp gitmiş. Kâfir şaşkına dönmüş. Hazreti Ali'nin peşinden koşup, "dur bi dakka! Neden beni serbest bıraktın?" diye sormuş.

"Çünkü sana çok kızgınım" demiş Hazreti Ali.

Kâfir hayret içinde sormuş: "E o hâlde neden beni öldürmezsin?"

"Sen benim yüzüme tükürünce gururuma dokundu, çok öfkelendim. Nefsim tahrik oldu, intikam almak istedim. Şayet seni öldürseydim nefsime yenik düşmüş olurdum. Bu da hata olurdu."

Ali böylece adamı azat etmiş. Kâfir öyle duygulanmış ki o günden sonra kendini Ali'nin hizmetine adamış; zamanla, kendi arzu ve iradesiyle Müslüman olmuş.

İşte böyle hikâyeler anlatmayı seviyor Tebrizli Şems. Peki onca laf salatasının altında ne telkin ediyor? Bırakın kâfirler, münkirler, münafıklar tepenize çıksınlar, suratınıza tükürsünler! Aman siz hep alttan alın, yumuşakbaşlı olun. Bırakın ocağınıza incir ağacı diksinler!

Yok öyle şey! İster kâfir olsun ister başkası, kimse tüküremez benim suratıma.

Ella
Boston, 13 Haziran 2008

Belki bu soru sana tuhaf gelecek ama sormadan edemeyeceğim: Aziz, yoksa sen Şems misin? Romanında anlattığın karakterde sen de varsın, öyle değil mi?

Sevgilerimle,
Ella

* * *

Sevgili Ella,
Vaktiyle Baba Samed bana şöyle demişti: "Bu dünyadan bir Tebrizli Şems geçti. Hem de bir kez değil, yüzlerce kez. Her asırda yeniden gelir

onlar. Ama Şems'i görecek, görüp de kıymetini bilecek Rumiler olmadıktan sonra neye yarar? Sen o yüzden Rumileri ara!"
Mesajını okuyunca bu eski nasihat geldi aklıma.

Muhabbetle,
Aziz

* * *

Sevgili Aziz,
Baba Samed de kim?

Sevgiler,
Ella

* * *

Sevgili Ella,
Uzun hikâye. Gerçekten bilmek istiyor musun?

Baki sevgiyle,
Aziz

* * *

Senin için zamanım var. Anlatsana...

Hasretle,
Ella

Rumi
Konya, 2 Ağustos 1245

Bilâ noksan, eksiksiz bir hayattır sürdüğün. Ya da öyle sanırsın. Alışkanlıklara ayak uydurur, tekrarlara kapılırsın.

Şimdiye değin nasıl yaşadıysan, gene öyle yaşayacaksın sanırsın. Sonra beklenmedik bir anda biri çıkar gelir. Etrafındaki kimseye benzemez. Kendini bu yeni insanın aynasında görmeye başlarsın. Var olanı değil, sende eksik olanı gösteren sihirli bir aynadır o. Ve sen bunca zaman aslında hep bir eksiklik duygusuyla yaşadığını, bilmediğin bir şeye hasret çektiğini anlarsın. Şamar gibi iner hakikat suratına. Sana içindeki boşluğu gösteren bu kişi bir pir, üstâd, arkadaş, yoldaş, eş ya da bazen bir çocuk olabilir. Önemli olan seni tamamlayacak ruhu bulmandır. Her peygamberin verdiği öğüt aynıdır: Sana ayna olacak insanı bul! İşte o ayna benim için Şems'dir.

İnsan senelerce uğraşır, kendi sözlüğünü oluşturur. Önem verdiği her kavrama bir tanım bulur. "Hakikat", "mutluluk", "güzellik", "onur", "itibar", "sadakat..." Hayatın her mühim dönemecinde şahsi sözlüğünü açar bakarsın. Vaktiyle yaptığın tanımları bir daha kolay kolay sorgulamazsın. Derken bir gün, işte o yabancı gelir ve kıymetli sözlüğünü alıp fırlatır.

"Şimdiye değin sorgusuz sualsiz sahip çıktığın her tanım baştan yazılacak" der. "Bildiğin her şeyi unutma zamanı geldi."

Şems'in bana ettiği budur işte. Emin olduğum her bilgiyi sildi, beni hocayken yeniden talebe hâline getirdi. Birini bu kadar sevdiğin zaman istersin ki ailen, arkadaşların, en yakınların da bu sevgiyi paylaşsın, onu sevsin. Nasıl hissettiğini anlamalarını beklersin. Böyle olmayınca şaşırır, incinir, gücenirsin.

Ne yapayım da ailemin Şems'i benim gözümle görmesini sağlayayım? Tarifi olmayanı nasıl tarif etmeli? Şems benim Rahmet Ummanım, Lütuf Güneşim. Aramızdaki dostluğun derinliği Kuran'ın dördüncü okuması gibi; ya içindesindir, kapılır gidersin, ya dışındasındır, neye benzediğini bilemezsin. Zahiren anlamak kabil değil, ancak yaşanınca var.

Maalesef çoğu kimse kulaktan dolma bilgilerle hareket edip

başkalarını yargılıyor. Onlara göre Şems asi bir derviş. Serkeş, başıbozuk, ne yapacağı belli olmayan, güven telkin etmeyen biri. Yalan dolana ve dalavereye alışkın olanlar Şems'in sivri ve dürüst dilini takdir etmekte zorlanıyor. Başkalarının yapmacık nezaket gösterdiği yerde Şems inadına dobra dobra konuşuyor. Söyleyeceği ne varsa herkesin yüzüne söylüyor. Kimsenin ardından dedikodu yaptığını görmedim. Benim için Şems koskoca kâinatı çekip çeviren tılsımın zuhur etmiş hâli. Şems'in kalbi bir kervansaraydır, git git bitmez. Odalarında gariban yolcular kalır. O kimseyi dışlamaz.

Ben Şems'te ruhdaşımı buldum. Böylesi bir buluşma hayatta ancak bir kez olur. Otuz yedi yılda bir kez! Herkes bana Şems'i niye bu kadar sevdiğimi sorar. Nasıl cevaplayabilirim ki? Kim ki bu soruyu sorar, demek ki anlamaz; kim ki anlar, zaten bu soruyu sormaz.

Halife Harun Reşid'in hikâyesi düştü aklıma. Mecnun'un Leyla'yı delidivane sevdiğini duyan Halife Leyla'yı pek merak edermiş.

"Mecnun'u bu kadar mest ettiğine göre bu Leyla çok özel bir kadın olmalı" dermiş kendi kendine. "Öyle bir kadın ki hemcinslerinden katbekat güzel ve alımlı." Giderek merakı katlanmış, bildiği ne kadar Ali Cengiz oyunu varsa oynamış ki, Leyla'yı dünya gözüyle bir kerecik görsün.

En nihayetinde Leyla'yı bulup, Halife'nin sarayına getirmişler. Süsleyip püsleyip karşısına çıkarmışlar. Ne var ki Leyla peçesini çekince, Halife Harun Reşit hüsrana uğramış. Sanılmasın ki Leyla çirkinmiş ya da kötürüm veya yaşlı. Ama öyle sıra dışı bir cazibesi yokmuş açıkçası. Sayısız diğer kadın gibi o da noksanları kusurları olan bir faniymiş işte.

Halife hayal kırıklığını saklamamış. "Leyla Leyla dedikleri bu mu Allah aşkına? Mecnun bunun neyine vurulmuş ki? Alelade bir kadın. Ne farkı var ötekilerden?"

Bunu duyan Leyla gülmüş. "Evet, ben Leyla'yım ama sen

Mecnun değilsin ki" diye cevap vermiş. "Sen beni bir de Mecnun'un gözlerinden görebilsen. Sanma ki başka türlü aşk denen sırra erebilirsin."

Peki Halife Harun Reşit'in anlayamadığı şeyi ailem, dostlarım, talebelerim anlayabilir mi? Şems'in ne kadar özel bir insan olduğunu göremeyenlere onu nasıl tarif edebilirim? Ne yapsam da anlasalar Şems-i Tebrizî'yi görmek için kendi önyargılı gözlerini bir kenara bırakıp Mecnun'un gözleriyle bakmaları gerektiğini?

Âşık olmayana aşk kuru bir kelimeden ibaret. Yarı palavra, yarı safsata. Âşık olmayan bunu anlayamaz, olansa anlatamaz. Öyleyse nasıl söze dökülebilir aşk, kelimelerin hükmünü yitirdiği yerde?

Eskiden "Dil Canbazı", "Kelime Sarrafı", "Hitabet Ustası", "Harflerin Efendisi" ve "Mânâ Denizinin Kaptan-ı Deryası" derlerdi bana. Ne tuhaf, ben ki o kadar rahat anlatır ve yazardım meramımı; ben ki vaazlara, kitaplara, nutuklara alışkındım, şimdilerde kelimelere itimadım kalmadı...

Kimya
Konya, 17 Ağustos 1245

Birlikte çalışmayalı, Kuran okumayalı o kadar uzun zaman oldu ki, Efendi Mevlâna'yı özledim. Kendimi ihmal edilmiş hissediyorum ama gene de ona kırgın değilim. Belki Rumi'yi ona kızamayacak kadar çok sevdiğimden, belki de Şems-i Tebrizî'nin nasıl bir albenisi, cazibesi, cezbesi olduğunu anlayabildiğimden. Galiba ben de Şems'in rüzgârına kapılanlardanım.

Günebakan çiçeği güneşi nasıl takip ederse, Rumi'nin nazarı da daima Şems'in üzerinde. Muhabbetleri öyle derin, öyle bariz ki, insan yanlarında kendini fazlalık gibi hissediyor.

Evdeki herkesin bu durumdan memnun olduğunu söyleyemem. En başta da Alaaddin! Kaç kere yakaladım kızgın bakışlarını Şems'e yönelttiğini. Kerra da huzursuz ama ağzını açıp bir şey demiyor, ben de neyin var diye soramıyorum. Herkes bir barut fıçısının üstüne oturmuş bekliyor. Ne tuhaf! Bütün bu gerilimin başlıca sorumlusu olan Şems âdeta hiçbir şeyden etkilenmeden ortamızda yaşıyor. Ya yarattığı huzursuzluğun farkında değil ya da umursamıyor.

Bir yanım Şems'e kızıyor. Bizden Mevlâna'yı çaldığı için onu affedemiyorum. Ama öbür yanım kapılmış çekimine. Onu daha yakından tanımaya can atıyor. Bir süredir bu karmakarışık hislerle bocalıyordum. Maalesef bugün yakayı ele verdim

İkindi namazından sonra duvardan Kuran'ı indirdim. Kararlıydım, kendi başıma çalışacaktım. Eskiden, yani Şems bu eve gelmeden evvel, Mevlâna ile haftada üç dört gün çalışır; ayetleri iniş sırasına göre incelerdik. Ama madem şimdi bir hocam yoktu, madem altüst olmuştu hayatımız, bir sıra gözetme gereği duymadım. Bu yüzden rastgele bir sayfa açtım ve parmağımı koyduğum yere denk gelen ilk ayeti okudum. Bahtıma Nisa suresi çıktı. Ne tuhaf, koca kitapta içime dert olan ayeti açmıştım. Nisa suresi kadınlara karşı amansızdı; o yüzden bir türlü benimseyemiyordum. Ayeti bir kez daha okurken, gidip Efendi babamdan yardım istemek geldi aklıma. Mevlâna belki benimle ders yapmıyordu ama bu, ona soru soramayacağım anlamına gelmiyordu ki. Böylece Kuran'ı kaptığım gibi odasına gittim.

Mevlâna odasında yoktu. Onun yerinde Şems oturuyordu; elinde bir tespih pencere kenarına yerleşmiş, guruba karşı durmuştu. Batmaya hazırlanan güneşin yalımları yüzünü yalıyordu. O ışıkta o kadar çekici ve gizemli görünüyordu ki gözlerimi kaçırmak zorunda kaldım.

"Şey... afedersin..." dedim heyecandan kekeleyerek. "Efendiye bakmıştım. Sonra gelirim."

"Dur biraz. Acelen ne? Az otur" dedi Şems. "Bir şey soracak gibi bir hâlin var. Belki bir faydam dokunur."

Aklımdakini ona aktarmada bir mahzur görmedim. "Kuran-ı Kerim'deki bir sûreyi anlamakta güçlük çekiyorum" dedim tereddütle.

Şems kendi kendine konuşurcasına, mırıl mırıl cevap verdi: "Kuran taze bir gelin gibidir Kimya. Onu okumak isteyen kişi yanına itinayla yaklaşmazsa, o da kapanır, katiyen açmaz peçesini."

Ne demek istediğine kafa yorarken Şems aniden soruverdi: "Hangi sûreymiş takıldığın?"

"Nisa sûresi" dedim yavaşça. "İçime sinmeyen birkaç husus var orada. Bazı yerlerde erkeklerin kadınlara üstün olduğu yazılı. Hatta kocaların karılarını dövebileceğini söylüyor..."

"Öyle mi? Bak sen!"

Şems öyle abartılı bir hayretle tepki vermişti ki ciddi mi yoksa alay mı ediyor anlayamadım. Bir süre hiçbir şey demeden karşılıklı durduk. Derken Tebrizli Şems ezberden okumaya başladı:

Erkekler, kadınlar üzerinde hâkim dururlar, çünkü bir kere Allah birini diğerinden üstün yaratmış ve bir de erkekler mallarından harcamaktadırlar. Bunun için iyi kadınlar, itaatkârdırlar. Allah'ın korumasını emrettiği şeyleri, kocalarının yokluğunda da korurlar. Serkeşlik etmelerinden endişe ettiğiniz kadınlara gelince; önce kendilerine nasihat edin, sonra yataklarında yalnız bırakın, yine dinlemezlerse dövün. İtaat ettikleri hâlde onları incitmek için bahane aramayın. Çünkü Allah, çok yüksek çok büyüktür.

Ayetin tamamını okuduktan sonra Şems gözlerini açtı, bana baktı, belli belirsiz bir tebessüm yayıldı dudaklarına. Derken bir kez daha başa döndü:

Erkekler; kadınları gözetip kollayıcıdırlar. Şundan ki, Allah, insanların bazılarını bazılarından üstün kılmıştır ve erkekler mallarından bol bol harcamışlardır. İyi ve temiz kadınlar saygılıdırlar; Allah'ın kendilerini koruduğu gibi, gizliliği gereken şeyi korurlar. Sadakatsizlik ve iffetsizliklerinden korktuğunuz kadınlara önce öğüt verin, sonra onları yataklarında yalnız bırakın ve nihayet onları evden çıkarın / bulundukları yerden başka yere gönderin! Bunun üzerine size saygılı davranırlarsa artık onlar aleyhine başka bir yol aramayın. Allah çok yücedir, sınırsızca büyüktür.

"Ne dersin Kimya? Sence bu ikisi arasında bir fark var mı?" diye sordu Şems.

"Evet, var" dedim. "Aynı ayetin iki farklı yorumunu okudun. Dokuları nasıl da farklı. Birincisi, evli erkeklere karılarını dövme izni veriyor. İkincisi, en kötü durumda uzaklaş ya da uzaklaştır diyor. Aralarında epey fark var. Niye böyle?"

"Niye böyle, niye böyle?" diye tekrarladı Şems ve birden başka bir konuya geçti: "Söylesene Kimya. Hayatında hiç nehirde yüzdün mü?"

Gözümün önüne çocukluk günlerim geldi. Toros Dağları'nın buz gibi soğuk suları. Kız kardeşimle kaç öğleden sonra dağ pınarlarında yüzmüş, şen şakrak gülmüş, eğlenmiştik. Gözlerim doldu. Yüzümü çevirdim. Şems'in zaaflarımı, zayıflığımı görmesini istemiyordum.

"Bir nehre uzaktan bakınca insan zanneder ki tek bir akıntı var" dedi Şems. "Ama suya daldın mı birden fazla olduğunu anlarsın. Irmakta nice akıntı gizlidir, hepsi ahenkle ama ayrı ayrı akar."

Şems-i Tebrizî bunu dedikten sonra yanıma vardı, çenemi tutup başımı kaldırdı. Böylelikle beni o dipsiz, o zifiri kara, o ruh dolu gözlerine bakmaya zorladı. Kalbim bir an duracak gibi oldu, nefes bile alamadım.

"Kuran çağıl çağıl bir nehirdir" dedi. "Uzaktan bakana tek bir akıntı gibi görünür, içinde yüzene ise dört ayrı ırmak. Balık türlerini düşün Kimya. Kimi balık sığ suda yaşar, kimi derinlerde. Biz insanlar da öyleyiz. Fıtratımıza, kavrayışımıza göre şu veya bu katmanda kalıyor, orada yüzüyoruz."

"Sanırım anlamadım" dediysem de anlamaya başlamıştım.

"Kıyıya yakın yüzmeyi sevenlere Kuran'ın zahiri katmanı kâfi gelir. Ne yazık ki insanların çoğu böyledir. Ayetleri kelime mânâsıyla alırlar. Bazıları Nisa suresini okuyunca erkeklerin kadına üstün yaratıldığı sonucuna varırlar. Ne görmek isterlerse, onu görürler."

"Peki ya diğer akıntılar?" diye soracak oldum.

Şems hafifçe durakladı. Gayriihtiyarî ağzına takıldı gözüm. Dudakları pembe ve biçimliydi. Ağzı davetkâr bir saklı bahçeydi.

"Üç akıntı daha var. İkincisi ilkinden derindir ama yine de yakındır yüzeye. İnsan, şuuru genişledikçe kitaba daha çok vâkıf olur. Fakat bunun için metnin derinliğine dalman gerekir. Balıklama!"

Onu dinlerken kendimi hem bomboş hissediyor, hem doluyordum. "Peki içine dalınca ne olur?" diye sordum.

"Üçüncü akıntı, bâtınî katmandır. Nisa suresini gönül gözün açık okursan, göreceksin ki ayet kadınlarla erkekler hakkında değil; Kadınlık ve Erkeklik hakkında. Tasavvufta fena ve beka, kadınlık ve erkeklik hâllerine tekabül eder. Ve her birimiz, buna senle ben de dahiliz, içimizde taşırız kadınlık ve erkeklik hâllerini, farklı farklı nispetlerde. Ne zaman ki ikisine de kucak açarız, barışık ve bütünleşmiş oluruz."

"Yani bende erkeklik mi var?"

"Elbette. Kadınlık da var erkeklik de."

Gülmeden edemedim. "Peki ya Efendi Mevlâna? Ya o?"

Şems'in yüzü tebessümle aydınlandı. "Her erkekte en az

bir dirhem kadınlık mevcuttur, her kadında bir nebze de olsa erkeklik."

"Ya kazak erkekler?" diye sordum. "Kabadayılarda kadınlık olur mu hiç?"

Şems bir sır paylaşırcasına göz kırparak, "Bilhassa onlarda olur Kimyacım" dedi. "İnan bana, bilhassa en çok erkek oğlu erkek geçinen kabadayılarda."

Bir genç kız gibi kıkırdamak üzereydim ki dudaklarımı ısırdım, kendimi tuttum. Şems bu kadar yakınımdayken kalbim daha hızlı atıyordu. Tuhaf bir adamdı, sesinde müthiş bir ahenk vardı, elleri ince ve zarifti; bakışları güneşten fışkıran bir huzme misali değdiği yeri canlandırıyordu. Yanındayken hem gençliğimi hissediyor, hem anaç duygularla doluyordum. Onu korumak, kollamak istiyordum. Gerçi bunu nasıl yapacak, onu neden koruyacaktım, kestiremiyordum.

Şems elini omzuma koydu, yüzü yüzüme öyle yakındı ki nefesinin ılıklığı tenimi okşuyordu. Bakışlarında şimdi yepyeni, rüyada gibi bir hâl vardı. Usulca dokundu yanağıma. Tenimdeki parmak uçları yanan bir kandil gibi sıcacıktı. Şaşkınlıktan küçük dilimi yutacaktım. Derken parmakları yüzümde aşağılara kaydı, alt dudağıma uzandı. Başım döndü, gözlerimi kapadım, heyecandan titriyordum. Ama Şems dudağıma değer değmez elini çekti.

"Artık gitsen iyi olur can Kimya" dedi kısık bir sesle. İsmimi hüzünlü bir kelime gibi telaffuz etmişti.

Koşarcasına dışarı fırladım. Başım hâlâ dönüyor, yanaklarım yanıyordu.

Ancak odama dönüp döşeğe sırtımı dayadığımda, gözlerimi tavana dikip, acaba Şems beni öpseydi nasıl olurdu diye heyecan içinde düşünürken şafak attı. Aklım o kadar başımdan gitmişti ki, ırmaktaki dördüncü akıntıya, Kuran'ın daha derin katmanına nasıl varacağımı sormayı unutmuştum.

Sahi neydi o katman? İnsan öylesi bir derinliğe nasıl ererdi?

Ve o kadar derinlere dalanlara ne olurdu? Bir daha geri gelebilirler miydi?

Sultan Veled
Konya, 4 Eylül 1245

Biraderimin hâllerinden endişe etmeye başladım. Gerçi Alaaddin hep böyleydi, böyle tezcanlı, delişmen ve alıngan. Çocukken de tepesi çabuk atardı. Ne var ki son zamanlarda hep gergin, hep diken üstünde. Anında öfkeleniyor. Âdeta çatacak yer, kavga edecek hasım arıyor. En ufak bir meselede heyheyleri geliyor. O kadar asabi ki sokaktaki çocuklar bile uzaktan onu görünce kaçışıyorlar. Yaşı daha on yedi ama sürekli kaşlarını çatmaktan yüzünde yaşlı insanlar gibi çizgiler oluştu. Daha bu sabah ağzının yanında yeni bir kırışıklık fark ettim, sürekli dudağını büzdüğünden olacak.

Bugün tam kendimi çalışmaya vermiş, babamın yazılarını temize çekiyordum ki arkamda belli belirsiz bir ses işittim. Alaaddin'di. Alt dudağını ısırmış, gözucuyla yazdıklarıma bakıyordu. Kim bilir ne zamandır ses etmeden arkamda durup beni izliyordu. Gözlerinde sıkıntılı bir bakışla ne yaptığımı sordu.

"Babamın eski bir risalesinin suretini çıkarıyorum" dedim. "Tüm sohbetlerini temize çekip kopyalamak niyetindeyim."

Alaaddin yarı alaylı baktı. "Ne faydası olacak ki?" diye sordu. "Anlamıyor musun? Babamız ders vermeyi de, vaazları da bıraktı. Artık medresede müderrislik de etmiyor. Tüm mesuliyetlerini bir kenara attı. Boş yere uğraşıyorsun."

"Geçici bir durum bu" diye sözünü kestim. "Zamanı gelince eminim yeniden ders vermeye başlar."

"Sen kendini kandırmaya devam et. Görmüyor musun babamın Şems'ten başka kimseye ayıracak vakti yok? Adam sözde abdal olacak, evimize kök saldı."

Alaaddin alaylı bir edayla güldü, benim de ona eşlik etmemi bekler gibiydi ama ben ağzımı açmayınca, susup sinirli sinirli odada volta atmaya başladı.

"Dedikodular aldı başını gitti. Elalemin ağzı torba değil ki büzesin" diye devam etti "Herkes aynı soruyu soruyor: Nasıl oluyor da çapulsuz dervişin teki koskoca bir âlimi parmağında oynatıyor? Babamızın itibarı çölde kar tanesi gibi kaldı. Eğer bir an evvel kendine çekidüzen vermezse tek bir talebe bile bulamayacak. Kimse onu hoca diye istemeyecek. Hani hakları da yok değil."

Kardeşime baktım. Bıyıkları yeni terlemişti ama el kol hareketleri, konuşma biçimi, her şeyiyle erkeklik taslıyordu. Geçen seneden bu yana ne kadar değişmişti. Gizli bir sevdası olduğunu, birine gönlünü kaptırdığını biliyor ama kime abayı yaktığını soramıyordum. En yakın arkadaşlarının ağızlarını aramış ama onlardan da bilgi alamamıştım.

"Alaaddin, biliyorum Şems'i sevmiyorsun. Ama evimizde misafirdir, hürmet etmek gerekir. Hem sen neden elalemin dediğine kulak asıyorsun? Pireyi deve yapmanın anlamı yok."

Bu sözler ağzımdan çıkar çıkmaz pişman oldum. Fazla tepeden konuşmuştum. Ama laf ağızdan çıkmıştı bir kere. Alaaddin saman gibi alev almıştı.

"Pireyi deve yapıyorum ha?" dedi Alaaddin. "Başımıza gelen felakete pire mi diyorsun? Nasıl bu kadar kör olabilirsin?"

Bir sahife daha aldım elime, narin sathını okşadım. Babamın kelimelerinin suretini çıkartıp, bu sayede ömürlerinin uzamasına yardımcı olduğumu düşünmekten mutlu oluyordum. Aradan bir asır bile geçse insanlar babamın öğretilerini okuyup feyz alabileceklerdi. Nesilden nesile bu malûmatın intikalinde ufak da olsa bir payım olması gurur veriyordu.

Alaaddin usulca yanımda dikildi; yaptığım işe karamsar, kasvetli gözlerle baktı. Bir an için yüzünde baba sevgisine muhtaç bir çocuk gördüm. O an anladım ki Alaaddin'in kızdığı gerçekte Şems değildi. Babamdı.

Alaaddin kızgındı babama; kendisini yeterince koruyup kollamadığını düşünüyor ve tüm itibarına rağmen, annemizi genç yaşında alıp götüren ölüm karşısında çaresiz kalmış olmasını kabullenemiyordu.

"Herkes diyor ki Şems babamıza büyü yapmış" diye mırıldandı Alaaddin. "Diyorlar ki Şems'i Haşhaşiler yollamış."

"Haşhaşilermiş!" diye çıkıştım. "Sen de bu saçmalıklara inanıyorsun öyle mi?"

Haşhaşiler mebzul miktarda uyuşturucu kullanıp suikastlar düzenlemeleriyle nâm ve korku salmış bir mezhepti. Ortalığa dehşet saçmak için nüfuzlu kimseleri hedef seçer, kurbanlarını uluorta katlederlerdi. Selahaddin Eyyubi Hazretlerinin çadırına girip, başucuna zehirli bir tatlı bırakacak kadar ileri gitmişlerdi. Tatlının yanına bir de pusula iliştirmişlerdi: *"Gözümüz Üstünde!"* Ve Selahaddin Eyyubi, yani Haçlılara karşı cesaretle savaşıp Kudüs'ü geri alan ve kimseden korkusu olmayan o muhteşem kumandan, Haşhaşilerle mücadeleye cesaret edememiş, alttan almıştı. İnsanlar nasıl olur da Şems'in bu korkunç örgütle alâkası olduğunu düşünürlerdi?

Elimi Alaaddin'in omzuna koydum. "Hem bilmez misin Haşhaşiler artık eskisi gibi değildir? Çoktan dağıldılar, sadece isimleri kaldı yadigâr. Devir değişti."

Alaaddin bu ihtimali düşündü. "Evet ama diyorlar ki Hasan Sabbah'ın üç sadık kumandanı takipten kaçmayı başarmış. Alamud Kalesi'nden gizlice çıkmış ve gittikleri her yere bela götürmeye ant içmişler. Bunlardan biri Konya'ya gelmiş. Bence o Şems işte."

Artık sabrım taşmak üzereydi. "İnsaf et. Hadi de ki Şems Haşhaşi lideridir. Peki, ne demeye babamızla uğraşsın?"

"Çünkü nüfuzlu kişilerden nefret ediyor ve kargaşa yaratmayı seviyorlar. Babam da itibarlı biri değil mi? En azından bir zamanlar öyleydi" diye tersledi Alaaddin. Hayal ürünü suçlama ve entrikalara kendini öyle kaptırmıştı ki anlattıklarının heyecanından yanakları al al olmuştu.

Onunla konuşurken daha dikkatli olmam gerektiğini fark ettim. "Bak kardeşim, insanlar düşünmeden ağızlarına her geleni söyler. Bu tür rivayetleri ciddiye alma. Zihnini şüpheden, garezden temizle. Görmüyor musun seni zehirliyor?"

Alaaddin gücenmiş bir edayla burnundan soluduysa da bir şey demedi.

"Şems'i sevmek zorunda değilsin. Ama babamızın hatırı için birazcık saygı göster" diye ekledim.

Alaaddin dikkatle, sitemle bana baktı. Belki de kardeşim sadece Şems'e kızgın ya da babama kırgın değildi, benim de onu düş kırıklığına uğrattığımı düşünüyordu. Sanki, Şems'e kıymet vermem zayıflık ve pısırıklıktı, babamızın gözüne girmek için her şeyi görmezden gelip yaltaklanıyordum ona göre. Belki vehimdi benimkisi ama, yine de kalbim kırılıyordu.

Yine de ona kızamıyordum. Ne de olsa küçük kardeşimdi. Ona baktığım zaman ara sokaklarda kedi kovalayan, yağmur birikintilerine dalıp ayağını çamura bulayan, bütün gün yoğurtlu ekmek kemiren oğlan çocuğunu görüyordum. O hafif tombul, yaşına göre bir parça kısa boylu çocuk, annesinin vefat haberini duyduğunda damla gözyaşı dökmemişti. Haberi alınca tek yaptığı başını eğip ayaklarına bakmak olmuştu, çarıklarından utanırcasına. Dudaklarını büzmüş, öylece kalmıştı. Keşke ağlayıp feryat edebilseydi. Keşke her şeyi bu kadar içine atmasaydı.

"Hatırladın mı bir keresinde sokakta çocuklarla kavgaya tutuşmuştun?" diye sordum. "Hani eve ağlayarak dönmüştün, burnun kanıyordu. Rahmetli annem o zaman sana ne demişti?"

Alaaddin'in yüzü aydınlandı ama cevap vermedi.

"Annem demişti ki birine kızar ya da kırılırsan, kafanda o

kişinin çehresini, sevdiğin birinin çehresiyle değiştir. Peki, Şems'in çehresiyle annemizinkini değiştirmeyi denedin mi? Belki böylece onda sevecek bir şeyler bulursun."

Kırık bir tebessüm belirdi Alaaddin'in yüzünde, bir süre asılı kaldı dudaklarında. Yüreğim eridi. Kardeşimi kucakladım. O da bana uzun zamandır ilk defa sıkı sıkı sarıldı. İşte o an sandım ki her şey düzelecek, Şems'le arasını yapacak. Sandım ki evimiz o eski ahengine kavuşacak.

Meğer ne safmışım. Herhâlde daha fazla yanılamazmışım.

Kerra
Konya, 22 Ekim, 1245

Bir Allah bilir ne konuştuklarını. Geçen gün helva ikram etmek için yanlarına gittiğimde öyle ateşli konuşuyorlardı ki beni fark etmediler bile. Ben ortalıktayken Şems genellikle bir şey söylemez, varlığım onu mutlak suskunluğa itermiş gibi. İster muhteşem bir ziyafet hazırlayayım, ister kuru ekmek ikram edeyim, hep aynı ifadeyle teşekkür eder. Zaten hep az yer, dişinin kovuğunu dolduracak kadar. Ama gel gör ki bu sefer tabaktaki helvanın tadına bakmasıyla gözlerinin parlaması bir oldu.

"Helva ne kadar lezzetliymiş Kerra, ellerine sağlık! Nasıl pişirdin?" dedi Şems.

O an bana ne oldu bilmiyorum. İltifatına sevineceğim yerde hiddetlendim. "Ne demeye soruyorsun? Anlatsam bile aynısını yapamazsın ki!"

Şems dediklerime hak vermiş gibi hafifçe başını salladı. Bir şey söylemesini, hatta terslemesini bekledim ama yapmadı, öylece durdu.

Bir süre sonra odadan çıktım ve onları baş başa bıraktım.

Doğrusu bu hadiseyi tamamen unutmuştum. Ama bu sabah öyle bir şey oldu ki her şeyi yeni baştan hatırladım.

* * *

Ocak başında yayıkta yağ yapıyordum ki avludan garip sesler duydum. Dışarı koşunca tuhaf bir manzaraya şahit oldum. Her yanda kitaplar vardı; kuleler hâlinde üst üste dizilmiş, ha devrildi ha devrilecek, yüzlerce kitap ve el yazması saçılmıştı ortalığa, bir o kadarı da şadırvana atılmıştı. Mürekkepleri çözüldüğünden şadırvandaki su maviye çalmaya başlamıştı.

Şems, gözlerimin önündeki kitap yığınından bir kitap çekti, şöyle bir karıştırdı ve pat diye suya attı. Baktım, *Divanül Mutannabi*. Kitap su yüzüne çıkar çıkmaz bir başkasına uzandı. Bu kez sırada Feridüddin Attar'ın *Esrarname*'si vardı.

Dehşete düşmüştüm. Kocamın en sevdiği kitapları tek tek mahvediyordu! Sırada Rumi'nin babasından kalma *Kâmûs-ul-A'lâm*'ı vardı. Rumi'nin babasına hayranlığını, bu eski el yazmasına olan düşkünlüğünü bildiğimden hemen dönüp kocama baktım.

Ne var ki Rumi yana çekilmiş kıpırtısız duruyordu. Beti benzi atmış olsa da, elleri titrese de ses çıkarmıyordu. Aklım almadı. Vaktiyle sırf kitaplarının tozunu aldım diye beni azarlayan adam gitmiş, onun yerine, tüm kütüphanesini mahveden deliyi kenardan izleyen biri gelmişti. Ağzını açıp tek kelime etmiyordu! Hiç adil değildi. Madem Rumi karışmayacaktı bu işe, ben karışacaktım.

"Ne yapıyorsun?" diye bağırdım Şems'e. "Bu kitaplar son derece kıymetlidir. Ne diye onları suya atarsın? Sen aklını mı yitirdin?"

Şems bana yanıt vermedi, başını Rumi'ye çevirdi. "Sen de mi böyle düşünürsün?" diye sordu.

Rumi dudaklarını büzdü, belli belirsiz gülümsedi ama susmaya devam etti.

"Neden bir şey demiyorsun?" diye bağırdım kocama.

Rumi bunun üzerine yanıma varıp sıkı sıkıya elimi tuttu. "Sakin ol Kerra, ne olur. Şems'e itimadım tam. Böyle davranmasının elbette bir sebebi vardır."

Şems omzunun üstünden bana şöyle bir baktı. Rahattı, belli ki kendine inancı tamdı. Cüppesinin yenini sıvadı, kollarını suya daldırdı ve başladı tek tek şadırvandaki kitapları çıkarmaya. Hayretten küçükdilimi yuttum, zira sudan çektiği her kitap kupkuruydu.

"Sihir mi bu? Kara büyü mü? Nasıl yaptın?" diye sordum

İşte o zaman Şems gayet sakin bana baktı ve şöyle dedi: "Ne demeye soruyorsun? Anlatsam bile aynısını yapamazsın ki."

Öfkeden zangır zangır titreyerek onları avluda bıraktım, koşa koşa mutfağa döndüm. Artık tek sığınağımdı mutfak. Ve orada, onlarca tencere tava, yığınla ot ve baharat ortasında yere çöküp ağladım, ağladım.

Rumi
Konya, Aralık 1245

Bu sabah şafak söker sökmez Şems'le evden ayrıldık. Bir süre çayırların, vadilerin, pınarların arasında doludizgin at sürüp ılık meltemin yüzümüzü okşamasıyla keyiflendik. Yaklaştığımızı gören korkuluklar buğday tarlaları arasından bize selâm durdu; bir çiftlik evinin önünde ipe dizili yeni yıkanmış çamaşırlar delice dalgalandı.

Ardından Şems atının dizginlerine asıldı, uzakta bir meşe ağacına işaret etti. Beraberce o ağacın altına oturduk, eflatuna çalan semayı seyredaldık. Uzaktan sabah ezanı okununca

Şems hırkasını yere serdi; yan yana namaz kıldık. Namaz sonrası dua ederken sadece kendimiz için değil, bütün insanlık için güzellikler diledik.

Yirmi Altıncı Kural: Kâinat yekvücut, tek varlıktır. Her şey ve herkes görünmez iplerle birbirine bağlıdır. Sakın kimsenin ahını alma; bir başkasının, hele hele senden zayıf olanın canını yakma. Unutma ki dünyanın öte ucunda tek bir insanın kederi, tüm insanlığı mutsuz edebilir. Ve bir kişinin saadeti, herkesin yüzünü güldürebilir.

"Konya'ya ilk geldiğimde bu ağacın altında oturmuştum" diye mırıldandı Şems. "Gariban bir köylüyle tanıştım. Sana hayrandı. Vaazlarının kedere deva olduğunu duymuş."

"Bana Kelimelerin Sarrafı derlerdi" dedim. "Ama o günler çok geride kaldı. Artık içimden ne vaaz vermek geliyor, ne hitap etmek. Sözüm kalmadı."

"Sen gene Kelimelerin Sarrafı olacaksın" dedi Şems. "Fakat bir farkla! Eskiden Vaaz Veren Akıl idin. Artık Yüreğin Şarkı Söyleyecek."

Ne kast ettiğini anlayamadım, sormadım da. Şafak geceden kalan tortuları silmiş, gökte günahsız bir turuncu tabaka bırakmıştı. Karşımızda şehir uyanıyordu; kargalar bostanlara dadanmış, ocaklar yakılmış, çoluk çocuk yüzlerini yıkamış, herkes taptaze bir güne hazırlanıyordu.

Şems kısık bir sesle, "Arzın her yerinde insanlar bahtiyar olmaya can atıyor ve tamamlanmak istiyor ama manevî bir rehberden mahrumlar" dedi. "Senin kelimelerin onlara yardım edecek, ışık tutacak. Ben de bu uğurda senin hizmetkârın olacağım."

"Öyle deme" diye itiraz ettim. "Sen benim dostumsun."

Şems itirazıma aldırış etmeden devam etti: "Tek endişem, şu içine gizlendiğin kabuk. Meşhur ve muktedir birisin, etrafin hayranlarla kuşatılmış. Ama sıradan kimseleri ne kadar bilirsin? Düşmüşleri, dışlanmışları anlamadan toplumu anlamak mümkün değil. Sarhoşları, dilencileri, hırsızları, fahişeleri, kumarbazları... teselli bilmezleri, ihmal edilmişleri, yaftalanmışları... Allah'ın yarattığı her mahlûku sevebilir miyiz? Çetin bir sınavdır bu, çok az kişi verir bu imtihanı."

Konuştukça yüzünde neredeyse babacan bir şefkat beliriyordu.

Hakkını teslim etmeliydim. "Doğru. Her zaman korunaklı bir şekilde yaşadım. Bu toplumun düşmüşleri nasıl yaşar bilmem bile."

Şems eğildi, bir avuç toprak aldı, parmakları arasında ufaladı. Sonra yerdeki kırık bir dala uzandı; kalktı, meşe ağacının etrafında genişçe bir çember çizmeye koyuldu. Çember tamamlanınca kollarını semaya kaldırdı, sanki görünmez bir elin kendisini harekete geçirmesini bekliyordu. Ardından esmayıhüsnâyı sayarak başladı çemberin içinde dönmeye. Önce ağır ağır, rikkat ve dikkatle, sonra kendisinden geçerek, hızlanan bir ezgiye eşlik edercesine, insanüstü bir kudretle döndü, döndü. Tüm kâinat ve cümle yıldızlar ve dahi ay da onunla semaya durdu. Bu fevkalade raksı izlerken, gözyaşlarıma hâkim olamadım. Bıraktım bu vecd anının tılsımı hem ruhumu hem bedenimi sarmalasın.

En nihayetinde Şems yavaşladı ve durdu. Kesik kesik soluyarak, gaybdan gelircesine boğuk bir sesle konuştu: "Günü gelecek sana Aşk'ın Şairi diyecekler" dedi. "Doğu'dan, Batı'dan, Kuzey'den ve Güney'den yüzünü dahi görmemiş insanlar senin kelimelerinden ilham, feyiz ve cesaret alacak."

İnanması zordu. "Bu nasıl olacak?" diye sordum.

"Dersle değil. Vaazla değil. Şiirle olacak."

"Şiir mi?" Sesim çatlamıştı. "Ben hayatta şiir yazmam ki. Şair değil, âlimim. Sanat değil, ilim irfandır benim saham."

Şems hafifçe dudak büktü. "Dostum, sen, bu dünyanın gördüğü göreceği en büyük şairlerdensin."

Tartışacak hâlim yoktu. "Velev ki dediğin doğru, ne yapılacaksa beraber yapacağız."

O zaman Şems sustu. Bir uğursuz sessizlik oldu. Gözlerini benden kaçırdı. "Neyin var?" diye üsteleyince en sonunda bir itirafta bulunur gibi zorlukla konuştu: "Sana bu yolda sonuna kadar yoldaş olayım isterim ama yapamam. Benim vadem bellidir. Hep yanında kalamam. Gitmem gerek."

"Ne biçim laf bu? Nereye gideceksin?" diye sordum telaşla. "Hiçbir yere gidemezsin."

Şems dudaklarını sıktı. "Benim elimde değil" dedi.

Apansız bir yel bizden yana esti, hava aniden soğudu; o an, oracıkta, bıçakla kesilmişçesine güz mevsimi sona erdi. Berrak ve pak gökkubbeden üstümüze hafiften, ılık ılık yağmur çiseledi. İşte o an ilk kez, Şems'in bir gün beni terk edip gideceği düşüncesi olanca karanlığıyla aklımdan geçti.

Ve o kadar canımı yaktı ki bu fikir, üstüme çuval çuval ağırlık binmiş gibi yüreğim sıkıştı, sinem ağrıdı. Başımı çevirdim. Gözlerine bakamadım.

Sultan Veled
Konya, Aralık 1245

Boş laflar yüreğimi dağlıyor. İnsanlar nasıl bu kadar bol keseden konuşuyor hiç tanımadıkları biri hakkında? Hakikatten ne kadar uzaklar! Babamla Şems arasındaki manevi bağın ne kadar kuvvetli olduğunu anlamıyorlar. Belli ki Kuran-ı Kerim'i de okumuyorlar. Zira okusalar benzeri manevi muhabbet hikâyeleri olduğunu bilirlerdi. Misal Hazreti Musa ile Hazreti Hızır'ın arasındaki yoldaşlık.

Kehf suresinde apaçık yazmaz mı? Hazreti Musa efsanevi

bir komutan, kanuni sıfatına layık biri olmanın yanı sıra günün birinde peygamber olacak kadar da mümtaz bir adammış. Ama bir gün gelmiş, manevi gözünü açacak bir dosta ihtiyaç duymuş. Böyle birini bulmak için dua etmiş. Nihayet duası kabul olunduğunda, bu dost zorda ve darda olana koşan Hızır'dan başkası değilmiş.

Hızır, Musa'ya demiş ki: "Ömrü billah seyyahım. Sen seyahatlerimde bana katılmak istediğini söylüyorsun ama bunu tek bir şartla kabul ederim: Yaptıklarımı sorgulamayacaksın. Soru sormadan benimle gelebilir, bana güvenebilir misin?"

"Elbette" demiş Musa. "Bırak senle geleyim. Söz, hiçbir şey sormayacağım."

Böylece yola düşmüşler, şehir şehir gezmişler. Ama Musa yol boyunca Hızır'ın işlerine akıl sır erdirememiş. Bakmış iyi bir adamın gemisini batırıyor, temiz bir ailenin çocuğunu öldürüyor, sonra da gidip kötü kalpli insanların duvarlarını onarıyor. Ne adalet var, ne mantık. Dilini tutamamış, çaresizce sormuş: "Niçin yapıyorsun bunları? Hiçbirine anlam veremiyorum."

"Bana verdiğin söze ne oldu Musa? Sana demedim mi bana soru sorma diye" demiş Hızır.

Yola devam etmişler. Ama Musa her defasında sormuş, ettiği yemini çiğnemiş. En nihayetinde Hızır durup başından beri yaptığı her işi tek tek sebebiyle izah etmiş. O zaman Musa anlamış ki, korkunç gibi görünen işlerin ardında bilmediğimiz bir açıklama, her şerrin ardında da bir hayır var. Hızır'la yoldaşlığı sayesinde gözü maneviyata açılmış. Başka türlü göremeyeceği bir nizamı görmeye başlamış.

Bu meselede olduğu gibi, bu dünyada sıradan fanilere anlaşılmaz gelen ama aslında derin ilimlere açılan dostluklar vardır. Şems'in babamın hayatındaki yeri de böyle.

Ama insanlar benim gibi düşünmez, bilirim, işte bu yüzdendir endişem. Maalesef Şems de yangına körükle gidiyor.

Başkalarına hoş görünmek için azıcık çaba göstermediği gibi habire birilerinin bam teline basıyor. Bazı günler haramiler gibi babamın kapısının önüne oturup gelen gideni denetliyor. Ahaliden kim babamı görmek istese Şems önüne çıkıp bir sürü soru soruyor.

"Yüce Mevlâna'yı niye görmek istersin?" diye soruyor ve karşıdaki ne söylerse söylesin, beğenmiyor. Sonra üsteliyor: "Peki ona ne hediye getirdin?"

Gelenler ne diyeceklerini bilemeden şaşırıp kekeliyorlar. Şems de onları tekme tokat kovuyor.

Bu ziyaretçilerin bir kısmı birkaç gün sonra gene geliyor, bu sefer koltuklarının altında pahalı hediyelerle. Kuru üzümler, atlas yorganlar, ipek halılar, kuzular... Ama bu malları görünce Şems daha da hiddetleniyor.

Bir gün, babamı görmek isteyen ama bir türlü kapıdaki Şems'i atlatamayan bir adam hiddetle bağırdı: "Yeter artık! Sen kim oluyorsun da Mevlâna'nın kapısına geleni kovuyorsun? Herkese soruyorsun ne getirdin diye! Peki ya sen? Sen ne hediye getirdin Efendi Mevlâna'ya?"

"Hediyem kendimdir" dedi Şems, gayet sakin. "Ben onun yoluna baş koydum."

Adam bunu işitince mosmor oldu. Ne diyeceğini bilemeden kalakaldı. Sonra da kös kös uzaklaştı.

* * *

Aynı gün Şems'in yanına gittim. "Bu kadar çok insan tarafından yanlış anlaşılmak seni üzmüyor mu? Sana düşmanlık etmelerine hakikaten aldırmıyor musun?" diye sordum.

Şems bana boş boş baktı, sanki ne dediğimi anlamamıştı. "Benim hiç düşmanım yok ki" dedi omuz silkerek. "Bizi tenkit edenler olacaktır. Rakibimiz de olur, sevmeyenimiz de. Ama Allah âşıklarının düşmanı olmaz. Biz kin gütmeyiz evlat."

Yirmi Yedinci Kural: Şu dünya bir dağ gibidir, ona nasıl seslenirsen o da sana sesleri öyle aksettirir. Ağzından hayırlı bir laf çıkarsa, hayırlı laf yankılanır. Şer çıkarsa, sana gerisin geri şer yankılanır. Öyleyse kim ki senin hakkında kötü konuşur, sen o insan hakkında kırk gün kırk gece sadece güzel sözler et. Kırk günün sonunda göreceksin her şey değişmiş olacak. Senin gönlün değişirse, dünya değişir.

"Ama insanlarla tartışıyor, hatta kavga ediyorsun" dedim. Şems gülümsedi. "Kavgayı onlarla değil, nefsleriyle ediyorum."

"İyi ama sonra senin hakkında ileri geri bir sürü laf ediyorlar. Hatta iki erkek bu kadar yakın dost olamaz; olursa ortada ağza alınmayacak bir düşkünlük vardır diyenler bile çıkıyor. Öyle kızıyorum ki böyle art niyetli, bu kadar fesat dolu olmalarına..."

Şems bunu duyunca sessiz bir ah etti ve sonra bana bir hikâye anlattı.

İki seyyah bir şehirden diğerine gidiyormuş. Derken yollarının üstüne taşkın bir dere çıkmış. Tam suyu geçecekler, az ötede korkudan tir tir titreyen yapayalnız ve gencecik bir kadın görmüşler. Adamlardan biri hemen kadının yardımına koşmuş. Onu sırtına almış, suyu öylece aşmış. Sonra kadını derenin öte yakasında yere bırakıp iyi günler dilemiş. Böylece yollarına devam etmişler.

Ancak yolun kalan kısmında öteki seyyahın ağzını bıçak açmamış. Suratından düşen bin parça. Somurttukça somurtuyor. Birkaç saat böyle surat astıktan sonra suskunluğunu bozup şöyle demiş: "Ne demeye o kadına yardım ettin? Bir de üstelik ona dokundun. Seni ayartabilirdi! Baştan çıkarabilirdi! Erkekle kadın böyle temas etsin, olacak iş mi!

Ayıp yahu! Olmaz, bize yakışmaz!"

Kadını sırtında taşıyan seyyah sabırla gülümsemiş: "İyi de dostum, ben o genç kadını derenin karşısına geçirip orada bıraktım; sen ne demeye hâlâ taşırsın?" "Kimi insan böyledir" dedi Şems. "Kendi korkularını, önyargılarını başkalarına yansıtır ve onlarda gördüğünü sanır. İşte asıl yük budur. Zihinlerini zanlarla doldurur, sonra da bunca ağırlığın altında eziliverirler. Babanla aramızdaki bağın derinliğini anlayamayanlara söyle, önce kendi zihinlerindeki kiri pası temizlesinler!"

Ella
Boston, 15 Haziran 2008

Bir önceki mesajında demişsin ki, "Romanını iki kez okuduktan ve Şems ile aranda bunca benzerlik gördükten sonra hayat hikâyeni merak etmeye başladım. Bana nasıl Sufi olduğunu anlatır mısın?"

Geçmişi konuşmaktan pek hoşlanmıyorum Ella, yine de sana anlatacağım...

İskoçya'da, Kinlochbervie adında bir balıkçı köyünde dünyaya geldim. Ailemin bana verdiği isim Craig Richardson'dı. Çocukluğumdan kalan en belirgin hatıralar balıkçı tekneleri, bel vermiş ağlar arasından yeşil yılanlar gibi sarkan şerit şerit yosunlar, kumsal boyunca solucan didikleyen çulluklar, beklenmedik yerlerde boy veren yabani çiçekler, denizin keskin ve tuzlu kokusu, yemyeşil dağlar ve bir de savaş sonrası Avrupa'ya hâkim olan alışılmadık sükûnet... Ben bunların arasında büyüdüm.

Ardından bütün dünya paldır küldür 1960'ların tufanına yakalandı. Öğrenci eylemleri, uçak kaçırmalar, devrim girişimleri... Bense sessiz köşemde hepsinden uzak, yaşıtlarımın kapıldığı değişim dalgasından habersizdim. Babamın ikinci el kitap satan bir dükkânı vardı, annemse yünü kıymetli koyunlar yetiştirirdi. Böylece çocukluğum boyunca hem bir çobanın münzevi hâllerinden, hem bir kitapçının içedönüklüğünden bir şeyler aldım galiba. Çoğu gün bir ağaca tırmanır, manzarayı seyredalar, tüm hayatımı burada geçirmeyi planlardım. Bazen köyden çıkmak ve maceralara atılmak arzusu kalbimi yoklasa da, Kinlochbervie'yi severdim. Hayatımdan memnundum. Orada doğdum, orada öleceğim sanırdım. Meğer Tanrı'nın benim için yazdığı hikâye bambaşkaymış.

Yirmi yaşımda hayatımı tümden değiştirecek iki şeyle karşılaştım. Birincisi profesyonel fotoğraf makinesiydi. Fotoğrafçılık kursuna kaydoldum, ilk başta hobi olarak başlayan bu uğraşın ömür boyu süren bir tutku olacağını bilmiyordum. İkincisi, bir kadınla tanıştım. Arkadaşlarıyla Avrupa'yı gezen ve "tesadüfen" köyümüze uğrayan Hollandalı bir kadın. Margot'ydu adı.

Benden sekiz yaş büyüktü; çok güzeldi, uzun boylu, alımlı, başına buyruktu. Bohem, idealist, radikal, entelektüel, biseksüel, solcu, özgürlükçü, yeşil-anarşist, çokkültürlülük yanlısı, azınlık ve insan hakları savunucusu, ekofeminist... Margot'yu anlatan kavramların çoğunun anlamını bile bilmiyordum. Ama bir tek şeyin farkındaydım: O bir Sarkaç Kadındı.

Bir bakmışsın son derece mutlu ve delidolu,

içinde buram buram yaşam sevinciyle fikirler, projeler peşinde koşuyor. Bir bakmışsın omuzları çökmüş, gözlerinin feri sönmüş. Ruh hâlini önceden kestirmek imkânsızdı. "Burjuva konforunun ikiyüzlülüğü" dediği hâkim yaşam tarzına ezelden kızgındı. Her şeyi en ufak ayrıntısına kadar sorgulamaktan, eleştirmekten kaçınmazdı. Benim gibi sakin ve temkinli birinin nasıl olup da Margot gibi çılgın bir kadın karşısında paniğe kapılıp kaçmadığı muammadır. Hâlâ anlayamam. Ama kaçmadım. Aksine, kendimi Margot'nun canlı kişiliğinin girdabına bıraktım. Hiç düşünmeden... Âşık olmuştum.

Tuhaf bir kimyası vardı Margot'un. Devrimci ve yaratıcı fikirler, sivri eleştirilerle doluydu; cesur, bağımsız ve asiydi. Ama aynı zamanda kristal bir çiçek gibi narindi. Bir bakmışsın olmadık bir sözden incinmiş, kırılmış. Kendi kendime söz verdim: Onu dış dünyanın hoyratlığından da, kendi içindeki yıkıcı damardan da koruyacaktım. Acaba benim sevdiğim kadar o da beni sevdi mi? Sanmıyorum Ella. Bana sadık olduğunu da sanmıyorum. Ama biliyorum ki o da hiç kimseyi sevmediği kadar, hatta kendi kendini şaşırtıp ürkütecek kadar çok sevdi beni. Kendince, kadrince, yapabildiğince...

Böylece Margot'un peşine düşüp Amsterdam'a gittim. Orada evlendik. Margot burada biraz duruldu; kendini siyasi yahut ekonomik nedenlerden ötürü Avrupa'ya iltica edenlere yardıma adadı. Mültecilerin ihtiyaçlarına odaklı bir sivil toplum örgütünde çalışarak dünyanın en belalı köşelerinden kaçıp Hollanda'ya sığınan ailelere rehberlik ediyordu. Onların koruyucu meleğiydi. Öyle ki Endonezya'dan, Somali'den, Arjantin'den, Filistin'den nice aile kızlarına onun adını verdi.

Bense böyle idealist davalarla ilgilenemeyecek kadar "meşgul" ve galiba maddiyatçıydım. İşletme mezunu hırslı bir genç adam olarak kurumsal kariyer basamaklarını tırmanmaktaydım. Uluslararası bir firmada çalışmaya başladım. Margot ne statümle ne de maaşımla ilgileniyordu ama ben bunları gün geçtikçe daha çok önemsemeye başladım. Güçlü olmak istiyordum. Güçlü ve zengin...

Tüm hayatımızı ince ince planlamıştım. İki sene içinde çocuk yapacaktık. Kafamdaki mutlu aile tablosunda iki kız çocuğu vardı. Bizi aydınlık bir gelecek beklediğinden emindim. Ne de olsa dünyanın en güvenli yerlerinden birinde yaşıyorduk; bozuk bir musluk gibi Avrupa'ya mülteci akıtan o karmaşık ülkelerden birinde değil. Gençtik, sıhhatimiz yerindeydi. Hiçbir şeyin yanlış gitmesine ihtimal vermiyordum. Şimdi bu satırları yazarken inanması zor geliyor. Artık elli dört yaşındayım, Margot ise hayatta değil.

Oysa daha sağlıklı ve tartışmasız, iyi kalpli olan oydu, ben değil. Yaşamayı asıl o hak ediyordu. Yalnız sağlıklı şeyler yer, düzenli egzersiz yapar, her türlü kötü alışkanlıktan uzak dururdu. Hep incecikti, formdaydı. Aramızdaki yaş farkına rağmen benden daha genç dururdu.

Beklenmedik bir şekilde öldü. Bir gece sığınma talep eden bir Rus gazeteciyi ziyarete gitmişti. Dönüşte otobanın ortasında arabası arıza yapmış. Ve her zaman trafik kurallarına riayet eden, bu konuda beni hep uyaran Margot, dörtlüleri yakıp bekleyecek yerde, nedense basireti bağlanmış gibi arabadan çıkıp en yakındaki köye yürümeye kalkmış. Üstünde koyu kahverengi bir trençkot, koyu renk pantolon. Karanlıkla bütünleşircesine... Yüz metre ilerde hızla gelen bir araç çarpmış. Yugoslavya plakalı bir karavan. Şoför onu görmemiş bile.

Sevdiğim kadını kaybedince ağır bir dönüşüm geçirdim. Ne o balıkçı köyündeki saf delikanlıydım artık, ne kariyer peşinde koşan bir işletmeci... İçimdeki bastırılmış hayvan ortaya çıktı; bastırılmış ve kapana kısılmış.

Hızla değiştim, çirkinleştim, çirkefleştim ve en nihayetinde dibe vurdum. 1970'lerin başıydı. Hayatımın bu safhasına, Sufi kelimesinin "S" harfiyle tanışma dönemi diyorum.

İşte böyle. Umarım sıkılmamışsındır Ella. Biraz uzunca yazmışım.

Sevgilerle,
Aziz

Fahişe Çöl Gülü
Konya, Ocak 1246

Başımı belaya soktuğum için cezalıyım. Hünsa patron artık hiçbir yere gitmeme izin vermiyor. Ama üzülmüyorum. İşin doğrusu ne sevinç ne keder, epeydir öyle yoğun hisler yaşamıyorum. Aheste revan akıp gidiyor günler. Her sabah aynada gördüğüm yüz biraz daha solgun, bir nebze daha durgun. Ne saçımı tarıyor süsleniyorum, ne de pembeleşsin diye yanaklarımı çimdikliyorum. Diğer kızlar görünüşümden şikâyet ediyor; müşterileri kaçırıyormuşum. Belki haklılar ama ben zaten kimse tarafından arzulanmak istemiyorum ki. Erkeklere çekici görünmekten bıktım, yıprandım. Kimse beni çekici bulmasa keşke, sessizce çürüsem bir köşede...

Ben kafamdan bunları geçiredurayım, evvelsi gün akşam bir müşterinin ısrarla beni görmek istediğini söylediklerinde şaşırdım. Gidip bakınca şaşkınlığın yerini korku aldı. Meğer müşteri dedikleri Baybars'mış!

Ben önde o arkada, yukarı kattaki basık odalardan birine çıktık. Yalnız kalır kalmaz dayanamadım, sordum: "Sen artık zaptiye değil misin? Vazifen cemiyet nizamını ve ahlâkını korumak değil mi? Kerhanede ne işin var?"

"Bak şu konuşana!" dedi Baybars kinayeyle. "Ya senin gibi fahişenin camide ne işi vardı o gün? Senin yaptığın acayip olmuyor da benim buraya gelmem mi tuhaf?"

"O günü bana hatırlatma. Senin yüzünden linç edilecektim. Herkesi bana karşı kışkırttın. Sen bu kerhanenin gediklisi değil miydin? Bu ne perhiz, bu ne lahana turşusu!" dedim ve hemen ardından ekledim: "Eğer bugün hayattaysam, canımı Şems'e borçluyum. Allah ondan bin kere razı olsun."

"Bana bak, benim yanımda anma şu mendeburun adını. Kâfir herifin teki o!"

Baybars gibi bir zorbayla takışmamak gerektiğini biliyordum ama sözümü sakınmadım: "Ben Tebrizli Şems'e kefilim. Senin sandığın gibi kötü biri değil o. Kaç kez beni görmeye geldi."

"Orospunun kefil olduğu adamdan kime hayır gelir?" dedi Baybars pis pis sırıtarak. "Vay, vay! Demek öyle ha! Kerhanede bir derviş! Acaba neden şaşırmadım?"

"Senin aklın fikrin fesatta olduğu için herkesi kendin gibi zannediyorsun! Hâlbuki düşündüğün gibi değil" dedim. "Şems bana yardım ediyor. Bu yolları bırakmam için elimden tutuyor. Diyor ki tek bir kişinin bedbaht olması, incinmesi bile bütün şehri etkilermiş. İlk defa birisi beni insan yerine koyuyor. Etim için, benden faydalanmak için değil, bendeki Hakk'ı görebildiği için Şems bana elini uzatıyor."

"Sende Hak ne gezer ulan?" diye tersledi Baybars. "Akşam akşam ters ters konuşturma beni. Günaha sokacaksın şimdi!"

"Doğru konuştuğunu hiç duymadım ki..." diye mırıldandım.

Bunu daha önce kimseye anlatmamıştım ve neden şimdi Baybars'a aktardığımı da doğrusu bilmiyordum. Ama Şems geçtiğimiz aylar boyunca hemen her hafta ziyaretime gelmişti. Başkaları tarafından görülmeden, hele hünsa patrona yakalanmadan içeri girmeyi nasıl beceriyordu aklım almıyordu, ama yapıyordu işte. Anlatsam, kesin "kara büyü" diyeceklerdi. Ama ben biliyordum ki durum böyle değildi. Şems'in Allah vergisi insanüstü yetenekleri vardı. Duvarların, kapıların ötesini görebiliyor, dilediğinde kendini görünmez yapabiliyordu. *"Hazır olduğunda hiç arkana bakma. Çık git bu kerhaneden"* diyordu bana. Hayatımda bir annem, bir de Şems bana insanın insanı beklentisiz, karşılıksız ve çıkarsız sevebileceğini göstermişti. Sırf bu yüzden bile minnettardım ona.

Ne olursa olsun bedbin olmamayı salık vermişti. *"Karamsar olma Çöl Gülü, kendini tasavvufa adamak istiyorsan, bu arzunda samimiysen, bil ki karamsarlığa yer yok bizim yolumuzda... Kendini çaresiz hissetme. Hakk'ın sıfatları arasında ne acizlik var, ne bedbinlik..."* Moralim bozulduğunda, kaderimin böyle yazıldığını, elimden bir şey gelmeyeceğini söylediğimde kırk kuraldan birini hatırlatırdı.

Kural Yirmi Sekiz: Geçmiş, zihinlerimizi kaplayan bir sis bulutundan ibaret. Gelecek ise başlı başına bir hayal perdesi. Ne geleceğimizi bilebilir, ne geçmişimizi değiştirebiliriz. Sufi daima şu an'ın hakikatini yaşar.

Ben bunları zikrederken Baybars dikkatle her hareketimi, her mimiğimi inceliyordu. Sağ gözü, tembel gözü beni ıskalıyor, arkamda bir noktaya odaklanıyordu. Sanki benim göremediğim bir şey vardı da odada, onu takip ediyordu. Korkutuyordu bu adam beni.

Anladım ki Baybars Şems'ten nefret ediyor. Sırf konuyu değiştirmek için gittim, bir kupa bira getirdim. Hızla kafasına dikti. İkinci ve üçüncü biraları da aynı hızla tüketti. Dördüncü biradan sonra dili çözülmeye başladı.

"Söyle bakalım senin hünerin nedir?" diye sordu Baybars, kelimeleri sakız gibi uzatarak. "Bu kerhanedeki her sermayenin ayrı bir marifeti varmış. Öyle diyorlar. Seninki ne? Dansözlük filan mı? Yoksa yatakta mı göstereceksin marifetini?"

"Bende hüner yok" dedim. "Madem eğlenmek istiyorsun, başka kıza git; benden sana hayır yok."

Hatta bilinmeyen bulaşıcı bir hastalıktan muzdarip olduğum yalanını bile uydurdum. Bir müşteriye böyle zırvalar anlattığımı duysa, kerhaneci hünsa bacaklarımı kırardı ama umurumda değildi o an. Baybars'ın benden soğuyup gitmesi için aklıma gelen her bahaneyi kullandım.

Ama gitmedi. Ne anlattıysam omuz silkti. Umurunda bile olmadığını söyledi: Derken koynundan meşin bir kese çıkarttı; içinden kızıl-kahve bir ot döküp, avuç avuç ağzına attı. Başladı zevkle çiğnemeye. "Sen de ister misin?" diye sordu.

"Hayır istemem." Başımı salladım. Çiğnediğinin ne olduğunu biliyordum. Bu ota müptela olanların zamanla ne hâle geldiklerini de...

Baybars pişkin bir edayla sırıttı. "Ne o yavru? Bakıyorum da pek terbiyelisin! Ne kaçırdığını bir bilsen, uçurur bu adamı uçurur!"

Sırtüstü döşeğe yayıldı. Bir müddet sabit gözlerle tavandaki örümcek ağlarını seyretti. Ve derken başladı sakin ve sabit bir sesle korkunç şeyler anlatmaya. Bugüne değin cenk meydanlarında gördüklerini aktardı.

"Cengiz Han öldü. Kemikleri peynir tozu gibi dağıldı ama hayaleti hâlâ Moğol Ordularına eşlik ediyor" dedi boğuk bir sesle. Hayaletin galeyana getirdiği Moğol Ordusu'nun kervanlara saldırıp, köyleri yağmaladığını, kadın erkek demeden önüne geleni kestiğini anlattı. "Ama Moğol olmasa, başka bir şey olur. Çünkü insanın olduğu her yerde savaş var" dedi.

Ardından sordu: "Soğuk bir kış gecesi, yüzlerce kişinin ölü ya da yaralı vaziyette yerde uzandığı savaş alanlarında, kimi ruhunu teslim eder kimi kenarda can cekişirken, ortalığa tuhaf bir yumuşaklık ve kırılganlık çöker. Aklının hayalinin alamayacağı bir huzur hâkim olur her tarafa, bilir misin?"

Ürperdim. Nerden bilecektim? Cevap veremedim.

"Ne zaman bir yerde büyük çapta bir felaket yaşansa ve aynı anda çok sayıda insan can verse, peşisıra kesif bir sessizlik olur. İşte o sessizlik var ya dünyanın en mükemmel sesidir aslında" diye devam etti Baybars. İçkiden ziyade anlattıklarından sarhoş olmuşa benziyordu.

"Ne kadar hazin" diyebildim sadece.

Baybars güldü. "Hazin mi? Hazin olan bir şey yok yavru! Bu âlem böyle! Yerse! Büyük balık küçük balığı, zalim mazlumu yer! Hayatta kalmanın tek yolu var: savaşmak" dedi. "Demek ki neymiş? Küçük balık olmayacakmışsın. Senin gibi karılar için bunun bir tek yolu var: Güçlü bir herifin kapatması olmak. O zaman erkek seni korur."

Ne dediğini anlamazdan geldim. Ne olumlu ne olumsuz, tek kelime etmedim. Konuşacak başkaca söz yoktu. Kolumdan tuttu, beni yere attı, elbisemi sıyırdı. Hoyrat, kaba ve açtı. Hareketlerini yavaşlatmaya çalıştıysam da esrarın ve biranın etkisiyle çığrından çıkmış bir hâle gelmişti. Gözleri kan çanağı, sesi hırıltılıydı. Nefesi esrar, ter ve küfür karışımıydı. Tek, sert, yırtıcı bir hamlede içime girdi. Yana kaymayı, acımı azaltmayı denedim ama var gücüyle üstüme çöktü, öyle kuvvetli bastırdı ki kımıldamam mümkün olmadı. Görünmez ipler tarafından yönetilen istemsiz bir kukla gibi defalarca hızla gitti geldi. Boşaldıktan sonra dahi yavaşlamadı. Belli ki tatmin olmamıştı, aynı hırsla sevişmeye devam etti. Tekrar sertleşeceğinden korktum fakat aniden ve kendiliğinden yoruldu, durdu. Hâlâ üstümdeydi. Yüzüme som bir nefretle baktı, sanki daha bir dakika önce onu tahrik eden bedenim şimdi onu iğrendiriyordu.

En sonunda döşekte yana devrilip, "git üstüne bir şeyler giy" diye buyurdu.

Kalktım. Ben acele acele kenarda giyinirken, o ağzına biraz daha esrar atıp beni seyretti. "Karar verdim, bundan böyle başka erkeklere hizmet etmeyeceksin. Seni dost tutacağım" dedi.

Müşterilerin ara sıra böyle olur olmaz hayallerle gelmesi, fahişeleri kapatma yapmak istemeleri vak'a-i adiyedendi. Böylesi hassas meseleleri kurnazlıkla halletmeyi, "harikasın beyim, seve seve sırf sana çalışırım" deyip erkeklerin sırtlarını sıvazlamayı, "ama beni giydirip kuşatman, çok para harcaman, bilhassa hünsa patronun gönlünü hoş tutman gerekir" deyip oltaya getirmeyi bilirdim. Ne var ki yalan söylemek, kıvırmak, kandırmak istemiyordum artık. Doymuştum bu oyunlara.

"Olmaz" dedim. "Benden sana dost olmaz. Hem ben yakında bu yolları toptan bırakacağım. Kerhaneden ayrılacağım. Kendimi ibadete adayacağım."

Baybars çiğ bir kahkaha attı. Hayatında bundan daha gülünç bir şey duymamıştı sanki. O kadar çok güldü ki, gözlerinden yaş geldi. "İbadete adayacakmış, vay haspa" dedi nihayet konuşabildiğinde. "Nereye gidiyosun yavru? Otursaydın biraz daha!"

Baybars'la takışmanın anlamı olmadığını biliyordum ama elimde değildi. "Aklınca beni aşağılıyorsun ama senle ben o kadar da farklı değiliz" dedim. "İkimiz de geçmişimizden, yaptığımız yanlışlardan pişmanız. Ama sen, beyamcan sağ olsun, zabit olmuşsun. Benimse arka çıkacak kimsem yok. O yüzden burdayım."

Baybars'ın suratındaki ifade tamamen değişti, çehresi sertleşti. O ana dek soğuk ve mesafeli bakan gözleri hınçla doldu. Birden atılıp saçımdan yakaladı. "Ne diyosun sen? Sana iyi davrandık diye şımardın bakıyorum" dedi. "Ulan orospu! Sen kimsin de kendini benimle kıyaslıyorsun?"

Ağzımı açıp bir şey söyleyecek olduysam da aniden inen bir darbeyle sesim, nefesim kesildi. Yüzüme attığı yumruğun acısını daha tam olarak anlayamadan, aniden duvara fırlattı beni. Çarpmanın etkisiyle sersemledim ama ne o an, ne daha sonra gıkımı çıkardım. Darbelere direnmedim.

İlk değildi ne de olsa. Müşteri elinden daha önce de yaşamıştım dayağı, zulmü, hakareti, tecavüzü...

* * *

Baybars mideme, kaburgalarıma birbirinden sert tekmeler indirdi. Yerde boylu boyunca yatıyordum. Tam o anda, oracıkta, tuhaf bir şey oldu. Anlatması zor, ama sanki ruhum bedenimden ayrıldı. Derlerdi de inanmazdım. Meğer ruh bir uçurtma imiş. Kuyruklu, rengârenk, narin ve nazenin bir uçurtma... Ağırlığından kurtulup yükseliverdi havada. Özgürlük ne güzel şeymiş, hayret! Nasıl da hafif, latif, uçsuz bucaksız... Bir mekâna, bir adrese, bir bedene hapsolmamak nasıl bir lütufmuş meğer...

Başladım semada yüzmeye. İster kuzeye giderim, ister güneye. Huzurlu bir boşluğa fırlatılmıştım, ne direnmeye sebep vardı, ne gücenmeye. Süzülüyordum öylece. Gayret bile göstermeme gerek yoktu. Sonsuzluğu yutmuş, sonsuzluk olmuştum. Pencereden çıktı uçurtma, başladı yükselmeye. Yeni harman edilmiş burçak tarlalarının üzerinden geçtim, köylü kızların mırıldandığı türküleri işittim, gün geceye dönünce peri ışıkları gibi yanıp sönen ateşböceklerine gülümsedim. Hızla düşüyordum bir yerlere ama aşağı doğru değil, yukarıya doğru, dipsiz gökyüzüne çekilircesine...

Ölüm buysa eğer, korkacak bir şey yokmuş. Dert tasa, endişe evham kalktı üstümden. Arzın arşla kucaklaştığı sihirli bir kesişme noktasındaydım; hiçbir şey ürkütemezdi beni. Ve birden bir hakikatin farkına vardım. Ben bunca zaman sırf hünsa patrondan yahut o insan azmanı Çakal Kafa'dan korktuğum için bu kerhaneden ayrılamamıştım. Kaçarsam beni bulurlar; yakalar, yaralar yahut öldürürler korkusuyla senelerdir köle gibi vücudumu satarak emirlerinde çalışmıştım. Şimdiyse Hak bana ruhumun uçurtma gibi süzülebileceğini göstererek korkmamayı öğretiyordu. Bir Baybars belası yollayarak bin Baybars'la baş etmenin yolunu gösteriyordu.

Ürküp çekinmenin, pısıp tırsmanın, koca bir ömrü tavşan gibi kovukta saklanarak geçirmenin ve bunun adına "ne yapalım, kaderim böyleymiş" demenin anlamı yoktu. Ben, Çöl Gülü, sağ kalırsam şayet, gidecektim buralardan. Hem de arkama bile bakmadan. Evet, Tebrizli Şems haklıydı. Pislik ve kir, cenabet ve cerahat... adına ne dersen de, yalnızca içte olurdu. İçimizde. Geri kalan her şey suyla yıkanır, yuğulurdu.

Gözlerimi kapadım. Bir başka, bir öte Ben düşledim. Temizdi, berraktı, tövbekârdı, tövbesinde sebatkârdı o öteki hâlim; benden daha genç, daha cesur ve güzeldi. Hem iyimser ve samimi, hem atılgan ve dirayetliydi, kerhaneden çıkıp yepyeni bir hayata başlarken. Ter ü tâze, ışıl ışıl, inanç ve umut doluydu. Öyle inandırıcıydı ki, hayali bile o kadar tatlıydı ki, gülümsemeden edemedim.

"Ne demeye sırıtıyorsun lan?"

Bir tekme daha indirdi Baybars. İki büklüm oldum acıdan. Gene gülümsedim.

"Ulan hasta mısın lanet karı! Ne sırıtıyorsun dedim? Bana mı gülüyorsun yoksa?" diye peş peşe sorular ve küfürler yağdırdı Baybars.

"Sana gülmüyorum" dedim zorlukla konuşabildiğimde. "Beni ölüm korkusundan kurtardın. Sayende nihayet bu kerhaneden kurtulacağım. Teşekkür ederim..."

Ve işte o zaman Baybars yuvalarından fırlamış gözlerle dehşet içinde bana baktı. Bir an öyle kalakaldı. "Kafayı yemiş karı..." diye mırıldandı. Gulyabani görmüş gibi geri geri yürüdü. Titreyen ellerle kapıyı açtı ve beni öylece yerde bırakarak, esrar çubuğunu, kesesini ve kıyafetlerini unutarak âdeta kaçarcasına merdivenlerden inip, kerhaneden uzaklaştı.

Kimya
Konya, Ocak 1246

Bir vesile çıksın diye günler, haftalarca bekledim. Şems'i görmek, onunla başbaşa konuşabilmek için habire fırsat kolladım. Aynı çatı altında yaşasak da ben hep haremlik kısmında olduğumdan, yollarımız bir türlü kesişmiyordu. Ama bu sabah avluda kuru yaprakları süpürürken Şems aniden yanımda belirdi. Yalnızdı.

"Nasıl gidiyor sevgili Kimya?" diye sordu şen şakrak bir edayla.

"İyi gidiyor" dedim başörtümü düzeltip, mahcup gülümseyerek.

Baktım Şems'in gözlerinde buğulu bir bakış var. Sanki uykudan yeni uyanmıştı. Ya öyle, ya da gene bu dünyadan öteye bir yolculuk yapıp dönmüştü. Bu aralar sık sık öteki âleme gidip geldiğini biliyordum. Ne vakit dünyevi boyuttan uzaklaşsa, geri döndüğünde bazı işaretler taşıyordu. Yüzüne dalgın bir ifade geliyor, gözleri cam bir perde arkasından bakarcasına donuklaşıyordu. Bunca zaman Şems'in her mimiğini, her hareketini pürdikkat izlediğim için ruh hâlindeki en ufak bir iniş çıkışı bile fark eder olmuştum. Ama tabii bunu ona belli etmedim. Şems başını kaldırıp gözlerini kısarak gökyüzüne baktı. "Fırtına geliyor Kimya" dedi. "Hava yakında bozacağa benzer."

Tam tepemizde, sanki bir tek bizim üstümüzde, boz renkli kar taneleri dönüyordu. Yılın ilk karı o kadar belirsiz, öylesine sessiz geliyordu ki... Bunca zamandır merak ettiğim soruyu o an sormaya karar verdim. "Geçenlerde bana herkesin Kuran'ı kendi idrak derecesine göre okuduğundan bahsetmiştin" dedim. "O zamandan beri dördüncü okumayı soracağım, bir türlü fırsat olmadı."

Şems usulca bana döndü. Yüzüme böyle sabit bir nazarla baktığında elim ayağım birbirine dolaşıyor, içim eriyordu. Alnını hafifçe kırıştırıp, dudaklarında buse gibi yumuşacık bir hüzünle bekledi; düşüncelerini elevermeyen bir esrar perdesi çehresinde asılı kaldı. Böyle anlarda ne kadar yakışıklı olduğunu bir bilseydi!

"Dördüncü okumayı dile dökmek imkânsızdır" dedi. "Dilin yetersiz kaldığı bir öte boyut var. Aşkın sahasına adım atınca, kelimelere gerek kalmaz."

"Keşke bir gün ben de aşkın sahasına ulaşsam" deyiverdim. Ağzımdan çıkanı kulaklarım işitince kıpkırmızı oldum. Telaşla düzeltmeye çalıştım. "Yani mecazi aşkın! İlahi aşkın! Kuran'ı daha derin bir şuurla okumak için..."

Şems güldüğünü görmeyeyim diye başını çevirdi. "Şayet mayanda varsa, eminim oraya varırsın. Dördüncü okumada, akıntıya balıklama dalar; su olur, ırmak olur, çağıl çağıl akarsın Kimyacım."

Derin bir nefes aldım, göğsüm körük gibi indi kalktı. Bir tek Şems beni heyecandan aptallaştırabilir, içimi böyle kaynatabilirdi. Onun yanındayken hem her şeyi sil baştan öğrenen bir genç kıza dönüşüyor, hem şefkatli bir anne gibi hissediyor, hem de rahminde can taşımaya hazır bir nilüfer çiçeği gibi açılıyor, kadın oluyordum.

"Ne demek *mayanda varsa?*" diye sordum. "Kaderinde varsa mı demek istiyorsun?"

"Öyle de denebilir" dedi Şems kafasını sallayarak.

"Ben bu kader meselesini anlamıyorum" dedim. Hâlbuki söylemek istediğim şey başkaydı: *"Benim kaderimde sen var mısın acaba?"* diye sorabilmek isterdim ona. *"Şayet yoksan bileyim. Boş yere senin hakkında hayaller kurmayayım."*

"Kaderin ne olduğunu anlatamam" dedi Şems. "Ama ne olmadığını anlatabilirim. **Kader, hayatımızın önceden çizilmiş olması demek değildir. Bu sebepten, "ne yapalım kaderimiz böyle" deyip boyun bükmek cehalet göstergesidir. Kader yolun tamamını değil, sadece yol ayrımlarını verir. Güzergâh bellidir ama tüm dönemeç ve sapaklar yolcuya aittir. Öyleyse ne hayatının hâkimisin, ne de hayat karşısında çaresizsin. Bunu anlatır Yirmi Dokuzuncu Kural."**

Boş boş bakmış olacağım ki Şems biraz daha açıklama gereği duydu. Koyu kara gözlerinin derinleri parlayarak şöyle dedi: "Müsaadenle bir mesel anlatayım."

"Günün birinde genç bir kadın bir dervişe kaderin nasıl işlediğini sormuş. Derviş demiş ki: "Gel benimle, beraber görelim." Az gitmiş uz gitmişler, bir nümayişe denk gelmişler. Meğer ahali bir katili asmak için meydana götürüyormuş." Derviş genç kadına sormuş: "Şimdi bu adamı idam edecekler. Peki bu sonuca sebep olan hadise nedir? Birisi bu adama önceden para verdi, o da gitti cinayet silahı satın aldı. Bu mu asılmasına sebep? Yoksa suçu işlerken kimse onu durdurmadığı

için mi darağacına gidiyor? Veya suçu işledikten sonra yaka-
landığı için mi? İdamına yol açan sebep gerçekleştirdiği eyle-
min öncesinde mi, esnasında mı, yoksa sonrasında mı saklı
sence?"

"Kafamı karıştırıyorsun" diyerek Şems'in lafını kestim.
"Hikâyedeki adam katil olduğu için, yani korkunç bir suç işle-
diği için asılacak. Ettiğinin bedelini ödüyor. İşte sana sebep,
işte netice. Hayırlı ameller başka, şerrî ameller başkadır."

Şems birden sesini alçalttı. "Ne dediğini anlıyorum" dedi
bitkin düşmüşçesine. "Ama bu hayatta her ayrım o kadar ko-
lay çizilmiyor. Ya sandığın kadar siyah-beyaz, iyi-kötü, açık-
seçik değilse? Ya tekmil kelimelerin önemini yitirdiği bir baş-
ka bilinç boyutu varsa?"

"Olmaz. Allah bu ayırımlar konusunda gayet açık olmamı-
zı istiyor. Yoksa ne haram diye bir şey olurdu, ne helal. Şayet
insanları cehennemle ürkütüp cennetle teşvik etmeseydi, in-
sanlık çığırından çıkar, dünya feci bir yer hâline gelirdi. Kor-
kutulmaya da ödüllendirilmeye de ihtiyacımız var."

Sert bir rüzgâr esti bizden yana. Kar taneleri havada rastge-
le savruldu. Şems bana doğru bir adım atarak sırtımdaki şalı
düzeltti; omuzlarımı örttü. O kadar yakınımdaydı ki, kokusunu
içime çektim. Sandal ağacı, misk-i amber ve yağmur sonrası
toprak karışımıydı Şems'in kokusu. Karnımda, göğsümde bir
kıpırdanma, bacaklarımın arasında bir dalgalanma hissettim.
Bir erkeği arzulamak böyle bir şeydi demek. Hem utanç veri-
ciydi hem de, tuhaf bir şekilde, utanacak bir şey yoktu bunda.

Şems yarı müşfik yarı muzip yüzüme baktı. "Akıl ve man-
tığın hudutları gayet keskin olabilir. Ama aşkta tüm sınırlar
ve ayrımlar silikleşir" dedi.

Semavi Aşk'tan mı bahsediyordu, yoksa bir kadınla erke-
ğin dünyevi aşkından mı? Belki de ikimizi kast ediyordu? Sa-
hi "biz" diye bir şey var mıydı ortada?

Şems aklımdan geçen sorulardan habersiz sözlerine devam etti: "Haram ve helalden bahsediyorsun. Öyle insanlar var ki sırf cehennem dehşeti yahut cennet rüşveti için iman ediyor. Etmesinler daha iyi! Kim kimi kandırıyor? Kıldıkları namazın bile hesabını tutuyorlar. Bizse daimi namazdayız. Sürekli huzurdayız. Zühdî ibadeti ne yapayım? Bana kalsa bir kova su alır cehennem ateşini söndürür, cenneti de ateşe veririm ki, sırf ve saf aşk kalsın. Gerisi boş!"

"Aman sakın böyle şeyleri uluorta söyleme. İnsanlar peşin hükümlü. Seni yanlış anlarlar. Anlamadan yaftalarlar" dedim kaygıyla. "Birilerini kızdırabilirsin."

Şems gülümsedi. Bileğimi kavradı, elimi tuttu. Bıraktım vücudunun sıcaklığı vücuduma geçsin; esir etsin beni kendine, meftun etsin. Konuştuğunda sesi yumuşacıktı:

"Biz onların gözlerine perde çektik, kulaklarına ağırlık astık, demiyor mu Kimya? Mühürlü kulaklara ne söylesen günah sayarlar. Ne yapabilirim ki? Aşk dersin, onu bile yanlış anlarlar."

"Hâlbuki sen ne söylesen bana bal gibi gelir" dedim aniden! Aman Allahım! Dilimi ısırdım. Ağzımdan çıkan söze inanamadım. Nasıl böyle bir şey söyleyebilmiştim? Aklım başımdan uçmuş muydu? İçime cin girmişti herhâlde.

Telaşla toparlandım. Şems'in yüzüne bile bakamadan, şalımı sıkı sıkı sarınarak mırıldandım: "Şey... geç oldu... Mutfakta işim var. Ben artık gideyim."

Yanaklarım utançtan ve heyecandan kıpkırmızı, konuştuğumuz ve konuşamadığımız tüm kelimeler dilimin ucunda şekerriz bir tat bırakmış hâlde, kalbim deli gibi ata ata avludan çıkıp eve doğru seğirttim. Ama Şems'ten koşar adım uzaklaşırken dahi bir eşiği aştığımın farkındaydım. O andan itibaren, tâ baştan bildiğim bir hakikati kabul etmek durumunda kaldım:

Evet, ben Kimya, Mevlâna'nın manevi kızı, talebesi, yetiş-

tirmesi, gördüğüm günden beri Şems-i Tebrizî'ye sırılsıklam
âşıktım.

Şems
Konya, Ocak 1246

Boşboğazlar hiç durur mu? Habire konuşurlar! Mizaçları
böyle. Konya'ya vardım varalı hakkımda o kadar çok rivayet
uyduruldu ki, gülüp geçiyorum artık. Gıybet büyük bir günah.
Ama insanların çoğu bunu bilmez. Bilir de bilmezden gelir.
Hâlbuki Allah, bir başkasının dedikodusunu yapmayı "ölü kar-
deşinin etini yemeye" benzetir. Bundan daha dehşetengiz bir
tarif olabilir mi? Gene de yetmez. İnsan ziyandadır, hüsranda-
dır, zandadır; dedikodudan vazgeçmez. Oysa bir tek şahıs hak-
kında konuştuğumuz tek bir kötü kelime, hele hele yalan, ifti-
ra ve karalama, muhakkak döner dolaşır; sahibine misliyle ge-
ri gelir. Hem de hiç ummadığı bir anda, ummadığı bir yerden.

Ne tuhaf. Gıybet hariç bütün temel günahları tek tek av-
lamaya çalışırlar. Şarap içeni yerden yere vurup zina edeni
taşlamayı bilirler. Dolandırıcılık yapmanın, yetim hakkı ye-
menin, hırsızlık etmenin, komşunun karısına göz dikmenin...
her kusur ve kabahatin cezası toplum tarafından kabul görür
de, başkaları hakkında uluorta konuşmanın bedeli nedense
hiç önemsenmez. Oysa gıybet etmek, yani o anda orada bu-
lunmayan bir insanı çekiştirmek, bilip bilmeden onun hak-
kında ileri geri laf sarfederek yakıştırma ve suçlamalarda
bulunmak, bedeli ağır bir günahtır. Bunu görmüyorlar mı?

*Günün birinde adamın teki koşa koşa Sufi'ye gelmiş, nefes
nefeseymiş. "Baba erenler, gördün mü? Sokakta bir sürü hiz-
metkâr tepeleme siniler taşıyor!"*

*Sufi sakin sakin, "Bundan bana ne evlat?" demiş. "Beni hiç
ilgilendirmez."*

"İyi ama o sinileri sizin eve taşıyorlar" demiş adam.

*Sufi o zaman, "O hâlde bundan sana ne?" demiş. "Seni hiç
ilgilendirmez."*

Maalesef bu dünyada hemen herkesin gözü başkasının si-
nisinde. Acaba ötekinin kaç parası, ne kadar malı var? Sana
ne be adam? Bak kendi işine. Senin yolun sana, benim yolum
bana. Hangimizin yolunun daha âlâ olduğunu saptamak ise
son tahlilde ne sana düşer ne bana.

Hakkımda uydurulan lafları duyunca, insanların hayal güç-
lerine şapka çıkarıyorum. Pes! Ne hainliğim kaldı, ne fedaili-
ğim. Anlaşılan benim Haşhaşilerin gizli kumandanı olduğuma
inananlar bile var. Bir kısmı işi o raddeye vardırmış ki, sözde
babam Alamud'un son İsmaîlî imamıymış. Bana kara büyü
yapmayı öğretmiş. Öyle dehşetengiz sihirler yaparmışım ki ki-
me beddua edersem oracıkta can verirmiş. Rumi'yi bu sayede
kendime bağlamışım. Her seher vakti ona kirpi dikeni, yılan
derisi, yarasa işkembesinden yaptığım bir çorba içiriyormu-
şum. O da bu sayede bir dediğimi iki etmiyormuş.

Böyle palavralara karnım tok, gülüp geçerim. Başka ne ya-
pabilirim ki? Etrafın çalkalanıp dalgalanmasının Sufi'ye bir
zararı yok. Tüm dünyayı sel bassa, ördeğin umrunda olur mu?

Ama çevremdekiler endişe içerisinde, bilhassa Sultan Ve-
led. Beğeniyorum onu. Son derece civanmert bir delikanlı.
Eminim gün gelecek babasının sağ kolu olacak. Bir de Kim-
ya var, ah tatlı Kimya... Benim için kaygılandığını biliyo-
rum. Ama galiba dedikodular en çok Rumi'yi yaralıyor. İfti-
ralardan, art niyetli yakıştırmalardan o da payını alıyor.
Hadi ben kötülenmeye, karalanmaya alışkınım. Ama Mevlâ-
na öyle mi? Cahillerin laflarına içerlediğini görünce canım
sıkılıyor. Mevlâna öyle hakkaniyetli, öyle güzel bir insan.

Benim içimdeyse hem güzellik, hem çirkinlik mevcut. Ben teklifsiz, pervasız bir adamım. Dolayısıyla benim için başkalarının çirkinliğine katlanmak daha kolay. Ama Mevlâna safi nurdur. Onun gibi kıymetli bir âlim cahillerin sözlerine nasıl katlansın?

Boşuna değil Peygamber Efendimiz, "Bu dünyada üç kişiye acıyın" buyurmuş: "Bir kavmin aşağı düşen yüce kişisine, yoksullaşan zenginine ve cahillere oyuncak olan bilginine..."

Yine de bütün bu karalamaların uzun vadede Mevlâna'ya hayrı dokunacağını düşünmeden edemiyorum. Elalemin dedikodu malzemesi olmak kişinin canını yaksa, nefsine ağır gelse de, aslında ateş odunu gibi daha çabuk pişmesini sağlar. Mevlâna tüm yaşamı boyunca hürmet ve hayranlık görmüş, taklit edilmiş. Âlim, fakih ve zahid olmuş. Başkalarınca yanlış anlaşılmak, hor görülmek, tenkit edilmek ne demektir bilmiyor. Hiçbir zaman dışlanmamış. Nefsi başkaları tarafından yaralanmamış, çizik bile almamış. Ama bunlar olmadan olur mu? Ne kadar kırsa yaralasa da insanı, Hakikat ehline gonca gül gibi gelir dedikodu taşları.

Otuzuncu Kural: Hakiki Sufi öyle biridir ki başkaları tarafından kınansa, ayıplansa, dedikodusu yapılsa, hatta iftiraya uğrasa bile, o ağzını açıp da kimse hakkında tek kelime kötü laf etmez.
Sufi kusur görmez. Kusur örter.

Ella
Boston, 17 Haziran 2008

Bu mesajı yazmakta zorlanıyorum Ella. Çünkü hatırlamak istemediğim bir döneme dair. Ama madem ki bilmek istiyorsun, kaldığım yerden anlatmaya devam edeceğim...

Margot öldükten sonra hayatım tamamen değişti. Yönümü, kendimi kaybettim. Amsterdam'ın daha önce hiç tanımadığım karanlık yüzünü keşfettim. Sabahlara kadar süren partilerin, her şeyin bedenden ve bakıştan ibaret olduğu eğlence kulüplerinin müdavimi oldum. Baykuş gibi, yarasa gibi gececil bir hayvan hâline geldim. Yanlış insanlarla takıldım, yabancı yataklarda uyandım. Bedenim teklemeye başladı. Aldırmadım. Birkaç ayda on yedi kilo kaybettim.

Eroinle ilk tanıştığımda, bir müddet şırıngayla değil, burundan çektim. Önceleri beni kötü etkiledi; her seferinde midem bulanır hastalanırdım. Bedenim, dayattığım tüm maddeleri reddediyordu. Bu bir işaretti belki ama ben görecek hâlde değildim. Ardından diğerleri geldi. Esrar, crack, asit, kokain ve en sonunda şırınga... Artık elime ne geçerse deniyor ve her seferinde dozu artırıyordum.

Kafam iyiyken şaşaalı, tantanalı intiharlar planlardım. Sokrates'e özenip baldıran zehiri içmeyi bile denedim ama ya bana bir etkisi olmadı ya da salaş bir Çin lokantasının arka kapısında baldıran diye satın aldığım poşet gayet sıradan bir ottu. Belki de bir çeşit yeşil çay satıp arkamdan gülmüşlerdir.

Kaç sabah tanımadığım yerlerde uyandım. Bir günüm bir günüme uymadan hızlı yaşadım ama içimi kemiren boşluk sabit kaldı. Kadınlar koruyup kolladı beni. Bazıları benden gençti, bazıları ise çok daha yaşlı. Bazıları bekârdı, bazıları evli. Evlerinde kaldım, arabalarını kullandım, yazlıklarında barındım, pişirdikleri yemekleri yedim, kocalarının kıyafetlerini giydim, kredi kartlarıyla alışveriş yaptım ama benden talep ettikleri ve yerden göğe kadar hak ettikleri sevgiyi vermedim. Kimseyi sevmedim. Ve bunu bir marifet zannettim. Seçtiğim hayat bedelini çabuk ödetti. İşimi, arkadaşlarımı ve en sonunda Margot ile beraber yaşadığımız o aydınlık evi kaybettim. Eski koşullarımı koruyamayacağımı anlayınca işgal evlerinde kalmaya başladım. Rotterdam'daki bir işgal evinde on beş aydan fazla yaşadım. Binada hiç kapı yoktu, ne içeride ne dışarıda, hatta banyoda bile kapı yoktu. Her şeyi paylaşıyorduk. Şarkıları, gitarları, kitapları, cep harçlıklarını, plakları, uyuşturucuları, yiyecekleri, yataklarımızı... Tek bir şey vardı paylaşmadığımız: Hüzün. Herkesin hüznü kendineydi.

Bu şekilde geçen aylardan sonra tam anlamıyla dibe vurdum. Yolda tesadüfen gördüğüm eski arkadaşlarım beni tanıyamıyordu. O kadar değişmiştim. Gölge gibiydim. Bir sabah traş olurken aynaya bakakaldım. Öyle zayıf, çökmüş ve acınasıydı ki gördüğüm yüz, çocuk gibi ağladım. Aynı gün Margot'dan kalan eşyaları sakladığım karton kutuları eşeledim. Kitaplar, kıyafetler, albümler, saç tokaları, notlar, fotoğraflar... Ondan yadigâr ne varsa hepsine veda ettim. Her şeyi kutulara yerleştirip, o çok sevdiği mülteci ailelere dağıttım. Sene 1977'ydi.

Hâlâ iyi bir fotoğrafçı sayılırdım. Şansım yaver gitti, tanınmış bir gezi dergisinde geçici bir iş buldum. Bir ay geçmeden beni Kuzey Afrika'ya, Bedeviler hakkında bir yazı dizisinin görsellerini çekmeye yolladılar. Böylece elimde bir bavul, yanımda Margot'un bir resmi yola koyuldum. Meğer kendimden kaçıyormuşum.

Gittikten kısa bir süre sonra, Sahra Çölü'nde hoşsohbet ve çokbilmiş bir İngiliz antropologla tanıştım. Bir gün satranç oynarken bana tuhaf bir şey söyledi. Dedi ki: "Fotoğraflarını gördüm, iyi bir sanatçısın. Kimseden korkun da yok. Şimdiye kadar hiçbir Batılı fotoğrafçı İslamiyet'in kutsal şehirlerine girip orada çekim yapamadı. Sen bunu yapabilirsin. Çok meşhur olursun."

Ne dediği hakkında en ufak bir fikrim bile yoktu. Anlattı. Meğer Suudilerin bir yasası varmış, Müslüman olmayanların Mekke ve Medine'ye girişi kesinlikle yasakmış. İçeriye Hıristiyan ve Yahudi almıyorlarmış. Yakalanırsam akıbetim hapse düşmek, hatta daha fena bir cezaya çarptırılmak olabilirmiş.

Antropologun anlattıkları ilgimi çekmişti. Zaten yasak ve tehlikeli olan her şeye meyilliydim o dönem. Tabi para pul şöhret de cabası... Bala üşüşen arı misali atladım bu fikre.

Antropologun dediğine göre bu yalnız başına yapılacak bir iş değildi. Yardım bulmalıydım. "Sufilerle tanışsana" dedi. "Seni sever, sende bir kıvılcım görürlerse yardım edebilirler."

Sufi nedir, kime denir, hiçbir şey bilmiyordum ama umurumda değildi. Kafaya takmıştım bir kere. Mekke ve Medine'ye giren ilk Hıristiyan fotoğrafçı olacaktım! Ve bu uğurda bana kim yardım edecekse onu bulacaktım. Amaca giden yolda araçtı Sufiler. Gerçi o zamanlar herkes ve her şey araçtı benim için...

Hayat o kadar tuhaf ki Ella. Sonunda ne Mekke'ye ne Medine'ye gittim, biliyor musun? Ne o zaman, ne daha sonra. İslamiyet'i seçtikten sonra bile gitmedim oralara. Hikâyem beni tamamen farklı bir mecraya sürükledi. Her dönemeçte eski hâllerimden biraz daha uzaklaştım. Yolculuğun sonunda ben bir yere varmadım. Yol beni değiştirdi.

Sufiliğe gelince... Nereden bilebilirdim ki başlangıçta benim için sadece bir "araç" olan şeyin gün gelip "amaç" olacağını? Ben Sufileri kendi çıkarım için kullanırım sanmıştım. Ama onlarla tanıştıktan sonra "ben" diye bir şey kalmadı.

İşte hayatımın bundan sonraki aşamasına, Sufi kelimesindeki "u" harfiyle tanışma mevsimi diyorum.

Baki sevgiyle,

Aziz

Fahişe Çöl Gülü
Konya, Şubat 1246

Berd-ı acûz denilen kocakarı soğuklarının pençesindeydi Konya. Kırk senenin en soğuk günüydü kerhaneden kaçtığım gün. Daracık, yılankavi sokaklar kar altındaydı. Çatılardan sarkan buzlar hançer gibi sivri ve keskindi. Tehlikeliydi güzellikleri. Öğle vakti ayaz öyle sertleşmişti ki sokaklarda kediler donmuştu; ağızları açık, bıyıkları tel tel buz... Birkaç köhne evin kar altında bel verip çöktüğü haberi geldi. Kedilerden sonra Konya'nın evsizleri de ayazdan nasibini aldı. Sokak aralarında donmuş bedenler bulundu. Ana rahminde bebek gibi dertop kıvrılmışlardı. Yüzlerinde dokunaklı bir tebessüm vardı;

çok daha hoşmanzar ve ılıman bir yere gittiklerini bilir gibi...

Öğleden sonra kerhanede herkes uyurken, gizlice odamdan çıktım. Heybe değil, basit bir çıkın vardı yanımda. İçine sadece birkaç parça kıyafet koymuştum. Özel müşterilerin gözüne girmek için giydiğim onca esvabı, süsü ziyneti geride bırakmıştım. Kerhanenin malı kerhanede kalacaktı.

Merdivenleri yarılamıştım ki ana kapıda miskin miskin dikilen Manolya'yı gördüm. Müptelası olduğu afyon macunlarını emiyordu. Kerhanedeki tüm kızlardan yaşlıydı Manolya; bir süredir ateş basmalarından şikâyet eder olmuştu. Geceleri yatakta dönüp durduğunu işitirdim. Kadınlığı kuruyordu. Genç kızlar şakayla karışık "sana imreniyoruz" derdi, "ne âdet derdin kaldı, ne gebelik, ne kürtaj. Artık ayın her günü canın kimi çekiyorsa onunla yatarsın." Ama hepimiz gayet iyi biliyorduk ki fahişe kısmı yaşlandı mı beter yaşlanır. Yaşlı ve hasta bir orospu ölü bir orospu demektir. Böyleleri ayakta kalamaz, hayata tutunamaz.

Manolya'yı kapıda görünce anladım ki iki tercihim var: Ya odama geri dönecek, kaçmaktan filan vazgeçecektim, ya da dosdoğru o kapıdan yürüyüp geçecek, neticesine katlanacaktım. Gönlüm ikincisini seçti.

"Merhaba Manolya, nasılsın abla? Daha iyice misin?" diye seslendim.

Manolya'nın yüzü şöyle bir aydınlandı ama elimdeki çıkını görünce aynı hızla dondu. Numara yapmanın mânâsı yoktu. Hünsa patron kerhaneden çıkmak şöyle dursun, odamdan çıkmamı dahi yasaklamıştı. Bunu Manolya da biliyordu.

"Nereye gidiyorsun?" diye fısıldadı Manolya.

Bir şey demedim. Tercih sırası ona gelmişti. Ya önümü kesip bas bas bağıracak, herkesi başımıza toplayacaktı, ya da bırakacaktı sessiz sedasız çıkıp gideyim.

"Odana dön Çöl Gülü" dedi Manolya. "Hünsa peşine Çakal Kafa'yı salar. Üç sene evvel kerhaneden gitmeye kalkan kızcağızı hatırlamaz mısın? Neler geldi başına!"

Lafın gerisini getirmedi. Bizden önceki sermayelerin başına gelen talihsiz hikâyeleri deşmeyi sevmezdik. Eskilerden bahsedeceğimiz zaman isimlerini zikretmezdik. Bari mezarlarında rahat uyusunlar. Zaten zorlu geçmişti hayatları, hiç olmazsa ölünce huzur bulsunlar. "Diyelim ki kaçmayı başardın. Ya sonra? Ne yer nasıl geçinirsin? Açlıktan sürünürsün. Bir Allah'ın kulu çıkıp da yardım etmez bizim gibilere."

Manolya'nın gözlerinde kaygı okunuyordu ama bir an için garip bir fikre kapıldım. Belki de yakalanmamamdan endişe ediyordu, yakalanmamdan değil. Bunca zamandır burada çalışıyordu. Senelerini burada harcamış, ömrünü heba etmişti. Şimdi ben çıkıp gidersem, kaçıp hayata yeniden başlamayı başarırsam, onun asla göze alamadığı şeyi yapmış olacaktım. Benim özgürlüğüm ona ağır gelecekti. Gitmeye cüret ettiğim için bana hem gıpta, hem sitem ediyordu. Tedirgin oldum. Eğer o an Şems-i Tebrizî'nin "korkma!" diyen sesi beynimde yankılanmasa geri dönebilirdim.

"Manolya Abla bırak geçeyim" dedim. "Burada bir ömür kalmaktansa dışarıda az yaşarım ama insan gibi yaşarım."

Baybars'tan dayak yediğim o günden sonra içimde bir şeyler geri dönülmez biçimde değişmişti. Çekincem kalmamıştı. Öyle ya da böyle, umurumda değildi. Ömrümden kalan kaç sabah varsa hepsini Tanrı'ya adayacaktım. Şems-i Tebrizî haklıydı: İnanç ve aşk, insanı normal şartlar altında olduğundan çok daha cesur kılıyordu. Her ikisi de kişinin yüreğinden evhamı, vesveseyi söküp atıyordu.

Şems'in ne demek istediğini anlamaya başlamıştım.

İşin tuhafı, Manolya da kararlılığımı görmüştü. Dalgın bir tebessümle yüzüme baktı. Sonra usulca kenara kaydı, yolumu açtı.

"Uğurlar olsun Çöl Gülü" dedi. "Bizim yapamadıklarımızı inşallah sen yaparsın..."

Ella
Boston, 19 Haziran 2008

Buraya kadar anlattıklarımın seni etkilediğini, hikâyemin devamını merak ettiğini söylemişsin. Bense seni sıkmaktan endişe ediyordum Ella. Bu yazdıklarımı değil başkalarıyla paylaşmak, ben kendim çoktan unuttum sanıyordum. 1977 yazını Fas'ta Sufiler arasında geçirdim. Hayatımda ilk defa bir zaviye gördüm. Odam beyazdı; ufacık, basık ve basit. En temel ihtiyaçları karşılıyordu, o kadar: Bir döşek, bir gaz lâmbası, bir kehribar tespih, pervazda bir saksı çiçeği, duvarda Hazreti Fatma'nın Eli'ni gösteren bir kabartma ve çekmecesinde Rumi'nin şiirleri olan ceviz ağacından bir masa vardı. Hepsi bu. Ne telefon, ne televizyon, ne duvar saati, ne radyo. Aldırış etmedim. Yıllarca gençlerin toplandığı işgal evlerinde barındıktan sonra, rahatlıkla bir zaviyede yaşayabilirim diye düşündüm.

Baba Samed bu ruhani mekânın başıydı. Müthiş bir adamdı; son derece efendi, bilgili, güngörmüş ve zeki. Bana neden Mekke ve Medine'ye gitmek istediğimi sorduğunda cevap vermekte acele ettim. "İslam dünyası biz Batılılar için kapalı bir kutu. Oysa insan bilmediği şeyden korkar. Ortadoğu'yu tanımıyor olmak korkularımızı, önyargılarımızı artırıyor. Bir Batılı fotoğrafçı İslamiyet'in en kutsal şehirlerine gidip oradaki insanları dinlese ve görüntülese; sonra bu fotoğraf ve hikâyeleri tüm dünyayla paylaşsa, dinler arası barış ve diyaloğa hizmet eden bir adım olmaz mı?" dedim. Baba Samed gülümsedi. Ve sanki hiç cevap vermemişim gibi tekrar aynı soruyu sordu: "Bizden yardım istiyorsun. Ama önce söyle, neden Mekke ve Medine'ye gitmek istiyorsun?" İşte o zaman dürüst olmam gerektiğini anladım. Hem ona, hem kendime. "Çünkü bunu yapabilirsem çektiğim fotoğrafları çok iyi paraya satarım. Dünyaca ünlü olurum." Baba Samed usulca başını salladı ve dedi ki: "Anlıyorum. Madem kapımıza kadar geldin, bizden yardım istedin, geri çevirmek olmaz. Ama sen ego'nu şımartasın diye değil, olur da çıkacağın yolu içsel bir yolculuk olarak yaşarsın diye yardım edeceğiz. Allah sevgili kullarını çölde şaşırtmayı sever ki su bulduklarında kıymetini bilsinler. İnşallah nasip olur, sonunda şan şöhret için değil, aşk için gidersin Kâbeye. Kendi içindeki Kâbeye. Yani kalbine."

Ne demek istediğini anlamamıştım ama açıkçası umursamadım. Mistik tiplerin anlaşılmaz sözler etmelerini normal karşıladım. Bana yardım edeceklerdi ya, gerisi umurumda değildi. Baba Samed Mekke'ye gidene dek kendi evimmiş gibi burada kalabileceğimi söyledi. Ama tek şartı vardı: Uyuşturucu yasaktı!

Suçüstü yakalanmış bir çocuk gibi telaşlandım. Yoksa ben dışarıdayken bavulumu mu karıştırmışlardı? Hazret şüphemi anlamış gibi öyle bir laf etti ki içime oturdu: "Uyuşturucu kullandığını bilmek için eşyalarını karıştırmaya gerek yok ki. Gözlerini görüyoruz ya, yetmez mi? Gözlerin müptela gözleri."

İşin tuhaf yanı, o güne dek kendime hiç toz kondurmamış, "bağımlı" olduğumu kabullenmemiştim. Uyuşturucu beni değil, ben uyuşturucuyu kullanıyorum sanıyordum. Kontrol bende zannediyordum. "Eğer bir yaran varsa, ki bence var, yarayı uyuşturmak başka, tedavi etmek başka" dedi Baba Samed. "Uyuşturucunun etkisi geçince, anestezinin etkisi geçmiş gibi olur. Her neren acıyorsa, ağrı misliyle geri döner."

Haklıydı, biliyordum. Söz verdim. Uyku haplarım dahil yanımdaki tüm kimyasal maddeleri ona teslim ettim. Ama çok geçmeden bedenim teklemeye, ruhum yalpalamaya başladı. Zaviyede kaldığım dört ay içerisinde sayısız kez yeminimi bozdum, yoldan çıktım. Kafa yapmaya kararlıysan, dünyanın neresine gidersen git, madde gelir seni bulur. Aramana bile lüzum kalmaz. Hoca hocayı tekkede, deli deliyi dakkada bulur misali keşler de keşleri bulur.

Bir gece gene kaçtım ve zaviyeye zil zurna sarhoş, kafam dumanlı döndüm. Ama dış kapı kapalıydı. Bahçede uyumak zorunda kaldım. Ertesi sabah beni dışarda iki büklüm vaziyette buldular. Ne Baba Samed bir soru sordu, ne ben bir açıklama yaptım. Ama bu tür tatsız hadiseler dışında Sufilerle gayet iyi geçiniyordum. Zaviyenin sükuneti iyi gelmişti ruhuma. Uzun zamandır ilk defa huzurluydum. Amsterdam'da bir sürü yabancıyla aynı çatı altında kalmaya alışıktım ya dingin bir yalnızlığın ne olduğunu ilk kez tadıyordum.

İlk bakışta burada da bir nevi komün hayatı yaşanıyordu. Tüm dervişler beraberce yiyor, içiyor, aynı anda dua ediyor, zikir çekiyor, uyuyordu. Ama asıl beklenen herkesin yalnız kalıp, kendi içine yönelmesiydi. Sufiliğe merak salan kişi evvela kalabalık içinde yalnız kalmayı öğrenmeliydi. Sonra da kendi içindeki kalabalığı birlemeyi. Önce diyorsun ki: "Dünyada bir ben varım!" Sonra: "Bende bir dünya var!" Ve en nihayetinde: "Ne dünya var, ne ben varım!" Faslı Sufilerin beni gizlice Mekke'ye sokmalarını beklerken, ilk başlarda can sıkıntısından, yapacak daha cazip bir işim olmadığından, sonra gitgide derinleşen bir merak ve hevesle tasavvuf felsefesi okumaya başladım. Hani ağzına bir yudum su alınca anlarsın ya aslında ne kadar susamış olduğunu, ben de öylece kana kana içtim bulduğum her bilgi kırıntısını. O uzun yaz boyunca okuduğum onca eser içerisinde beni en çok etkileyense Mesnevi oldu.

Derken bir gün Baba Samed ona birini hatırlattığımı söyledi. Şems-i Tebrizî adında gezgin bir dervişti çağrıştırdığım kişi. Bazıları onun hakkında ileri geri laflar etmişti ama Rumi'ye sorsan, hem ay hem de güneşti Şems. Dinledikçe merakım arttı. Ama öyle sıradan bir merak değildi bu. Baba Samed bana Şems'i anlatırken garip bir ürperti duydum. Bir nevi deja vu.

Şimdi itiraf edeceğim şeyi kimseye söylemedim Ella. Ama Allah şahidimdir. Baba Samed'in bana Tebrizli Şems'i ilk defa anlattığı akşam odada bizden başka biri daha vardı. Cismani olmayan bir beden, füsunkâr bir ışık huzmesi... Birinin nefes alış verişini duydum, duvarda bir gölge seçtim. Akşam melteminin nazenin esintisi ya da bir meleğin kanatlarının ipeğimsi titreşimi... sebebi her ne ise, havada bir efsun vardı. Birdenbire bir şeyi anladım: Benim başka bir şehre gitmeme gerek yoktu ki. Tüm hayatım boyunca hep başka yerlere, bulunduğum mekândan ötelere gitme arzusu duymuş, kendi telaşımdan, hırsımdan, kendimle savaşmaktan yorulmuş, bunalmıştım. Şimdiyse zaten olmak istediğim yerdeydim. Tek yapmam gereken burada kalmak ve dürüstçe içime bakmaktı. Ben de öyle yaptım. Zaviyeden ayrılmadım. Yıllar geçti. Orada piştim. Tüm zamanımı ibadet ve meditasyonla geçirdim. Orada Müslüman olup, Aziz Zekeriya Zahara ismini aldım.

Günün birinde Baba Samed bana bavulumu geri verdi ve dedi ki: "Artık gitme vaktin geldi. Alıcı kuş gibi uçacaksın bu yuvadan. Sen madem ki kendi içindeki âlemi dolaştın ve nefsini aştın, şimdi git dünyayı dolaş. Senin gibi insanlar tüm ömrünü bir dergâhta kapalı geçiremez. Senin anlatacak hikâyelerin var..."

Böylece Craig olarak girdiğim yerden Zahara olarak ayrıldım. Hayatımın bu yeni ve gezgin safhasına Sufi kelimesinin "f" harfiyle tanıştığım mevsim diyorum.

Baki aşkla,

Aziz

Şems
Konya, Şubat 1246

Biteviye tespih çekiyor parmakları; tefekkürle kırışmış alnı, pencerenin yanında, bir başına oturuyor sevgili Mevlâna. Güneş batmış. Vakti kerahat olmuş. Meleklerin insanlara karıştığı saat bu. Hayal ile hakikat arasındaki tüm sınırlar bulanmış.

Ayakta dikilmiş sessiz sedasız onu izlerken öteki âleme çekiliverdim birden, keşfe çıktım. Mevlâna'nın bundan seneler sonraki hâlini gördüm. Daha yaşlı, daha zayıf, daha hüzünlü ama daha bir heybetli ve vakur oturacaktı gene aynı noktada, aynı bal sarısı ışığın altında. Koyu yeşil bir cüppe olacaktı omuzlarında; âlicenap bir nazarla bakacaktı etrafına ama kalbinde dinmeyen bir sızı olacaktı daima. Benim yokluğumu bir yara izi gibi üzerinde taşıyacaktı. O an iki şeyi anladım: Birincisi, Mevlâna bu evde yaşlanacak ve ömrünün son demlerini gene bu şehirde geçirecekti. Ve ikincisi, ben gittikten sonra yokluğumla açılan yara kapanmayacaktı. Gözlerim doldu.

Öte âlemden onun sesiyle sıyrıldım. "Şems iyi misin? Ayakta durma, gel otur. Solgun gözüküyorsun" dedi Mevlâna.

Zorlukla tebessüm ettim ama söyleyeceklerimin ağırlığı koca bir değirmen taşı gibi boynumda asılı kaldı. Sesim kısık, kırılgan çıktı. "Pek iyi değilim aslında. Çok susadım, lâkin bu evde susuzluğumu giderecek hiçbir şey yok."

"O zaman gidip bir Kerra'ya sorayım, canın ne çekiyorsa söyle, hazırlasınlar" dedi.

"Yok, istemem. Bana gereken şey mutfakta değil ki. Meyhanede! İçimden sarhoş olmak geliyor bu akşam."

Rumi'nin yüzünden bir endişe bulutu geçti. Kafası karışmış gibiydi.

"Testini mutfakta dolduracağına, meyhanede doldursana" dedim.

"Nasıl yani? Sana *şarap* mı alayım?" diye tereddütle tekrarladı koca âlim.

"Aynen öyle. Sade bana değil. Gidip ikimize birden şarap alsan pek makbule geçer. İki şişe kâfi; biri sana, biri bana. Yalnız bir ricam olacak. Meyhaneye vardığında alelacele şişeleri kapıp buraya gelme. Birazcık oralarda oyalan. İnsanlarla sohbet et. Ben seni burada bekliyor olacağım. Aceleye mahal yok."

Mevlâna yarı isyan yarı kaygıyla baktı yüzüme. O an tâ Bağdat'ta yoldaşım olmak isteyen kızıl saçlı çömez geldi aklıma. Başkalarının kendisi hakkında ne düşündüğüne kafa yormaktan fırsat bulup da tasavvuf deryasına dalamamıştı. Acaba benzer şekilde, itibar kaygısı Rumi'yi bu yolda ilerlemekten alıkoyacak mıydı?

Ama Mevlâna anlık bir tereddütten sonra ayağa kalkıp, "pekâlâ, olur" mânâsında başını salladı. Dedi ki:

"Bu yaşa kadar ne meyhaneye gittim, ne ağzıma bir damla şarap koydum. İçki içmek doğru değil zannımca. Ama sana itimadım tam. Zira inanıyorum ki sen benden boş yere böyle bir şey istemezsin. Muhakkak ki görmemi arzu ettiğin bir hakikat var. Senin hatırın için, dost, dediğin yere gideceğim. Nefsimin ağrına gitse de, ayaklarıma zor gelse de, şanıma leke düşürse de bu iş, o şarabı alıp senin için buraya getireceğim."

Böyle dedikten sonra veda edip çıktı.

O odadan çıkar çıkmaz, dizlerimin üstüne düştüm, secde ettim. Rumi'nin bıraktığı tespihe sarıldım, Rabbime defalarca, defalarca şükrettim. Bana böyle harikulade bir yoldaş verdiği için dua ettim. Mevlâna coşkun bir nehirdir. Yerinde saymayan, tüm insanlığı ve varoluşu kucaklayan, kimseye karşı bir önyargısı olmayan, hep daha öteleri merak ve keşf eden, çağıl çağıl berrak bir nehir... Benim tek yaptığım o nehrin önündeki seddi yıkmaktır. O kadar.

Dilerim ömrü hayatı boyunca İlahi Aşk sarhoşluğundan ayılmaz.

Bölüm Dört

ATEŞ

Hayattaki Yakan, Yıkan, Yok Eden Şeyler

Sarhoş Süleyman
Konya, Şubat 1246

Bu mereti içip içip sızmışlığım çoktur. Sarhoş olup düpedüz zırvaladığım, karabasanlar gördüğüm, naralar attığım zamanları da bilirim. Ama meyhane kapısından içeri Efendi Mevlâna'nın girdiğini görmek, benim şu sarhoş kafamın bile üretemeyeceği türden bir acaip hayaldi! Ağzım açık kalakaldım. Rüya görüyorum diye kollarımı çimdikledim. Gözlerimi oğuşturdum. Gene de kaybolmadı kapıda duran adam.

"Yahu Hıristos, sen bana ne içirdin de böyle kafayı buldum?" diye bağırdım. "Şu son şişeyi içmeyeydim keşke. Benim kafa iyi valla. Şu kapıda duran adamcağızı kime benzettiğimi bi tahmin et! Ha, ha! Mevlâna sandım adamı! Bak, bak, Mevlâna'ya benzemiyor mu şu herif?"

"Şşşt. Sussana salak" diye bağırdı arkamdan birisi.

Kim o beni azarlayan meymenetsiz diye arkama dönünce bir de ne göreyim? Bütün meyhane ahalisi sus pus olmuş ağzı açık vaziyette kapıya bakmakta. Bizim Hristos bile! Hatta meyhanenin gedikli köpeği Saki bile sıradışı bir şeyler olduğunu anlamış gibi sarkık kulaklarını yere yapıştırmış, şaşkın şaşkın bakınıyordu. Farisi halı taciri o bet sesiyle söylediği, şarkı demeye bin şahit ister goygoyculuğa ara vermiş, ayakta hazır ol vaziyetinde duruyordu. Ayık görünmeye çalışan bütün sarhoşlar gibi o da abartılı bir ciddiyetle kaşlarını çatmış, çenesini havaya kaldırmıştı. Düz durmaya çalışırken hafif hafif sallanıyordu zavallım.

Suskunluğu Hıristos bozdu. Kelimelerinden şıpır şıpır neza-
ket damlayarak ve yerlere kadar eğilerek, "Efendi Mevlâna,
meyhaneme hoş geldiniz, sefalar getirdiniz" dedi. "Sizi burada
görmek ne şeref. Emredin, nasıl bir yardımımız dokunur?"
Gözlerimi kırpıştırarak kapıya baktım, baktım. En sonun-
da şafak attı, bu karşımdaki adam hakikaten Rumi'ydi yahu!
"Eksik olma" dedi Mevlâna zorlukla gülümseyerek. Sonra
hafifçe öksürdü, kızardı, bozardı ve ekledi: "Biraz şarap ala-
yım dedim de, onun için uğradım."
Zavallı Hıristos, bunu işitince hayretten ağzı bir karış açık
kalakaldı. Sade o mu, hepimiz şoktaydık. Herkesin aklından
aynı şey geçmiş olmalıydı: Konya'nın en tanınmış din adamı
meyhaneye girip bizden şarap istiyorsa, kıyametin kopması
yakın demekti.
"Yahu buyur etsenize adamcağızı. Ayakta kaldı, ayıptır"
diye seslendim. Ancak o zaman Hristos kendine gelip Ru-
mi'yi oturtacak müsait bir yer bakındı. Yanı başımdaki ma-
sayı seçmez mi!
Rumi gösterilen yere ilişmeden evvel etrafa nazikçe selâm
verdi. Bütün sarhoşlar saygıyla eğilip selâmına karşılık ver-
dik. Gözlerimizi ondan alamıyorduk. O sakin, kendinden emin
hâli, efendiliği ve azameti, pahalı ve zarif cüppesiyle Mevlâna
gibi bir zâhid böyle bir mekâna uymuyordu ki.
Dayanamadım. Gittim yanına oturdum. Fısıltıyla sordum:
"Müsaade ederseniz ve şayet kabalık addetmezseniz, bir şey
soracaktım."
"Elbette" dedi Mevlâna.
"Özür dilerim ama sizin gibi bir yüce zatın burada ne işi var?"
Rumi sıcak bir tebessümle göz kırptı. "Sorma, âşıkların im-
tihanından geçiyorum galiba" dedi. "Tebrizli Şems şanımı ve
itibarımı yerle yeksan etmek için beni buraya yolladı."
"Nasıl yani? İyi bir şey mi ki şanını itibarını kaybetmek?"
diye sordum kekeleyerek.

Mevlâna güldü. "Eh, nereden baktığına bağlı. Allah sevgisinin dışındaki her şeyi bir kalemde silip atmamız ve kendimizi ayrı ve mühim bir varlık zannetme hastalığından kurtulmamız gerekir. Eğer bizi benlik zannına düşürüyorsa, ki öyle ya da böyle düşürür, ailemize, mevkiimize, malımıza mülkümüze, hatta mahallemizdeki cami yahut medreseye olan bağımlılığımızı dahi yok etmemiz gerekir."

Ne dediğini tam anlayamasam da, bulanık kafama gayet makul geliyordu duyduğum her açıklama. Zaten bu Sufilerin her türlü acayip felsefeye meyyal, gönlü elvan, az buçuk çılgın şahıslar olduklarını düşünürdüm ezelden beri. Şimdi bu kanaatim güçlenmişti.

Sual sırası Rumi'ye gelmişti; o da benim gibi sesini kısarak sordu: "Müsaade ederseniz ve şayet kabalık addetmezseniz ben de bir şey soracağım. Yüzünüzdeki yarayı merak ettim. Nasıl oldu?"

"İlginç bir hikâyesi yok" dedim. "Gecenin bir yarısı eve dönüyordum, iki zaptiyeye denk geldim. Birinin kırbacı varmış. Eşek sudan gelinceye dek dövdü beni. İsmini hayat boyu unutmam. Baybars!"

"Ama neden?" diye sordu Mevlâna.

Tam o sırada Hristos, Mevlâna'nın önüne iki şişe şarap bıraktı. Ben de hınzırca onları işaret ederek, "Şu önünüzde duranlardan içtiğim için" dedim.

Rumi düşünceli bir ifadeyle gözlerini kaçırdıysa da hemen ardından dostane bir şekilde gülümsedi. "Geçmiş olsun" dedi. Böylece sohbet etmeye başladık. Keçi peyniri ve fırında pişmiş mantarları ekmeklerimize katık ederek çocukluğumuzdan, aşktan, inançtan, dostluktan ve nicedir unuttuğumu sandığım ama o an hatırlamaktan sonsuz keyif aldığım güzelliklerden söz ettik.

Günbatımından hemen sonra Rumi usulca kalktı. Meyhanedeki herkes onunla beraber ayağa fırladı. Hepimiz, teftişten geçen askerler gibi sıra sıra dizilip selâm durduk. Ne manzaraydı ama!

Konuğumuz tam kapıdan çıkmak üzereydi ki, "Efendi Mevlâna" diye atıldım. "Gitmeden evvel ne olur bize anlat. Şarap neden haramdır, söylemeden gitme."

Hristos kaşlarını çatarak yanıma koştu. Böyle ağdalı sorularla kıymetli müşterisinin canını sıkmamdan korktu. "Sus be Süleyman. Ne'ne lâzım böyle şeyler sorarsın?"

"Ne var bunda? Merak ediyorum ne diyecek" dedim ve gene Rumi'ye döndüm. "Efendim, bizi gördünüz. Korkunç insanlar sayılmayız, öyle değil mi? Tamam, sütten çıkmış ak kaşık değiliz ama bu kadar hor görülmeyi hak ediyor muyuz? Şayet haddimizi bilip kimseyi incitmezsek, şarap içmenin nesi günah?"

Söylediklerime kulak kabartan öteki müşteriler de yanımıza sokulunca meraklı bir halka oluştu etrafımızda. Rumi ne diyecekti acaba? Koyu bir duman gibi sıkıntılı bir sessizlik kapladı her yanı. Sonunda bu meşhur hatip şöyle konuştu:

Bade içen rikkat beslerse, sarhoşluğu rakik olur
Bade içen kin beslerse, sarhoşluğu kindar olur
Bade içen ekseri kindar, nadiren rakik olduğundan,
Bade kamuya haram olur.

Hepimiz bu kelimelerin hikmetini düşünme gereği duymuş olacağız ki kimseden çıt çıkmadı.

"Dostlarım, şarap masum bir içecek değildir çünkü içimizdeki en pespaye yanları ortaya çıkarır" diye devam etti Mevlâna. "Kanaatimce içkiden uzak durmalı. Bununla beraber, unutmamalı, yaptıklarımızdan meyi de meyhaneciyi de sorumlu tutamayız. Şaraptan evvel nefslerimizdeki küstahlığı, riyakârlığı, kindarlığı, katılığı, saldırganlığı kovmalıyız. Ve en nihayetinde içen içer, içmeyen içmez. Kimsenin kimseyi zorlamaya hakkı yoktur. Çünkü dinde zorlama yoktur."

Müşterilerden bazıları candan hislerle kafa salladı. Bense üstada kadeh kaldırdım.

"Efendi Mevlâna sen kalbi engin, kadirşinas, eşine az rastlanır bir âlimsin" dedim. "Bugün buraya geldiğin için şimdi senin hakkında ileri geri konuşanlar çıkabilir ama bence senin gibi kıymetli bir fakihin bizleri dışlamayıp buraya kadar gelmesi, peşin hükümlere varmadan bizimle sohbet etmesi cesurca bir davranıştı. Müteşekkiriz."

Rumi bana muhabbetle baktı. Sonra, masasına geleliberi el sürmediği şarap şişelerini aldı ve dışarıda esen soğuk rüzgâra yüzünü dönerek karanlıkta yürüdü gitti.

Alaaddin
Konya, Şubat 1246

Babama "Kimya'nın dest-i izdivacına talibim" demek için fırsat kolluyordum tam üç haftadır. Zihnimde onunla kaç defa konuşmuş, en etkileyici ifadeyi bulmak için defalarca prova yapmıştım. Bana verebileceği her itiraza bir cevap bulmuş, kılıf hazırlamıştım. Şayet "Kimya ile abi kardeş sayılırsınız" diyecek olursa, en ufak bir kan bağımız dahi olmadığını hatırlatacaktım. "Olsun, gene de yakışık almaz" derse, böylesinin herkes için iyi olacağını anlatacaktım. Babamın Kimya'yı ne kadar sevdiğini bildiğimden, evlenmemize müsaade ettiği takdirde onun hep bu çatı altında kalacağını, böylelikle asla uzak bir yere gitmek zorunda kalmayacağını söylemeyi planlıyordum. Her şeyi kafamda hazırlamış ama gel gör ki babamla bir dakika yalnız kalamamıştım.

Ne var ki, bu akşam olabilecek en yanlış şekilde karşılaştım onunla. Tam arkadaşlarımla buluşmak üzere evden çıkıyordum ki kapı açıldı ve içeri babam girdi.

Gözlerim elindeki şişelere kayınca şaşkınlıktan kalakaldım. "Baba, o elindekiler de ne öyle?" diye sordum.

"Ha, bunlar mı?" dedi babam gayet rahat. Yüzünde en ufak bir sıkıntı ya da çekingenlik olmaksızın açıkladı: "Şarap bunlar evladım."

"Ne? Şarap, öyle mi?" diye bağırdım. "Koca Mevlâna bu hâllere mi düşecekti? Ayyaş bir ihtiyar oldun demek!"

Aksi bir ses lafımı bıçak gibi kesti: "Ağzını topla Alaaddin. Lafını sakın da konuş!"

Döndüm. Şems'ti bunları söyleyen. Gözlerini kırpmadan yüzüme bakıyordu. "Babanla böyle konuşamazsın. Meyhaneye gitmesini isteyen bendim."

"Hadi ya, hiç şaşırmadım!"

Şems gücenmişe benzemiyordu. "Alaaddin, gel sakin sakin konuşalım" dedi ifadesini bozmadan. "Ama önce şu öfken dinsin ki anlatılanı anlayabil. Şayet kalbinin zırhını yumuşatmazsan söylediğim her şey sana batar."

Ne demek kalbinin zırhını yumuşatmak? Suratına tuhaf tuhaf bakmış olmalıyım.

"Kurallardan biridir" dedi Şems. "**Otuz Birinci Kural: Hakk'a yakınlaşabilmek için kadife gibi bir kalbe sahip olmalı. Her insan şu veya bu şekilde yumuşamayı öğrenir. Kimi bir kaza geçirir, kimi ölümcül bir hastalık; kimi ayrılık acısı çeker, kimi maddi kayıp... Hepimiz kalpteki katılıkları çözmeye fırsat veren badireler atlatırız. Ama kimimiz bundaki hikmeti anlar ve yumuşar; kimimiz ise, ne yazık ki daha da sertleşerek çıkar.**"

"Sen bu işe karışma" dedim. "Senin gibi sarhoştan mı emir alacağım? Babam seni kale alabilir ama ben o kadar naif değilim!"

O zaman babam araya girdi: "Alaaddin sus artık! Edep yahu!"

Bir an öyle ağır bir pişmanlık çöktü ki içime. Ama artık her şey için çok geçti. Bunca zaman içimde damla damla biriken bütün sitemler ve serzenişler açığa çıktı.

"Eminim benden en az söylediğin kadar nefret ediyorsundur" dedi Şems, sesini alçaltarak. "Ama babanı sevdiğinden bir an bile şüphe etmem. Onu ne kadar incittiğini görmüyor musun?"

Aynen karşılık verdim: "Asıl sen hayatlarımızı mahvettiğini görmüyor musun? Geberip gitsen keşke!"

İşte o an babam bana doğru atıldı, dudakları hiddetten incecik bir çizgiye dönmüştü. Sağ eli havaya kalktı. Tokat atacak sandım. Bekledim. Ama vurmadı. Vuramadı. Yüzüme bile bakmadan, "Beni utandırıyorsun" dedi.

Gözlerim yaşla doldu. Hâlimi görmesinler diye başımı çevirdim. Ve işte o zaman haremliğe açılan kapının eşiğinde dikilen Kimya ile göz göze geldim. Meğer tam arkamızdaymış! Ne zaman gelmişti oraya? Ne kadardır sindiği köşeden bizi izlemekteydi? Bu ağız dalaşını baştan sona işitmiş miydi yoksa?

Evlenmek istediğim kızın önünde öz babam tarafından küçük düşürülmek öyle ağrıma gitti ki mideme keskin bir sancı saplandı. Orada bir dakika daha duramadım. Cüppemi, çizmelerimi kaptım; Şems'i ittiğim gibi kapıdan dışarı fırladım. Uzağa, Kimya'dan, sıkıştığım cendereden, aile ocağımdan, bu anlamsız münâkaşalardan, hepsinden fersah fersah uzağa...

Şems
Konya, Şubat 1246

Bedbindi Rumi. Alaaddin gittikten sonra uzun süre ağzını bıçak açmadı. Beraber karla kaplı avluya çıktık. Soğuk ve kasvetli bir geceydi. Havada bir ağırlık, bir tuhaf durgunluk vardı. Orada öylece durup gümüşi topakları andıran bulutları izledik; etrafta ürpertici bir sessizlik... Rüzgâr uzaklardan misk ü amber ve bağlarda kurutulan elmaların kokusunu taşıyordu. Bir an herhâlde ikimiz de zihnimizden bu şehri ilelebet terk etmeyi geçirdik. Yapamadık.

Şarap şişelerinden birini aldım. Kar altında kalmış, güllerini çoktan dökmüş, safi dikenden ibaret dımdızlak ve cıpcılız bir gül ağacının yanına çöktüm. Başladım şişedeki şarabı toprağa dökmeye. Rumi'nin gözleri şaşkınlıkla parladı; ardından bir ılık tebessüm yayıldı yüzüne.

Ağır ağır can bulmaya başladı gül ağacı, kabuğu insan teni gibi yumuşadı. Gözlerimizin önünde tek bir gül tomurcuklandı, turuncu bir müjde gibi açıldı.

Derken ikinci şişeyi aldım, aynı şekilde onu da toprağa döktüm. Gülün turuncu rengi bu kez daha bir canlandı, ışıl ışıl lâl oldu. Şişenin dibinde ancak birkaç yudum şarap kalmıştı. Bunu kadehe boşalttım. Yarısını içtim, kalan yarıyı Rumi'ye uzattım.

Titreyen ellerle kadehi aldı; nezaketle, temkinle kabul etti sunulanı. Ömrü hayatında ağzına içki sürmemiş bu âlim şimdi benim için, bana ve dostluğumuza inandığı için kadehi kavrıyordu.

"Dinin şartlarına uymak önemlidir" dedi. "Ama insan kuralları özden, parçaları bütünden daha fazla önemsememeli. İçki içen insan içmeyenleri, içki içmeyense içenleri küçümsememeli. Bugün bana ikram ettiğin kadehi bu şuurla içiyorum ve tüm kalbimle inanıyorum ki aşk sarhoşluğunda ayıklık var."

Rumi tam şarabı ağzına götürecekti ki kadehi elinden kaptığım gibi yere çaldım. Kızıl şarap bembeyaz kar üzerinde kan lekesi gibi saçıldı.

"Sen içme" dedim. "Bu kadar yeter. Göreceğimi gördüm ben." Artık bu imtihanı devam ettirmeye gerek yoktu.

Rumi meraktan ziyade muhabbetle sordu: "Madem bana bu meyi içirtmeyecektin, daha ilk baştan neden beni meyhaneye gönderdin?"

"Nedenini bilirsin" dedim gülümseyerek. "Biz Sufiler nafile ibadet ya da riyazat yoluyla değil; şeklen, cebren yahut göstermelik olsun diye değil; sadece aşk ve cezbe ile bağlanırız Allah'a."

Otuz İkinci Kural: Aranızdaki bütün perdeleri tek tek kaldır ki, Tanrı'ya saf bir aşkla bağlanabilesin. Kuralların olsun ama kurallarını başkalarını dışlamak yahut yargılamak için kullanma. Bilhassa putlardan uzak dur, dost. Ve sakın kendi doğrularını putlaştırma! İnancın büyük olsun ama inancınla büyüklük taslama!

Rumi'nin şahsiyetini öteden beri takdir ederdim. Ama bugün ona olan hayranlığım katbekat artmıştı.

Bu kavanoz dipli dünya, binbir gölge oyunu oynanan bu parıltılı ve tantanalı sahne, paraya pula, mala makama, ünvana ihtişama aldanıp kanan cins cins oyuncuyla doluydu. Ne kadar zenginleşirlerse o kadar muhtaç oluyorlardı paraya. Ne kadar yükselirlerse, daha bir aç oluyorlardı terfi etmeye. Fesat ve hasetle, zillet ve kibirle dünya malını kendilerine kıble yapıyor, nesnelere kul oluyorlardı. Bilerek ya da bilmeyerek. Şuurla ya da şuursuzca.

Herkes dünyevi hırslar merdivenini üçer beşer çıkmak için birbirinin omuzlarına basadursun, çoktan zirveye varmış, küp küp altına, kat kat şöhrete, binlerce hayrana ve bilginin en âlâsına nail olmuş bir kimsenin günün birinde aniden mevkiinden feragat etmesi, inanç uğruna izi sonu belirsiz bir içsel yolculuğa çıkması, hatta itibarını çar çur etmesi... İşte bu pek duyulmadık, rastlanmadık bir şeydi. Mevlâna'nın yaptığını yapabilen, yükselmişken alçalmayı, kazanmışken kaybetmeyi, hocayken öğrenci olmayı göze alabilen insan, parmakla sayılacak kadar azdı.

"Allah kibri sevmez. Tevazu sahibi olmamızı ister" diye ekledim. "Bu yüzden en haklı olduğumuz konularda bile üstünlük taslamamalı."

Rumi ahenkli bir sesle katıldı: "Ve O aynı zamanda bilinmek ister. Bu sebepten temkinli, dengeli ve ölçülü olmak ve daima ayık durmak, sarhoş dolaşmaya yeğdir. Sufinin gönlü hep uyanıktır."

Hakkı vardı.

Gece taptaze, tatlımsı bir kokuya bürünmüştü. İçim vecdle doldu. Hava giderek soğuyordu. Orada, yan yana, ayaz bastırana dek avluda bir başımıza, aramızda katmer katmer açılmış bir gül dalıyla oturduk ve uzun süre sustuk.

Ella
Boston, 26 Haziran 2008

"Bu akşam yemeğe çıkalım mı?" diye sordu David. "Northampton'da yeni bir Tayland restoranı açılmış. Dört dörtlük diyorlar. Çocukları evde bırakıp biraz baş başa kalsak diyorum, ne dersin?"

Aslında Ella'nın bu Cumartesi akşamı yapmak istediği en son şey kocasıyla baş başa yemek yemekti. Ama David o kadar ısrar etti ki, hayır diyemedi.

Gümüş Dolunay isimli lokanta ufak ve basıktı ama şıktı bir o kadar. Masalarda şirin cam lâmbalar, siyah saten peçeteler, her duvarda çerçeveli onlarca ayna... O kadar çoklardı ki müşteriler kendi yansımalarıyla yemek yemekteydi âdeta. Ella'nın buraya yabancılaşması çok sürmedi. Sebebi ortam ya da dekorasyon değildi. Kocasıydı. David'in gözlerinde olağandışı bir parıltı vardı. Düşünceli, gergin ve biraz da asabi görünüyordu. Ama Ella'yı esas kaygılandıran kocasının kekelediğini duymak oldu. Gayet iyi biliyordu ki, David'in çocukluktan kalma konuşma bozukluğunun nüksetmesi için bir hayli sıkıntılı olması gerekirdi.

Az sonra geleneksel Tayland kıyafetiyle genç bir garson kız siparişleri almaya geldi. David acılı midye sipariş etti, Ella ise kırkıncı yaş gününde aldığı et yememe kararına uyarak hindistan cevizi soslu tofu söyledi. Ayrıca şarap istediler.

Birkaç dakika sıradan şeylerden konuştular. Ordan burdan, tanıdıklardan... Sonra dekorasyondan bahsettiler –yemek masasında siyah peçete mi kullanmak daha hoştu yoksa beyaz peçete mi; geleneksel süslemeler mi daha etkiliydi yoksa modernler mi..? Ardından sustular. Yirmi senelik bir evlilik, beraber uyanılan onca sabah, tatiller, gerçekleştirilen hayaller, kavgalar, atışmalar, sevişmeler; dünyaya getirilen üç çocuk... ve tüm bunların sonunda varıp varacakları yer koca bir suskunluktu. Böyle düşündü Ella. Gözleri doldu.

Yeniden sohbete başladıklarında ilk sözü David aldı: "Bakıyorum da Mesnevi okuyorsun" dedi.

Ella belirgin bir hayretle başını salladıysa da tam olarak neye daha çok şaşırdığından emin değildi: David'in Mevlâna'yı bilmesine mi, yoksa karısının ne okuduğuyla ilgilenmesine mi?

"Yayınevinin verdiği roman var ya... *Aşk Şeriatı*'yla ilgili raporu yazarken faydası olur diye Rumi'nin birkaç kitabını almıştım. Okudukça hoşuma gitti. Şimdi geceleri düzenli olarak okuyorum" diye izah etti Ella.

David'in gözleri masadaki bir ekmek kırıntısına takıldı. "Evet.. şu roman..." dedi kırıntıya kinayeyle. "Nasıl, beğendin mi bari?"

"Evet" dedi Ella, gerginliğini saklamaya çalışarak. "Çok sevdim."

İşte o zaman David ithamkâr bakışlarını karısına çevirdi. "Oyun oynamanın anlamı yok Ella. İkimiz de yetişkin insanlarız" dedi. "Neler olup bittiğini biliyorum. Her şeyin farkındayım."

"Neden bahsediyorsun?" diye sordu Ella, ama yanıtı duymak istediğinden emin değildi. Tedirgin olmuştu.

"Gizli kaçamağından bahsediyorum" dedi David bir çırpıda. "Aşk macerandan! O adamdan haberdarım. Birbirinize yazıp durduğunuzu biliyorum. Beni aldattığının farkındayım."

Hayretten küçük dilini yutacak gibi oldu Ella. Mum ışığında David'in yüzü yabancı ve yargılayıcıydı.

"Seni aldatıyor muyum?" diye tekrar etti Ella. Farkında olmadan sesini öyle bir yükseltmişti ki yan masadaki sarışın çift kafalarını kaldırıp merakla ondan yana baktı. Etraftaki müşterilerin bakışlarını üzerinde hisseden Ella kıpkırmızı oldu. Sesini alçaltıp tekrar sordu: "Sen neden bahsediyorsun?"

"Aptal değilim Ella, zaten şüpheleniyordum" dedi David. "Sonunda dün gece sen uyurken mesaj kutuna girdim. O adamla bütün yazışmalarını okudum."

"Ne yaptın? Ne yaptın?" diye patladı Ella. Artık yan masalarda oturanların hakkında ne düşündüğü umurunda değildi.

David soruyu duymazdan geldi. Ve cevaplamak yerine söyleyeceklerinin ağırlığını tartarak lafına devam etti: "Seni suçlamıyorum. Asıl kabahatli benim. Seni ihmal ettim. Sen de haklı olarak ilgiyi, sevgiyi başka yerde aradın."

Ella başını önüne eğdi. Tam tepeden kadehine baktı. Cezbediciydi şarabın rengi, koyu bir yakut misali. Bir an şarabın yüzeyinde yanardöner parıltılar seçer gibi oldu, ışıktan bir patikayı andırıyordu. Belki de gerçekten bir yol vardı buradan öteye uzanan. Tek istediği o yolu bulup kaçmaktı.

David de susuyordu şimdi. Aralarında görünmez bir duvar yükselmişti. Bir müddet suskun, hiçbir şey yemeden öylece oturdular. En sonunda David, "seni affetmeye hazırım Ella" dedi. "Tabii senden de beni affetmeni isteyeceğim. Her şeyi geride bırakıp tertemiz bir başlangıç yapalım. Geçmişi geçmişte bırakalım."

Ella'nın dilinin ucuna o kadar çok şey geldi ki o anda. Kocasını yerden yere vurmak, ona senelerdir kendisini aldattığını hatırlatmak, Aziz'le aralarındaki masum yazışmayla David'in yediği haltların aynı kefeye konamayacağını belirtmek; bağırmak, çağırmak, lafı gediğine koymak istedi. Ama bunların hiçbirini yapmadı. Aklından geçen fikirlerden en basitini seçti: "Ya senin maceraların ne olacak? Onları da maziye gömecek misin?"

Tam o anda elinde siparişler, yüzünde kondurulmuş bir gülücükle garson kız belirdi. Ella da David de geri çekilip, aynı ifadesiz bakışlarla seyrettiler garsonun tabakları masaya bırakışını. Tekrar yalnız kaldıklarında, David kınayan gözlerini dumanı tüten yemeklerin üzerinden karısına dikti. "Demek bütün mesele buydu? Benden intikam almak istedin, öyle mi hayatım?"

"Hayır" dedi Ella usulca. "İntikam almak gibi bir arzum yok. Hiçbir zaman da olmadı."

"O hâlde ne?"

Ella gayet gergin bir şekilde ellerini kavuşturdu, derin bir soluk aldı. Sanki restorandaki herkes ve her şey hareket etmeyi kesmiş, garsonundan aşçısına, yan masadaki müşteriden akvaryumdaki balığına kadar hepsi söyleyeceklerine kulak kabartmıştı.

"Aşk..." dedi en sonunda. "Ben Aziz'e âşık oldum."

"Adamı tanımıyorsun bile..." diye itiraz etti David. "Hakkında bilmediğin o kadar çok şey var ki... Belki herif bir ruh hastası."

"Onu tanımak için çok şey bilmeme gerek yok. Onun özünü görüyorum."

Ella kocasının ona güleceğini zannetti. Sivri, iğneleyici birkaç cümle ya da alaycı, kırıcı bir kahkaha bekledi. Ama böyle bir şey olmadı. Değil itiraz, çıt çıkmadı David'den. Sonunda başını kaldırıp bakabildiğinde sadece kaygı gördü kocasının yüzünde. Ve o an Ella Rubinstein anladı ki, kocasının nezdinde "intikam", "öfke", hatta "şehvet", bunların hepsi anlaşılır şeylerdi. Ama "aşk"... aşk başkaydı. Aşk, David'in karısından, yani bunca zaman aşk aleyhine konuşmuş, aşkı küçümseyip ötelemiş bir kadından duymayı beklediği en son kelimeydi.

"Ama üç çocuğumuz var..." dedi David, sesi titreyerek.

"Evet var ve üçünü de çok seviyorum" dedi Ella. Omuzları çöktü; alnında süt mavisi bir damar belirdi. "Ama Aziz'e âşık oldum..."

"Yeter artık, kullanma şu sözcüğü!" diye diklendi David aniden. Kadehindeki şarabı bitirdi, parmaklarıyla masada gergin daireler çizdi. Sonra yeniden sakinleşmeyi denedi. "Hatalarımın farkındayım Ella. Seni istemeden kırdım. Ama bir şeyi bilmeni istiyorum: Hiçbir zaman seni sevmekten vazgeçmedim. Bundan sonra sana hep sadık olacağım. Söz veriyorum. Gidip sevgiyi başkalarında ararsan hata yaparsın. Kimse seni benim kadar sevemez. Anlamıyor musun?"

"Başkalarında bir şey aradığım yok!" dedi Ella ama galiba kocasından çok kendine söylemişti bunu. Ne dediğini düşünmeden, ucu nereye varır diye tartmadan mırıldandı: "Rumi diyor ki aşk dışarda bulunan bir şey değildir. İçerden gelir. Tek yapmamız gereken içimizde bizi aşktan alıkoyan engelleri bulup kaldırmaktır."

"Başlatma şimdi..." diye parladı David. "Kendine gel. Bu sen değilsin. Kendi kendini kandırıyorsun. Bir oyun oynuyorsun. Elinde şiir kitapları, kafanda hayaller... Ama artık yeter! Sen böyle... romantik biri değilsin!"

Ella bir an kaşları çatık kalakaldı. Bu lafı bir yerlerden hatırlamıştı. Vaktiyle evinin mutfağında büyük kızına yağdırdığı "romantik" suçlamasına şimdi kendi maruz kalıyordu. Çember tamamlanmış, ettiği laflar bumerang gibi ona geri dönmüştü. Sandalyesini geri çekip peçeteyi yana koydu. "Artık eve dönebilir miyiz?" dedi usulca. "İştahım kapandı." Dönüş yolunda arabada tek kelime konuşmadılar. O gece ayrı yataklarda yattılar. Birbirlerine dokunmadılar. Ve sabah Ella'nın ilk işi Aziz'e uzun ve içten bir mektup yazmak oldu... İşler çığırından çıkmış, beklemediği bir hâl almıştı. Bunu Aziz'in de bilmeye hakkı vardı.

Mutaassıp
Konya, Şubat 1246

"Böyle kepazelik görmedik! Sen de duydun mu olanları Şeyh Yasin?"

Heyecanla bu soruyu soran kişi talebelerimden birinin babası olan sepetçi Abdullah'tı. "Rumi'yi dün Yahudi mahallesinde bir meyhanede görmüşler!" diye ekledi.

"Duymaz olur muyum, duydum ya" dedim. "Ama sizin kadar şaşırmadım bu habere. Karısı eskiden Hıristiyan, en yakın dostu tescilli zındık olan adamdan ne bekliyordunuz? Ya ne olacaktı?"

Abdullah başını salladı. "Haklısın efendi. Böyle olacağı ezelden belliymiş. Göremedik. Keşke bilseymişiz."

Yanımızdan geçenler durup konuşmamıza kulak kabarttılar. Herkes dehşet içinde, herkes infial hâlindeydi. Birisi, "Rumi'yi Ulu Cami'ye almayalım, bir daha orada vaaz vermesin" diye önerdi. Bir başkası dedi ki: "Çıkıp herkesin önünde tövbe etsin; bir daha harama el sürmeyeceğine söz versin. Yoksa katiyen affetmeyelim."

"Bunlar boş laflar. Şems'i de Rumi'yi de bu şehirden derhal

sürmek gerek" dedim. "Bence oturun da bunu nasıl yapacağınızı konuşun."

Ateşli ateşli kafalarını salladılar. Baktım laf uzayacak, medresedeki dersime geç kaldığımı söyleyip yürümeye devam ettim.

Öteden beri Rumi'nin güvenilmez bir yanı olduğundan şüphelenirdim. Bekliyordum, elbet günün birinde su yüzüne çıkacaktı. Ama bu kadarını doğrusu ben bile tahmin etmemiştim. Çalgılı çeganeli meyhanelerde şarap şişesine sarılması beni bile hayrete düşürdü! Vay ayyaş! Diyorlar ki Rumi'nin bu hâllere düşmesine sebep Şems'tir; o olmasa Rumi hemen eski hâline döner. Ben o kanaatte değilim. Şems sakıncalı fikirlere sahip illet bir adam, ona şüphem yok. Rumi'nin üstünde kötü bir etkisi var, buna da amenna. Ama esas mesele şu: Niçin Şems'in gücü diğer âlimleri yoldan çıkartmaya yetmiyor? Misal, Şems niye bana diş geçiremiyor? Peygamber Efendimiz boşuna dememiş, "Kişi dostunun dini üzeredir. Bu nedenle, kiminle dost olacağına dikkat etsin" diye. Peki ya Mevlâna niçin dikkat etmiyor? Demek ki o da dünden hazır küfre düşmeye. Tencere yuvarlanmış, kapağını bulmuş. Mevlâna ile Şems sanıldığından fazla birbirlerine benziyorlar aslında.

Şems diyormuş ki: "Ulema taifesi mürekkep lekelerinde yaşar. Sufi taifesi ise aşkın ayak izlerinde!" Ne biçim laf bu şimdi? Besbelli Şems'e göre ulema konuşur durur, işimiz gücümüz kural üretmek ve bunları yazıya dökmek. Sufi ise yaşar. Dolu dolu, buram buram. Hadi diyelim ki böyle, Rumi de âlim değil mi? Yoksa artık kendini bizden saymıyor mu?

Ah, o Şems denen soysuz herif benim sınıfıma girecek olsa, elimin tersiyle sinek gibi kovalardım. Ağzını açıp da huzurumda saçmalamasına katiyen izin vermezdim. Peki, Mevlâna ne demeye aynısını yapmıyor? Niye Şems'in her lafını harfiyen yerine getiriyor? Çünkü o da benzer meşrepten. İkisi de aynı kumaştan kesilmiş, ayan beyan ortada. Adamın zevcesi Hıristiyan bir kere. Neymiş, sonradan İslam'a dönmüşmüş; bana ne? Kanında var Hıristiyanlık, çocuğunun kanına geçecek. Maalesef şehir halkı Hıristiyanlık tehdidini gerektiği kadar ciddiye almıyor. "Yan yana yaşayıp gidiyoruz, bunda ne kötülük var?" diyorlar. Bu kadar saf olanlara ben de şunu diyorum her seferinde:

"Suyla zeytinyağ karışır mı? Hiç gördün mü bir damla su bir damla yağa bulaşsın? Müslümanlarla Hıristiyanlar da ancak o kadar karışabilirler işte! Yan yana yaşıyor olabilirler ama asla bir araya gelemezler."

Mevlâna oldum olası gayrimüslimlere iltimas geçti, azınlıklara yumuşak davrandı. Sık sık Aziz Khariton Manastırı'na gidip dua ettiğini bilmeyen yok. Ne işi var bir Müslüman'ın orada? Manastırın başpapazı ile aralarından su sızmıyor. Demek ki ya gâvurlarla, ya Müslümanlığı şaibeli dervişanla arkadaşlık ediyor. Bunlar zaten Rumi'yi benim gözümde güvenilmez yapmaya yetiyordu ama bir de şu Şems-i Tebrizî denen ne idüğü belirsiz herifi evine alınca adam Hak yolundan tümden saptı. Talebelerime her gün tembihliyorum: "Aman çocuklar, Şeytan'a karşı uyanık olun! İblis sizi her an ayartabilir!"

Şems tam bir Şam şeytanı. Kesinkes onun fikriydi Rumi'yi meyhaneye yollamak. Allah bilir nasıl ikna etti adamcağızı. Gerçi namuslu kimseleri yoldan çıkartıp günah işletmek değil midir Şeytan'ın temel marifeti?

Şems'in ne menem bir bi-namaz olduğunu tâ en başta anlamıştım. Peygamber Efendimizle o kıytırık Sufi Bistâmî'yi mukayese etmek nasıl bir densizliktir? Bistâmî değil miydi "Ben kendimi överim, benim şanım ne yücedir!" diyen? Sonra da utanmadan şöyle dememiş miydi: "Nefsimi döven demirci benim!" Adam işi "Kâbe'yi tavafa gittim, bir baktım ki Kâbe beni tavaf etmekte" demeye kadar vardırmıştı. Bu nasıl lakırdı? Bu ne cüret? Küfür değilse nedir bunlar?

İşte Tebrizli Şems'in hürmetle atıfta bulunduğu zat böyle düşük seviyede bir adam. Ne de olsa o da Bistâmî gibi münafıkın teki.

Neyse ki şehir halkı hakikati görmeye başladı. Nihayet! Şems'i çekiştirenler günbegün artıyor. Hem de neler neler diyorlar hakkında! Ben bile bazen rivayetler karşısında dehşete düşüyorum. Hamamlarda, meydanlarda, tarlalarda, bostanlarda insanlar Şems'i yerden yere vuruyor.

* * *

Bunları zihnimde kura kura yürüdüm. Medreseye her zamankinden geç vardım. Telaşla sınıfın kapısından içeri girdim ama daha bir adım atmıştım ki ortada bir tuhaflık olduğunu hissettim. Talebelerim yer minderlerinde bağdaş kurmuş sıra sıra oturuyordu. Hepsinin de beti benzi atmıştı. Dut yemiş bülbül gibi susuyorlardı.

Birden sebebini anladım. Açık pencerenin önünde, sırtını duvara dayamış vaziyette biri duruyordu. Tüysüz, saçsız sakalsız yüzünde küstah bir tebessümle karşımda dikilen adam Şems-i Tebrizî'den başkası değildi.

Odanın diğer ucundan bana seslendi: "Selamünâleyküm Şeyh Yasin" dedi. "Biz de seni bekliyorduk. Geç kaldın."

Bir an tereddüt ettim, selâm verse miydim vermese miydim? Sonunda vermedim. Onun yerine talebelerime dönüp hesap sordum: "Bu uğursuz herifin burada işi ne? İçeri girmesine niçin müsaade ettiniz?"

Talebelerimin hiçbiri cevap veremedi. Hepsi şaşkın, hepsi tedirgindi. Suskunluğu bizzat Şems bozdu. Sesinde bir hürmetsizlik, yüzünde bir deli azamet, gözlerini gözlerime dikip şöyle dedi:

"Öğrencilerini azarlama Şeyh Yasin, fikir bana aitti. Bu sabah semtinizden geçiyordum, kendi kendime dedim ki, hadi şu medreseye bir uğrayayım. Uğrayayım da koca şehirde benden en çok nefret eden adamı bir ziyaret edeyim. Bakalım arkamdan söylediklerini yüzüme de söyleyebilecek mi?"

Talebe Hüsam
Konya, Şubat 1246

Birbirimize bakakaldık; afalladık. Biz sınıfta kuzu kuzu hocamızı beklerken kapıdan içeri Şems-i Tebrizî'nin girdiğini görmek hepimizi allak bullak etti. Hakkında öyle korkunç şeyler işitmiştik ki, tabii çoğu da hocamızdan, onu kanlı canlı karşımızda görünce elimizde olmadan irkildik. Gel gelelim Şems gayet rahat ve dostane bir tavır takındı. Bizi tek tek selâmladıktan sonra, Şeyh Yasin'le biraz laflamaya geldiğini anlattı.

Bir hadise çıkacak diye endişeye kapıldım. "Şey... Şeyh Yasin sınıfa yabancıların girmesini istemez" dedim. "Şimdi değil de, sonra gelip konuşsanız daha iyi olur."

"Eyvallah delikanlı, uyardığın için sağol" dedi Şems. "Ama bazen kimi meselelerin aşılması için hadise çıkması gerekir."

Aklımı mı okumuştu ne? Şems'in insanların beynini okuma yeteneği olduğunu duymuştum zaten.

"Merak etmeyin, hocanızla aramdaki sohbet uzun sürmez" diye ekledi.

Yanımda İrşad oturuyordu. Kulağıma eğilip, dişlerinin arasından fısıldadı: "Yüzsüze bak, sınıfımıza kadar geldi! Herif resmen Şam Şeytanı."

Başımı salladım ama doğrusu ben Şems'te şeytana benzer bir hâl görememiştim. Bende bıraktığı izlenim son derece dürüst, dobra ve cesur bir adam olduğuydu. Fikirlerimi kendime sakladım.

Birkaç dakika sonra Şeyh Yasin kapıdan içeri girdi. Dalgın görünüyordu, kaşları çatıktı. Daha bir adım atmıştı ki olduğu yerde çakıldı kaldı, hayret içinde beklenmedik ziyaretçiye baktı.

"Bu uğursuz adamın burada işi ne? İçeri girmesine kim müsaade etti?"

Arkadaşlarımızla birbirimize baktık ama daha hiçbirimiz cevap veremeden, Şems pervasızca lafa dalarak geçerken uğradığını, koca Konya'da kendisinden en çok nefret eden adamı görmek istediğini söyleyiverdi.

Talebelerden birkaçı gergin gergin öksürdü. İrşad'a baktım, o da tedirgindi. İki yetişkin adam arasındaki gerilim o kadar barizdi ki, dokunsanız hissedilecek gibiydi.

"Buraya niye geldiğin umurumda değil. Seninle lak lak etmekten daha mühim işlerim var" dedi Şeyh Yasin. "Hadi çık da dersimize dönelim, haydi yallah."

"Bakıyorum benle yüz yüze konuşmak istemiyorsun. Ama arkamdan konuşmaya gelince vaktin bol, seni kimse tutamıyor" dedi Şems. "Sürekli beni, Rumi'yi ve tasavvuf yolundaki Sufileri çekiştirip kötülüyorsun. Madem bu kadar çok zihnini meşgul ediyoruz, işte karşındayım. Bana soracak bir sorun yok mu?"

Şeyh Yasin yüzünü ekşiterek durakladı. "Seninle konuşacak bir şeyim yok benim. Ben zaten bilmem gereken her şeyi biliyorum."

Şems bize dönüp sesini yükseltti. "Şayet bir insan 'bilmem gereken ne varsa zaten biliyorum' derse, ona değil hoca, cahilin teki gözüyle bakmak gerekir. Ancak cahiller her şeyi bildiklerini zannedebilir."

Şeyh Yasin öfkeden kıpkırmızı kesildi, âdemelması yumru gibi dışarı fırladı. "O hâlde gel talebelere soralım. Şu ikisinden hangisi olmak yeğdir: Cevapları bilen arif insan olmak mı; yoksa sualden başka bir şeyi olmayan, zihni karman çorman şaşkının teki mi?"

Tüm arkadaşlarım Şeyh Yasin'den taraf oldu ama çoğunun samimi olmadığını, hocanın gözüne girmeye çalıştıklarını sezinledim. Bense susmayı tercih ettim.

"Cevapları hatmettiğini sanmak gaflet belirtisidir" dedi Şems omuz silkerek. Sonra hocamıza döndü. "Ama madem yanıt bulmakta üstüne yok, sana bir sorum olacak."

İşte o an tartışmanın gidişatından endişe etmeye başladım. Ama odadaki gerginliğin önüne geçmenin yolu yoktu.

"Orda burda benim aleyhime konuşuyor, Şeytan'ın hizmetkârı olduğumu söylüyorsun. Bari rica etsek de söylesen, nedir Şeytan?" diye sordu Şems.

"Elbette söylerim" dedi Şeyh Yasin, ayağına kadar gelen nutuk atma fırsatını kaçırmadan. "İbrahimî dinlerin en sonuncusu ve en mükemmeli olan dinimiz der ki Âdem ile Havva cennetten Şeytan yüzünden kovuldu. Ataları sürülmüş insanlar olarak biz de daima tetikte olmalıyız. Zira Şeytan tebdil kıyafet gezmekte. Bazen bizi kumara davet eden bir kumarbaz kılığına girer, bazen de güzel bir kadın olur, bizi ayartır... Şeytanın hiç beklenmedik suretlere büründüğü de olmuştur. Mesela gezgin bir derviş kılığında da çıkabilir karşımıza."

Şems bu hakareti beklermişçesine tebessüm etti. "Ne kast ettiğin ortada. Yalnız ne kolay işmiş! Şeytanı hep dışımızda, hep başkalarında aramak işimize geliyor değil mi?"

"Ne demek istiyorsun?" diye sordu Şeyh Yasin şüpheyle.

"Eh, Şeytan söylediğin kadar kurnaz ve kuvvetliyse, habire ayağımızı kaydırmak için fırsat kolluyorsa, biz insanların yaptığımız hatalardan dolayı kendimizi suçlamamıza ne gerek var ki? Hayırların hepsi Allah'tan, şerlerin hepsi Şeytan'dan deyip geçer gideriz. Her hâlükârda kendi kendimizi sorgulayıp dönüştürmek için sebep kalmaz. Ne kolaymış!"

Şems bir yandan konuşurken bir yandan odada volta atmaya, her yeni kelimeyle sesini yükseltmeye başladı. "Fakat bir an için farz edelim ki dışımızda bir yerde gezinen, bizden bağımsız ve kurnaz bir Şeytan yok. Kaynar kazanlarda bizi fokur fokur haşlayacak zebaniler de mevcut değil. O hâlde in-

318

sanın kanını donduran tüm o anlatılar, bize bir ders vermek için olmasın sakın? Ya Şeytan ve cehennem bize bir hakikati göstermek için anlatılmışsa, fakat biz daha sonra o hakikati unutup basmakalıp ezberlerle yetinmişsek?"

Şeyh Yasin kollarını kavuşturdu. "Ya neymiş o hakikat?"

"Ne mi? Şu: İnsan öyle karmaşık bir varlıktır ki kendine cenneti de yaşatır cehennemi de. İnsan en şerefli mahlûktur. Yüceden yüceyiz ve de bayağıdan bayağı. Bunun mânâsını tam kavrayabilseydik, Şeytan'ı dışarıda değil, içimizde arardık. Bize lâzım olan kendimizi didik didik tahlil etmek. Hatayı başkalarında bulmak değil."

"Sen git kendini tahlil et bakalım, inşallah gün gelir günahlarının kefaretini ödersin" dedi Şeyh Yasin gayet alaycı. "Ama ulema cemaate gözkulak olmak durumundadır. Biz öyle kendi işimize bakamayız."

"O hâlde izniniz olursa bir hikâye anlatayım" dedi Şems. Bunu öyle abartılı bir hitapla söyledi ki alay mı ediyor, samimiyetle izin mi istiyor, emin olamadık. Bize şunu anlattı:

Dört tüccar boş bir camide namaz kılıyormuş. Derken içeri müezzin girmiş. İlk tüccar namazını yarım bırakıp hemen sormuş: "Müezzin Efendi! Ezan okundu mu? Yoksa vaktimiz var mıydı daha?"

İkinci tacir namazını bırakıp, arkadaşına dönmüş: "Yahu, namazını yarım bıraktın, niye konuştun? Şimdi namazın boşa gitti. Haydi, baştan başla bakalım!"

Bunu duyunca üçüncü tacir müdahale etmiş: "Yuh, salak, ne diye onu suçlarsın? Kendi namazına bakacaktın. Bak, seninki de boşa gitti."

Dördüncü tacir dayanamamış, kendi kendine mırıldanmış: "Bak, şu akılsızlara! Üçü de namazlarını ziyan etti. Allah'ım sana şükürler olsun, beni faka bastırmadın, onlar gibi şaşırtmadın."

Şems bu hikâyeyi aktardıktan sonra tüm öğrencilere dönerek sordu: "Peki ya siz ne düşünüyorsunuz? Sizce bu dört tüccardan namazı heba olan var mı? Varsa hangileri?"

Sınıfta bir süre bir dalgalanma oldu. Bazı öğrenciler düşünceye dalarken, bazıları da öbekleşip cevabı aralarında tartışmaya başladı. En nihayetinde arkalardan birisi bağırdı: "İkinci, üçüncü ve dördüncü tacirin namazları kabul olunmaz. Hepsinin baştan alması lâzım. Bir tek ilk tacir masumdur çünkü o sadece müezzine danışmak istemişti."

İrşad dayanamadı, atıldı: "Evet ama o da duasını öyle kesmemeliydi. Bence tüm tüccarlar hatalı, dördüncüsü hariç. O sadece kendi kendine konuşuyordu."

Bakışlarımı kaçırdım. Her iki cevaba da katılmıyordum ama çenemi tutmaya kararlıydım. Şimdi burada fikrimi söylesem, kimsenin hoşuna gitmezdi muhtemelen. Ama daha bu fikir aklımın ucundan geçer geçmez Şems-i Tebrizî zınk diye durdu, beni işaret etti ve sordu:

"Peki ya sen genç adam! Sen ne düşünüyorsun?"

Yutkundum. "Şayet bu tacirlerin bir kabahati varsa, namazlarını kesip konuşmaları değil" dedim. "Esas kabahatleri kendi işlerine bakıp, ettikleri duanın hakikatine odaklanmak yerine, akıllarının başka yerde olması ve etrafta olan bitene takılmaları. Ama şimdi biz tutup da onları yargılarsak, aynı hatayı biz de yapmış oluruz."

Şeyh Yasin sabırsızlıkla lafımı kesti. "Ne diyorsun yani?"

"Diyorum ki dört tacir de benzer sebeplerden dolayı hatalıdır. Öte yandan ben onların hiçbirine hatalı diyemem. Zira haklarında hüküm vermek bana düşmez. Ben nereden bilebilirim hangisinin namazı kabul oldu, hangisinin olunmadı. Ben sadece kendi işime bakarım; kendi nefsimi eritip, yüreğimi eğitmeye."

Tebrizli Şems bana doğru bir adım attı. Yüzüme öyle derin bir şefkat ve muhabbetle baktı ki, kendimi anne babasının takdiriyle sevinen bir çocuk gibi hissettim. İsmimi sordu. "Hüsam, efendim" dedim. Ve işte o zaman Şems sınıfa dönüp şöyle seslendi: "Arkadaşınız Hüsam'da sufi yüreği var. Belki bunu kendi bile bilmiyor henüz ama bu terkibin mayası rind mayası!" Bunu duyunca yüzümü ateş bastı. Şimdi Şeyh Yasin'den bir sürü laf işitecek, arkadaşlarımın alaylarına maruz kalacaktım. Ama geldiği gibi gidiverdi kaygılarım. Sırtımı dikleştirdim. Şems'e gülümsedim. O da gülümseyerek bana göz kırptı ve sesinde yeni bir alevle anlatmaya koyuldu:

"Sufi der ki başkaları hakkında hüküm verip yargıda bulunacağıma, ben kendi içime bakayım. Sofu der ki başkalarının her kusurunu bulup çıkarayım. Ama unutmayın, çoğu zaman, başkalarında hata bulanlar kendileri hatadadır. Teferruata ineyim derken bütünü kaybederler. Ağaçlara bakmaktan ormanı göremezler."

Şeyh Yasin araya girdi: "Teferruat mı? Bir kere ulema, konumu gereği başkalarının yaptıklarıyla ilgilenmezlik edemez. Halk her hususta bizden fetva bekler. Acaba burnum kanarsa abdestim bozulur mu, seyahat hâlinde tutamadığım oruçları daha sonra tutmam gerekir mi... Cevapsız kalabilecek meseleler mi bunlar? Şafiî ayrı, Hanefî ayrı, Hanbelî ayrı, Malikî ayrı cevaplar. Din adamlarının rehberliği olmasa halk yanlış yerlere sapar."

Şems hafifçe omuz silkti: "İrfan sahibi olanlar Kuran ayetlerinden ayrı bir lezzet alır. Onlara ulemanın rehberliği gerekmez."

Şeyh Yasin bunu duyunca öyle bir öfkelendi ki tek gözü seğirmeye başladı. "Bizim rehberliğimiz keyfi değildir efendi, mecburidir!" dedi. "Şeriat her Müslüman'ın beşikten mezara başvurması gereken kaideler toplamıdır."

"Şeriat, Hakikat denizinde yüzen bir gemidir. Âşıklar er ya da geç gemiyi bırakıp, ummana dalar" oldu Şems'in cevabı.

Şeyh Yasin gözlerini kısarak baktı: "...ki köpekbalıkları onları afiyetle yesin" dedi gayet müstehzi. "Şeyhi olmayanın şeyhi Şeytan'dır. Rehberliği reddedenin sonu iyi olmaz."

Birkaç talebe Şeyh Yasin'in gülüşüne eşlik etse de geri kalanlarımız sus pus olduk. Dersin sonuna geliyorduk ve ben bu tartışmanın müspet bir şekilde bitmesine ihtimal vermiyordum. Şems de aynı şeyi hissetmiş olmalı ki sesinde belirgin bir hüzünle konuştu.

"Bugüne değin yüzlerce şeyh tanıdım" dedi. "Bazıları gayet samimi kimselerdi. Ama bazıları sahteydi, üstelik İslamiyet'i zerrece bilmiyorlardı. Hakiki Allah âşığının çarığındaki tozu bugünün şeyhlerine değişmem. Hayal perdesinde gösteri yapanlar bile onlardan iyidir, hiç olmazsa yaptıkları işin kandırmaca olduğunu baştan kabul ediyorlar."

Şeyh Yasin'i iyice çileden çıkardı bu laflar. "Bu kadarı yeter! Çatal dilini yeterince işittik. Haydi, çık artık sınıfımdan!" dedi.

"Merak etme, gidiyorum" dedi Şems muzip bir ifadeyle. Sonra bize döndü. "Bugün şahit olduğunuz atışma tâ Hazreti Muhammed sallallahü aleyhi ve sellem zamanına dayanan eski bir fikir ve üslup ayrılığıdır aslında. Ama bu ikilem yalnızca İslam tarihine özgü değil; İbrahimî dinlerin hepsinde mevcuttur. Ulema ile Sufilerin, akıl ile yüreğin, kural-temelli-din ile aşk-temelli-dinin atışmasıdır bu. Seçim sizin!"

Kelimelerin ağırlığını sindirmemizi beklercesine bir müddet durdu Şems. Gözlerini üzerimde hissettim, sanki bir sırrı paylaşıyorduk. Derken devam etti: "En nihayetinde ne hocanız, ne ben bilebileceğimizden fazlasını biliriz. İkimiz de üstümüze düşeni yapıyoruz. Belki o da kör, ben de körüm. Önemli olan şu: Bakanın kör olması güneşin ışığına halel getirmez ki! Keza insanlar arasındaki tartışmadan Allah etkilenmez."

Şems-i Tebrizî bunu der demez sağ elini yüreğine koyup

hepimize, hatta bir köşede tepkisiz duran Şeyh Yasin'e bile selâm durdu. Sonra kapıyı açtı ve çıktı gitti. Arkasında derin bir sessizlik bıraktı.

İrşad'ın dürtüklemesiyle kendime geldim. "Ne o, bakıyorum çok etkilendin" dedi gayet alaylı. "Demek sende sufi yüreği varmış!"

Cevap yetiştirme gereği duymadım. Sustum. Diğerlerini bilmem ama ben bugün Tebrizli Şems ile tanıştığıma memnundum.

Cengâver Baybars
Konya, Mart 1246

Bozguncu! Arsız! Terbiyesiz! Hiç edep yok bu adamda!

Tebrizli Şems'in medreseye baskın yapıp talebelerinin karşısında amcama meydan okuduğunu duyunca kulaklarıma inanamadım. Keşke ben de orada olaydım. O zehirli ağzını açmaya fırsat bulamadan ensesinden tuttuğum gibi kapı dışarı ederdim. Maalesef amcam bunu yapamamış. Aralarında nasıl bir atışma geçmişse o günden beri öğrenciler orada burada, bire bin katarak anlatıp duruyor. Söylediklerinin çoğu katıksız yalan. O yoz dervişe fazla paye veriyorlar.

Bu gece asabım bozuk. Hep o fahişenin yüzünden. Bir türlü aklımdan çıkmıyor kaltak. Çöl Gülü gizli çekmeceleri olan bir ziynet kutusu gibi. Sana ait olduğunu, elinde tuttuğunu sandığın anda bile ulaşılmaz ve kilitli.

İçime dert olan esas şey gösterdiği teslimiyet. Ben ona dayak atarken neden direnmedi? Neden yumruklarıma karşı koymadı? Ayağımın dibinde paspas gibi dirençsiz yatışı durup durup gözümün önüne geliyor. Bana vursa, bağırıp çağırsa ya da yardım istese hemen dururdum. Ama öylece yerde yattı; ağzını bile açmadı, attığım her tokadı kabullenerek. Ölüp ölmemek bile umurunda değildi sanki. Günlerdir bunu düşünüyordum. Sonunda dayanamadım, gene kerhaneye gittim. Yolda aklıma geldi, acaba Çöl Gülü beni görünce ne yapacaktı? Şikâyet etmeye kalkarsa ya da beni görmek istemezse, hünsa patronun eline üç beş kuruş sıkıştıracaktım artık. Her şeyi kafamda hesaplamıştım. Her ihtimale hazırdım. Hazır olmadığım tek ihtimal onu orada bulamamaktı. Meğer Çöl Gülü kaçmıştı.

"Ne demek Çöl Gülü burada değil?" diye patladım. "Ya nerede?"

Kerhaneci hünsa ağzına bir lokum atıp sinirli sinirli çiğnedi. "Boş versene o kaltağı" dedi şapırdatarak. "Sana diğer kızlarımızı gösterelim Baybarscığım, olmaz mı?"

"Senin beş para etmez karılarında gözüm yok şişko. Çöl Gülü'nü görmek istiyorum, hem de hemen."

Hünsa ok gibi delen bir nazarla suratıma baktıysa da benimle ağız dalaşına girmedi. Kısık bir sesle, söyleyeceği şey ağırına gidiyormuşçasına süklüm püklüm cevap verdi: "Çöl Gülü burda değil. Gitmiş. Herkes uyurken kaçmış haspa."

Öyle saçmaydı ki söylediği laf, gülesim geldi: "Kerhaneden fahişe kaçtığı nerede duyulmuş?" diye sordum. "Hemen bul o karıyı!"

O zaman hünsa sanki ilk kez görüyormuş gibi garipseyerek baktı bana. "Sen kim oluyorsun da bana buyruk veriyorsun?" dedi. O çekik, ufak gözleri alev püskürüyordu.

"Ben kim mi oluyorum? Yüksek mevkilerde amcası olan bir kamu görevlisi! İstersem bu kerhaneyi kapatır, hepinizi sokağa atarım" dedim. Ve hünsanın kucağındaki kâseden bir lokum alıp ağzıma attım. Parmaklarımı kerhanecinin üstüne sildim. Dehşet içinde baktı ama diklenmeye cesareti yoktu.

"Benim ne kabahatim var?" dedi hünsa mazlumu oynayarak. "Bütün suç o dervişin. Çöl Gülü'nün kanına giren o. Bu yollara tövbe etmesini o herif salık verdi."

İlk başta kimden bahsettiğini anlayamadım ama aniden bende şafak attı. Kerhanecinin sözünü ettiği derviş Şems-i Tebrizî'den başkası değildi!

Vay namussuz! Sen önce talebelerinin önünde amcamı yerin dibine sokup küçük düşür, sonra da kerhaneden namlı bir kaltağın kaçmasına sebep ol! Artık lâmı cimi kalmadı. O mendebur herife haddini bildirmek şart oldu.

Ella
Boston, 26 Haziran 2008

Biricik Aziz,

Sana bu kez email filan değil, gerçek bir mektup yazmak istedim. Eski usul. Mürekkebiyle, kâğıdı zarfı puluyla klasik bir mektup. Yazıp hemen postaya vermem gerek. Eğer yollamakta gecikirsem, yazdıklarıma pişman olup mektubu yırtabilirim.

Hani biriyle tanışırsın, çevrende görmeye alıştığın insanlardan çok farklı biri. Öyle biri ki her şeyi bambaşka bir gözle görür ve seni de bakış açını değiştirmeye yöneltir. Dünyaya onun gözleriyle bakmaya başlarsın. İçine ve dışına da. Etkilenirsin. Etkilenmek ne kelime, büyüsüne kapılırsın. Gene de ilk başlarda araya bir mesafe koyabileceğini, yüreğini kontrol altında tutabileceğini zannedersin. Oysa rüzgâr sandığın fırtınadır. Sınır sandığın yer oynak ve kaygan bir zemindir. Bir bakmışsın, farkında bile olmadan açılmış, karadan uzaklaşmışsın. Okyanusun tam ortasındasın.

Aziz, senin kelimelerine ne zaman böyle bağlandım, bilemiyorum. Tek bildiğim yazışmalarımızın beni değiştirdiği. Hem de tâ en başından itibaren. Belki sana bunları itiraf ettiğime pişman olacağım. Belki haddimi bilmiyorum. Ama koca bir ömrü haddimi bilerek geçiren ben, bir kere de olsa hudutlarımı aşmak istiyorum. Cesaretim beni şaşırtıyor. Tabi eğer bunun ismi cesaretse... Önce yazdığın romanı okudum. Kelimelerinle uyandım, onlarla uyudum. Sonra yazışmaya başladık ve yazıdan yazarına döndü ilgim. Senden mesaj gelmişse mutlu başlıyorum güne, gelmemişse bir yanım eksik gibi hissediyorum. Ben galiba önce senin hikâyelerine vuruldum. Hayal gücüne, yüreğine, içinde taşıdığın harflere... Ve nihayet anladım ki nicedir tatmadığım, hatta unuttuğumu sandığım bu heyecan gelip geçici bir heves değil.

Biliyor musun, gün boyu kendi kendime konuşur gibi seninle konuşuyorum? O gün olan bitenleri seninle tartışıyorum. Ne zaman yeni bir yere gitsem ya da hoş bir şeyle karşılaşsam, "Acaba Aziz burada olsa ne düşünürdü?" diyorum. Her güzelliği seninle paylaşmak istiyorum.

Geçen gün oğlum, "Anne sende bir farklılık var. Saçına bir şey mi yaptın?" diye sordu. Saçım her zamanki gibi. Ama farklı gözüktüğümün farkındayım. Arkadaşlarımdan benzer şeyler işitiyorum. "Yüzün ışıldıyor" diyorlar. "Cilt bakımı filan mı yaptırdın?" Hiçbir şey yaptığım yok hâlbuki. Seni düşünmekten başka.

Ama ne zaman kendimi kaptırıp seni düşünsem, şunu hatırlıyorum: Biz henüz yüz yüze görüşmedik bile. Ve işte o zaman gerçeğe dönüyorum. Kabullenmem gereken gerçek bu: Seni daha görmeden seviyorum...

Aşk Şeriatı'nı okumayı bitirdim, raporumu teslim ettim (evet, roman hakkında yayın raporu hazırlıyordum. Öyle çok istedim ki görüşlerimi seninle paylaşmayı. Hiç olmazsa raporla beraber yayınevine yolladığım mektubu göstereyim istedim. Ama doğru olmazdı. Gene de şunu söylemeliyim: Romanını sevdim, hem de çok. Hayatımla alâkası olmayan bir hikâyenin içine çektin beni. Ama bitirince anladım ki her şeyin her şeyle alâkası var aslında...).

Her neyse, bu mektubu yazma kararımın *Aşk Şeriatı*'yla bir ilgisi yok. Beni yazmaya iten, aramızdaki bu adını koyamadığım *ilişki*. İlk başlarda basit bir yazışma olarak gördüğüm macera sandığımdan daha ciddi bir hâl aldı. Önce anlattığın hikâyelere âşık oldum, sonra bir de baktım ki seni sevmişim...

Dedim ya, bu mektubu hemen yollamam lâzım. Yoksa yırtıp atarım...

Ella

Kerra
Konya, Mart 1246

Bu sabah evimize tuhaf bir kadın geldi. Şems-i Tebrizî'yi sordu. Burada olmadığını, sonra gelmesini söyledim. Ama gidecek yeri yokmuş. "Avluda beklesem olur mu?" diye sordu, çekingen, tedirgin. İşte o zaman içime bir şüphe düştü. "Kimin nesisin, nereden geldin" diye ağzını aramaya başladım. Israrlarım karşısında peçesini açtı. Yüzü yaralıydı; yanaklarında, boynunda morluklar, şişlikler vardı. Besbelli dayak yemişti. Gene de çok güzeldi. Gözyaşları içinde elimi tuttu, anlattı. Meğer kuşkulanmakta haklıymışım. Kerhaneden kaçmış.

"O batağı terk ettim" dedi kararlılıkla. "Kaçtığım gibi hamama gittim, tas tas sularla kırk kez yıkandım. Karar verdim: bundan böyle erkeklerden uzak duracağım. Son nefesime kadar. Kalan ömrümü Allah'a adadım."

Ne diyeceğimi bilemedim. Ne kadar genç ve narindi. Nasıl böyle bir şeye cüret edebilmişti? Alıştığı düzeni aniden bırakacak cesareti nasıl bulmuştu kendinde, hayret ettim. Hâli yüreğimi dağladı. Badem gözleri bana Meryem Ana'nınkileri anımsatmıştı. Öte yandan evimde kötü yola düşmüş bir kadın bulundurmak istemiyordum. Gene de onu kovacak gücü kendimde bulamadım. Bıraktım avluda beklesin. Elimden bu kadarı geldi. Duvarın dibine çömeldi, hüzne yontulmuş mermer bir heykel gibi gözlerini gayba dikip beklemeye koyuldu.

Yaklaşık bir saat sonra Şems'le Rumi yürüyüşten döndü.

Koşa koşa yanlarına vardım, durumu anlattım.

"Avluda bir fahişe mi var dedin?" diye sordu Mevlâna şaşkınlıkla.

"Evet, Tanrı'yı bulmak için kerhaneyi terk ettiğini söylüyor. Ya delinin teki, ya da pek naif zavallım. Kimdir nedir bilmiyorum."

"Ben biliyorum. Çöl Gülü olmalı" dedi Şems, sesinde taşkın ve baskın bir sevinçle. "Helal olsun! Demek sonunda başardı. Kadıncağızı neden dışarıda bekletiyorsun? İçeri alsana!"

"Evimize bir fahişe alırsak konu komşu ne der?" diye itiraz ettim. "Zaten her hareketimizi gözetliyor, habire dedikodumuzu yapıyorlar. Bir de elin fahişesiyle aynı çatı altında yaşayarak elaleme malzeme mi verelim?"

Şems başını kaldırıp, semaya baktı. "İyi de Kerra, zaten hepimiz aynı çatı altında yaşamıyor muyuz? Veziri de dilencisi de, bakiresi de fahişesi de, âlimi de cahili de... işte hepimiz buradayız ya! Aynı gök kubbe altında!"

Şems'le tartışmak ne mümkün! Nasıl laf yetiştireyim ben ona? Her şeye verecek bir cevabı vardı.

Çarnaçar kadını eve buyur ettim. Bir yandan da komşulardan kimse bizi görmesin diye dua üstüne dua ettim. Çöl Gülü içeri girip Şems'i görür görmez elini öpmeye koştu.

Şems ağzı kulaklarında, eski bir dostla konuşurcasına, "Hoşgeldin! Safalar getirdin" dedi. "Bir daha o izbe yere dönmeyeceksin. Hayatının o safhası tamamen bitti. İnşallah adım adım Hak seni Kendine yaklaştıracak!"

Çöl Gülü gözyaşlarına boğuldu. "Hünsa patron peşimi bırakmaz ki. Çakal Kafa'yı çoktan üstüme salmıştır. Siz bilmezsiniz o ne zalimdir..."

Şems genç kadının lafını böldü: "Bunları düşünme. Sen kalbini ferah tut. Allah seni o bataktan çıkarttı ya, bunu yapacak azmi ve cesareti verdi ya; sana kapıyı açıp dışarı çıkmanı sağladı ya, elbet yolu da açacaktır. **Otuz Üçüncü Kural: Bu dünyada herkes bir şey olmaya çalışırken, sen HİÇ ol. Menzilin yokluk olsun. İnsanın çömlekten farkı olmamalı. Nasıl ki çömleği tutan dışındaki biçim değil, içindeki boşluk ise, insanı ayakta tutan da benlik zannı değil, hiçlik bilincidir."**

* * *

Hava kararınca Çöl Gülü'ne yatacağı döşeği gösterdim. Kızcağız o kadar yorgun olmalıydı ki yastığa başını koyar koymaz uyuyakaldı. Tekrar odaya dönünce Rumi ile Şems'i hararetli hararetli sohbet ederken buldum.

Şems geldiğimi görünce gülümsedi: "Kerra, seni ayinimize davet ediyoruz."

"Ne ayiniymiş?" diye sordum.

"Ruhani, manevi bir raks düzenleyeceğiz. Daha evvel hiç görmediğin türden bir ayin bu. Müzik ve dans ve dua olacak. Hep beraber aşkla Rabb'i zikredeceğiz."

Dehşet içinde kocama baktım. Ne müziği? Ne dansı? Neden bahsediyorlardı?

"Mevlâna, sen saygın bir âlimsin, zenne değil, müzisyen değil! İnsanlar hakkında ne düşünür? Hiç mi itibarını gözetmiyorsun? Kendini düşünmüyorsan aileni düşün..." Yüzümün hiddetten kızardığını hissediyordum.

"Sen merak etme Kerra" dedi Mevlâna. "Şems'le bu meseleyi uzun zamandır düşünürdük. Dönen dervişlerin raksını icra edeceğiz. Adı semadır. İlahi Aşk'ı arzulayan herkes davetlimizdir. Hazırlıklara başlıyoruz. Bundan sonra her gün çalışacağız."

Şakaklarım zonklamaya başladı. "Ya kimse sevmezse? Ya beğenmezlerse? Raksa itibar etmez ki herkes, küçümserler böyle şeyleri" dedim Şems'e. "En azından şimdi yapmayın. Biraz erteleyin, olmaz mı? Biraz zaman geçsin."

Şems omuzlarını silkti. "Allah'a da herkes itibar etmiyor. O'na iman etmeyi de mi erteleyeceğiz? Peygamber Efendimize de herkes iltifat etmez. O'nu anmayı da mı erteleyeceğiz? Aşka da herkes hürmet etmez. Ne yani, âşık olmayı da mı erteleyeceğiz?"

Derin nefes aldım. Ben bu adama ne diyebilirdim ki? Tartışma böylece son buldu. Söylenecek tek kelime kalmamıştı.

Sultan Veled
Konya, Haziran 1246

"Bozuk çalmana gerek yok" dedi Şems. "Ayine kimse gelmez diye endişeleniyorsun ama kaygın boşuna. Şehir halkı beni sevmeyebilir, hatta babana eskisi kadar hürmet dahi etmeyebilir ama bizim düzenlediğimiz bir törene gelmemezlik etmez. Sırf çekiştirmek için bile olsa geleceklerdir. Göreceksin! İnsanoğlu meraklıdır."

Tam da dediği gibi oldu. Ayin akşamı bir de baktım meydanın etrafı hıncahınç dolu. Tacirler, debbağlar, demirciler, halıcılar, taş ustaları, boyacılar, attarlar, falcılar, kâtipler, çömlekçiler, fırıncılar, kâhinler, fare avcıları, esans satıcıları... hatta ve hatta bir kısım talebesiyle Şeyh Yasin bile oradaydı.

En ön sırada Hükümdar Keyhusrev ile danışmanlarını görünce rahatladım. Böylesi yüksek mevkide bir yöneticinin bu akşam buraya gelmesi babama verdiği kıymeti açıkça gösteriyordu. Bu manidar destek elalemin çenesini kapatır diye umut ediyordum.

Herkesin yerine oturması vakit aldı. Şems hakkında ileri geri konuşanlardan uzak durmak için yanına oturacak doğru düzgün birini aradım. Sonunda Sarhoş Süleyman'ın yanına ilişdim. Adamın ağzı şarap kokuyordu ama en azından dili zehirli değildi.

Hava serince olmasına rağmen sürekli terliyordum. Bu akşamki ayinin iyi geçmesi babamın itibarı açısından çok önemliydi. Her şeyin yolunda gitmesi için dua ettim ama tam olarak ne istediğimi bilemediğimden, cılız bir hâl aldı duam. Derken belli belirsiz bir müzik sesi yükseldi. Önce uzaklardan süzülen bir yankı gibiydi; giderek ivme ve cezbe kazandı. İnsanı kendinden geçiren, can veren bu sesi dinlerken seyirciler kıpırdanmayı, fısıldaşmayı kesti. Herkes nefesini tuttu.

Sarhoş Süleyman hayranlıkla karışık bir hayretle kulağıma fısıldadı: "Bu hangi sazdır, çıkartamadım."

Şems'le babam arasında geçen bir sohbeti hatırladım o an. "Bu aletin ismi ney'dir" dedim. "Başka müzik aletlerine benzemez. Sesi, derin bir iç çekiştir. Sevdiğinden ayrılanların iç çekişi..."

Neyin sesi hafifleyince meydanda babam belirdi. Ölçülü, dikkatli adımlarla yaklaştı; usulca eğilip gelenlere selâm verdi. Onun peşi sıra, hepsi de babamın eski müridi olan altı derviş göründü; sikkeler, tennureler, destegüller kuşanmış olarak. Ellerini göğüslerinde kavuşturup destur almak için babamın önünde eğildiler. Üç kere meydanı devrettiler. Yeniden yükselen müzikle beraber dervişler tek tek dönmeye başladılar. Önce ağır ağırdı dönüşleri. Döndükçe hızlandılar. Hızlandıkça nilüfer çiçeği gibi kat kat açıldı etekleri.

Ne manzaraydı ama! Gururla gülümsedim. Gözucuyla sağıma soluma bakıp semayı izleyenlerin tepkilerini gözetlemeyi ihmal etmedim. Hiçbir şeyi beğenmemeleriyle ünlü tipler bile takdirle izliyorlardı.

Dervişler aralarda dört selâm edip döndü. Devran sanki sonsuza dek sürdü. Sonra musiki kuvvetlendi; bir perde ardında çalınan rebabın sesi kudüme, kudümünkü neye karıştı. İşte tam o esnada, taşkın bir su gibi akarak Şems-i Tebrizî meydana çıktı. Diğerlerinden daha koyu renk bir tennure giymişti. Boyu her zamankinden uzun, bedeni daha bir ince görünüyordu. Kollarını iki yana açmıştı; sağ el yukarıya, sol el aşağıya bakacak şekilde.

Şems görünmeyen bir girdaba yakalanmışçasına delice dönerken, müritler de ağır ağır peykindeyken, babam bir çınar gibi öylece duruyor, dudakları daimi bir duada kıpırdanıyordu. Muazzam bir ahenk vardı aralarında. Etrafımdaki insanların hayretten suspus olduklarını fark ettim. Şems-i Tebrizî'den nefret edenler bile bu füsunkâr sahneden etkilenmişe benziyordu. O vaziyette ne kadar döndüler bilemiyorum. En nihayetinde musiki yavaşladı. Dervişler bir bir dönmeye son verip içlerine kapandı. Zarif hareketlerle ellerini çaprazlama kavuşturup meydandaki herkesi selâmladılar. Derin bir sessizlik oldu. Kimse ne yapacağını bilmiyordu. Kimse daha önce böyle bir gösteriye şahit olmamıştı.

Suskunluğu babam bozdu. "Dostlar, bu gördüğünüz ayinin ismi semadır. Bugünden itibaren her asırda dervişler semaya duracak. Bir elleri göğe işaret ederken, öteki elleri yere dönecek ki, Hak'tan aldığımız her aşk zerresini halka taksim edelim."

Seyirci sıralarından başını sallayanlar, hislenip duygulananlar oldu. Yumuşacık bir hava bürüdü ortalığı. Gözlerime minnet yaşları doldu. Nihayet babam da Şems de hak ettikleri hürmeti görmeye başlamıştı.

Böyle bitebilirdi bu akşam, bu şekerriz duygu seliyle. Ve ben eve mutlu, gururlu bir adam olarak dönebilirdim, eğer hemen akabinde olanlar olmasaydı.

Ne yazık ki Şems her şeyi mahvetti...

Sarhoş Süleyman
Konya, Haziran 1246

Bu gece şahit olduklarımı unutmam mümkün değil. Bilhassa sema ayini sonrasında olanları. Tören bitince Keyhusrev ayağa kalktı, gayet vakur bir edayla, küçük dağları ben yarattım dercesine etrafı şöyle bir süzdü. Gücünün farkında olan ve dalkavuklar tarafından çevrelenmeye alışkın liderlere mahsus bir edayla meydana yaklaştı. "Hepinizi tebrik ederim! Bize muhteşem bir akşam yaşattınız. Ayin içime işledi."

Rumi nezaketle teşekkür etti, öteki dervişler de onu izledi. Sazendeler ayaklanıp bir araya geldiler ve hükümdarı hürmetle selâmladılar. Keyhusrev'in yüzü keyiften ışıl ışıldı. Muhafızlarından birine işaret etmesiyle adamın ona mor kadife bir kese uzatması bir oldu. Keyhusrev kesenin içinde ne çok çil altın olduğunu hepimize göstermek için elinde şöyle bir tartıp hoplattıktan sonra keseyi sahneye fırlattı. Seyirciler takdirle ve minnetle alkışladı. Hükümdarımız ne kadar cömertti!

Yaptığı işten memnun, kendinden emin bir hâlde Keyhusrev meydana sırtını dönüp, kafilesiyle beraber çıkış yolunu tuttu. Ama daha birkaç adım atmıştı ki az evvel sahneye fırlattığı kese aynen havada uçarak, ayaklarının dibine düşüverdi. Her şey öyle hızlı olmuştu ki donakaldık, yerimizden kıpırdayamadık. Ama hiç şüphesiz en çok şaşıran Keyhusrev'di. Bu öyle açıktan açığa yapılmış ve o kadar kastî bir hakaretti ki affolunması mümkün değildi. Keyhusrev omzunun üzerinden inanmaz gözlerle arkasına baktı. Kafasına keseyi fırlatanın kim olduğunu anlamaya çalıştı.

Şems'ti tabii! Başka kim olabilir! Hey deli derviş! Anında tüm kafalar ona döndü. Meydanın tam orta yerinde ellerini beline koymuş dimdik duruyordu. Zifiri gözleri çakmak çakmak Keyhusrev'e bakıyordu.

"Biz para için sema etmiyoruz" dedi davudî bir sesle. "Sema manevi, semavi, ruhani bir danstır; yalnız ve yalnız aşk için yapılır. O yüzden al paranı! Senin o altınların bizim katımızda geçmez!"

Hepimize dehşetengiz bir suskunluk çöktü. Rumi'nin büyük oğlu Sultan Veled yanımda yaprak gibi tir tir titriyordu. Kimse çıt çıkaramadı. Bu gerilimi beklermişçesine bir de yağmur başlamaz mı? Bulutsuz gökten üzerimize yağdırılan damlalar kaçıp gitme arzumuzu artırdı.

Keyhusrev Şems'e cevap verememenin sancısıyla adamlarına döndü ve gürledi: "Haydi gidelim!"

Hükümdar sinirleri altüst olmuş bir halde çıkışa yöneldi. Yerde yatan altın kesesini ağır çizmeleriyle ezip geçti. Çok sayıdaki muhafızı hemen peşinden seğirtti. Onlar keseye basmaya kıyamayıp üstünden hopladılar.

Keyhusrev ve şürekâsı çıkar çıkmaz seyirciler söylenmeye başladı.

"Çılgın bu herif! Başımıza iş açacak!" dediler.

"Bu Şems kendini ne zannediyor!" diye homurdandı bazıları.

"Ne cüretle hükümdarımıza hakaret eder?" diye katıldı diğerleri. "Ya Keyhusrev bu işin bedelini tüm şehre ödetmeye kalkarsa?"

Şems'e ters ters, pis pis baktılar. Olan biteni kınayanların başında Şeyh Yasin ve talebeleri geliyordu. Hepsi de gayet kibirli ve gösterişli bir şekilde ayağa kalkıp Şems'i kınadıklarını aşikâr ettiler. Ve ne ilginçtir ki kızgınlıkla çıkıp giden bu güruhun içinde Rumi'nin en eski müritlerinden iki tanesi ve öz oğlu Alaaddin de vardı.

Alaaddin
Konya, Haziran 1246

Bu kadar utandığımı hatırlamıyorum. Öz babamı aylardır bir zındıkla işbirliği hâlinde görmek yeterince utanç verici değilmiş gibi, şimdi de müzik ve raks çıktı başıma! Babam koca şehrin önünde kendini nasıl böyle küçük düşürür? Üstüne üstlük, seyirciler arasında, kadınlar kısmında, kerhaneden namlı bir fahişenin de olduğu herkesin dilindeydi. Diyorlar ki kadın Şems'in kapatmasıymış. Bu ne biçim adam! Ahir ömrümüzün kalanı onun bize verdiği zararı temizlemekle geçecek herhâlde. Bu akşam oturmuş bunları düşünürken, hayatımda ilk kez, keşke başka bir ailede doğsaydım diye geçirdim içimden. Ben ki babamın oğlu olmakla gurur duyardım, şimdi artık bir başkasının çocuğu olmadığıma yanıyorum.

Bence bu ayin babam gibi yüce bir din âlimine yakışmayacak türden pespaye bir dans gösterisiydi. Ama esas semadan sonra olanlar tüylerimi diken diken etti. O arsız Şems devletin ulu bir yöneticisine tepeden bakmaya nasıl cüret eder? Yatsın kalksın, Keyhusrev'in onu tutuklatıp idam sehpasına yollamadığına şükretsin.

Keyhusrev'in ardından Şeyh Yasin ile öğrencilerinin salondan çıktığını görünce, ben de onlara katıldım. Şehir halkı Şems'in yanını tuttuğumu zannetsin istemem. Ağabeyimin aksine benim babamın kuklası olmadığımı herkes anlasın!

O gece eve dönmedim. Birkaç arkadaşla beraber İrşad'ın evinde kaldık. Gece sabaha kadar oturup, hararetli hararetli olanları tartıştık.

Bilhassa İrşad burnundan soluyordu. "Bu mendebur herif babanı fena etkiliyor. Bir süredir evinizde gizli gizli bir fahişe tutarmış. Sen de bize bir şey anlatmadın? Bu nasıl iştir Alaaddin? İsmini temizlemen şart."

Söylenenleri işittikçe utançtan kıpkırmızı kesildim. Ortada apaçık bir durum vardı: Şems ailemize felaket getirmişti. O gece ortak bir karara vardık: Tebrizli Şems ya bu deveyi bizim istediğimiz gibi güdecek ya bu diyardan gidecekti.

Ya tıpış tıpış giderdi, ya da zorla...

* * *

Ertesi gün Şems ile erkek erkeğe konuşmak üzere eve döndüm. Kararlıydım. Avluda tek başına otururken buldum onu. Ney üflüyordu, başı eğik, gözleri kapalı, sırtı bana dönüktü. Kendini tamamen musikiye vermiş, geldiğimi fark etmemişti. Bir fare gibi sessizce arkadan yaklaştım, fırsat bu fırsat düşmanımı daha iyi tanımaya çalıştım.

Birazdan musiki sona erdi. Şems başını kaldırdı, kendi kendine konuşurcasına, "Merhaba Alaaddin, beni mi arıyorsun?" dedi.

Tek kelime etmedim. Kapalı kapıların ardını görebildiğini bildiğimden, ensesinde gözü olması da şaşırtıcı gelmedi.

Şems yüzünü bana dönüp, "Dünkü ayini nasıl buldun? Beğendin mi bakalım?" diye sordu gayet pişkin bir şekilde.

"Hiç beğenmedim. Rezaletin daniskasıydı" dedim. "Oyun oynamayı keselim, tamam mı? Seni hiç sevmedim. Babamın itibarını daha fazla mahvetmene müsaade etmeyeceğim."

Şems neyi yavaşça bir kenara bıraktı. "Demek mesele bu? Şayet babanın itibarı iki paralık olursa, insanlar sana saygın bir âlimin oğlu gözüyle bakmayacak. Halk arasındaki ayrıcalıklı konumun sarsılacak. Bundan mı endişe ettin? Elalemin ne düşündüğünün ne önemi var?"

Damarıma basmasına izin vermemek için ettiği ağır lafı anlamazdan geldim. Yine de sakinleşmem zaman aldı.

"Buradan git artık. Git de huzur bulalım. Sen gelmeden önce ne iyiydik" dedim. "Babam muteber bir din adamı ve aile babası. Siz ikinizin ortak hiçbir noktanız yok."

Şems'in kaşları çatıldı. Derin derin iç çekti. Aniden kırılgan göründü gözüme. Hani şöyle okkalı bir yumruk atsam ya da kafasına bir taş indirsem, buracıkta canına okuyabilirdim. Onun canını yakma arzusu öyle şiddetli bir şekilde yokladı ki yüreğimi, yüzüne bakamadım, gözlerimi kaçırmak zorunda kaldım.

Tekrar baktığımda Şems'in beni bilmiş bilmiş süzdüğünü fark ettim. Yoksa zihnimi mi okumuştu? Birden tüylerim diken diken oldu, sanki aynı anda binlerce iğne battı bedenime. Dizlerim boşaldı, dizkapaklarımda bir gevşeme oldu; beni taşımaktan vazgeçmişlerdi sanki. Kara büyü olmalıydı! Şems'in sihirbaz olduğunu unutmuştum. Ben ona zarar vermek isterken ya o beni öldürmeye kalkarsa?

"Benden nasıl da korkuyorsun Alaaddin" dedi Şems aniden. "Ne yazık. Bana kimi hatırlatıyorsun biliyor musun? Şaşı çırağı!"

"Sen neden bahsediyorsun?" dedim.

"Bir hikâyeden bahsediyorum. Hikâyeleri sever misin?"

"Böyle saçmalıklarla kaybedecek vaktim yok."

Şems dudak büktü. "Hikâyelere vakti olmayan bir insanın kâinatı okumaya vakti yok demektir" dedi. "En iyi hikâyeleri Tanrı yazar, bilmez misin?"

Ve benden karşılık beklemeden şu öyküyü anlattı.

Vaktiyle bir ustanın asık suratlı bir çırağı varmış. Üstelik bu çırak düpedüz şaşıymış. Öyle ki her şeyi çift görürmüş. Günün birinde ustası çıraktan gidip kilerden bir kavanoz bal getirmesini istemiş. Çırak eli boş dönmüş. "Ama ustacım, kilerde iki kavanoz bal duruyor, hangisini getireyim bilemedim" diye şikâyet etmiş.

Usta çırağının huylarını gayet iyi bildiğinden şöyle demiş: "Sen o kavanozlardan birini kır, diğerini getir, olur mu?"

Ne yazık ki çırak bu kelâmdaki hikmeti anlamayacak kadar mankafaymış. Bir koşu gidip kavanozlardan birini kırmış. Ama bir de ne görsün, diğer kavanoz da onunla beraber kırılmamış mı?

"Ne demek istiyorsun?" diye tersledim. Şems'in karşısında hiddetlenip zayıf düşmek istemezdim ama kendimi zaptedemedim. "Sen ve şu zırva hikâyelerin! Bir kere olsun lafı dolandırmadan konuşamaz mısın?"

"Hâlbuki ne dediğim çok açık. Sen de şaşı çırak gibi baktığın her yerde ikilik görüyorsun" dedi Şems. "Babanla ben tekiz. Beni kırarsan onu da kırarsın, anlamıyor musun Alaaddin?" "Babamla ortak hiçbir noktanız yok. Ve ben ikinci kavanozu kırınca, ilkini de esaretten kurtarmış olacağım."

Öylesine öfke doluydu ki yüreğim, ağzımdan çıkan kelimelerin ne yaralar açtığını düşünmedim bile.

Şems
Konya, Haziran 1246

Bid'atmış... "Küfür bu müzik" diyorlar. Yapmayın efendiler! Aşk ile icra edilen bir sanat nasıl küfür olur? Demeleri o ki Allah bize müziği vermiş, hem de yalnız ağızla ya da sazla yapılan müzik değil kastım, tüm evreni kuşatan o canım ezgileri vermiş, sonra da tutmuş dinlemeyi yasak etmiş, öyle mi? Görmüyorlar mı bütün doğa her an her yerde O'nu zikrediyor? Bu kâinatta ne varsa aynı temel ahenkle hareket ediyor: Kalp atışımız, havadaki kuşun kanat çırpışı, fırtınalı bir gecede kapıları yumruklayan yel, dağ pınarının çağlayışı, nalburun demire vuruşu, henüz doğmamış bebeğin rahimde dinlediği sesler... Her şey, hem de her şey, muhteşem ve tek bir nağmeyle hemavaz. Dervişlerin dönerken duydukları musiki bu ilahi zincirin bir halkasıdır. Nasıl ki her su damlası içinde okyanusları taşır, bizim semamız da içinde kâinatın sırlarını taşır.

Ayinden önce Rumi ile beraber tefekküre dalmak üzere sessiz bir odaya çekildik. Akşam semaya çıkacak altı derviş de bize katıldı. Beraberce aptes alıp, dua ettik. Sonra tennurelerimize bürünüp, elifî kuşaklarımızı kuşandık. Bal rengi sikke mezar taşımızdı, uzun beyaz tennure nefsimize biçtiğimiz kefen, hırka ise ölmeden evvel ölenin mezarı. *"Onlar ayaktayken, otururken ve yanları üzerine yatarken Allah'ı zikrederler; göklerin ve yerin yaratılışı üzerine düşünürler..."* Bizler hâl ehliyiz. Kalp ehliyiz. Aşk ehliyiz. Biz pergel gibiyiz. Bir ayağımız şeriat üste sabit, bir ayağımızla yetmiş iki milleti devrederiz.

Semahaneye geçmezden evvel Rumi'nin ağzından şunlar döküldü:

Beri gel, daha beri, daha beri,
Bu hır gür, bu savaş nereye kadar?
Sen bensin, ben senim işte...
Ne diye bu direnme?
Topumuz bir tek inciyiz,
Başımız da tek, aklımız da tek.

Hazırdık. Önce neyin iç çekişi geldi. Sonra Rumi semazenbaşı sıfatıyla meydana çıktı. Dervişler bir bir meydana girerken başları tevazuyla eğilmişti. Son beliren şeyh olmalıydı. Ne kadar direndiysem de Rumi bu vazifeyi bana vermekte ısrar etti.

Ney ile rebabın insanın içine işleyen sesine kudüm vuruşları eşlik etmeye başladı.

Dinle, bu ney nasıl şikâyet ediyor, ayrılıkları nasıl anlatıyor:
Beni kamışlıktan kestiklerinden beri feryadımdan
erkek, kadın herkes ağlayıp inledi.

İlk derviş semaya başladı, tennuresinin eteği inceden hışırdarken seyircilerin gözü önünde bu âlemden uzaklaştı. Derken hepimiz semaya katıldık. Vahdetten gayrısı kalmayana dek dönmeye durduk. Gökten ne aldıysak toprağa, Hak'tan ne aldıysak halka. Her birimiz Âşık ile Maşuk arasına ağ olduk. Musiki sonlanınca evrenin başat unsurlarına selâm durduk: Ateş, hava, toprak, su ve beşinci unsur, boşluk.

* * *

Ayin sonrası Keyhusrev'le aramızda geçenlerden dolayı pişman değilim. Bir tek Rumi'yi zora soktuğuma üzgünüm. Ama bu da gerekliydi. Mevlâna hep ayrıcalık görmüş, yönetici kesim tarafından korunup kollanmış. Şimdi, halktan sıradan insanların gayet iyi bildiği bir duyguyu ilk defa tattı: Hükmeden seçkinler karşısında yaşanılan zayıflık hissi. Mahrumiyetin, çaresizliğin, kenara itilmişliğin ne menem bir şey olduğunu anlayamadan Mevlâna nasıl herkesi kucaklayan bir şair olabilir ki?

İşte böylece sanırım artık Konya'daki vaktim doldu. Gitme vakti geldi. Her hakiki aşk, umulmadık dönüşümlere yol açar. Aşk bir milâd demektir. Şayet "aşktan önce" ve "aşktan sonra" aynı insan olarak kalmışsak, yeterince sevmemişiz demektir. Birini seviyorsan onun için yapabileceğin en anlamlı şey değişmektir!

O kadar çok değişmelisin ki, sen sen olmaktan çıkmalısın.

Şiir, musiki, raks... esriklik, esneklik, akışkanlık... Rumi'nin dönüşümü neredeyse tamam. Şiir sevmeyen katı bir âlimken, kendi sesinin akışında hızla ilerleyen bir hatipken, artık cümle suskunların hislerine tercüman olacak kadar iyi bir şair olma yolunda. Bana gelince, ben de değiştim ve değişiyorum. Varlıktan hiçliğe gidiyorum. Bir mevsimden diğerine, bir mertebeden diğerine, yaşamdan ölüme kayıyorum. Baba Zaman'ın vaktiyle söylediklerini hatırlıyorum. İpeğin kozadan sapasağlam çıkması için ipek böceğinin kendinden feragat etmesi lâzım.

Dostluğumuz ve ruhdaşlığımız Allah'tan bir lütuf, eşsiz bir armağandı. Yarenlikte büyüdük, şad olduk, tomurcuklandık, çiçek açar gibi kelime açtık, tamlığı tattık. Kimse tek başına hamlıktan olgunluğa geçemez. Seni kuş gibi bir makamdan bir makama uçuracak yol arkadaşını bulmalısın. Ve buldun mu, kendini değil, onu ululamalısın.

Sema akşamı herkes çekilip hay huy nihayete erdikten sonra semahanede bir başıma oturdum. Rumi ile bu dünyadaki zamanımızın sonuna varıyordum. Dostluğumuz süresince nadide bir güzelliği paylaştık; durmadan birbirini yansıtan iki ayna misali birbirimizde sonsuzluğu seyrettik. Ama eninde sonunda çember döner, devir tamamlanır, ayna sırlanır. Her kışın bir baharı, her baharın bir sonu vardır. Ve şu vecize hâlâ geçerlidir: Aşkın olduğu yerde, er ya da geç ayrılık vardır.

Ella
Boston, 15 Temmuz 2008

"Başımıza beklenmedik rastlantılar ancak bunları karşılamaya hazır olduğumuz anlarda gelir" diye yazmıştı Aziz bir mesajında.

Eğer öyleyse bu hafta başına gelenlere bir anlamda hazır sayılmalıydı Ella. Hâlbuki eli ayağına dolaştı, alabildiğine hazırlıksız yakalandı. Zira bu hafta pat diye Aziz Z. Zahara onu görmeye Boston'a geldi.

Pazar günü akşamıydı. Rubinstein Ailesi tam yemeğe oturmuştu ki Ella'nın cep telefonuna bir mesaj geldi. Füzyon Yemek Pişirme Kulübü'nden biri yolladı zannedip hemen okuma gereği duymadı. Oyalandı, başka şeyler yaptı. Kalktı, yemeği masaya taşıdı: Kızarmış ballı ördek, yanına patates sote, fıstıklı yasemin pilavı üzerine karamelli soğan. Ördek o kadar iddialı ve heybetli görünüyordu ki masaya koymasıyla herkesin kaşlarının havaya kalkması bir oldu. Daha bu sabah Scott'u yeni kız arkadaşıyla görüp bunalıma giren Jeannette'in bile iştahı açılmış gibiydi.

Sakin, sıradan bir akşam yemeğiydi. Her zamanki muhabbetlerle taçlanan bir yemek. Ella masadaki her sohbete kıyısından köşesinden katıldı. Kocasının bahçe çitlerini maviye boyama önerisine ses etmedi, Jeannette ile üniversitedeki derslerin yoğunluğunu konuştu, ikizlerle de *Karayip Korsanları* filmi hakkında lafladı. Herkese ve her şeye uyum gösteriyor ama aslında herkese ve her şeye mesafeli duruyordu. Aklı Aziz'deydi. Acaba mektubunu almış mıydı? Aldıysa ne düşünmüştü? Neden hâlâ cevap yazmamıştı? Kirli tabakları bulaşık makinesine yerleştirip, beyaz çikolatalı crème brule'yi servis ederken zihni öylesine meşguldü ki cep telefonuna bakmak aklının ucundan geçmedi. Ama ne zaman ki gelen mesajlar kutusunu açtı, donakaldı.

Boston'dayım! Smithsonian Müzesi için fotoğraf çekimine geldim. Ama esas seni görmeye. Onyx Oteli'nde kalıyorum, beni görmeye gelir misin... Aziz

Ella'nın yanaklarına bir pembelik yayıldı, kalbi hızlandı. Titreyen ellerle cep telefonunu kapatıp çantasına koydu. Sakin görünmeye çalışarak masaya oturdu. Ailesini dinler gibi yaparken hafiften başı dönüyordu.

Ama bu hâli David'in gözünden kaçmamıştı. "Ne o bir şey mi var? Mesaj mı gelmiş?" diye sordu tabağından başını kaldırıp.

"Ah... evet, Michelle mesaj atmış" dedi Ella, hiç düşünmeden.

Karı koca bir an gözlerini kaçırmadan birbirlerine baktılar. Bakışları kenetlendi, kilitlendi. Söylenmeyen onlarca söz aralarında gitti geldi. Uzun süren evliliklerin böyle bir faydası vardı. Artık tek kelime konuşmadan, sırf bakışlarıyla kavga edebiliyorlardı. Çocuklar hiçbir şeyin farkında değil gibiydi. Böylece Ella ve David tuhaf bir şekilde bir oyunun içinde buldular kendilerini. Biri diğerinin yalan söylediğini biliyordu, beriki de onun bunu bildiğini.

Sonunda David düşünceli düşünceli doğruldu, peçetesini kusursuz bir kare oluşturacak şekilde dikkatlice katladı. Hareketleri ağırlaşmıştı. "Ya, demek Michelle mesaj yollamış" diye mırıldandı.

Ella kocasının kendisine zerrece inanmadığını anlasa da uydurduğu masalı sürdürmek zorunda hissetti. Belki de şu anda esas niyeti ne kocasını ikna etmek, ne çocuklarını kandırmaktı. Sırf kendisi için ihtiyacı vardı bu yalana. Evinden dışarı adım atmak, Aziz'in kaldığı otele gitmek, nihayet onu yüzünü görmek istiyordu. Hem de nasıl istemek? Hayatında hiçbir şeyi bu kadar istememişti... O yüzden her bir sözcüğü tartarak devam etti.

"Yarın sabah yayınevinde toplantı varmış, gelecek sezonun kitap kataloğu belirlenecekmiş. Onu haber verdi. Benim de katılmamı istiyor."

"O zaman önemli bir toplantı, muhakkak gitmelisin" dedi David gözlerinde anlaşılmaz bir parıltıyla. "İstersen sabah ben bırakayım seni, hem beraber gitmiş oluruz. Bir iki randevumu kaydırdım mı ayarlayabilirim."

Ella kocasına bakakaldı. Ne yapmaya çalışıyordu? Hakikaten Boston'a beraber gitmek mi istiyordu? Yoksa çocukların gözü önünde tartışma çıkarmak mıydı niyeti? Zoraki gülümsedi. "Çok iyi olurdu ama evden sabah yediden önce çıkmamız lâzım. Michelle benimle toplantıdan önce ayrıca konuşmak istiyormuş."

Her şeyden habersiz Orly sırıtarak konuşmaya daldı. "Oo, o zaman babamı unut gitsin. Hayatta o kadar erken kalkamaz. O saatte babamı ancak vinçle kaldırabilirsin."

David hiçbir zaman sabahları erken kalkabilen biri olmamıştı. Çocukları da karısı da bu huyunu gayet iyi biliyordu.

Ella ile David'in bakışları buluştu. İkisi de bekliyor, durumu tartıyordu. Acaba ilk hamleyi kim yapacaktı? Bu oyunu oynamaya daha ne kadar devam edeceklerdi?

O zaman David yüzünde müstehzi bir tebessümle geri çekildi. "Orly haklı. O saatte kalkamam. En iyisi sen yalnız git" dedi.

"Niye şimdi gitmiyorsun anne?" dedi Jeannette, her şeyden habersiz. "Şehirdeki dairede kal. Ne zamandır kimsenin işine yaramıyor zaten. Sabah da dinlenmiş olarak ordan toplantıya geçersin."

"Olabilir..." dedi Ella yanaklarının yandığını hissederek.

Yarın sabah Boston'a gidip Aziz'le kahvaltı edeceğini düşünmek bile kalbinin hızla atmasına yetmişken, hemen şimdi yola çıkmak çılgınlık gibi geliyordu. Öte yandan Aziz'i hemen görmek istiyordu, ertesi gün değil. Sabaha daha çok vardı. Bir ömür uzaklığındaydı sanki. Şimdi gitse daha güzel olmaz mıydı? Evden arabayla iki saatte Boston'a varacaktı ama umurunda değildi. Aziz tâ Amsterdam'dan kalkıp gelmişti. İki saat direksiyon sallamanın lafı mı olurdu?

"Şimdi çıkarsam gece ondan önce Boston'a varmış olurum. Sabah da erkenden yayınevine gider Michelle ile buluşurum" diye tekrarladı Ella.

David'in yüzü soldu. Ağzını açıp tek kelime etmedi. Gözlerinde karısının başka bir adamla buluşmasına mâni olmayacağını ele veren bir boşvermişlik vardı.

"Hem uzun zamandır bizim evi toparlamadım. Gidip bir bakayım" dedi Ella. Bu son cümleyi bilerek vurgulamıştı. Böylece kocasına Aziz'le sadece bir şeyler içeceğini, ondan sonra eve gidip tek başına uyuyacağını söylemeye çalışıyordu.

David elinde şarap kadehi, masadan kalktı. Yüzünde çözülmesi zor bir özgüvenle, "İyi fikir. Olur canım, şimdi git" dedi. Gözdağı mı veriyordu, yoksa olan biteni umursamıyor muydu? Ella kocasının ne düşündüğünü okuyamadı.

"Ama anne, hani matematik ödevime yardım edecektin" diye sızlandı Avi.

Ella bir şey demeye fırsat bulamadan Orly kardeşine sataştı. "Ay, ana kuzusu! Otur kendi ödevini kendin yap. Koca dana!"

Ella çocuklarını masada tartışırken bırakıp hızlı adımlarla üst kata çıktı. Yatak odasının kapısını kapar kapamaz cep telefonundan Aziz'e yanıt yazdı:

Bu ne güzel sürpriz. Çok şaşırdım. İki saat sonra Onyx'teyim.

"Gönder" tuşuna bastı. Donuk gözlerle mesajın gidişini izledi.

Ne yapıyordu böyle? Bu yol sonra nereye çıkacaktı? Gerçi bunları düşünecek vakit yoktu. Bu akşam yaptıklarından dolayı pişman olacaksa eğer, ki muhtemelen olacaktı, buna daha sonra hayıflanırdı. Şimdi yaşaması gerekeni yaşayacaktı. Acele etmesi gerekiyordu. Yirmi dakikada duşa girdi, makineyle saçlarını kuruttu, dişlerini fırçaladı, bir elbise seçti, giydi çıkardı, diğerini denedi, olmadı, bir başkasında karar kıldı, saçlarını taradı, biraz makyaj yaptı, anneannesinin hediyesi ufak yeşim küpeleri taktı, aynada kendine baktı, gördüğünü beğenmedi ve gitti başka bir elbise giydi.

Derin bir nefes aldı, biraz parfüm sıktı. Eternit-Calvin Klein. Şişe banyo dolabında yıllanmıştı. David hiç parfüm sevmezdi. "Kadın, kadın gibi kokmalı" derdi hep, "vanilya yahut papaya gibi değil." Ama Avrupalı bir erkek farklı düşünebilirdi parfüm konusunda. Avrupa'da parfüm tutulan bir şey değil miydi?

İyi de neden Aziz geleceğini önceden haber vermemişti? Bilseydi ona göre hazırlanır, kuaföre gider, manikür ve yüz bakımı yaptırır, hatta kim bilir belki saç stilini değiştirirdi. Ella'nın zihninde bir sürü soru yanıp sönüyordu: *Ya Aziz beni beğenmezse? Ya kimyalarımız tutmazsa, tâ Boston'a kadar geldim diye pişman olursa?* Yazışmak daha mistik ve kolaydı. Görüşmekse daha zor. *Neden geldi? Ben çağırdım... O mektubu yazarak buraya gelmesine ben sebep oldum...*

Düşüncelerinden sıyrıldı. Kendini topladı. Ne demeye görünüşünü değiştirmeye çalışıyordu ki? Kimyaları tutsa ne olurdu, tutmasa ne olur? Bu adamla sadece bir fincan kahve içecekti. Hepsi bu. Daha ileri gitmeyecekti. Gidemezdi. Yoksa Zahara'yla yaşayacağı her macera, bir macera olarak kalmaya mahkûmdu, gelip geçiciydi. Bir ailesi vardı. Kurulu bir düzeni. Geçmişi buradaydı, geleceği de. Bu yaşta olmayacak hayallere kapıldığı için kızdı kendine. Düşünmemeye çalıştı. Kurmamaya. Hayal etmemeye. Arzulamamaya.

Sekize çeyrek kala Ella çocuklarını öptü, herkese iyi geceler diledi, evden çıktı. David çalışma odasına çekilmişti. Birbirlerini görmediler.

Boston'daki evlerinin anahtarlarını sallaya sallaya arabaya yürürken zihni uyuşmuş gibiydi ama dolu dizgin koşturuyordu kalbi.

Bölüm Beş

BOŞLUK

*Hayatta, varlıklarıyla
değil yokluklarıyla bizi
etkileyen şeyler*

Sultan Veled
Konya, Temmuz 1246

Bu cuma sabahı babam odama geldi. O kadar bitkin görünüyordu ki gözlerime inanamadım. Kirpiklerinin altında koyu torbalar oluşmuş, bakışları hepten değişmişti, tüm gece uyumamış gibiydi. Ama beni en çok şaşırtan sakallarıydı: bir gecede tamamen ağarmışlardı.

"Veled, oğlum, ne olur bana yardım et" dedi. Sesi o kadar kırılgan ve ağlamaklıydı ki içim sızladı.

Koştum, koluna girdim. "Emret babacım, ne istersen, yeter ki söyle."

Bir müddet sustu, sanki söyleyeceklerinin ağırlığı altında kalmıştı. "Şems gitmiş. Bizi terk etmiş."

Ne diyeceğimi bilemedim. Şaşırdım, üzüldüm ama doğrusu şunu da düşünmeden edemedim: Belki de böylesi herkes için daha hayırlıydı. Şimdi hayat daha kolay olmaz mıydı? Babam son zamanlarda pek çok düşman edinmişti, hepsi de Şems yüzünden. Eskiden bu şehrin en muteber insanıydı. Şimdiyse sevmeyenleri, eleştirenleri çoğalmıştı. Ürküyordum. Her şey eskisi gibi olsun istiyordum. Belki de Alaaddin haklıydı: Şems hayatımızdan çekip gidince eski huzurumuza kavuşmaz mıydık?

Babam zihnimden geçenleri okumuş gibi yılgınlıkla yüzüme baktı: "Kıymetlimdir o benim, unutma" dedi. "Şems'le ben, iki ayrı insan değil, biriz aslında. Ayın bir aydınlık yüzü var, bir karanlık. Şems benim serkeş yüzümdür. O benim asi yanımdır. Kimse görmez ama onun her isyanında ben varım."

Başımı salladım, babama mahcup olmuştum. Bir süre konuşamadım.

"Ne olur Şems'i bul, tabii eğer o bulunmak istiyorsa. Git getir onu. Yokluğunda nasıl perişan olduğumu anlat." Hazin bir fısıltıya dönüştü cümleleri. "Ona de ki yokluğu beni kahrediyor."

Babama söz verdim. Her nerede olursa olsun Şems'i bulup getirecektim. Babam elimi tuttu, minnetle sıktı. Gözlerimi kaçırdım. Bakışlarımdaki tedirginliği fark etmesini istemiyordum.

***

Bütün hafta boyunca Konya sokaklarını arşınladım. Şems'in ayak izlerini takip etmeye çalıştım. Bu süre içerisinde şehirde kim var kim yoksa Şems'in kaybolduğunu öğrenmişti. Nerede olabileceğine dair herkes bir tahmin yürütüyor, ağzına geleni söylüyordu. Bir ara bir cüzâmlı dilenciye rastladım, Şems'e hayrandı. Tuttu, beni kendisi gibi düşkün, sefil ve kimsesiz insanlarla tanıştırdı. Hepsinin de ortak noktası geçmişte Şems'in imdatlarına koşmuş olmasıydı. Şaşırdım. Demek bu kadar çok takdir edeni vardı Tebrizli Şems'in, hiç bilmezdim. Bunca zaman hep onu sevmeyenlere kulak vermiş, ne kadar çok seveni olduğunu fark etmemiştim.

Bir akşam eve yorgun argın, şirazem kaymış hâlde geldim. Kerra bana hemen bir kâse sütlaç getirdi. Tatlı, gül suyu ve tarçın kokuyordu. Yanıma oturdu, ben yerken anne şefkatiyle gülümseyerek beni seyretti. Yüzündeki perişanlığı fark etmeden duramadım. Bir senede ne kadar yaşlanmıştı.

"Şems'i bulmaya çalışıyormuşsun, doğru mu?" diye sordu Kerra az sonra.

Başımı salladım.

"Peki nereye gittiğini biliyor musun?"

"Hayır, hiçbir fikrim yok. Ortada çok fazla rivayet var. Şam'a gitmiş diyorlar. Ama İsfahan'a, Kahire'ye, hatta doğduğu şehir Tebriz'e gitti diyen de var. Her yere bakmak lâzım. Ben yarın Şam'a gitmek için yola çıkıyorum. Bu arada babamın müritlerinden üç tanesi diğer üç şehre gidecek."

Vakur bir ifadeye büründü Kerra'nın suratı; sesli düşünüyormuş gibi mırıldandı:

"Biliyor musun baban âdeta şiir konuşuyor" dedi tedirgin bir gülümsemeyle. "Bütün gün susuyor. Sonra konuşmaya başladığında ağzından dizeler dökülüyor. Şems'in yokluğunda galiba şair oluyor."

Gözlerini yerdeki İran halısının saçaklarına dikti. Kirpiklerinin ucunda bir ıslaklık birikti. Derin bir nefes aldıktan sonra bir çırpıda okudu şu beyiti:

Gördüm yüzü o Haşmetli Hükümranı
Cennetin güneşi, gözü kulağı
Her varlığa yoldaş o şifacı
Ruhlara can veren ruhtur kâinatı

Neler olup bittiğinin farkındaydım. Kerra vicdanının cenderesine sıkışmıştı. Şems'in gidişine belki de en çok o sevinmişti. En azından ferahlamıştı. Öte yandan babamın mutlu olması için her şeyi yapmaya hazırdı. Ve, gayet iyi biliyordu ki babamın mutluluğu Şems'in varlığına bağlıydı. Şems'in dönmesi ise babamın Kerra'yı ve bizleri yeniden ihmal etmesi anlamına geliyordu. Böylece Kerra bir kadının yaşayabileceği en çetrefil ikilemlerden birine toslamıştı: *Kocamın mutsuz olmak pahasına benim yanımda kalmasını, gözümün önünde olmasını mı isterim, yoksa benim mutsuzluğum pahasına özgür ve bağımsız olmasını mı?*

"Peki ya Şems'i bulamazsam?" dedim Kerra'yı yoklayarak.

Ağzımdan çıkan soru beni de şaşırtmıştı ama sormuştum işte. "O hâlde elden ne gelir. Yapacak bir şey yok. O gelmeden önce nasılsak, gene öyle yaşar gideriz" dedi Kerra, bir umut kıvılcımı gözlerinde parlayarak.

Ne ima ettiğini kavradım. Şems-i Tebrizî'yi aramak için yollara düşmek, tâ Şam'a gitmek zorunda değildim. İstesem yarın Konya'dan çıkar, bir süre orda burda dolanır, kalacak rahat ve temiz bir han bulur, birkaç hafta sonra döner, "Şems'i aramaktan ayaklarıma kara sular indi ama ne yazık ki onu bulamadım" der geçerdim. Babam sözüme güvenirdi. Böylece bu mesele kendiliğinden sona ererdi. Hem böylesi belki yalnız Kerra ve Alaaddin'e değil, babamın talebelerine, müritlerine de faydalı olurdu; hatta bana bile.

"Kerra" dedim usulca. "Sence ne yapmalıyım?"

Ve işte uzun seneler evvel din değiştirip Müslüman olan, ilk eşini kaybettikten sonra babama dul bir kadın olarak varan, bana ve kardeşime senelerdir harikulade annelik yapan, kocasını onun başkası için yazdığı şiirleri ezberleyecek kadar çok seven, hayatı boyunca hep veren, hep gözeten bu kadın, ağzını açıp da tek kelime edemedi. Bir anda söylenecek söz kalmamıştı içinde.

Ve ben o zaman anladım ki bu soruyu cevaplamak bana kalmıştı. Şems'i aramaya çıkıp çıkmamak benim imtihanımdı.

Rumi
Konya, Ağustos 1246

Bir gayya kuyusu bu dünya, Şems'in yokluğunda. O gitti gideli ruhum çorak kaldı, gün ışımaz günüme. Gece uyku girmiyor gözüme, gündüzse evde duramaz oldum. Ne tam olarak buradayım, ne başka bir yerde. Bir hayalet gibiyim kalabalıklar içinde. Herkese küskünüm, kırgınım, elde değil. Nasıl hiçbir şey olmamış gibi hayatlarına devam edebiliyorlar? Şems-i Tebrizî'nin olmadığı bir yaşam, yaşanılası olabilir mi? Gün batımından şafağa her gün bir başıma kütüphanede oturuyor, susuyorum. Hep Şems'i düşünüyorum. Ama sonuçta Şems benim için her şeyin ve herkesin toplamı olduğundan, tüm evreni düşünüyorum aslında. Bana söyledikleri aklımdan çıkmıyor: "Gün gelecek sana En Güzel Aşk Şiirlerini Yazan Doğulu diyecekler. Bütün dünyada ismin bilinecek."

Hâlbuki tek yaptığım susmak bu günlerde. "Hamuş" diyorum kendime: Suskun! Ben ne kadar susarsam susayım kelimeler bana rağmen sinemi yırtıp çıkıyorlar bedenimden. Baştan beri Şems'in yapmak istediği de bu değil miydi? Benden bir şair yaratmak! Ama bu hedefe ulaşmak için beni terk edeceği aklımın ucundan geçmemişti.

Hayatımız bir devr-i daim. İster devasa boyutlarda olsun, ister bir dirhemcik ağırlığında, yaşadığımız her zorluğun, çektiğimiz her çilenin büyük resimde bir yeri ve işlevi var. Mücadele etmek insan olmanın gereği. *Bizim uğrumuzda cihad edenler var ya, Biz onları mutlaka yollarımıza ileteceğiz,* demiyor mu? Sen nefsini aşmak, herkesi bir ve eşit görmek, Yaradan'dan ötürü yaratılanı sevmek yolunda minnacık bir adım bile atsan muhakkak karşılığını görürsün. İlahi bir nizam olduğuna inanıyorsak eğer biliriz ki bunun içinde tesadüfe yer yok. Şekerciler Hanı yakınlarında birbirimize rastlamamızdan bu yana iki sene geçti. Şems'in bana gelişi tesadüf değildi ki, gidişi öyle olsun.

"Rüzgârla gelmedim" demişti Şems "ki rüzgârla gideyim senin hayatından..."

Ve sonra bir hikâye anlatmıştı.

Vaktiyle bir Sufi varmış. Kerameti o kadar enginmiş ki, İsa Peygamber'e bahşedilen nefese sahipmiş. Bu Sufinin tek bir talebesi varmış. Hâlinden hoşnutmuş. Daha fazla öğrencim, müridim olsun diye hırsları yokmuş. Ne var ki talebesi farklı düşünürmüş. İstermiş ki herkes hocasının izzeti ve kudreti karşısında şaşkına dönsün. Bu nedenle ondan yalvar yakar bir tarikat kurmasını ve pek çok mürit edinmesini istermiş.

"Eyvallah" demiş Sufi en nihayetinde. "Madem bu kadar çok istiyorsun, yapalım bakalım."

O gün pazara gitmişler. Tezgâhlardan birinde kuş şeklinde şekerler satılıyormuş. Sufi nefesini üflemiş, bir yel esmiş, şekerden kuşların hepsi can bulmuş, kanatlanıp uçmuşlar. Şehir halkının nutku tutulmuş, anında Sufi'nin etrafını sarmışlar. Hepsi kapısında mürit olmak için sıraya girmiş. Gel zaman git zaman öyle çok hayran toplanmış ki, eski talebesi hocasını doğru dürüst göremez olmuş.

"Efendim" demiş talebe günlerden bir gün. "Çok kalabalık olduk. Bir sürü insan var etrafınızda. Eskiden her şey daha iyiydi. Bir şey yapın. Hepsini gönderin ne olur."

"Eyvallah" demiş Sufi. "Madem bu kadar çok istiyorsun, yapalım bakalım."

Ertesi gün Sufi vaaz verirken yellenmiş. Müritleri bunu çok yadırgamış. İğrenerek oradan uzaklaşmışlar. Geriye bir tek eski talebesi kalmış.

Hoca sormuş: "Evladım sen neden diğerleriyle gitmedin?"

Mürit cevab vermiş: "Efendim, ben ilk yel ile gelmedim ki sonuncusu ile gideyim."

* * *

Şems bugüne dek ne yaptıysa ben mükemmeliyete ulaşayım diye yaptı. İnsanların anlayamadığı şey tam da bu. Bile bile dedikodu kazanlarını körükledi, inadına bam tellerine bastı. Sıradan kulaklara küfür gibi gelen sözler sarfetti; onu seven insanları bile kafa karışıklığına, hayal kırıklığına düşürdü. Bütün kitaplarımı suya fırlattı ki akıl mantıkla ulaştığım ve matah bir şey zannettiğim her bilgi tanesini bir kenara kaldırabileyim. Herkes onun âlimleri tenkit ettiğini zannediyor ama çok az kişi onun aslında muazzam bir tefsir yeteneğine sahip olduğunu biliyor. Şems simyada, ilm-i nücumda, rasatta, ilahiyatta, felsefede ve mantıkta derin birikime sahiptir ama ilmini kör gözlerden sakınır saklar. Özünde fakihtir. Hâlbuki fakir gibi davranır.

Şems kapımızı tövbekâr olmuş bir fahişeye açtı. Aşımızı onunla paylaşmaya zorladı bizi. Dedikodulara kulak asmamayı, kötü söze kötü sözle karşılık vermemeyi öğretti. Beni meyhaneye yollayıp sarhoşlarla muhabbet ettirdi. Bir keresinde vaaz verdiğim caminin karşısında dilenmemi istedi. Hayatımda ilk defa kendimi cüzâmlı bir dilenci yerine koydum. Bir de onun gözünden baktım bu kavanoz dipli dünyaya. Dilencinin baktığı yerden ben nasıl görünüyormuşum, onu anladım. Şems beni hayranlarımdan ve ben farkında olmadan etrafımı saran dalkavuklardan, hatta beni kollayan yönetici sınıftan ayırdı; toplumun en alt katmanlarıyla buluşturdu. Onun sayesinde başka türlü tanıyamayacağım insanlar tanıdım. Ferd ile Rab arasında ne kadar put duruyorsa; ister şan, ister şöhret, ister para, ister makam, hatta isterse aşırı dindarlık, ne varsa taşlaşmış, katılaşmış, aşktan uzaklaşmış, yerinden oynatmak gerekli, diye düşünürdü. Zihinlerdeki sınırları, gönüllerdeki önyargıları, cemiyetteki basmakalıp kuralları, mezhep ve görüş farklılıklarını sarsmaktan yanaydı ki, hepimiz tek ve bir ve eşit olduğumuzu anlayalım. Geriye bir tek İlahi Aşk kalsın. Büyük harfle AŞK.

Sırf onun uğruna imtihanlardan geçtim, yücelerden aşağılara yuvarlandım, hâlden hâle sıçradım. En sadık müritlerimin gözünde dahi şaibeli bir insana, âdeta meczuba dönüştüm. Onun yüzünden yalnızlığı, çaresizliği, yanlış anlaşılmayı, dışlanmayı, horlanmayı ve en nihayetinde ayrılık acısını tattım.

Dünyanın lütfetmesi ve yaltaklanması, hoş bir lokmadır ama, az ye.

Çünkü ateşten bir lokmadır!

...methedilmek tatlıdır. Kınanmak acı olduğundan Derhal kötü görünür.

(Hâlbuki) kınanmaktan da bir ululuk gelir, dene de bak!

Her geçen gün, her an soruyor Allah: *Hatırlar mısınız sizi bu dünyaya yollamazdan evvel yaptığımız ahdi? Bilinmez bir hazine idim. Anlaşılmak istedim. Görmüyor musunuz bu anlaşmada sizlere düşen payın büyüklüğünü, güzelliğini?*

Çoğu zaman yanıtlamaya hazır değiliz. Korkutuyor bizi bu sorular. Huzursuz ediyor. Fakat Allah sabırlıdır. Sorar, bekler, tekrar sorar, tekrar bekler.

Şayet bu kalp yarası imtihanımın bir parçasıysa tek dileğim şudur: Bu kasvetengiz tünelin sonunda hasret bitsin ve ben Şems'e kavuşayım. Kitaplarım, vaazlarım, oğullarım, karım, bütün varlığım yahut şanım... Her şeyi bırakmaya hazırım, yeter ki bir kez olsun nur cemaliyle aydınlanayım.

Geçen gün Kerra giderek şaire dönüştüğümü söyledi. Ne tuhaf! Bütün ömrüm boyunca şairlere itibar etmemiştim. Ama şimdi ses çıkarmadım. Başka zaman olsa itiraz ederdim dediklerine ama artık ne mümkün.

Ağzımdan damla damla mısralar sızıyor, hem de hiç durmadan, elimde olmadan; dinleyenler şair olduğuma kanaat getirebilir, evet. Kelimeler Ülkesinin Sultanı! Ama işin aslı, bu şiirler bana ait değil. Ben sadece harfler için bir vasıtayım. Kelimeleri emredildiği gibi yazan bir hokka, divit, kalem misali; üflenen ezgiyi çalan bir ney misali, ben de sadece bir aracım. Kendi payıma düşeni yapıyorum. Ben kelimelerin efendisi değil, sadece gönüllü kâtibiyim. Gönlüme ne fısıldanıyorsa onu yazıyorum. Ama fısıldayan ben değilim...

Hayatımın ışığı! Çilelerimin amacı! Gel!
Tebriz'in harikulade güneşi! Neredesin?

Şems
Şam, Nisan 1247

Buldu beni Sultan Veled. Şam'a varalı on ay olmuştu. Berrak, masmavi bir gök kubbenin altında Fransis isimli bir Hıristiyan keşişle satranç oynuyordum. Fransis iç ahengi kolay kolay bozulmayan, teslimiyetle gelen huzurun ne demek olduğunu bilen, tüm canlıları aynı nazarla gören bir adamdı. Bana göre o, kendine Müslüman deyip de İslam'ın ne anlama geldiğini bilmeyen ve düşünme gereği dahi duymayan onlarca insandan daha Müslüman'dı.

Otuz Dördüncü Kural: Hakk'a teslimiyet ne zayıflık ne edilgenlik demektir. Tam tersine, böylesi bir teslimiyet son derece güçlü olmayı gerektirir. Teslim olan insan çalkantılı ve girdaplı sularda debelenmeyi bırakır; emin bir beldede yaşar.

Satranç tahtasında birkaç oyuncu kalmıştı. Fransis'in şahını zorlamak için vezirimi oynadım. O da cüretkâr bir hamleyle kalesini öne sürdü. Öyle bir his vardı ki içimde ben bu oyunu kaybedecektim. Tam zihnimden bunu geçirirken başımı kaldırdım ve Sultan Veled'le göz göze geldim.

"Seni dünya gözüyle tekrar görmek ne güzel" dedim. "Demek sonunda beni hakikaten aramaya karar verdin."

Utangaç bir tebessüm belirdi yüzünde, sonra toparlandı. İçindeki karışıklığın farkında olmama şaşırmıştı. Ama namuslu ve sözüne güvenilir bir genç adam olduğundan gerçeği inkâr etmedi.

"Evet, seni aramak yerine bir süre orda burda gezindim. Babamı kandıracaktım ama pişman oldum. Babama yalan söyleyemezdim. Sonunda Şam'a geldim, aramadık delik bırakmadım ama seni bir türlü bulamadım. Neden benden saklandın?" "Sen dürüst, yüreği yufka ahlakı güzel bir adamsın ve çok iyi bir evlatsın" dedim. "Günü gelecek babana lâyık bir yoldaş olacaksın."

Sultan Veled başını hüzünle salladı. "Onun ihtiyacı olan tek yoldaş sensin Şems. Benimle Konya'ya gel. Babam seni çok özlüyor."

Bu daveti duyunca beynimden binbir düşünce geçti. Nicedir içimde uyumakta olan nefs aniden parladı, istenmediğim bir yere dönmemem gerektiğini tembihledi.

Sultan Veled'i sakın dinleme. Vazifeni tamamladın sen. Konya'ya dönmen şart değil. Baba Zaman ne dedi, unutma. Yolun bundan sonrası tehlikeli. Gidersen dönemezsin...

Nefs yaşamak ister. Habire daha fazlasını talep eder. Benim nefsim de dünyayı dolaşmaya devam etmek, yeni insanlarla tanışmak, yeni şehirler görmek istiyordu. Üstelik Şam'ı sevmiştim, gelecek kışa kadar burada rahat rahat ikamet edebilirdim. Daha henüz bir yere ısınmışken yeniden yollara düşmek insanın ruhunda korkunç bir yalnızlık hissi oluştururdu.

Gayet iyi biliyordum ki kalbim Konya'da kalmıştı. Rumi'yi öyle çok özlemiştim ki ismini anmak bile içimi dağlıyordu. O yanımda olmadıkça hangi şehirde kaldığımın ne önemi vardı ki? O neredeyse, kıblem o taraftaydı.

Satranç masasına döndüm, şahımı oynadım. Fransis'in gözleri fal taşı gibi açıldı. Zira bile bile kendimi yenilgiye sürüklediğimi anlamıştı.

Hayat da tıpkı satranç gibi. Bazı hamleleri kazanmak için yaparsın, bazı hamleleri de sırf oyunun akışı bunu gerektirdiği, doğrusu bu olduğu için yapar ve yenilirsin.

"Lütfen benimle gel" dedi Sultan Veled. "Dedikodunu yapanlar, sana kötü davrananlar bile o kadar pişman ki. Söz veriyorum, bu sefer her şey iyi olacak."

"Ah evlat, böyle iddialı sözler veremezsin" demek istedim. *"Kimse böyle bir taahhütte bulunamaz!"*

Ama dilimi tuttum. Usulca başımı salladım. "Bir kez daha Şam'da gün batımı izleyeyim. Yarın sabah erkenden beraber yola çıkarız."

Sultan Veled içi rahatlamış bir hâlde tebessüm etti. "İşte bu harika! Sağ ol! Var ol! Babam ne kadar sevinecek bilemezsin."

Fransis'e döndüm. O da yeniden oyuna bakmamı bekliyordu sabırla. Dikkatimi ona verdiğimi anlayınca, kaşlarını kaldırdı.

"Dikkat et dostum" dedi muzaffer bir edayla. "Şah mat!"

Kimya
Konya, Mayıs 1247

Bambaşka bir adam olmuş. Ne kadar değişmiş. Saçları gözüne düşecek kadar uzamış, teni Şam güneşi altında yanmış; daha genç, daha yakışıklı olmuş. Ama bir başka yenilik daha var üstünde; tam olarak ne olduğunu bilemiyorum. Kara gözleri her zamanki gibi ışıl ışıl fütursuzca bakıyor ama gözlerinin derinlerinde bir başka kıvılcım var. Gözleri, görmüş geçirmiş, ununu eleyip eleğini duvara asmış, mücadeleden geçmiş ve bütün hırslardan arınmış bir adamın gözleri...

Şems değişmiş. Ama belki de en büyük değişim Mevlâna'da. Şems gelince bütün dertlerinden tasalarından arınır, yüzünde güller açar sanmıştım. Ama öyle olmadı. Şems'in geldiği gün Rumi onu şehrin kapısında, ellerinde papatya-larla karşıladı. Fakat hemen akabinde yeniden bir hüzün ve endişe çukuruna yuvarlandı. Şimdilerde eskisinden daha te-dirgin, hatta daha mutsuz ve münzevi. Galiba nedenini an-lıyorum. Şems'i bir kere kaybetti ya, bir daha kaybetmekten korkuyor. Ayrılık acısını bir kez tattı ya, şimdi yüreği ağzın-da yaşıyor. Benden başkası bunu hissedemiyor ama ben yü-reğimde hissediyorum. Zira tıpkı onun gibi ben de Şems'i kaybetmekten korkuyorum.

Tek sırdaşım Gevher Hatun. Rumi'nin rahmetli eşi sık sık beni görmeye geliyor. Ona hayalet diyemem. Tanıdığım diğer hayaletlerden o kadar farklı ki. Rüyada dolaşır gibi dolaşmı-yor bu âlemde. Ne yaptığını bilen bir kadının kararlılığı var üzerinde. Ağır akan bir çay gibi eteğimde dolanıyor. Onunla her şeyi konuşuyoruz ama bu sıralar tek bir sohbet konumuz var: Şems!

Gevher Hatun'a bugün dedim ki: "Efendi Mevlâna endişe-li görünüyor. Keşke ona yardım edebilsem."

"Edebilirsin" dedi gizemli bir edayla. "Mevlâna'nın uzun zamandır zihnini meşgul eden bir konu var ama henüz kim-seyle paylaşmadı."

"Nedir o?" diye sordum.

"Rumi'nin fikrince şayet Şems evlenir, bir yuva kurabilirse Konya halkı onu daha kolay benimser ve arasına alır. Dediko-dular, ithamlar azalır. Şems'in başı bağlanırsa ayağı da bağla-nır sayılır. Ve bir daha buralardan gitmesine gerek kalmaz."

Kalbim duracak gibi oldu. Şems evlenecekti ha! Ama ki-minle?

Gevher yan gözle beni süzdü. "Baban Mevlâna merak eder Kimyacım: acaba sen Şems ile evlenmek ister misin?"

Afalladım. Gerçi evlenme fikri aklımdan ilk kez geçmiyor-du. On altıma basmıştım, evlenme çağındaydım ama bugüne değin evlenen kızların kesinkes değiştiğini görmüştüm. Gözlerine bir başka bakış çöküyor, tavırları, edaları, konuşma tarzları büsbütün değişiyordu. Başka insanlar da onlara farklı davranıyordu. Ufacık çocuklar bile evli genç kadınla bekâr kızı şıp diye ayırdediyordu. Gevher Hatun yarı anaç yarı hınzırca gülümsedi, elimi tuttu. Bir şeyi fark etmişti. Beni kaygılandıran evlilik kısmıydı, yoksa Şems'e varmak değil.

* * *

Ertesi gün, öğleden sonra Rumi'yi görmeye gittim. *Tahafut al-Tahafut* isminde bir kitaba dalmıştı.

"Kimyacım, güzel kızım" dedi sevgiyle. "Sana nasıl yardım edebilirim?"

"Seneler evvel öz babam, eti sizin kemiği benim diye beni size teslim ettiğinde, siz demiştiniz ki: Kızlar, oğlanlar kadar iyi talebe olamaz çünkü evlenip çocuk büyütmeleri gerekir. Hatırladınız mı?"

"Elbette hatırladım" dedi Mevlâna. Ela gözleri merakla aydınlandı.

"İşte o gün kendi kendime bir söz verdim, asla evlenmeyeceğim diye. Böylece hep talebeniz kalacaktım" dedim. "Ama belki de hem evlenip hem evinizde kalmam mümkündür. Yani demek istediğim, bu evin bir ferdi ile evlenirsem..."

"Alaaddin'le mi evlenmek istiyorsun yoksa?" diye sordu Rumi.

"Alaaddin mi?" Aklım başımdan gitmişti. Alaaddin'le evlenmek isteyeceğimi de nereden çıkarmıştı? O benim abim sayılırdı.

Rumi şaşkınlığımı sezmiş olacak ki açıklama yaptı: "Geçenlerde bir sabah Alaaddin bana geldi. Kimya'nın dest-i izdivacına talibim dedi."

Ağzım açık kaldı. Bir genç kızın böyle meselelerde tezcanlı davranması hoş karşılanmazdı, bilirdim ama soramadan edemedim: "Ya siz ne dediniz efendim?"

"Önce Kimya'ya sormam gerek dedim."

"Efendim..." dedim. Sesim kısıldı, alnımı boncuk boncuk ter bastı. "Buraya geliş sebebim Şems'le evlenmek istediğimi söylemekti."

Rumi kulaklarına inanamıyormuş gibi afallayarak baktı. "Emin misin kızım?"

"Eminim. Hem çok faydası olabilir bu izdivacın" dedim. "Böylece Şems aileden biri olur, bir daha asla gitmek zorunda kalmaz."

O zaman Mevlâna dikkatle yüzümü inceledi: "Yani sen bana yardım etmek için mi Şems ile evlenmek istersin? Burada kalsın diye, öyle mi?"

"Hayır. Yani evet ama salt bu değil..." dedim. Yutkundum. "Fikrimce Şems benim alnıma yazılmış. O benim nasibimdir. Ya onunla evlenirim ya kimseyle evlenmem."

İşte, Şems-i Tebrizî'ye olan aşkımı ancak bu kadar itiraf edebildim.

* * *

Evlilik haberini ilk alan Kerra oldu. Bi koşu yanıma geldi. Buruk bir tebessümle yanıma oturup ahiret sualleri gibi ardı ardına sorular sordu:

"Emin misin kızım, hakikaten Şems'le evlenmek istiyor musun? İyi düşün. Evlilik başka şeye benzemez. Yaşın daha küçük değil mi? Hem Şems senden çok büyük. Yaşına yakın birisiyle evlensen daha iyi olmaz mı?"

"Şems diyor ki aşk bütün ayrımları geçersiz kılarmış" dedim. "Aramızdaki yaş farkı önemli değil."

O zaman Kerra benim nasıl abayı yaktığımı anladı galiba. Derin bir of çekti. Vaktinden evvel ağaran kır zülüflerini başörtüsünden içeri soktu. "Kızım, Şems gezgin bir abdal, asi tabiatlı bir adam. Onun gibi erkekler kolay kolay ev hayatına alışamaz. Yaban kalırlar. Uzaktan sevmesi hoştur böylelerini. Ama onlardan iyi koca olmaz. Sonra kalbin kırılır." "Hallolmayacak mesele değil, Şems zamanla değişir" dedim, kendimden gayet emin. "Onu o kadar çok sevecek ve mutlu edeceğim ki o da değişecek. İyi koca olmayı, iyi baba olmayı öğrenecek."

Kerra bana itiraz etmedi. Böylece sohbetimiz başlamadan bitti.

O gece sevinç içinde yatağıma yattım. Kalbim bir deli davul kesilmiş, güm güm atıyordu. Nereden bilebilirdim o an kadın kısmının ezelden beri yaptığı en büyük hatayı yaptığımı? Âşık oldukları adamı sevgileri aracılığıyla değiştirebileceklerini zannetmek biz kadınlara özgü kadim bir gafletmiş meğer.

Kerra
Konya, Mayıs 1247

Başka soru sormadım. İkna olduğumdan değil, Kimya'nın sırılsıklam âşık olduğunu anladığımdan. Bu evliliği sorgulamayı bıraktım. Hayatta öyle tuhaf yanlışlar vardır ki gözünün önünde cereyan ederken bile karışamaz, durduramazsın.

Bu sene Ramazan erken geldi. Evde işimiz başımızdan aşkındı. Habire çeyiz hazırladık. Bayram çabuk geçti. Dört gün sonra Kimya ile Şems'i evlendirdik.

Düğün gecesi hazırlıklar için koştururken tuhaf bir şey geldi başıma. Mutfakta yalnızdım. Unla kaplı tahta sofrada, elimde merdane, misafirlere bazlama açıyordum. Birden, ne yaptığımı düşünmeden bir avuç hamur aldım. Başladım ufacık, yumuşacık bir Meryem Ana yapmaya. Bıçak marifetiyle hamuru biçimlendirdim: Munis, sevecen bir ifade yonttum heykelciğin yüzüne. Kendimi yaptığım işe öyle kaptırmıştım ki arkamda duran insanı fark edemedim.

"O yaptığın nedir Kerra?"

Yüreğim ağzıma geldi. Arkama dönünce Şems'in kapıda dikildiğini gördüm. Heykeli saklamak istediysem de artık çok geçti. Şems hamur tahtasına yaklaştı, yaptığım şekle baktı.

"Hazreti Meryem değil mi?" diye sordu. Ben yanıt vermeyince, gülümsedi. "Ne de güzel olmuş. Meryem'i mi özlersin?"

"Kimseyi özlediğim yok" dedim bile bile. "Ben dinimi seçeli çok oldu. Artık Müslüman bir kadınım."

Şems söylediklerimi duymamış gibi lafına devam etti: "Belki merak edersin, neden İslam'da Meryem gibi bir kadın figürü yok diye. Hazreti Ayşe var; tabii, muhakkak Fatma anamız da var ama belki senin nazarında onlar Hazreti Meryem'le bir değil."

Huzursuz olmuştum, ne diyeceğimi bilemedim.

"Müsaadenle bir hikâye anlatayım?" dedi Şems. Ve işte şunu nakletti.

Vaktiyle biri Farısi, biri Arap, biri Türk, biri Rum dört ortak varmış. Ellerine geçen parayla ne yapacaklarına karar verememişler. Farısi, "Haydi, 'engür' alalım" demiş; Arap'sa "O da ne öyle, istemem; 'ineb' alalım" demiş; Türk'se tutturmuş "Üzüm de üzüm" diye; bu arada Rum kararlıymış, "Geçin hepsini, 'ingabil' alacağız" demiş. Çok geçmemiş, kafadarlar kavgaya tutuşmuş. Nihayet dördünün de aynı şeyi istediklerini anlamışlar. Ama bu sefer yeni bir tartışma çıkmış aralarında. Her biri kendi üzümünü beğenirmiş. Biri kara, biri yeşil, biri sarı, biri mor üzüm salkımı taşırmış. Hepsi kendi üzümünü yere göğe koyamazmış.

Neyse ki oradan gönüllere tercüman bir Sufi geçiyormuş.
Kavga ettiklerini duyunca dört satıcıdan birer salkım üzüm
almış, bir kaba koyup üzümleri ezmiş. Üzümün suyunu çıka-
rıp kabuğunu atmış. Çünkü aslolan meyvenin özüymüş, posa-
sı değil.

Hikâye bitince Şems tane tane konuştu: "Hıristiyan, Yahu-
di, Müslüman... üç büyük dinin inananları bu meseldeki kafa-
darlar gibi. Zahirîde anlaşamazlar ama bâtınîde birdir yolla-
rı. Sufi dış kabukla ilgilenmez. Özdeki cevherin peşindedir."
Dikkatle dinledim.

"Demek istediğim o ki Meryem Ana'yı özlemene gerek yok.
Çünkü onu terk etmene gerek yok. Eğer bir kadın peygamber
gelseydi, o hiç şüphesiz Meryem olurdu. Seni Allah'a bağla-
yan, O'na çağıran Meryem'se, O'na bildiğin yoldan yönel.
Müslüman bir kadın da Meryem Ana'yı hayırla, duayla zik-
redebilir."

"Ama bu doğru olmaz" dedim kekeleyerek.

"Niçin olmazmış? Bütün dinler, aynı denize akan ırmak-
lardır. Meryem Ana demek şefkat, merhamet, korunma,
anaçlık, yardımseverlik demekse sana göre, Müslüman bir
kadın olarak da onu sevebilirsin. Hatta istersen kızına Mer-
yem adını verebilirsin."

"Kızım yok ki" dedim.

"Ama olacak" dedi Şems.

"Nereden biliyorsun?" dedim şaşkınlıkla.

"Biliyorum işte" dedi.

Elimde olmadan gülümsedim. Bu eve geldiğinden beri ilk
defa Tebrizli Şems ile bir yakınlık ve sırdaşlık paylaştım. İki-
miz yan yana durup, benzer bir nazarla baktık hamurdan
Meryem Ana'ya. O da her zamanki sıcaklığıyla gülümsedi

hamur tahtasından. Ve işte o zaman ilk defa anladım Şems'in ne denli geniş ve güzel gönüllü bir insan olduğunu ve kocamın onunla dostluğuna neden bu kadar önem verdiğini. Bu evde kalsın. Bir yere gitmesin. Ama yine de Şems'in Kimya'ya iyi bir koca olacağından şüphe ediyorum...

Ella
Boston, 15 Temmuz 2008

Basireti bağlanmıştı sanki. Otele vardığında bir müddet dışarıda oyalandı. Nihayet cesaretini toplayıp lobiye adım attığında içerisi tam bir hengâmeydi. Kalabalık bir Japon turist kafilesi vardı; saç kesimleri ve kıyafetleri birbirine benzer, yaşlılardan oluşan bir grup. Kimseyle göz göze gelmemek, bir tanıdığa rastlamamak için tüm dikkatini duvardaki tablolara, raflardaki biblolara verdi. Ama az sonra heyecanı ağır bastı. Başını çevirip etrafa bakar bakmaz onca insan arasında pat diye Aziz Zahara'yı gördü. Bir köşede durmuş gülümseyerek kendisine bakıyordu.

Haki renkli bir gömlek, koyu keten bir pantolon giymişti. Dalgalı, kestane rengi saçları yeşil gözlerinin üstüne düşüyor; ona hem yaramaz, hem kendinden emin bir hâl veriyordu. İnce yapılı ama kaslıydı. Ella'yı panikletecek kadar yakışıklıydı. Görünüşünde hafif bir umursamazlık, koyvermişlik ve serkeşlik vardı. Belli ki bu sabah sakal traşı olmamıştı ve bu onu daha da asi ve çekici kılıyordu. Her zaman pahalı, terzi elinden çıkma takımlar giyen David Rubinstein'dan tamamen farklı görünüyordu.

İçtenlikle gülümsedi. "Gelebilmene çok sevindim" dedi. İskoç aksanı belirgin ve cezbediciydi. Ella böyle bir adamla bir fincan kahve içmekten kimseye zarar gelmez diye düşündü. Sadece bir fincan kahve...

Ama bir buçuk saat sonra bir fincan olmuştu birkaç fincan. Sohbet öyle güzel ve hızlı akmıştı ki Ella'nın aklına saate bakmak gelmemişti. Gecenin on bir buçuğuydu. Ve üç çocuk annesi Ella Rubinstein, bir aylık yazışma, birkaç telefon görüşmesi ve yazdığı tarihsel roman dışında hakkında hemen hemen hiçbir şey bilmediği bir adamla bir otelin lobisinde baş başaydı.

"Demek Smithsonian dergisi için geldin?" diye sordu Ella.

"Aslında seni görmeye geldim" dedi Aziz. "Mektubunu okuduktan sonra gelip seninle yüzyüze konuşmak istedim."

Bir eşikte duruyordu Ella. Şu ana kadar her şey uzaktan flörtleşmekten ibaretmiş gibi davranmak mümkündü belki ama şimdi bir sınır aşılmak üzereydi.

"Ella, benimle odama gelir misin?" diye sordu Aziz.

Ne diyeceğini bilemeden sustu. Bu öyle bir soruydu ki aralarında olan biteni "sanal bir oyun" olmaktan çıkarıp fazlasıyla gerçek kılmıştı. Sarpa sarmıştı işler. Sanki bir örtü kalkmıştı ve hakikatle, tâ baştan beri örtünün altında sırasını bekleyen o çırılçıplak hakikatle yüzleşmek zorunda kalmıştı şimdi. Ella midesinde yanma hissetti ama Aziz'i reddetmedi. Ömründe aldığı en fevri, en çılgın, en düşüncesiz kararı belki ama, çoktan verilmişti sanki.

Akıntıya bıraktı kendini, yüreğini. "Gelirim" dedi.

* * *

608 numaralı oda, mavili grili tonlarda gayet zevkli bir şekilde dekore edilmişti. Ferah, genişçeydi mekân. Ella en son ne zaman bir otelde kaldığını düşündü. Herhâlde kocası ve çocuklarıyla seneler evvel Montreal'e gittiklerinde. Ondan sonra tüm tatillerini Rhode Adası'ndaki yazlık evlerinde geçirdiklerinden çarşafların her gün değiştirildiği, temizliğin

bir başkası tarafından yapıldığı bir yerde kalmayalı uzun zaman olmuştu. Farklı bir ülkeye gitmiş gibi hissetti kendini. Ama içeri adım atar atmaz endişeye kapıldı. Oda istediği kadar hoş, dekorasyonu istediği kadar zevkli olsun, tam ortada duran yataktan rahatsız oldu. Buraya sevişmeye gelmemişti. Ya ne demeye gelmişti? Yabancı bir erkeğin otel odasında ne arıyordu? Aziz ona dokunmaya kalkarsa nasıl karşılık verecekti? Şayet onunla beraber olursa bir daha kocasının, çocuklarının yüzüne nasıl bakardı? Gerçi David bunca sene başka kadınlarla kırıştırıp Ella'nın yüzüne bakmakta sıkıntı çekmemişti ya, o başka meseleydi.

Derken başka kaygılara zıpladı aklı. Ya Aziz onu beğenmezse? Vücudunu güzel bulmuyordu Ella. Hiçbir zaman kendi bedeninde rahat olmamıştı. Tekrar çocuklarına döndü düşünceleri. Acaba uyumuşlar mıydı, yoksa bu saatte televizyon başında mıydılar? Annelerinin şu anda nerede olduğunu bilseler, onu affederler miydi?

Aziz, Ella'nın huzursuzluğunu sezmiş gibiydi; elini tuttu ve onu köşedeki koltuğa, yataktan uzağa oturttu.

"Şşş" dedi fısıldayarak. "Zihnin ne kadar kalabalık. Ne çok ses var."

Ella başını önüne eğdi. "Keşke seni daha önce tanısaydım" dedi. "Her şey daha farklı olabilirdi."

"Her şey olması gereken zamanda olur" dedi Aziz.

"Buna gerçekten inanıyor musun?"

Aziz gülen gözlerle baktı; alnına düşen saçları geri attı. Sonra bavulunu açtı, Guatemala'dan aldığı kilimi çıkardı. Yanında bir küçük paket vardı. Ella kutuyu açınca lapis lazuli bir kolye buldu içinde. Ortasında gümüş bir semazen asılıydı.

Aziz kolyeyi boynuna takarken Ella'nın kalbi hızla çarpttı. Bu adamda açıklayamadığı bir tılsım vardı. "Beni sevebilir misin?" diye sordu.

"Seni zaten seviyorum" dedi Aziz gülümseyerek.

"Ama daha beni tanımıyorsun bile..."

"Seni tanıyorum" diye üsteledi Aziz emin bir sesle.

"Benimle ilgili bilmediğin o kadar çok şey var ki..."

"Seni tanımak için çok şey bilmeme gerek yok. Senin özünü görüyorum" dedi Aziz.

Ve Ella bu cümleyi bir yerden hatırladı. Sanki ağzından çıkan kallavi cümleler beklemediği anlarda ona geri dönüyordu. Çember gibiydi hayat. Ne verirsen aynen iade ediyordu. Çılgınlıktı bu. Ne diyeceğini bilemedi.

Aziz uzanıp Ella'nın saç topuzunu tutan iğneyi çekti sonra da onu usulca kanapeye doğru itti, böylece sırt üstü dümdüz uzanmasını sağladı. Ella aniden *Aşk Şeriatı*'nı hatırladı. Ama bir şey söylemesine fırsat kalmadan Aziz elleriyle Ella'nın bedeninde gittikçe genişleyen daireler çizmeye başladı. Aşağıdan yukarıya, ayak bileklerinden yüreğine doğru genişleyen çemberler... Parmak uçları sıcacıktı. Dokunduğu yere tuhaf bir enerji yayıyordu. *Parmakları mum gibi yanan adam...*

Bu zaman zarfında Aziz'in gözleri kapalı, dudakları kıpır kıpırdı. Mırıldandığı kelimeler Ella'ya esrarengiz bir lisan gibi geldi ilk başta. Ama sonra hayret içinde anladı ki aslında Aziz dua etmekteydi. Ne dediğini anlamasa da kendisi için dua ettiğini kavradı. Bir anda Ella'nın avuçları, dirsekleri, omuzları ve dahi tüm bedeni yoğun bir enerji bulutuyla karıncalanmaya başladı. Sanki ılık bir havuzda suyun üstünde kıpırtısız duruyor, bedeninin ağırlığını taşımıyordu. Sınırları kalkmıştı. "Ben" nerede başlıyor, nerede sona eriyor, kestiremiyordu. Bir ışık içinde yüzer gibiydi. Bu hayatında yaşadığı en ruhani andı. Ve tuhaf bir şekilde içinde cinsellik hem var hem yoktu.

Aziz'in parmakları karnından yukarıya kaydığında Ella göğüslerinin daha diri, daha dik olmamasına hayıflandı. Üç çocuk ve bunca sene sonra sarkmıştı göğüsleri. Ya da ona öyle geliyordu. Ama endişesi geldiği gibi geçti. Gözlerini kapadı, hiçbir şeye tutunmadan kendini Aziz'in nefesine bıraktı. Bir deli ırmaktaydı şimdi, çağıl çağıl akıyordu. Suyun ucu bir şelaleye varacaktı belki ama gene de durmak istemiyordu. Ve o an anladı ki bu adamı sevebilirdi. Hem de öyle çok sevebilirdi ki... Bu hisle kollarını Aziz'in boynuna doladı ve onu kendine doğru çekti. Onunla sevişmek istedi. Fakat Aziz tedirgin bir hâlde, gittiği yerden dönmekte zorlanmışçasına gözlerini kırpıştırdı. Sonra Ella'yı burnunun ucundan öpüp geri çekildi.

"Beni istemiyor musun?" diye sordu Ella. Ne kadar kırılgan çıkıyordu sesi.

"Seni mutsuz edecek bir şey yapmak istemiyorum. Zihnin çok kalabalık. Beş dakika içinde kırk ayrı düşünce üretebiliyorsun. Beni hem arkadaş, hem sevgili olarak istiyorsun. Şimdi atacağın bir adım yarın sabah pişmanlık içinde uyanmana sebep olabilir. Buna yol açmak istemiyorum."

Ella'nın bir yanı bu açıklamaya içerledi, bozuldu. Kadınlık gururu fena hâlde yara aldı, kanadı. Ama öbür yanı rahatlamış, hafiflemişti. Artık vıdı vıdı yapmayı kesmişti. Aziz'in aşkı kuşatan, rapteden, zapteden hesap soran, kıskançlık yapan bir sevda değildi. Demir bir kapı gibi üzerine kapanmıyordu bu ilişki. Aksine, çoktan beri kilitli kapıları açıyordu. "Uç" diyordu. "İstediğin yöne, dilediğince uç..."

Aziz'in aşkı da kendisi gibiydi: Esaretten değil özgürlükten besleniyordu!

* * *

Gece yarısı Ella Rubinstein Boston'daki evlerinin kapısını açtı. Deri koltuğa uzandı; yatakta yatmak gelmedi içinden. Kocası orada başka kadınlarla düşüp kalktığından değil, kendi evinde kendini yabancı hissettiğinden koltukta uyumayı tercih etti.

Sanki misafirdi burada. Ve asıl benliği başka bir yerde sabırla onu beklemekteydi.

Şems
Konya, Mayıs 1247

Bu gece düğün gecem. Avluda oturdum, evden taşan sesleri dinledim: Kahkahalar, musiki, dedikodular. Haremde kadın sazendeler. Nedendir bilmem gerdek gecesi kederli, dokunaklı şarkılar söyler kadınlar. Biz Sufiler düğüne benzetiriz ölümü. Kadınlarsa ölüme benzetiyor düğünü. Severek, isteyerek evlenseler bile, gene de ağlıyarak giriyorlar dünya evine. Ölüye ağlar gibi...

Misafirler nihayet gidince eve döndüm, sessiz bir köşede tefekküre daldım. Ardından Kimya'nın beni beklediği gerdek odasına geçtim. Döşekte oturuyordu; üstünde bembeyaz bir elbise, belinde kırmızı kuşak, gelin başı düğüm düğüm sırma sırma örülmüş, her perçeme incik boncuk takılmış. Kalın simli tülün ardında yüzünü görmek ne mümkün. Pervazda duran bir mum dışında içerisi ışıksızdı. Duvardaki aynalar koyu kadife kumaşlarla kapatılmıştı. Düğün gecesi taze gelinin aynada aksini görmesi uğursuzluk sayıldığından her türlü tedbir alınmıştı. Yatağın kenarında bir bıçak ve nar duruyordu. Karı koca bu narı beraber yemeliydi ki nar taneleri kadar çok çocukları olsun.

Kerra bu yörenin âdetlerini bana önceden anlatmış, yüz görümlüğü olarak altın para takmam gerektiğini açıklamıştı. Ahir ömrüm boyunca altınım olmamıştı ki! O yüzden Kimya'nın tülünü kaldırınca bir buse kondurdum alnına. Gülümsedi.

"Ne güzel olmuşsun" dedim.

Kızardı. Ama çarçabuk omuzlarını dikleştirip yaşından olgun görünmeye çalıştı. "Artık karınım senin" dedi.

Bir daha öptüm onu, bu kez dudaklarından. Nefesinin sıcaklığı bir arzu dalgası yarattı bedenimde. Saçları yasemin kokuyordu. Yanına uzandım, rayihasını soludum; ellerimi tuttu, göğüslerinin üstüne koydu. Ufacıktı memeleri, sütbeyaz ve dipdiri. Tek istediğim içine girip kaybolmaktı. Tomurcuklanan bir gül gibi kendisini bana açtı.

Geri çekildim. "Kusura bakma Kimya, bunu yapamam."

Derin bir düş kırıklığıyla bana baktı. Tuzdan, tozdan yapma bir abide gibiydi; üflesen dağılacaktı sanki. Yüzüne daha fazla bakamadım. Ayağa kalktım.

"Gitmem lâzım."

"Olmaz! Gidemezsin!" Kimya değildi sanki konuşan, başkasıydı; ondan çok daha acar ve atılgan, katı ve buyurgan biri. "Odadan apar topar çıkarsan konu komşu ne der? Gerdek gecesi halvet olmadığımızı bilirler. Sebebini benden bulurlar."

"Ne demek istiyorsun?" dedim. Hâlbuki anlıyordum ne kast ettiğini.

"Bakire değilim sanırlar" diye fısıldadı korkuyla. "Rezil rüsva olurum."

Ne demekti bu? Cemiyetin bu saçma sapan kuralları kanımı donduruyordu. Bu tür köhnemiş törelerin, insanı insana kırdıran âdetlerin, Allah'ın yarattığı mükemmel eserle ilgisi yoktu.

"Olur mu öyle şey? Kendi işlerine baksınlar" diye itiraz ettim ama Kimya haklıydı, biliyordum. Narın yanında duran bıçağı kaptım. Kimya'nın gözlerinden endişeli bir parıltı geçti ama hemen durumu anladı ve kabullendi.

Bıçakla sol avcumu kestim. Kırmızı bir çizik açıldı ayamda, hesapta olmayan bir kader çizgisi gibi. Çarşafa kanımı damlattım. Ve ona uzattım.

"Al bunu. Dedikoducuların ağızlarını kapatmaya yeter. Sen de rahat edersin, ismine kara çalınmaz."

Kimya yalvardı. "Dur lütfen! Gitme" dedi. Ayağa fırladıysa da tam olarak ne yapacağını bilemediğinden gene aynı cümleyi yineledi: "Artık karınım ben."

O an anladım ki onunla evlenerek büyük bir hata yapmıştım. Benim gibi bir adam ne demeye evlenirdi? Kocalık vazifesi için yaratmamıştı beni Yaradan. Bunu şimdi apaçık görüyordum. Ama bu bilginin bedeliydi içimi kanatan.

Her şeyden kaçasım vardı, hem de her şeyden. Bu evden

ve evlilikten, bu şehirden, hatta taşıdığım şu fani bedenden. Ama sırf Rumi ertesi sabah beni bulamazsa kahrolur diye mıhlanmış gibi yerimde kaldım. Yoldaşımdı, ruhdaşımdı, kıymetlimdi o benim. Onu bir kez daha terk edemezdim. Evlilik hayatının benim gibi biri için kapandan farksız olduğunu anladım. Tuzağa düşmüştüm.

Alaaddin
Konya, 4 Haziran 1247

Böyle sinsi ve keskin bir acı çekmedim hayatımda. Kimya'nın Şems ile evleneceği gün evde duramadım. Göğüs kafesimde bir ağırlık, beynimde bir uğultu; boğuluyorum sandım. Ne yaparsam yapayım kendime acıyordum. Ağlamamak, bebek gibi zırlamamak için kendime bir tokat attım. Ve üst üste defalarca tekrarladım: "Artık babanın oğlu değilsin. Artık babanın oğlu değilsin..."

Anam yok. Babam da. Ve Kimya da yok artık. Bu evde, bunca insan arasında yapayalnız, bir başınayım. Babama olan son saygım da eridi gitti. Kimya onun kızı sayılırdı. Onu sevdiğini sanıyordum. Ama tek düşündüğü Şems'in çıkarlarıymış. Yoksa Kimya'yı nasıl onun gibi bir adama verir? Şems'ten koca olmayacağını bilmek için dâhi olmaya gerek yok. Evet, sırf Şems'e kol kanat germek için babam Kimya'nın saadetini heba etti. Tabii onunla beraber benimkini de.

Gün boyu bir kenarda durup evdeki telaşı izledim. Evlenmek istediğim kızın düğün hazırlıklarını seyrettim. Yeni evlilerin yatacağı odayı tabandan tavana donattılar. Cin taifesini uzak tutmak için tütsüler yaktılar. Onların şahı burda! Şems'ten âlâ cin mi olur?

Akşama doğru artık dayanamadım. Bu işkenceye daha

fazla katlanamayacaktım. Kapıya yöneldim.

Arkamdan abimin sesi gürledi. "Alaaddin, dur! Nereye gidiyorsun?"

"Bu gece İrşadlarda kalacağım" dedim yüzüne bakmadan.

"Delirdin mi? Düğün gecesi neden evde değil diye sormaz mı konu komşu? Hem babam duyunca çok üzülür."

"Ya babamın üzdükleri ne olacak?"

"Sen neden bahsediyorsun?"

"Anlamadın mı? Babam sırf Şems'in gönlünü hoş tutmak için, sırf o bir daha evden gitmesin diye bu evliliği ayarladı! Kimya'yı gümüş bir tepside o nankör herife sundu."

Abim dudaklarını sıktı. "Yanılıyorsun. Sen Kimya'nın zorla evlendirildiğini sanıyorsun. Hâlbuki Şems'le evlenmeyi isteyen asıl Kimya'ydı."

"Sanki başka seçeneği vardı da" diye çıkıştım.

Abim ellerini havaya kaldırdı: "Tabii ki vardı. Allah aşkına, anlamıyor musun? Kimya, Şems'i seviyor. Ona âşık."

"Yalana bak! Bir daha böyle laflar etme benim yanımda, tamam mı?" dedim. Üstündeki yükü taşıyamayan bir buz parçası gibi çatırdıyordu sesim.

"Hislerin gözlerini kör etmesin. Kıskanıyorsun. Ama kıskançlık gibi habis bir his bile faydalı şekilde kullanılabilir" dedi Sultan Veled. **"Otuz Beşinci Kural: Şu hayatta ancak tezatlarla ilerleyebiliriz. Mümin içindeki münkirle tanışmalı, Tanrıya inanmayan kişi ise içindeki inananla. İnsan-ı Kâmil mertebesine varana kadar gıdım gıdım ilerler kişi. Ve ancak tezatları kucaklayabildiği ölçüde olgunlaşır."**

Öz abim karşıma geçmiş, düşmanım bildiğim adamdan inciler saçıyordu. Bardağı taşıran son damla oldu bu.

"Bana bak, bu sufi muhabbetlerinden gına geldi. Hem niye seni dinleyeyim ki? Bunların hepsi senin hatan. Şems'i

Şam'da bırakacaktın. Niçin geri getirdin? İşler sarpa sarar-
sa, ki emin ol saracak, günahı senin boynuna!"

Abimin rengi kaçtı. O an, hayatımda ilk kez benden ve ya-
pabileceklerimden korktuğunu gördüm. Tuhaf şeydi insanın
abisini korkutabilmesi ama gururumu okşadı.

İrşadlara giderken, kerih kokulu yan sokaklardan yürü-
düm ki beni kimse bu hâlde görmesin. Ne kadar kovsam da
aklımdan çıkmayan bir görüntü vardı: Şems ile Kimya, aynı
yatakta. Şems'in Kimya'nın gelinliğini o kaba elleriyle çıkar-
tıp süt beyaz tenine değdiğini ve ona sahip olduğunu düşün-
dükçe gözyaşlarıma hâkim olamadım.

Ne hâle sokmuştu beni. Çoktan haddini aşmıştı bu adam.
Acilen bir şey yapmalıydım.

Kimya
Konya, Kasım 1247

Beraber yatmadık. Bir kez bile. Evleneli altı ay oldu ama
henüz karı koca olamadık. Etrafımdaki insanlardan durumu
saklamak için elimden geleni yapıyorum ama kolay olmuyor.
Şüpheleniyorlar. Belki de utancım yüzümden okunuyor. Al-
nımda leke gibi. Bana bakınca ilk gördükleri şey bu oluyor.
Sokakta tanıdıklarla laflarken, tarlada bostanda çalışırken,
esnafla pazarlık ederken, evde misafir ağırlarken, benimle
muhatap olan herkesin ilk fark ettiği şey belki de bu oluyor:
Evli ama hâlâ bakire bir kadın olduğumu herkes biliyor.

Hani Şems hiç odama gelmiyor değil. Geliyor. Ve ne vakit
bana uğramak istese önceden muhakkak haber yollayıp, bir
mahzuru var mı diye soruyor. Her defasında aynı cevabı ve-
riyorum.

"Elbette yok" diyorum. "Ben senin nikâhlı karınım."

Onun geleceği akşamlar bütün gün yüreğim ağzımda bekliyorum, beni arzulasın diye dua ediyorum. Ama akşam olup kapımı tıklattığında tek yaptığı oturup sohbet etmek oluyor. Beraber kitap okumak istiyor. *Leyla ile Mecnun, Ferhat ile Şirin, Yusuf ile Züleyha, Gül ile Bülbül...* Her türlü zorluğa göğüs gerip birbirini sevmekten vazgeçmeyen âşıkların hikâyeleri... Bunları okudukça içim daralıyor. Belki de içten içe asla böylesi bir aşkı tadamayacağımı bildiğimden...

Bazen de sırt üstü yatıp bana **GÖNLÜ GENİŞ VE RUHU GEZGİN SUFİ MEŞREPLİLERİN KIRK KURALI'**ndan bahsediyor. Bir gece bir kuralı izah ederken sesi kaydı, gözleri kapandı. Baktım uyuyakalmış. Başını dizlerimin üstüne koydum. Artık bir hayli uzun olan saçlarını okşadım. Şafak sökene kadar hiç uyumadan onu seyrettim. Bir ara uykusunda konuştu. Sonra beklenmedik bir şekilde beni kendine çekti, hafifçe öptü. Uzun zamandır hiç bu kadar heyecanlanmamış ve mutlu olmamıştım. Gün ağarana değin yan yana yattık. Ama işte hepsi bu. Bu güne dek keşfedilmemiş bir kıta bedenim.

Bu altı ay boyunca ben de zaman zaman odasına gittim. Ama o nasıl benden izin istiyorsa, ben de muhakkak önceden haber yolluyorum. Aksi takdirde nasıl davranacağı belli olmuyor. Şems'in günü gününe uymuyor, hatta anı anına. Halet-i ruhiyesini çözmek bilmece çözmekten zor. Bazen öyle babacan, bazen sevecen oluyor; bazense düpedüz surat asıyor. Bir keresinde yüzüme kapıyı kapadı ve "beni rahat bırak" diye bağırdı. İncinmiyorum artık. Kırılmamayı öğrendim ve tabii onu rahatsız etmemeyi de.

Aylarca her şey yolundaymış gibi yaptım; başkalarını değil, kendimi kandırmak için. Madem Şems kocam gibi davranmıyordu, ona farklı farklı roller biçtim: Arkadaşımdı, ruhdaşımdı, yoldaşımdı, bazen bir abi, bazen oğuldu. Gününe göre, keyfine göre, ya biri ya diğeri oluyor; zihnimde bir kisveden diğerine geçiyordu. Her şeyim oldu da bir tek kocam olamadı.

Bir süre böyle idare ettim. Fazla bir şey beklemeden hasbıhal edeceğimiz anları kollar oldum. Şems benim fikirlerime kıymet veriyordu ya seviniyordum. Beni daha yaratıcı düşünmeye teşvik ediyordu. Ondan çok şey öğrendim; inanıyorum ki ben de ona birkaç şey öğrettim. En azından aile saadeti ya da sıcak bir yuva nedir bilmiyordu. Sayemde biraz olsun tattı bunları. Ve bir de, kimse onu benim gibi güldüremedi.

Ne var ki yetmedi, yetmiyor. Şems'in beni sevmediği fikrini içimden atamıyorum. Beni beğendiğinden, sevdiğinden şüphe etmiyorum ama bunun aşkla ilgisi yok. Yüreğim parçalanıyor. Öyle ki etrafımdaki herkesten, bütün arkadaş ve komşularımdan uzaklaştım. Artık odamda durup ölülerle konuşmayı tercih ediyorum. Dirilerin aksine, ölüler peşin hükümlü değil.

Ölülerin dışında tek arkadaşım Çöl Gülü.

İkimiz de cemiyet hayatından kendimize has sebeplerden dolayı uzak durmak istediğimiz için zamanla yakın dost olduk. Artık o bir sufi. Kerhaneyi tamamen geride bıraktı. Arındı. Bir keresinde, cesaretine, metanetine ve sil baştan hayata başlama azmine hayran olduğumu söyledim. Başını iki yana salladı:

"Ama ben hayata baştan başlamadım ki. Tek yaptığım, ölmeden evvel ölmek!"

* * *

Bu öğlen Çöl Gülü'nü görmeye gittim. İçimdeki sıkıntıyı ona belli etmek istemiyordum ama yüzüme bakar bakmaz ters giden bir şeyler olduğunu anladı.

"Kimyacım iyi misin? Solgun görünüyorsun."

Geçiştirmeye çalıştıysam da ısrarlı soruları karşısında di-

lim çabuk çözüldü. "İyi değilim. Ne olur bana yardım et."
"Elbette" dedi Çöl Gülü. "Ne yapayım, söyle."

"Mesele Şems... hiç yanıma gelmiyor, yani geliyor da öyle
gelmiyor. İstiyorum ki beni sevsin. Abi gibi, arkadaş gibi de-
ğil... kocam gibi. Ne olur bana öğret."

"Neyi öğreteyim?"

"Anladın işte... Kocamı baştan çıkarmam lâzım."

"Ah Kimyacım ben bir yemin ettim" diye mırıldandı Çöl
Gülü. "Şu ten meselelerinden uzak durmaya ahdettim. Ka-
dın adama yahut adam kadına nasıl zevk verir, bunu düşün-
mek bile istemem."

"Sen yeminini bozmayacaksın ki. Yalnızca bana yardım ede-
ceksin" diye yalvardım. "Çok çaresizim. Kimseye derdimi aça-
mam, utanırım. Şems'i nasıl mutlu edeceğimi bilmiyorum."

"Ama Şems bir derviş" dedi Çöl Gülü. "Ona böyle yaklaş-
mak doğru olmaz."

"Derviş de olsa insan değil mi? Eninde sonunda o da bir er-
kek! Adem Baba'nın tüm oğulları ete kemiğe mahkûm. Her-
kese bir beden bahşedilmiş. Şems'in de bir bedeni var, öyle
değil mi?"

"Var ama..." Cümlesini tamamlayamadı Çöl Gülü. Geri çe-
kildi.

Yalvardım. "Derdimi bir tek sana açabilirim. Altı ay oldu.
Her sabah kederden yüreğim sıkışıyor, her gece ağlayarak
uyuyorum. Böyle devam edemem. Kocamı kendime çekmem
gerek!"

Çöl Gülü bana kaygıyla baktı ama bir şey demedi. Örtümü
açıp saçlarımı çözdüm. "Söyle" dedim "çekinme söyle, ne olur.
Çok mu çirkinim?"

"Elbette hayır, Kimyacım. Ayın on dördü gibi güzelsin."

"O hâlde bana yardım et. Erkeğin kalbine giden yolu tarif
et!"

"O öyle sandığın gibi masum bir yol değil" dedi Çöl Gülü

aniden gerginleşerek. "Dikkat et, erkeğin kalbine giden yol, kadını kendinden uzaklaştıran yol olmasın. Onu kendime çekeyim derken, sen kendine yabancılaşma."

Ne dediğini anlamadım ve anlamaya çalışmadım. "Umurumda değil" dedim. "Ne olursa olsun artık. Ben her şeyi göze aldım."

Çöl Gülü
Konya, Kasım 1247

Bu aptallığı nasıl yaptım? Göz göre göre, bile bile. Onu hiç dinlememeliydim. Sonucun böyle olacağını nasıl anlayamadım? Kimya'yı durdurmalıydım. Ona engel olmadığım için kendimi hiç affetmeyeceğim.

Ama ağlayarak benden yardım istediği gün içim sızladı. "Ne sakıncası olabilir ki?" diye düşündüm. Baştan çıkarmak istediği adam nikâhlı kocasıydı, bir yabancı değil ki. Üstelik tek sebebi aşktı. İçinde zerre kötülük yoktu. Ne bir kumpas, ne dalavere. Bir kadının kendi kocasının aşkını istemesi haram olabilir miydi? Günlerce düşündüm. İçimdeki sufi "zorla aşk olmaz, karışma bu işe" diye tembihledi. İçimdeki kadın ise "aşık bir kıza yardım et" diye niyaz etti. Sonunda ikinci ses ağır bastı.

Ve ben böylece, tek güzellik ölçütü avuçlarına kına sürmek olan bu saf köylü kızcağıza bir erkeği baştan çıkarmanın yollarını gösterdim. Hevesli bir talebeydi, öğrenmeye aç. Ona mis kokular karışmış sularda yıkanmayı, yumuşatıcı yağlarla tenini kaymak gibi yapmayı, yüzünü ballı maskelerle gençleştirmeyi ve bir erkekle konuşurken hangi kelimeleri nasıl kullanması gerektiğini öğrettim. Daima hoş koksun diye yasemin dallarıyla ördük saçlarını. Lavanta, papatya, biberiye, kekik, leylak, mercanköşk, zeytinyağı... Her biri nerede kullanılır, hangi amaçla hangi tütsü yakılır uzun uzun anlattım. Sonra dişleri beyazlatmayı, tırnak boyamayı, gözlere ve kaşlara sürme çekmeyi, dudakları parlatmayı, yanakları allamayı ve memeleri dolgun göstermeyi bir bir izah ettim. Beraber çarşıya gittik, eskiden sadık müşterisi olduğum bir dükkâna girdik. Oradan ona ipek elbiselerle iç çamaşırları aldık. Kıpkırmızı oldu utancından. Ama hepsini aldı.

Ardından Kimya'ya raks etmeyi öğrettim; Kıvırtmayı, çalkalamayı, şuh bakmayı ve vücudunu havada kıvrılan bir duman gibi kullanmayı da. Beline püsküllü kuşaklar bağlayıp içine de şıngır şıngır kaşıklı bardaklar yerleştirip iki hafta durmadan karşılıklı göbek attık. Dersimize çalıştık.

Nihayet o gün öğleden sonra, kurbanlık kuzuyu kasaba teslim eden çoban gibi, Kimya'yı Şems-i Tebrizî için hazırladım. Önce hamamda sıcak suyla yuğundu; iyi bir kese attı, saçlarını yağladı. Hamam sonrası bir kadının ömründe ancak sayılı kez giyebileceği türden incecik ipekten kıyafetleri giydirdim. Sümbüllerle süslü pembe bir gecelik seçmiştim, içinde göğüslerinin çatalı, kalçalarının kıvrımı belli olacaktı. Son olarak yüzüne bolca boya sürdüm. Cazibesi katlansın diye alnına bir inci kolye kondurdum. İşim bittiğinde Kimya öyle güzel olmuştu ki, gözlerimi ondan alamadım.

Artık o toy genç kız değil, aşk ve ihtirasla yanan evli bir kadındı. Sevdiği erkek için kendini ortaya koymaya, gerekirse bedelini ödemeye hazır bir kadın. Onu süzerken Kuran-ı Kerim'de Yusuf ile Züleyha'ya dair ayetleri hatırladım.

Züleyha kendisine yüz vermeyen bir erkek için tutkuyla yanmıştı. Şehirdeki kadınlar onun hakkında fena sözler edince, hepsini sofrasına davet etmiş, Yusuf'a da çağrıldığında odaya girmesini tembihlemişti. *"Her birine bir bıçak verdi ve 'Çık karşılarına!' dedi. Kadınlar onu görür görmez kendi ellerini doğradılar ve 'Allah için bu bir insan değil, ancak değerli bir melektir!' dediler."*

Bir meleğe âşık oldu diye kim Züleyha'yı suçlayabilir ki?

* * *

Akşama doğru Kimya yüzüne peçeyi çekip sokağa çıkmadan önce yarı umut yarı endişeyle baktı bana. "Nasıl görünüyorum abla?" diye sordu.

"Peri padişahının kızı gibi" dedim. "Bu gece kocan seninle sabahlamakla kalmayacak, ertesi gece de kapını tıklatacak, eminim."

Kulaklarına kadar kızardı, yanakları al al oldu. Güldüm ve sarıldım ona. Bir süre sustu, sonra bir kahkaha attı. Gülüşü gün ışığı gibi içimi ısıttı.

İnanıyordum söylediklerime. Tıpkı arının çiçek nektarına üşüşmesi gibi, Şems de ona gelir sanıyordum. Yine de kızcağızı uğurlarken içimde kötü bir his, karanlık bir sezgi belirdi. Sanki bir cin kulağıma tatsız bir şeyler fısıldadı. Ama gene de durdurmadım Kimya'yı. Yapmadım.

Hayatım boyunca kendimi affetmeyeceğim...

Kimya
Konya, Aralık 1247

Bilir bilmesine kimsenin bilmediklerini Tebrizli Şems. Yoksulların çektiklerini, kâhinlerin gördüklerini, velilerin kerametlerini, şu âlemin envai çeşit bilmecelerini, hepsini bilir. Ama hakkında hiçbir şey bilmediği bir konu var: Karşılıksız sevmek! İşte bunu bilmez Şems. Bilmez nasıl acıtır insanın canını, sevdiğinden karşılık görememek!

Çöl Gülü'nün beni giydirip kuşandırdığı akşam öyle heyecanlıydım ki yerimde duramıyordum. Daha önce hiç bilmediğim bir hâl gelmişti üstüme. Cesaret mi yoksa pervasızlık mı? Tenime değen ipek elbisenin hışırtısı, saçtığım ıtır kokuları, dilimde gül yapraklarının tadı... hiç bu kadar allanıp pullanmamış, kendimi böyle kadın hissetmemiştim. Gerçi bedenim istediğim kadar yuvarlak ve dolgun, memelerim arzuladığım kadar iri değildi ama yine de alımlı buldum kendimi.

Evdeki herkes uykuya dalana kadar bekledim. Sonra uzunca bir şala sarınarak parmak uçlarımda Şems'in odasına gittim.

"Kimya! Seni beklemiyordum" dedi Şems kapıyı açar açmaz.

"Affedersin. Ama seni görmem gerekliydi" dedim ve içeri buyur edilmeyi beklemeden odaya süzüldüm. "Kapıyı örter misin lütfen?"

Şems'in kafası karışmış gibiydi ama denileni yaptı.

Odada baş başa kaldığımızda davetkâr bir şekilde gülümseyerek karşısına yürüdüm. Sırtımı döndüm, derin bir nefes aldım. Sonra tek hamlede şalımı, cüppemi sıyırıp atarak çırılçıplak kaldım. Kocamın şaşkın bakışlarının sırtımdan aşağı gezindiğini hissettim, ürperdim. Bakışları değdiği yeri yakıyordu. O kadar heyecanlıydım ki göğsüm körük gibi inip kalkıyordu. Nihayet cesaretimi toplayıp ona doğru döndüm. Ve böylece Şems'in karşısında cennetteki huriler kadar davetkâr öylece durdum.

"Sen ne yaptığını sanıyorsun?" diye sordu Şems soğuk bir ifadeyle.

Güçbela konuşabildim. "Bu gece buraya senin olmaya geldim..."

Şems-i Tebrizî etrafımda tam bir daire çizdikten sonra karşıma geçti ve beni gözlerine bakmaya zorladı. Dizlerim boşalacak gibi oldu ama kendimi tuttum. Hafif hafif kıvrılarak bedenimi ona sürtmeye başladım. Çöl Gülü'nün bana öğ-

rettiği tüm numaraları oracıkta peş peşe sıralayacaktım.
Ama Şems yanan bir ocağa değmiş gibi geri çekildi.
"Beni arzuladığını sanıyorsun. Hâlbuki tek istediğin incinen nefsini onarmak" dedi.
Aldırmadım. Kollarımı boynuna doladım. Dudaklarında
karadut tadı vardı, hem tatlı hem ekşimtrak. Nefesinin girdabında kaybolmak isterken Şems beni tuttu ve itti.
"Beni hüsrana uğratıyorsun Kimyacım" dedi. "Şu hâl sana
yakışmıyor. Şimdi lütfen odamı terk et ve ben seni çağırana
kadar bir daha gelme, oldu mu?"
Hayatımda böyle küçük düşmemiştim. Eğilip şalımı almak
istediysem de ellerim o kadar çok titriyordu ki kaygan ve narin kumaşı kavrayamadım. Şems geceliğimi ve şalımı yerden
aldı, yarım yamalak omuzlarımı örttü. Ve ben gecenin bir
vakti yarı çıplak bir hâlde hıçkıra hıçkıra ağlayarak kocamın
odasından çıktım.
Ne denli büyük bir günah olduğunu bilmesem canıma
kıyardım.

* * *

Şems'i bir daha görmedim. O günden sonra bir daha odamdan dışarı çıkmadım. Yatakta yatıp tavana bakarak geçirdim
tüm vaktimi. Gücüm kuvvetim, yaşama şevkim hızla eridi.
Bir hafta böyle geçti, sonra bir hafta daha, derken günleri
saymayı bıraktım.
Nice sonra odama bilmediğim bir koku yayıldı. Keskin bir
rayihaydı; hani zencefil çayı ya da ezilmiş çam dikenleri gibi
yakıcı ve acı ama kötü değil. Demek ölümün kokusu böyleydi. Ateşim yükseliyordu, havale geçirmeye, sayıklamaya başladım. Beni görmeye hekimler getirildi. Komşular ve arkadaşlarım ziyaretime geldi. Kerra yatağımın başında gecelerce bekledi; gözleri ağlamaktan şiş, yüzü külrengi. Gevher

Hatun da diğer yanıma oturup o gamzeli tebessümüyle bana şarkılar söyledi.

Bir ara uykudan uyandım. Komşu kadın Safiye'nin söylendiğini işittim. "Allah o mendebur herifin cezasını versin. Zavallı kız karasevdadan gidiyor. Hep onun kabahati!"

Ağzımı açıp bir şey diyecek oldum ama kelimeler kursağıma takıldı.

Neyse ki Kerra imdadıma yetişti: "Nasıl böyle konuşursun Safiye? Şems'i nasıl suçlayabiliriz? O mu yaptı bunu? Allah'ın takdiri işte."

Ne var ki Kerra'yı dinlemediler. Benimse kimseyi ikna edecek hâlim yoktu. Çok geçmeden anladım ki, zaten sonuç değişmeyecek. Şems'i sevmeyenler benim hastalığımı bahane edip ondan daha fazla nefret edecek. Oysa ben istesem bile onu sevmemezlik edemezdim.

Kısa süre sonra baygın düştüm; tüm renkler beyaza döndü, seslerse yeknesak bir vızıltıya. Artık insanların yüzlerini seçemiyordum; söylenen hiçbir şeyi duyamıyordum.

Şems beni görmeye gelmiş miydi? Belki evet, belki hayır. Belki de odadaki kadınlar içeri girmesine izin vermemişti? Ya da defalarca gelip yanıma oturmuş, ellerimi ellerinin arasına alıp benim için dua etmişti.

Evet, aynen böyle olmuş olmalı. Buna inanmak istiyorum. Her hâlükârda, öyle ya da böyle, artık mühim değil. Ne kızgınım ne kırgınım. Sonsuzluğa akıp giderken kime, nasıl sitem edebilirim? Allah müşfik, merhametli, rahman ve rahim. Her ayrıntının arkasında bir düzen var. Mükemmel bir aşk nizamı! Şems'in odasını ipekler, tüller kuşanarak ziyaret edişimden on altı gün sonra ben Mevlâna'nın evlatlığı Kimya, çağıl çağıl bir hiçlik ırmağına daldım. Orada gönlümden geçtiği gibi yüzdüm, yüzdüm, aktım.

Ve o zaman anladım ki Kuran'ın dördüncü okuması böyle bir şey olmalı: Sonsuzluk, sınırsızlık, kapsayıcılık ve açıklık...

Hiç olmak suretiyle her şey olmak... Hafiflemek suretiyle derinleşmek...

İşte böyle, yaşamdan ölüme geçişim akarsularla oldu.

Ella
Boston, 19 Temmuz 2008

Boston'da dört gün kaldı Aziz. Dört gün boyunca her sabah Ella onu görmek için Northampton'dan Boston'a direksiyon salladı. Beraber şehri karış karış dolaştılar. Küçük İtalya Mahallesi'nde leziz ama mütevazi yemekler yediler, Güzel Sanatlar Müzesi'ni gezdiler, Common Parkı ve Rıhtım'ı arşınladılar, Su Parkı'nda yunusların gösterisini alkışladılar, Harvard Meydanı'nda hıncahınç kafelerde kahve içtiler. Ve tüm bunları yaparken hiç durmadan sohbet ettiler. Çeşitli ülkelerin mutfakları, meditasyon teknikleri, aborjin sanatı, gotik romanlar, bahçe bakımı, organik domates yetiştirme teknikleri, rüya tabirleri gibi akla hayale gelmedik bilumum konuda daldan dala atlayıp birbirlerinin cümlesini tamamlayarak konuştular. Ella hiç bu kadar çok konuştuğunu hatırlamıyordu. Akşamları evine dönerken çenesi ağrıyordu.

Sokakta insanlar arasında birbirlerine dokunmamaya azami gayret gösterdilerse de buna riayet etmek giderek zorlaştı. Ufak kaçamaklar, kazara birbirine değen eller, kolkola girmeler... "Ne zaman elimi tutacak?" diye bekledi Ella. Baktı ilk hamle Aziz'den gelmeyecek, ilk o tuttu Aziz'in elini; önce ürkek, çekinerek, sonra özgürce ve her türlü vesveseyi boşvererek. Tanıdık birilerine yakalanmayı umursamadığı gibi içten içe "görülmek" istiyordu sanki. Gene de hep bir mesafe oldu aralarında. Ruhları birbirine yakınken, bedenleri uzak kaldı. Birkaç kez beraber Aziz'in oteline döndüler ama hiç sevişmediler. Aziz istemedi.

Aziz'in Amsterdam'a uçacağı günün sabahı gene otel odasındaydılar. Biri bir koltukta oturuyordu, diğeri öbür koltukta. Aralarında bir bavul duruyordu.

"Sana söylemem gereken bir şey var" dedi Ella usulca. "Uzun zamandır bunu nasıl açacağımı düşünüyordum."

Aziz, Ella'nın ses tonundaki ani değişimi yakaladı, kaşlarını merakla kaldırdı. "Bak bu ilginç işte. Çünkü benim de sana söylemem gereken bir şey var" dedi.

"Tamam, önce sen söyle" diye atıldı Ella, oyun oynar gibi. "Yok, madem sen açtın, önce sen..."

Ella tebessümünü bozmadan başını eğdi, neyi nasıl söyleyeceğini iyice düşündü. Sonra lafa girdi. "Sen Boston'a gelmeden önce bir akşam David'le dışarı çıktık ve uzun zamandır ilk defa rol yapmadan dürüstçe konuştuk. Bana seni sordu. Meğer gizli gizli yazışmalarımızı okumuş. Tabii böyle olmasına üzüldüm ama hakikati inkâr etmedim. Yani, ikimizin arasında olanları kastediyorum."

Devam etmeden önce hafifçe öksürdü. Şimdi itiraf edeceği şeye Aziz'in nasıl tepki vereceğini bilemiyordu: "Kocama başka bir erkeği sevdiğimi söyledim."

Pencerenin dışında şehir olağan gürültülerini üretiyordu. Sokaktan peş peşe üç itfaiye aracı hızla geçti. Bir dakika boyunca siren sesleri bütün mahalleyi esir aldı. Ella'nın dikkati dağılır gibi olduysa da lafını tamamlamayı başardı. "Bu sana delice gelecek belki ama seninle Amsterdam'a gelmek istiyorum."

Aziz pencereye doğru yürüdü; aşağıdaki vaveylayı dikkatle süzdü. Az ileride bir binadan dumanlar tütüyor, kalın ve kara bir bulut havada topaklanıyordu. Orada yaşayan insanlar için sessiz bir dua okudu. Tekrar konuşmaya başladığında yüzünü hemen Ella'ya dönmediğinden sanki tüm şehre hitap ediyordu.

"Benimle Amsterdam'a gelmeni ben de isterim... hem de çok... ama sana orada bir gelecek vaat edemem."

"Ne demek istiyorsun?" diye sordu Ella. İçinde bir kırgınlık kabardı. Bu erkekler neden böyleydi? Hepsi de bağlanmaktan korkuyordu işte. Bu kadar gez toz, sır ve söz paylaş, özel anlar yaşa, hayaller besle! Sonra pat diye büyü bozulsun. Ne demek *sana gelecek vaat edemem?* Ne kadar duygusuz bir ifadeydi bu? Ancak bir erkek bu kadar ruhsuz bir cümle kurabilirdi!

Aziz, Ella'nın aklından geçenleri anlamışçasına hınzır bir tebessümle yanına oturup elini okşadı: "Sandığın gibi değil."

"Ya nasıl?"

"Bir gün beklenmedik bir mesaj aldım hiç tanımadığım bir kadından" dedi Aziz. "Romanımı okuduğunu söyledi. Dedi ki kitabım hayatının tuhaf bir dönemine denk gelmiş. Bir yol ayrımındaymış..." Dalgın gülümsedi Aziz. "Aslında senin mesajını aldığım sırada benim hayatımın da tuhaf bir dönemiydi, biliyor musun?"

"Yani... Başka biri mi var?" diye sordu Ella.

"Hayır, canım, öyle bir şey değil." Aziz durgunlaştı birden. "Sana bugüne değin hayatımın üç safhasını yazdım. Sufi kelimesinin ilk üç harfiyle tanışmamı anlattım. Sen bana dördüncü harfi sormadın, belki de arada kaynadı gitti. Ben de anlatacak cesareti bulamadım. Hâlbuki "i" harfiyle tanışmamın da bir hikâyesi var, dinlemek ister misin?"

Ella şu anın tılsımını bozabilecek her şeyden korksa da uysalca başını salladı. "Evet" dedi "evet, anlatsana."

* * *

O temmuz günü, otel odasında, Amsterdam'a uçuşuna birkaç saat kala Aziz Zahara, Ella Rubinstein'e 1976 yılında Sufi olup adını değiştirdikten sonra yaşadığı hayatı anlattı. O tarihten itibaren dışı fotoğrafçı, içi derviş dünyayı dolaşmıştı. Altı kıtada dostlar, arkadaşlar edinmişti. Aile kavramını kan bağında değil ruh bağında bulmuş; Romanya'da evlat edindiği iki kimsesiz çocuğu büyütüp okutmuştu. Bir daha evlenmemiş, birkaç kez aşkın kıyısından dönmüştü. Ve tüm bu zaman zarfında, Fas'taki zaviyede taktığı gümüş küpeyi kulağından, güneş şeklinde kolyeyi de boynundan çıkarmamıştı. Mizacındaki ve hayatındaki ana mihver tasavvuf olmuş; ömrünü aşk inancına ve başka insanlara faydalı olmaya adamış, gittiği her yerde, baktığı her ayrıntıda Tanrı'nın alametlerini aramıştı.

Ve sonra, bundan iki sene evvel, sağlığı teklemeye başlamıştı. Durup dururken üzerine ağır bir halsizlik çökmeye başlamıştı. Koltukaltında beliren bir şişlikle her şey bir anda değişmişti. Ne yazık ki fark etmekte geç kalmıştı. O ufacık kütle *malin melanom* çıkmıştı, bir tür deri kanseri. Doktorlar uzun süre teşhis koymamış, boyutlarını anlamak için test üstüne test yapmışlardı. En nihayetinde bir açıklama yaptıklarında haberler iyi değildi: Melanom iç organlara yayılmış, karaciğeri sarmıştı.

O sırada Aziz elli iki yaşındaydı. "Elli beşi görmeyebilirsin" demişlerdi. "Ona göre hazırlıklarını yap."

Böylece ömründe yeni ve bazı açılardan daha üretken bir safha başlamıştı. Hâlâ görmek istediği yerler vardı; seyahatlerine ara vermek şöyle dursun, her zamankinden çok yolculuk yapmıştı. Dünyanın her yerindeki bağlantılarını kullanarak Amsterdam'da bir Sufizm vakfı kurmuştu. Endonezya'da, Pakistan'da, Mısır'da sufi müzisyenlerle konserler vermiş, hatta İspanya'da, Cordoba'da bir grup Yahudi ve Müslüman mistikle ortak bir albüm çıkartmıştı. Fas'a geri dönmüş, hayatında ilk kez Sufilerle tanıştığı zaviyeyi ziyaret etmişti. Baba Samed'in mezarı başında dua edip tefekküre dalmış, hayatın onun için çizdiği patikaları minnetle anmıştı.

"Sonra hep yazmak istediğim ama ertelediğim romanı yazmaya koyuldum" dedi Aziz göz kırparak. "Uzun zamandır yapmak istediğim bir şeydi. Romana *Aşk Şeriatı* adını verdim. Bir zarfın içine koyup Amerika'da ünlü bir yayınevine yolladım. Fazla bir şey beklemiyordum ama her ihtimale açıktım. Bir hafta sonra Boston'da gizemli bir kadından ilginç bir e-posta aldım."

Ella gülümsemeden edemedi.

"O andan sonra hiçbir şey aynı olmadı" dedi Aziz.

Ölüme hazırlanan bir insandan, beklenmedik anda aşka yuvarlanan birine dönüvermişti. Yerli yerine oturttuğunu sandığı tüm parçaları tekrar gözden geçirmesi gerekmişti. İnanç, aşk, arzu, ölüm korkusu, ölümsüzlük arzusu, aile, yuva, hasret, saadet... bütün bu kavramları yeniden düşünmesi gerekmişti. Bugün kendini ölüme hazır hissediyordu, ama henüz ölmek istemiyordu.

Ömrünün bu son safhasına Sufi kelimesinin "İ" harfiyle tanışma mevsimi demişti. Belki de bu en zoruydu çünkü iç hesaplaşmalarının hepsini değilse bile çoğunu bitirdiğini, manen olgunlaştığını sandığı bir aşamada şimdi ilk defa yalpalıyordu.

"Sufilikte ölmeden evvel ölmeyi öğrendim. Makamlardan adım adım geçtim. Bu yolu anlayabildiğimce yaşamaya çalıştım. Tam her şeyi hallettim derken, gökten zembille sen indin. O ilk mesajın ardından her şey o kadar hızlı gelişti ki. Her gün nefesimi tutup acaba Ella yazmış mı diye bekledim. Derken tüm hayatım sana anlatılmayı bekleyen bir hikâye oldu. Ve seni daha fazla tanımak istediğimi fark ettim. Senle daha çok zaman geçirmeliydim. Bana verilen vâde aniden kısacık göründü gözüme, yetmedi. Kendimi teslim ettiğim Allah'a isyan noktasındayım."

"Hastalığın... beraber atlatabiliriz..." dedi Ella korkulu bir fısıltıyla.

"On altı ay daha var" dedi Aziz. "Doktorlar öyle diyor. Yanılmış olabilirler. Bilemem. Gördüğün gibi sana verebileceğim tek şey şu içinde bulunduğumuz an! Tabii işin aslı, kimse kimseye bundan ötesini vaat edemez. Ama bunu hep unuturuz. Geleceğe dair planlar duymak isteriz."

Ella başını eğdi, ayakuçlarına takıldı bakışları. Bir yana verdi ağırlığını. Sanki bir tarafı düşüverecekti de diğer yanı direniyordu. Ağlamaya başladı.

"Yapma ne olur. En çok istediğim şey benimle Amsterdam'a gelmen. Sana şehrimi gösteririm. Beraber dünyayı gezeriz. Yapabildiğimiz yere kadar. Yeni insanlarla tanışmak ve Tanrı'nın yarattığı muazzam eseri beraber seyretmek istiyorum."

Ella, önüne parlak, renkli bir oyuncak konmuş nahif bir çocuk gibi ağlamayı kesip burnunu çekti. "Ben de... ben de çok isterim..."

"Sana bunları anlatmaya çekindim" dedi Aziz. "Değil sevişmek, sana dokunmak bile zor geldi. Sen hep gelecek fikri üstüne kurmuşsun hayatını. Planlar, programlar... Senin gibi bir insana 'hadi her şeyi bırak ve benimle gel ama yarın ben yanında olmayacağım' demek imkânsız geldi..."

Ella bu lafları duyunca bir gerçeği yeni görmüş gibi paniğe kapıldı. "Tamam da neden böyle kendini bıraktığını anlamıyorum. Kanserle savaşabilirsin. Bunu benim için yapabilirsin. Bizim için..."

"Daha sağlıklı ve daha uzun yaşamak için elimden geleni yaparım ama kanserimle kavga etmeyeceğim" dedi Aziz.

"Anlamıyorum. Yaşamak istemiyor musun?" diye mırıldandı Ella.

"Tabii ki istiyorum. Ama başka türlü" dedi Aziz. "Her şeyle savaş hâlindeyiz. Terörizmle savaş, yoksullukla savaş, enflasyonla savaş, AIDS'le savaş, kanserle savaş, rüşvetle savaş, hatta fazla kilolarla savaş... Savaşmaktan başka bir yaklaşım yok mu?"

Ella sabırsızlıkla çıkıştı: "Ben senin gibi sufi değilim!"

O an zihninden onlarca düşünce geçti: Babasının intiharıyla baş edemeyişi, kırık dökük çocukluğu, vicdan azabı, suçluluk duygusu, mutlu bir evlilik yapma takıntısı ve senelerdir içine attığı tüm hayal kırıklıkları bir anda karşısına dikildi.

Aziz gülümseyerek "Sufi değilsin, biliyorum" dedi. "Olman da gerekmiyor. Sen sadece Rumi ol, yeter."

"Ne demek istiyorsun?" diye sordu Ella gözlerini kırpıştırarak.

"Bana bir ara sen Şems misin diye sormuştun. Kulağa hoş geliyor ama ben Şems olamam, haddim değil. Ama sen Rumi olabilirsin. Aşk kullanıla kullanıla içi boşaltılmış bir kelimeye döndü ama sen varlığınla aşkı yüceltebilirsin."

"Ben şair değilim" dedi Ella bozuk bir sesle.

"Rumi de şair değildi. Ama oldu."

"Anlamıyor musun Aziz? Ben bir ev kadınıyım, üç çocuk annesi! Beni gözünde fazla büyütme."

"Kendine haksızlık ediyorsun" dedi Aziz, sesini alçalttı. "Hepimiz neysek oyuz. Önemli olan kendimizi değiştirmeye, dönüştürmeye cesaretimiz var mı? Eğer bu aşktan yeterince eminsek yolculuğun kalan kısmını beraber yapabiliriz. Sonunda beraber Konya'ya gideriz. Oraya gömülmek istiyorum."

"Böyle konuşma" dedi Ella.

Aziz başını eğdi. Yüzünde başka bir hâl vardı şimdi. Kelimeleri seçerek konuşmasını bitirdi: "Ya da şimdi buradan çıkıp evine gider ve bu teklifi unutabilirsin. Yuvana, çocuklarına dönersin. Ben her hâlükârda seni sevmeye devam edeceğim."

Sarhoş Süleyman
Konya, Aralık 1247

Başım masaya dayalı sızmış kalmışım. Karabasanı aratmayan bir rüya görüyordum. Kocaman, öfkeli bir boğa beni sokaklarda kovalıyordu. Bu melun hayvanı kızdıracak ne yaptığımı bilmeden tabana kuvvet kaçıyordum. Tezgâhları devire devire, meyve sebzeyi eze eze, can havliyle bir ara yola girdim. Meğer çıkmaz bir sokakmış. Orada devasa bir yumurta buldum. Derken kabukları çatladı, içinden çirkin bir kuş yavrusu fırladı. Uzaklaşmaya çalıştım ama aniden gökyüzünde anne kuş belirdi; bu bebenin çirkinliğinden sen mesulsün dercesine bana dikti keskin gözlerini. Tam hançer gibi pençelerini açmış saldıracaktı ki ter içinde uyandım.

Bir de baktım meyhanede, pencerenin yanındaki masada uyuyakalmışım. Ağzımda paslı çivi yalamış gibi nahoş bir tat, susuzluktan dilim damağıma yapışmış vaziyetteydim. Kalkmak istesem de kolumu kıpırdatamadım. Ağırlaşan başımı masadan kaldıramadım. Orada öylece durup meyhanenin bildik seslerini dinlemeye başladım.

İşte o zaman yan masadan gelen fısıldaşmalara kulak kabarttım. Belli ki ateşli bir tartışma devam ediyordu orada. Ve birden o korkunç kelimeyi işittim: Cinayet.

Önce sarhoş zırvalıkları bunlar diye aldırmadım. Meyhanede türlü muhabbet döner, herkes her ağzına geleni söyler. Ama bu adamların konuşmasında bir başka hâl vardı. Nihayet anladım ki sözlerinde ciddiler. Tüylerim diken diken oldu. Ama esas kimi öldürmek istediklerini anlayınca dehşete düştüm: Tebrizli Şems!

Adamlar kalkıncaya kadar başım masada uyuma numarası yaptım. Ne zaman ki gittiklerinden emin oldum ayağa fırladım. "Hıristos, gel buraya! Çabuk!" diye bağırdım.

"Gene ne var Süleyman?" diyerek koşa koşa geldi Hristos. "Bir şey mi oldu?"

Ama kelimeler boğazıma dizildi; bir şey söyleyemedim. Birden herkesten şüphe etmeye başladım. Ya Şems'e kurulan tuzağa başkaları da dahil olmuşsa? Herkes kumpasın içinde olabilirdi pekâlâ. Çenemi kapatıp gözümü dört açmam gerekliydi.

"Hiiiç! Açım" dedim. "Haydi, bana bir işkembe çorbası çek. Sarımsağı bol olsun. Ayılmam gerek!"

Hıristos bana tuhaf tuhaf baktı ama kaçıklıklarıma alışkın sayıldığından bir şey sormadı. Birkaç dakika sonra önüme dumanı tüten bir kâse çorba koydu. Ben de ağzım dilim yana yana içtim. Kendime gelince Şems'i uyarmak için sokağa fırladım.

Önce Rumi'nin evine uğradım. Orada yoktu. Sonra camiye, medreseye, çayhaneye, fırınlara, hamama baktım. Zanaatkârlar mahallesindeki her dükkân, ambar ve kileri yokladım. Hatta harabelerde yaşayan yüz elli yaşındaki Çingene kocakarıya dahi gittim, olur da Şems'in büyü yaptırası yahut falına baktırası gelmiştir diye. Her taşın altını aradım. Herkese danıştım. İçimi bir korku kemirmeye başladı. Ya geç kaldıysam? Ya onu öldürdüler?

Saatler sonra yorgunluktan perperîşan gene meyhanenin yolunu tuttum. Ve işte tam bir köşeyi dönmüştüm ki Şems ile burun buruna geldim.

"Ooo, kimleri görüyorum? Merhaba Süleyman. Bu ne telaş? Nereye böyle?" dedi Şems muzipçe.

"Aman! Oh nihayet buldum seni! Çok şükür hayattasın!" dedim ve kendimi tutamayıp onu kucakladım.

Şems kollarımdan kurtulunca bir kahkaha attı. Neşesi yerinde gibiydi. "Elbette hayattayım ya! Hayalete benzer bir hâl mi var bende?"

Zar zor gülümsedim.

Şems'in gözlerine bir şüphe çöreklendi: "Dostum ne'n var? Her şey yolunda mı?"

Yutkundum. Ya bana inanmazsa? Ya şarabın etkisiyle abuk sabuk hayaller gördüğümü düşünürse? Belki de öyleydi. Ben bile duyduklarımın doğruluğundan emin olamıyordum. Gene de anlatmaya karar verdim.

"Seni öldürecekler" dedim. "Kim olduklarını bilmiyorum.

Yüzlerini göremedim. Uyuyordum. Ama rüya görmüyordum. Yani görüyordum da o rüyanın bununla ilgisi yok. Sarhoş da değildim. Yani birkaç kadeh yuvarlamıştım ama..." Şems elini omzuma koydu. "Sakin ol Süleyman. Ben anladım seni, merak etme."

"Anladın mı sahi?" diye sordum hayretle. Ben bile kendimi anlamamışken o ne anlamıştı acaba?

"Evet. Şimdi meyhaneye dön, beni de dert etme."

"Yok, yok! Hiçbir yere gitmiyorum. Sen de gitmiyorsun" diye itiraz ettim. "Bana bak bu adamlar çok ciddi. Kendini kollamalısın. Rumi'nin evine dönemezsin. İlk bakacakları yer orası olur."

Şems sustu.

"Benim evime gel. Ufaktır, biraz da sıkış tepiştir ama senin için mahzuru yoksa, gel, istediğin kadar kal."

"Eksik olma, beni mahcup ediyorsun" dedi Şems. "Ama her şey Allah'ın inayeti ile olur. Bu da kurallardan biri."

Otuz Altıncı Kural: Hileden, desiseden endişe etme. Eğer birileri sana tuzak kuruyor, zarar vermek istiyorsa, Tanrı da onlara tuzak kuruyordur. Çukur kazanlar o çukura kendileri düşer. Bu sistem karşılıklar esasına göre işler. Ne bir katre hayır karşılıksız kalır, ne bir katre şer.

O'nun bilgisi dışında yaprak bile kıpırdamaz. Sen sadece buna inan!

Şems bunu dedikten sonra bana göz kırptı ve sarıldı. Veda eder gibi bir hâli vardı; gidişine mâni olamadım.

Geri dönüp Rumi'nin evine giden çamurlu sokağa saptı. Ardından uzun uzun baktım. Garip bir ürperti geldi üzerime. Ve ben, Konyalı Sarhoş Süleyman, günlerdir ağzıma damla içki koymamış da komaya girmişim gibi tir tir titremeye başladım...

Katil
Konya, 8 Aralık 1247, perşembe

Benimle gelmemelerini söyledim. "Müşteriler işime karışırsa sinirime dokunur" diye gözdağı verdim. Ama ısrar üstüne ısrar ettiler. "Bu derviş senin bildiğin gibi değil. Olağanüstü yeteneklere sahip. Kendi gözlerimizle öldüğünü görmemiz şart, yoksa bu iş yatar" dediler.

Sonunda pes ettim. "Pekâlâ" dedim. "Ama ben işimi bitirmeden sakın ha ortalıkta görünmeyin."

Başlarını salladılar. Üç kişilerdi. İkisini ilk buluşmadan hatırlıyordum; üçüncüsü ise sesinden anladığım kadarıyla en az diğerleri kadar genç ve gergindi. Hepsi yüzlerine kara peçeler bağlamıştı. Sanki kim oldukları umurumdaydı!

Gece yarısı çöktükten sonra Rumi'nin evine vardım. Kerpiç duvarın üstünden avluya atladım, bir çalının ardına saklandım. Müşteriler önceden tembihlemişti: Şems'in âdetiymiş, her gece aptes almadan önce muhakkak avluya iner, burada tefekküre dalarmış. Tek yapmam gereken beklemekti.

Bir deli rüzgâr esti. Hayret! Senenin bu vakti böyle ayaz kesmezdi. Elimde tuttuğum kılıç ağırlaşmaya başladı, sapındaki mercanlar buz gibi soğudu. Her ihtimale karşı kuşağıma bir de kınında uyuyan bir hançer yerleştirmiştim.

Gökteki ay soluk bir hâle ile sarmalanmıştı. Uzaktan gececil hayvanların uluması duyuldu. Ne tekinsiz, esrarengiz bir sesti. Huzurumu kaçırdı. Bir an tuhaf bir hisse kapıldım. Belki de hemen şimdi her şeyi bırakıp bu uğursuz mekândan uzaklaşmalıydım.

Ama yapmadım. Epey bir zaman geçti. Göz kapaklarım ağırlaştı. Üst üste istemsizce esnemeye başladım. Rüzgârın hiddeti arttıkça birbirinden nahoş fikirler üşüştü zihnime. Öldürdüğüm insanların yüzleri çemberler hâlinde başımın üstünde dönmeye başladı, leşe üşüşen akbabalar gibi. Bana neler olduğunu anlayamadım. Soğukkanlılığıyla nam salmış bir adamdım; kolay kolay paniğe kapılmazdım. Üstelik maziyi düşünmeye meyyal biri sayılmazdım. Keyfim yerine gelsin diye biraz ıslık çaldım ama bu da kâr etmeyince gözlerimi evin arka kapısına dikip fısıldadım:

"Haydi be Şems. Amma beklettin beni. Çık artık avluya!" Ricam buymuş gibi o anda birden yağmur yağmaya başladı. Hem de ne yağmur! Bardaktan boşanırcasına. Öyle ki göz açıp kapayıncaya kadar sokaklar ırmak yatağına döndü, dizlerime kadar balçığa battım. Tepeden tırnağa ıslanmıştım.

"Kahretsin" dedim. "Kahretsin!"

Dakikalar geçmek bilmedi. Sağanak bir türlü durmadı, artık vazgeçmek üzereydim ki bir çıtırtı işittim. Avluda biri vardı. Bir duvar dibine saklanıp baktım. Oydu. Elinde bir kandil tutuyordu. Bana doğru dümdüz yürüdü, birkaç adım kala durdu.

"Ne güzel bir gece, değil mi?" diye sordu Şems.

Kendi kendine mi konuşuyordu bu adam yoksa yanında biri mi vardı? Aklım karıştı. Yoksa benimle mi konuşuyordu? Burada olduğumu biliyor olabilir miydi? Derken beni hayrete düşüren bir şey fark ettim: Bu kuvvetli rüzgârda, bu sağanak yağmurda nasıl oluyordu da elindeki mum sönmeden kalabiliyordu? Sırtımdan aşağı ürperdim.

Şems ile ilgili rivayetleri hatırladım. Kara büyü ve sihirbazlıkta mahir olduğunu söylüyorlardı. Böylesi zırvalara inanmazdım gerçi, şimdi de kanacağım yoktu ama Şems'in bu yağmurda elinde sönmeyen bir mumla durduğunu görünce dizlerim boşaldı.

"Seneler evvel Tebriz'de Ebubekr isminde bir üstadım vardı" dedi Şems. "Kıymetli bir zattı. Bana her şeyin bir vakti olduğunu öğretti. Bu da sonuncu kurallardan biri."

Ne kuralından bahsediyordu? Yoksa anlaşılmaz laflarla aklınca beni korkutmaya mı çalışıyordu? Bir karar vermeliydim. Ya hemen duvar dibinden fırlayıp saldıracaktım ya da burada saklanıp en uygun anı kollayacaktım. Ama Şems bir türlü sırtını dönmüyordu. Öte yandan şayet burada olduğumu biliyorsa neden gizlenecektim ki? Ben daha bir karara varamadan bahçe duvarının dibinde karaltılar belirdi. Saydım, altı kişiydiler. Herhâlde delikanlılar neden hâlâ dervişi öldürmediğimi merak etmiş ve gidip takviye kuvvet getirmişlerdi. Bu arada Şems hiçbir şey fark etmemiş gibi konuşmaya devam etti:

"Otuz Yedinci Kural: Tanrı kılı kırk yararak titizlikle çalışan bir saat ustasıdır. O kadar dakiktir ki sayesinde her şey tam zamanında olur. Ne bir saniye erken, ne bir saniye geç. Her insan için bir âşık olma zamanı vardır, bir de ölmek zamanı. "

İşte o an dervişin başından beri benimle konuştuğunu anladım. Burada olduğumu biliyordu. Hem de avluya çıkmadan evvel biliyordu. Yüreğim küt küt atmaya başladı. Daha fazla saklanmanın anlamı kalmamıştı. Doğruldum, ortaya çıktım. Yüz yüze durduk, katil ile maktul. Durumun korkunçluğuna karşın tarifsiz bir huzur vardı havada. Yağmur başladığı gibi birden kesildi, her şey sessizliğe boğuldu.

Kılıcımı çektim, var gücümle savurdum. Derviş bu hamleyi o kadar çevik ve dinç bir şekilde savuşturdu ki afalladım. Birkaç kez daha kılıç salladım ama aynı sahne tekrar etti. Aniden karanlıkta bir koşturmaca oldu; ben daha ne olduğunu anlayamadan duvar dibindeki altı adam ellerinde sopalar, kargılarla kavgaya daldılar. Tam bir kargaşa zuhur etti, herkes birbirine girdi. Kim kime vuruyor anlayamadım. Havada sopalar kırıldı.

Kenarda kalakaldım. İşleyeceğim bir cinayette seyirci konumuna düşmemiştim hiç. Delikanlılara o kadar kızgındım

398

ki az kalsın Şems'i bırakıp onlara saldıracaktım.

Fakat az sonra delikanlılardan biri bağırmaya başladı: "İmdat! Çakal Kafa yardım et! Hepimizi öldürecek."

O zaman bir seçim yaptım. Önce dervişi haklayıp, sonra delikanlıların hesabını görecektim. Öne atıldım. Benden cesaret alan delikanlılar atağa geçti. Altı kişi bir olup Şems'i yere çaldık, hançeri çıkardım ve tek hamlede Şems'in kalbine sapladım. Ağzından tek bir çığlık çıktı, tiz ve vahşi. Belki de her şehrin her yerinden duyuldu feryadı. Son bir dem çekti dudakları ve bir daha kıpırdamadı.

Hep beraber bedenini kaldırdık. Tuhaf şey, o kadar hafifti ki! Kuru bir dal gibi, suyu çekilmiş bir meyve gibi hafif. Sonra onu kuyuya attık. Nefes nefese bir adım geri çekilip suya düşme sesini bekledik.

Ama o ses gelmedi.

"Neler oluyor?" dedi delikanlılardan biri. "Yoksa suya düşmedi mi bu herif?"

"Olur mu öyle şey" dedi diğeri. "Nasıl düşmemiş olabilir ki?"

Gözlerimizi birbirimizden kaçırdık. Herkesin asabı bozulmuştu.

"Belki kuyu duvarında bir kanca vardı, oraya takıldı" diye birisi tahmin yürüttü.

En makul açıklama buydu. İnanmış gibi yaptık. Oysa hepimiz gayet iyi biliyorduk ki öyle kancayla mancayla açıklanamazdı bu sessizlik. Orada konuşmadan ne kadar bekledik bilemiyorum. Gökyüzü eflatun çizgiler hâlinde ağarmaya başladı. Az sonra pat diye evin arka kapısı açıldı, dışarı bir adam çıktı. Hemen tanıdım. Mevlâna'ydı.

"Neredesin can?" diye seslendi endişeyle. "Şems, cancağızım, orada mısın?"

Delikanlılar panik hâlinde topukladılar. Tek tek her biri bahçe duvarını aşıp öbür tarafa atladı. Orada bir saniye daha oyalanmamam gerektiğini biliyordum ama durup geriye bakmaktan kendimi alıkoyamadım.

Ve işte o zaman Mevlâna'nın dosdoğru kuyuya yöneldiğini gördüm. Eğildi, bir süre öylece durdu; herhâlde gözleri loşluğa alışıyordu. Derken orada ne gördüyse geri çekildi, dizlerinin üstüne çöktü ve bir feryat kopardı.

"Öldürdüler! Şems'i öldürdüler!"

Duvardan atladım. Üstünde dervişin kanı olan hançeri alamadan hızla koşmaya başladım. Nerden bilebilirdim ki seneler sonra bile duramayacak, durulamayacak, o gecenin hatırasından hep kaçmak zorunda kalacaktım.

Ella
Boston, 3 Ağustos 2008

Basbayağı, alelade bir gündü. Ağustos ayının rehavetine bulanmış sıradan bir sabah işte. Ella erken kalktı; kahvaltı sofrasını hazırladı; kahvaltı sonrası kocasını işe, çocukları okula uğurladı; mutfağa dönüp yemek kitabını açtı; o günün mönüsünü seçti.

Kremalı Mantar Çorbası
Hardallı Deniz Mahsulleri Salatası
Rezeneli, Kurutulmuş Domatesli Levrek
Dereotlu Pirinç Graten
Vanilyalı Turta

Yemekleri pişirmek epey vaktini aldı. İşi bittiğinde kıymetli misafirlere sakladığı narin porselen takımı çıkardı. Masayı kurdu, peçeteleri katladı, çiçekleri düzenledi. Fırının saatini kırk beş dakikaya ayarladı ki graten saat yediden evvel gerektiği gibi ılınmış olsun. Kıtır ekmekleri kızarttı, salatanın sosunu hazırladı - Avi'nin istediği gibi bol kremalı. Mumları yakmayı düşündüyse de vazgeçti. En iyisi masayı böyle bırakmaktı, kusursuz bir tablo gibi. El değmemiş. Hareketsiz. Son bir defa baktı donattığı sofraya. Ve sonra sakince geceden hazırladığı iki bavulu kavradı. Ve Ella Rubinstein, böylece evini terk etti.

Otuz Sekizinci Kural: "Yaşadığım hayatı değiştirmeye, kendimi dönüştürmeye hazır mıyım?" diye sormak için hiçbir zaman geç değil. Kaç yaşında olursak olalım, başımızdan ne geçmiş olursa olsun, tamamen yenilenmek mümkün.

Tek bir gün bile öncekinin tıpatıp tekrarıysa, yazık. Her an her nefeste yenilenmeli. Yepyeni bir yaşama doğmak için ölmeden önce ölmeli.

Alaaddin
Konya, Aralık 1247

Babamla konuşmaya uzun zaman cesaret edemedim. Bir odaya kapandım, haftalarca fare gibi, hırsız gibi saklanarak yaşadım. En nihayet bir gün cesaretimi toplayıp babamın yanına vardım. Kütüphanede bir başına, mum ışığında oturuyordu.

"Müsaadenle konuşabilir miyiz?" diye sordum.

Ağır ağır, bir hülya denizinden sahile yüzercesine başını kaldırıp bana baktı ama bir şey demedi.

"Biliyorum, Şems'in kaybolmasında parmağım var zannediyorsun ama seni temin ederim ki..."

Babam parmağını kaldırıp lafımı kesti. "Sus evlat! Senden duymak istediğim bir şey yok. Sana söyleyecek sözüm de yok.

Bundan böyle aramızda kelimeler kurudu."

"Ama babacım, hakkımı yiyorsunuz. Müsaadenizle izah edeyim" dedim sesim titreyerek. "Kuran'ı getirin, el basayım. Yemin ederim ben değildim. Yapanları tanıyorum ama inanın ben masumum..."

"Oğlum" dedi, sanki bu kelime dilini yakmışçasına yüzünü buruşturarak. "Ben değildim dersin ama cüppenin kenarlarında onun kanı var."

İrkildim, hemen cüppemi yokladım. Doğru olabilir miydi? O geceden kalma bir leke mi vardı acaba? Kumaşı dikkatle inceledim. Temizdi. Başımı tekrar kaldırınca babamla göz göze geldik ve ancak o zaman bana kurduğu küçük tuzağı fark ettim. Gayriihtiyarî üzerimde kan var mı diye bakınca, yakayı ele vermiştim.

* * *

Doğru. O akşam meyhanede cinayeti planladıklarında ben de yanlarındaydım. Her şeyden haberdardım. Hatta Çakal Kafa'ya Şems'in geceleri avluya çıktığını fısıldayan bendim. Ve cinayet gecesi bahçe duvarının ardında katil ile maktulün aralarındaki konuşmayı dinleyen altı kişiden biriydim. Çakal Kafa'nın işi ağırdan aldığını fark edip saldırmaya karar verdiğimizde avluya giden patikayı diğerlerine gene ben gösterdim. Ama hepsi bu. Kavgaya katılmadım. Şems'e saldıranlar arasında yer almadım. Onu yapan Baybars'tı. İrşad'la diğerleri de yardım etti. Ve kim bilir, belki de başaramayacak, çuvallayacaklardı. Ama onların yarım bıraktığı işi Çakal Kafa tamamladı.

Bazen rüyalarıma giriyor. Her defasında farklı bir şekilde. Bir keresinde hayalet olup dolaştığını gördüm, bir keresinde yeniden doğduğunu. Bir başka rüyamda kuyudan çıkıyordu. Her seferinde yüreğim sıkışarak uyandım.

O artık yok ama izleri her yerde. Sema, şiir, müzik, nükte, hiciv, aşk ve cezbe... o hayatımızdan gider gitmez yok olacağını sandığım bir sürü şey kazık çakmış gibi bizimle kaldı. Babam her baktığı yerde onu görüyor. Şems haklıydı. Kavanozlardan biri kırılınca, diğeri de onunla beraber parçalandı. Babam ötedenberi yufka yürekli bir adamdı. Her dinden ve inançtan insana kucak açardı. Şems hayatına girdikten sonra sevgi çemberi öyle genişledi ki, cemiyetin en dibe vurmuşlarını bile kapsar oldu: evsiz barksızlar, meczuplar, cüzâmlılar, sarhoşlar, fahişeler, dilenciler, yankesiciler... Hepsini önyargısız bir nazarla kucaklayıp anlayışla karşılayabilir. Hatta inanıyorum ki Şems'in katillerini bile affedebilir. Sevmediği tek kişi var: Ben.

Babamın sevgi çemberine bir ben dahil olamadım. Öz be öz oğlu...

Sultan Veled
Konya, Şubat 1248

Babam o korkunç geceden sonra bir daha asla eskisi gibi olmadı. Uzun zaman hâli o kadar perişandı ki sandım kederden aklını oynattı. Hâlâ varını yoğunu dilencilere, yetimlere, düşkünlere dağıtıyor. Ne yaptığını soranlara, "İmrü'l Kays" diyor, başka bir şey demiyor.

İmrü'l Kays son derece zengin, kudretli ve heybetli, bir eli yağda bir eli balda bir Arap emiriymiş. Üstelik tebaası tarafından sevilir ve sayılırmış. Ama bir gün hiç beklenmedik bir şekilde sarayını, tahtını bırakmış. Malını mülkünü sebil edip dağıtmış. Üstünde bir derviş hırkası, elinde asa diyar diyar gezer olmuş.

"Benim içimdeki hükümdar da gitti, geriye sadece bir derviş kaldı" diyor babam. "Mademki Şems yok, ben de yokum. Bundan böyle ne hatip, ne âlim, ne fakih olurum."

Geçen gün, yüzünden sahtekârlık akan kızıl saçlı bir bezirgân kapımızı çaldı. Bağdat'tan geldiğini söyledi. "Şems'in kaybolduğunu işittim. Ben kendisini eskiden beri tanırım. Onun sağ koluydum, en yakınıydım" dedi. Sonra bir sırrı paylaşırcasına babamın kulağına eğildi; Şems'in sağ olduğunu, şimdilik Hindistan'da gizlendiğini, ortaya çıkmak için uygun zamanı kolladığını iddia etti.

Genç adamın yalan söylediği o kadar barizdi ki. Fakat babam, "bu güzel habere karşılık dile benden ne dilersen" demez mi! Bezirgân da gayet pişkin, bir zamanlar derviş olmaya özendiğini ama madem hayat onu başka bir istikamete savurdu, Rumi gibi meşhur bir âlimin kaftanına sahip olmaktan memnun olacağını söyledi. Ve babam bunu duyar duymaz altın sırma işlemeli kadife kaftanını çıkarıp adama verdi.

Bezirgân gidince dayanamadım, sordum: "Babacım, bu delikanlıyı hiç gözüm tutmadı. Niçin kaftanınızı ona verdiniz? Yalan söylediği her hâlinden belliydi."

Babam dalgın dalgın gülümsedi. "Şems'in hayatta olduğunu söyledi ya. Böyle bir yalanın bedeli bir kaftan vermişim, fazla mı? Düşünsene ya doğru olsaydı dedikleri, ya hakikaten Şems hayatta olsaydı? O zaman değil kaftan, canımı verirdim!"

Rumi
Konya, 30 Ekim 1260

Bugün Şems'le Şekerci Han önünde karşılaşmamızın on altıncı sene-i devriyesi. Her Cemâziyelevvel aynı günler inzivaya çekilirim. Zaman ağırlaşır, boynumda bir değirmen taşı olur. Kırk gün çilede kalır Şems'in kurallarını düşünürüm. Tek tek her birini yâdeder ve yaşarım. Ruhumun güneş almayan kuytu bir köşesinde Şems-i Tebrizî ışık saçar, gülüşü fener gibi...

Sevdiğin birini yitirince bir yanın onunla beraber kaybolur. Terk edilmiş hayaletli bir ev gibi buruk bir yalnızlığa esir olur, eksik kalırsın. İçinde bir sır gibi, giden sevgilinin yokluğunu taşırsın. Öyle bir yara ki üzerinden ne kadar zaman geçerse geçsin gene de canını yakar. Öyle bir yara ki iyileştiğinde bile kanar. Bir daha gülemeyeceğini, asla hafifleyemeyeceğini sanırsın. Karanlıkta el yordamıyla ilerler gibi akar hayat. Önünü göremeden, yönünü bilemeden, sadece şu anı kurtararak... Gönlünün kandili sönmüş, zifiri gecede kalmışsındır. Ama işte ancak böyle durumlarda, yani iki göz birden karanlıkta kalınca, bir üçüncü göz açılır insanda. Kapanmayan bir göz... Ve ancak o zaman anlarsın ki bu elem sonsuza dek sürmeyecek. Hazandan sonra başka mevsimler, bu çölden geçince nice vadiler gelecek; bu ayrılığın ardından da ebedi bir vuslat.

Yeni kaybettiğin kişiyi manevi gözle bakınca her yerde görmeye başlarsın. Denize düşen katrede, dolunayla hareketlenen med-cezirde, esen her esintide ona rastlarsın. Kuma çizili remilde, güneşte parlayan kristal tanesinde, yeni doğmuş bebeğin tebessümünde, bileğinde atan nabzında onu seyredersin. Her yerde, her şeyde onu görürken nasıl derim ki Şems gitti?

En zorlu günlerimde bana iki kişi yardım etti. Büyük oğlum ve Selahaddin Zerkubi isminde bir veli. Selahaddin demiri döverken tezgâhından yayılan usulü ilk duyduğumda evrenin yürek atışını işittim sandım. Ve hemen orada semaya durarak Şems'in başlattığı dansa son hâlini verdim. Günü geldi, büyük oğlum, Selahaddin'in büyük kızı Fatma ile evlendi. Bu son derece çalışkan ve akıllı kız bana güzeller güzeli Kimya'yı hatırlatır. Zamanla Fatma "sağ gözüm" oldu, kız kardeşi Hediye ise "sol gözüm". Ne zaman toplum içinde bir vazife ifa etmem gerekse, bu gözler bana rehber oldu. Kim demiş kızlar erkekler kadar iyi talebe olamaz diye? Sevgili Kimya kızların başarısını kanıtlamıştı zaten. Ben de onun ruhuna hürmeten sadece erkekler için değil, kadınlar için de sema ayinleri düzenliyorum ve Sufi bacılara bu âdeti devam ettirmelerini salık veriyorum. Sakın ola bir kadının erkekten geri yahut eksik olduğunu sanmasınlar! Ayrımcılık yapıp insanı insana üstün tutmak biz kullara özgüdür; yoksa Allah'a değil.

Dört sene önce Mesnevi'yi yazmaya başladım. Daha doğrusu, Mesnevi kendi kendini yazmaya başladı. İlk mısranın gelişini unutmam kabil değil. Bir şafak vaktiydi. Gün ışığı karanlığı yararken kelimeler ağzımdan dökülüverdi. İstemsizce, âdeta bana rağmen. Ne söylüyorum, neden söylüyorum bilemeden şiir soludum o sabah. Ve o andan itibaren dizeler belli aralıklarla gelmeye devam etti. Şiirler, soluklanacak pınar arayan göçmen kuş sürüleri gibi aniden gelir, başıma çöreklenir, bir ağızdan şakır ve sonra uçar gider. Aralarında öyle mısralar var ki "bir daha tekrar et" deseler, edemem. Selahaddin olmasa belki de çoğu kaybolacak, unutulacaktı. Ama o büyük bir sabır ve özveriyle her birini kâğıda çekti. Selahaddin yazdı, Sultan Veled suretini çıkarttı. Böylece sayfa sayfa büyüdü Mesnevi. Okurunu bekler şimdi.

Bir şiire başlarken çoğu zaman devamının nasıl geleceğini bilmiyorum. Uzunluğunu yahut derinliğini kestiremiyorum. Şiir tamamlanınca yeniden suskunluğa gömülüyorum. Sessizlikte yaşıyorum. İki mahlas kullanıyorum. Biri Hamuş –Suskun. Diğeri Şems-i Tebrizî. Yitirdiğim ruhdaşımın adıyla yazıyorum.

Bu arada dünya; etten, kemikten, maddeden, düşler ve düş kırıklıklarından ibaret olan dünya, kendi hızında dönüyor. Herkesin yıkılmaz kale sandığı Bağdat, 1258'de Moğolların eline geçti. Refahıyla, ihtişamıyla övülen, dünyanın merkezi olduğu iddia edilen şehir bir günde düştü. Aynı sene Selahaddin Zerkubi öldü. Dervişlerimle beraber cenazesinde muazzam bayram ettik; sokakları kudümlerle, tamburlar, neylerle inlettik. Zira bir veli ağlayarak değil, gülerek uğurlanır. Sene 1260 oldu, bu sefer yenilme sırası Moğollara geldi. Rakibin ismi Memluk'tu. Dünün aman vermeyenleri, bugünün aman dilenenleri oldu. Kader denilen kart destesi yeniden karıldı ve kesildi. İktidar merdivenini hızlı hızlı çıkanlar tepetaklak oldu. Başarıya alışkın insan zanneder ki ilelebet muzaffer ve zengin kalacak. Ve her mağlup zanneder ki ömür boyu belini doğrultamayacak. Hâlbuki ikisi de yanılır. Şu fani dünyada rüzgâr çabuk yön değiştirir. Hüznü de neşeyi de, zaferi de yenilgiyi de, hiçbir şeyi kalıcı sanma. Bir de bakmışsın galip güçten düşmüş, zayıf palazlanmış. Allah'ın görünmeyen sureti dışında her şey her an değişime tâbidir.

Bu zaman zarfında beni en çok gururlandıran insanlardan biri medreseyi bırakıp tekkeye gelen Talebe Hüsam oldu. Öyle çabuk olgunlaştı, maneviyat yolunda o kadar hızlı pişti ki şimdi herkes ona saygı besliyor ve Hüsam Çelebi diye hitap ediyor. Selahaddin'in ölümünden sonra şiirleri yazmama o yardım ediyor. Mesnevi'yi kaleme alan kâtip odur. Tevazu, güzel ahlak ve pırıl pırıl bir gönle sahip olan Hüsam Çelebi'ye birisi çıkıp da "kimsin, nesin?" diye sordu mu hep aynı cevabı veriyor:

"Ben Şems-i Tebrizî'nin ayak izinden giden fakir biriyim. Olduğum olacağım budur işte. Ne mürit, ne mürşit peşindeyim. Güzel bir insanın mirasının unutulmaması için hizmet etmektir niyetim."

Ve böylece seneler geçti, geçiyor. Yaşlandığını senden evvel vücudun anlıyor. Basamakları çıka çıka kırkına basıyorsun; sonra elli, elli beş, derken altmış oluyorsun...

Her on senede bir durup geriye bakıyorum. Yürümeye, yola

devam etmeye mecburum. Harflerden bir saray yaptım kendime. Koridorları aşk, duvarları aşk, taht odası aşk... Sufi olmayana pek karmaşık görünür dünya. Çok şahıslı, sürtüşmeli ve tartışmalı... Hâlbuki bunca kargaşa tek bir kelimede saklı. Kelime harfte saklı. Harf noktada saklı. B'nin altındaki noktada... Bu şuurla bizler gece gündüz sema ediyoruz. Savaşların, kardeş kavgalarının, yanlış anlamaların, kalp kırıklıklarının, açlık ve sefaletin, mağduriyet ve adaletsizliklerin ortasında, her şeyi kapsayıp kucaklayarak ama hiçbir şeye değmeden dönüyoruz ebediyen. Bütün cihan cayır cayır yansa, yer gök kızıla boyansa, sarayları seller alsa, bir padişah gidip bir başkası gelse, bizim için fark etmez. Elemde, neşede, ümitte ve yeiste, hem tek başımıza hem hep beraber, hem usulca hem sonsuz bir hızla, su gibi akarcasına döneriz semada. Dizlerimize kadar kendi kanımıza batsak bile vazgeçmeyiz Aşk'a dönmekten, Aşk'a secde etmekten.

Kâinatta mükemmel bir ahenk, hassas bir nizam var. Parçalar ve noktalar habire değişir. İsimler ve makamlar yenilenir. Ettiği her laf, verdiği her zarar insana geri gelir. Hâlbuki insan bunu bilmez; kendini zora koşmakta mahirdir. Başına gelenlerden hep başkalarını sorumlu tutar. Ayrıntılar silinir ve sil baştan çizilir. Ama çember sabit kalır.

Otuz Dokuzuncu Kural: Noktalar sürekli değişse de bütün aynıdır. Bu dünyadan giden her hırsız için bir hırsız daha doğar. Ölen her dürüst insanın yerini bir dürüst insan alır. Hem bütün hiçbir zaman bozulmaz, her şey yerli yerinde kalır, merkezinde... Hem de bir günden bir güne hiçbir şey aynı olmaz.
Ölen her Sufi için bir Sufi daha doğar.

Bizim dinimiz aşk dini. Yolumuz aşk şeriatı. Ucu bucağı olmayan bir kalp zincirinde sadece birer halkayız. Şayet zincir bir yerinden kopacak olursa, bir başka halka eklemlenir anında. Giden her bir Şems-i Tebrizî için başka bir asırda, başka bir mekânda, bilinmedik bir isim altında bir Şems daha gelir.

Kimisi Şems olarak doğar.

Kimisi Şems olarak ölür.

Ella
Konya, 7 Eylül 2009

Bişnev! Dinle!

Sabah ezanını hayatında ilk defa işiten birine duyduğu sesin neye benzediğini sorun. Muhtemelen şunu söyleyecektir: Gizemli, sıra dışı, neredeyse tılsımlı. Ama aynı zamanda doğaüstü, akıldışı, hatta ürpertici. Tıpkı aşk gibi!

Gecenin karanlığında, Ella Rubinstein'ı uyandıran ses buydu. Hızla doğruldu. Açık pencereden içeri dolan erkek sesinin ne olduğunu çıkarana kadar boş boş baktı. Artık Amerika'da, Massachusetts'te olmadığını hatırlaması için birkaç saniye geçmesi gerekti. Bulunduğu yer, kocası ve üç çocuğuyla paylaştığı o geniş ve lüks ev değildi. Bunların hepsi başka bir zamana aitti. O kadar uzak bir zaman ki, değil kendi mazisi, bir peri masalı gibi geliyordu şimdi.

Hayır, Massachussets'te değildi. Dünyanın bambaşka bir yerindeydi. Konya'da, ilaç ve temizlik malzemesi kokan mütevazi bir hastanedeydi. Ve şu an nefes alış verişini işittiği insan yirmi senelik kocası değil, geçen yaz güneşli bir öğleden sonra uğruna kocasını terk ettiği adamdı.

Masa lâmbasını yaktı. Çehresini yumuşatan kehribarımsı ışıkta, uykuda geçirdiği şu bir iki saat boyunca odada değişen bir şey olmuş mu diye merak etmişçesine sağa sola bakındı. Hayatında gördüğü en küçük hastane odasındaydı. Gerçi Ella'nın hayatında pek fazla hastane odası gördüğü söylenemezdi ya neyse. Tam orta yerde hasta yatağı duruyordu. Onun dışındaki her şey, - hırpalanmış bir etajer, ahşap dolap, sandalyeler, papatyalarla dolu vazo, üstü haplarla kaplı sehpa- yatağa göre hizalanmıştı. Bir kenarda Aziz'in okuduğu kitap duruyordu: *Ben ve Rumi.*

Konya'ya geleli dört gün olmuştu. Şehirdeki ilk zamanlarını tipik turistik uğraşlarla geçirmişlerdi: Anıtları, müzeleri gezmiş; sokakları, binaları görüntülemiş; yöre yemekleriyle karınlarını doyurmuş, alelade ayrıntılara bile pürdikkat kesilmişlerdi. Düne kadar her şey yolunda gidiyordu. Ama dün Aziz öğle yemeği esnasında fenalaşmış, acilen en yakın hastaneye kaldırılmıştı. O andan itibaren tam olarak ne umacağını bilmeden ama gene de umutlanmaktan vazgeçmeden bekliyordu Ella. Ve bir yandan Tanrıyla münakaşa ediyordu. *"Bu kadar geç verdiğin aşkı böyle erken mi alacaksın elimden? Adil değil bu yaptığın. Ya hiç vermeseydin aşkı, ya bıraksaydın yaşayayım..."*

Yatakta yatan adama sevgiyle baktı. "Canım, uyuyor musun?" diye sordu. Aslında onu uyandırmak istemiyordu. Ama şu an sesini duymaya o kadar çok ihtiyacı vardı ki. Dayanamadı. Bir daha seslendi: "Aziz!"

Hastanın nefes alış verişinin monoton ritmi bir anlığına sekti, ezgide bir nota fire verdi ama başka bir yanıt gelmedi.

"Uyuyor musun?" diye tekrarladı Ella sesini yükselterek.

"Uyuyordum!" dedi Aziz muzipçe. "Ne oldu aşkım, uykun mu kaçtı?"

"Sabah ezanı ürpertti..." diye cevap verdi Ella ve sustu. Sanki bu üç kelime her şeyi açıklıyordu: Aziz'in kötüleşen sağlığını, onu kaybetme korkusunu, aşk denen çılgınlığı ve başlarından geçen her şeyi özetliyordu.

Aziz yatakta güçlükle doğruldu, koyu yeşil gözlerinden ince bir sızı taşıyordu. Lâmbanın ışığında, karbeyaz çarşaflar arasında biçimli yüzü solgun görünüyordu. Gene de sakin ve emin bir hâli vardı.

"Sabah ezanını hep özel bulmuşumdur" diye fısıldadı Aziz. "Bu sese alışkın olanlar onu senin gibi duyamaz. O kadar kanıksamışlardır ki büyüsünü fark edemezler. Hâlbuki bir yabancı bu sesi ilk duyduğunda irkilir kalır. Derler ki sabah namazı beş vakit namazdan en kıymetlisi ama aynı zamanda en zorudur."

"Neden?"

"Herhâlde bizi tatlı uykumuzdan uyandırdığı için. Rüyalarımızı bölüp bir başka hakikate davet eder ya, zor gelir. O yüzden sabah ezanında diğerlerinde olmayan fazladan bir satır mevcuttur: *Namaz uykudan hayırlıdır.*"

Ama belki biz ikimiz için uyku daha hayırlıdır diye düşündü Ella. *Keşke beraber uyuyakalsak.* Şöyle derin ve dingin, top atılsa duymayacağın türden bir uykuya dalsalar... Uyuyan Güzel'inki kadar sihirli bir rüyaya çekilip yüz sene boyunca uyanmasalar...

Az sonra ezan sonlandı; diğer camilerden gelen yankılar da bir bir tamamlandı. En son nota gökyüzünden çekilince esrarengiz bir sessizlik hâkim oldu ortalığa. O sessizlikte Ella Aziz'in yeniden uykuya dalışını seyretti. Beraber bir sene geçirmişlerdi. Dolu dolu bir sene. Son iki haftaya kadar Aziz doktorlarını şaşırtacak kadar dirençli çıkmış, çıktıkları her seyahatte ışık ve enerji saçmıştı. Bir günün öncekine benzemediği, hayatın kendini tekrar etmediği yoğun bir birliktelik olmuştu onlarınki. Ella ezberinin bozulmasından memnundu. Meğer birini aşkla, şuurla ve şükranla sevmek ne güzelmiş!

Ella eskiden insanların birbirini tanıması için uzun zaman geçmesi gerektiğine inanırdı. Hâlbuki şimdi zaman denilen kavramın farklı türleri olduğunu düşünüyordu. Aslında tek bir kelimeyle birden fazla şey açıklamaya çalışıyorduk. "Zaman-1" körelmiş alışkanlıkların, köhnemiş uğraşların, habire telaş içinde ama hep yerinde sayarak koşturmacaların monoton ve mekanik gidişatıydı. "Zaman-2" sürprizlerle ve sihirle dolu, iniş çıkışı bol, pupa yelken, sarhoş edici bir akıştı. Zaman-3 Tanrı'nın mutlak zamanıydı.

Zaman-1 ile Zaman-2 aynı hızda akmıyordu.

Zaman-3 ise her şeyi kapsayarak diğer zamanları hem yutuyor, hem yaratıyordu.

Ella eğilip Aziz'i usulca öptü; önce alnından, sonra kurumuş dudaklarından. Şu son bir sene içinde deli gibi sevdiği, seviştiği, içine aldığı ve bir kovuk gibi içine çekildiği bu beden onun için bir erkeğin bedeninden çok daha fazla bir şey, âdeta bir mabetti. Bu sayededir ki Aziz'in günbegün gözünün önünde eriyişi Ella'da ne uzaklaşma arzusu ne acıma duygusu yaratmıştı. Aziz, içtikçe susadığı, berraklığına doyamadığı pınardı. Demek bir kadın bir erkeğin ruhuna âşık olunca hasta vücudunu da böyle sevip arzulayabilirmiş. Bunu birilerine anlatmaya kalksa anlayan çıkar mıydı?

Komodinin arkasında serum şişesi tıp tıp damlıyor; hastanın zayıflayan bünyesine damla damla hayat yolluyordu. Ama Ella biliyordu ki Aziz Konya'ya ölmeye gelmişti. Hiçbir serum şişesi, hiçbir solunum makinesi bunu değiştiremeyecekti. Gözleri doldu. Hâlbuki kendi kendine söz vermişti, ağlamayacaktı.

Orada daha fazla duramayıp odadan çıktı. Beyaza boyalı ama insanın ruhunu karartan koridorlardan geçti; aralık duran kapılardan diğer hastaları gözetledi. Genç yaşlı, kadın erkek, kimi şişman, kimi avurtları çökmüş; kimi gülen, kimi somurtan bunca insan... Bazıları dönüp, kapıdan kafasını uzatan bu meraklı Amerikalı kadına ilgiyle baktı. Bazıları umursamadı, o kadar çoktu ağrıları.

Beş dakika sonra Ella hastanenin ufak ama şirin bahçesindeki havuzun başına vardı. Havuzun tam ortasında mermerden bir melek duruyordu; tabanında kim bilir kaç insanın en gizli dileklerini bilen demir paralar ışıldıyordu. Ella bozuk para bulmak için ceplerini karıştırdı ama nafile! Karaladığı notlar ve kraker kırıntıları dışında bir şey bulamadı. Az ileride birkaç çakıl taşı dikkatini çekti. Kaygan, parlak, sarımtırak çakıllar. Birini aldı, gözlerini kapadı, gerçekleşmeyeceğini bildiği bir dilek tutup çeşmeye attı. Fakat taş suya düşeceğine, çeşmenin kenarından sekip doğruca heykelin kucağına indi.

"Aziz burada olsaydı, kesin bunu bir alamet sayardı" diye geçirdi içinden.

Yarım saat sonra odaya döndüğünde, bıyıklı bir doktor ve başörtülü bir hemşireyle karşılaştı. Yatak örtüsünü hastanın başına çekiyorlardı.

Aziz Zekeriya Zahara bu dünyadan sessizce ayrılmıştı.

* * *

Tıpkı hayranlık beslediği Rumi gibi Konya'ya gömülmeyi vasiyet etmişti. Tüm hazırlıkları Ella tamamladı. Her zamanki titiz plancılığı bu sefer işe yaradı. Tek başına bir turist kadın olarak bürokrasiden hiç anlamaması bazen bir engel, bazen kolaylaştırıcı oldu. Asırlık bir Müslüman mezarlığında latif bir manolya ağacının altında Aziz'e yer buldu. Dikdörtgen bir toprak parçası... Aynı günün akşamı Aziz'in dünyanın dört bir yanındaki arkadaşlarına e-mailler gönderip hepsini tek tek törene davet etti. Bu arada hoş bir rastlantıyla Mevlevi neyzen, kudümzen ve semazenlerle tanıştı; onları cenazeye çağırdı. Ummadığı insanlardan beklemediği yardımlar gördü. Aziz hayatta olsaydı gülümserdi muhtemelen.

"Tesadüf diye bir şey mi var Ella?"

Defin günü Ella'nın tahmin etmediği kadar çok insan çıkageldi. Tâ Cape Town'dan, St. Petersburg'dan, Mürşidabad'dan, Sao Paolo'dan gelen mistikler oldu. Onların yanı sıra fotoğrafçılar, akademisyenler, gazeteciler, yazarlar, dansçılar, heykeltıraşlar, bankacılar, iş adamları, çiftçiler, şairler, ressamlar, yoga hocaları da vardı. Ve bir de Aziz'in evlat edindiği iki genç. Onlar da oradaydı.

Böylece birbirinden tamamen farklı diller konuşan, başka başka inançlardan hercai bir cenaze alayı Aziz'i son yolculuğuna uğurladı. Bazı misafirlerin farklı yaşlarda çocukları da vardı. Bunlar, civardaki sokak çocuklarıyla bir kenarda bağrış çağrış maytap patlattılar; kimse karışmadı. Meksikalı bir şair *pan de muertos*, ölüler ekmeği dağıttı; Aziz'in tâ İskoçya'dan eski bir arkadaşı kalabalığın üstüne konfeti gibi gül yaprakları saçtı. Neyzenler ney üfledi, semazenler sema etti. Ölümünü kutladılar, çünkü öyle isterdi. Yas yerine neşe... Düğün alayı gibi bir cenaze...

Konya esnafından kamburu çıkmış, ağzında iki dişi kalmış bir ihtiyar adam manzarayı ağzı kulaklarında ve merakla izledikten sonra: "Konya Konya olalı böyle acayip cenaze görmedi" dedi ve ardından ekledi: "Tabii asırlar evvel Efendi Mevlâna'nın düğün gecesi sayılmazsa."

* * *

Cenazeden üç gün sonra, bütün misafirler gidince yapayalnız kalan Ella son bir kez şehri gezmeye çıktı. Yanından bebek arabalarını ite ite yürüyüp geçen orta hâlli aileleri, kumaş ve baharat dükkânlarını, ona ısrarla birşeyler satmaya çalışan işportacıları bir film şeridini izler gibi izledi. Onlar da tam ortalarından geçen uzun boylu, gözleri ağlamaktan şişmiş bu Amerikalı kadına ilgiyle baktılar. Ella buraya yabancıydı ama şu an öyle bir ruh hâlindeydi ki her yere yabancıydı.

Otele dönünce bavullarını hazırladı. Ceketini çıkarıp yavruağzı kaşmir bir kazak giydi. *"Hep olduğundan güçlü görünmeye çalışan bir kadın için fazla cici ve dişi"* diye geçirdi içinden. Ama umurunda değildi. Kabullenmişti. Neyse oydu. Ardından Amerika'ya, büyük kızına telefon açtı. Üç çocuğundan yalnızca Jeannette hâlâ onunla konuşuyordu. Orly ve Avi annelerine bir senedir küslerdi.

"Mamiş, nasılsın?" diye sordu Jeannette heyecanla.

Ella buruk ve mahcup gülümsedi. Bir zamanlar aşkını küçümseyip nutuklar attığı, sevdiği adamla evlenmesine karşı çıktığı kızı bugün ona destek olan tek insandı. Belli belirsiz bir fısıltıyla "Aziz öldü" dedi.

Bir hışırtı oldu telefonda. Jeannette'in sesi geldi gitti. "Ah anne, çok üzüldüm. Başın sağ olsun."

Bir süre karşılıklı ne söyleyeceklerini bilemeden durdular. Suskunluğu Jeannette bozdu: "Artık eve dönecek misin?"

Sahi Ella şimdi ne yapacaktı? Boşanma işlemleri içinden çıkılmaz bir hâl almıştı. David ayrılmayı zorlaştırmak için elinden geleni ardına koymayacağa benziyordu. Uzun ve sert bir mektup yazmış, Ella'ya "sana beş kuruş bile koklatmayacağım" demişti. Kocası kızgın, ikizleri küskündü. Dönse her şey daha kolay olmaz mıydı?

Üstelik ne parası vardı, ne tutacak işi. Gerçi her yerde kolaylıkla İngilizce ders verebilir, dergilere yazabilir, yahut kim bilir, günün birinde bir yayınevinde editör olarak çalışabilir, hatta kendi romanını yazabilirdi. Gözlerini kapadı. Daha önce hiç böyle tek başına kalmamıştı ama ne tuhaf, kendini yalnız hissetmiyordu.

"Jeannette bebeğim, seni çok özledim" dedi. "Orly ile Avi'yi de. Gitmemin sizinle bir ilgisi yoktu. Size sevgim hiç azalmadı..."

"Biliyorum" dedi Jeannette olgunlukla.

"Beni görmeye gelir misiniz?"

"Tabii gelirim... geliriz anne... sen ikizlere bakma, geçer...

önemli olan senin iyi olman. Şimdi ne yapacaksın? Dönmek istemediğinden emin misin?"

"Galiba Amsterdam'a gideceğim" dedi Ella. "Orada ufak, şirin çatı katı daireler var. Birini kiralayabilirim. Gerçi bisiklete binmeyi ilerletmem gerekecek..." Güldü. "Hiç plan yapmadım Jeannette. Yarın, öbür gün, beş sene sonra ne olacak bilmiyorum. Tek bildiğim hayata yeniden başladığım. Zaten bu da kurallardan biri, öyle değil mi?"

"Ne kuralı anne? Neden bahsediyorsun?" diye sordu Jeannette.

Ella pencereye yanaştı, ufku saran mavimsi tonlara baktı. Gökyüzünde tül gibi beyaz ve ince bulutlar ağır ağır dönüyor, hiçliğe karışıp eriyordu, tıpkı semazenler gibi...

"Kırkıncı Kural" dedi tane tane konuşarak. **"Aşksız geçen bir ömür beyhude yaşanmıştır. Acaba ilahi aşk peşinde mi koşmalıyım mecazi mi, yoksa dünyevi, semavi ya da cismani mi diye sorma! Ayrımlar ayrımları doğurur. AŞK'ın ise hiçbir sıfata ve tamlamaya ihtiyacı yoktur.**

Başlı başına bir dünyadır aşk. Ya tam ortasındasındır, merkezinde, ya da dışındasındır, hasretinde. "

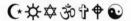

Yararlanılan kaynaklar

Algan, Refik ve Helminski, C. Rumi's Sun: The Teachings of Shams of Tabriz, Sandpoint, 2008.

Baldick, Julian. Mystical Islam, New York, 1989.

Barks, Coleman, The Soul of Rumi, New York 2002.
A Year With Rumi, New York, 2006.

Bayram, Mikail. Selçuklular Zamanında Konya'da Dini ve Fikri Hareketler, Konya, 1991.
Bacıyan-ı Rum: Anadolu Selçukluları Zamanında Genç Kızlar Teşkilatı, Konya, 1987.

Bayrak, Shaykh Tosun. The Name and the Named, New York, 2001.

Bayru, Esin Çelebi ve Bekir Seha Sağbaş, *Yüzyıllar Boyunca Mevlana ve Mevlevilik,* Kültür ve Turizm Bakanlığı, İstanbul, 2008.

Chittick, William. The Sufi Path of Knowledge: The Spiritual Teachings of Rumi, Albany, 1983.
Me & Rumi, The Autobiography of Shams-i Tabrizi, Kentucky, 2004.

Corbin, Henry. Creative Imagination in the Sufism of Ibn Arabi, Princeton, 1969.

Eflaki, Ahmed. Ariflerin Menkıbeleri, çev. Tahsin Yazıcı, Kabalcı, İstanbul.

Gölpınarlı, Abdülbaki. Melamilik ve Melamiler, İstanbul, 1983
Mevlana'dan Sonra Mevlevilik, İstanbul, 1987.

Halman, Talat, Mevlana Celalettin Rumi and the Whirling Dervishes, İstanbul, 1983.

Helminski, Kabir. The Knowing Heart, Boston, 1999.

(ed), The Rumi Collection, Boston, 2005.

İnançer, Tuğrul. Gönül Sohbetleri, İstanbul, 2006.

Kafadar, Cemal. Between Two Worlds, Berkeley, 1995.

Karamustafa, Ahmet T. Tanrının Kural Tanımaz Kulları, İstanbul, 2008.

Khan, Inayat Vilayat Pir. In Search of the Hidden Treasure, London, 2003.

The Art of Being and Becoming, London, 2005.

Köprülü, Fuat. Türk Edebiyatında İlk Mutasavvıflar, Ankara, 1966.

Lewis, Franklin. Rumi: Past and Present, East and West, Oxford, 2008.

Melikoff, Irene. Uyur İdik Uyardılar, İstanbul, 2006.

Mevlana, Celaleddin. Mesnevi, çev. Veled İzbudak, Gözden Geçiren Abdülbaki Gölpınarlı, Konya Büyükşehir Belediyesi Yayınları, 2004.

Nicholson, R. A. The Idea of Personality in Sufism, Cambridge, 1923.

Mystics of Islam, Arkana, 1989.

Multi-Douglas, Fedwa. Woman's Body, Woman's Word: Gender Discourses in Arabo-Islamic Writing, Princeton, 1991

Ocak, Ahmet Yaşar. Osmanlı İmparatorluğu'nda Marjinal Sufilik: Kalenderiler, Ankara, 1992.

Öztürk, Yaşar Nuri Öztürk, Kuran-ı Kerim ve Yüce Meali, Yeni Boyut Yayınları.

Sargut, Cemalnur. Dinle, İstanbul, 2006.

Schimmel, Annemarie. I am Wind, You Are Fire: The Life and Work of Rumi, Boston, 1992.

İslamın Mistik Boyutları, İstanbul, 2001.

Shah, Idries. The Sufis, London, 1994.

Wisdom of the Idiots, London, 1991.

Smith, Margaret. Studies in Early Myticism from Near and Middle East, London, 1995.

Sonuç, Turhan. İslam Tasavvufunda Olgunlaşma Yöntemleri, İstanbul, 1982.

Ürkmez, Melahat. Şems-i Tebrizî, İstanbul, 2008.

Yazır, Elmalı Hamdi, Kur'ân-ı Kerim ve Yüce Meali, Merve Yayınları.

EK

Biyografi
Söyleşi
Görüşler

Strasbourg doğumlu **Elif Şafak,** çocukluğunu ve gençliğini Ankara, Madrid, Amman, Köln, İstanbul, Boston, Michigan ve Arizona'da geçirdi. ODTÜ Uluslararası İlişkiler Bölümü'nü bitirdi, yüksek lisansını aynı üniversitede Kadın Çalışmaları Bölümü'nde, doktorasını ise siyasetbilimi alanında tamamladı. İlk romanı *Pinhan*'la 1998 Mevlâna Büyük Ödülü'nü aldı. Bunu *Şehrin Aynaları* (1999) ve Türkiye Yazarlar Birliği Ödülü'nü kazandığı *Mahrem* izledi (2000). Ardından her ikisi de çok satan ve geniş bir okur kitlesine ulaşan *Bit Palas* (2002) ve İngilizce kaleme aldığı *Araf* (2004) yayımlandı. *Med-Cezir*'de (2005) kadınlık, kimlik, kültürel bölünme, dil ve edebiyat konulu yazılarını topladı. 2006'da senenin en çok okunan kitabı olan *Baba ve Piç* yayımlandı. Ardından aylarca satış listelerinden inmeyen ilk otobiyografik kitabı *Siyah Süt*'ü yazdı. Doğan Kitapçılık tarafından 2009 martında yayımlanan *Aşk* Türk yayıncılık dünyasında önemli bir rekora imza atarak, en kısa sürede en çok satan roman oldu. Tüm eserlerinden seçkiler niteliğinde olan *Kâğıt Helva* Aralık 2009'da, gazete yazılarından derlediği *Firarperest* Kasım 2010'da yine Doğan Kitapçılık tarafından yayımlandı.

Eserleri otuz dile çevrilen Elif Şafak'ın romanları Viking, Penguin, Rizzoli ve Phebus gibi dünyanın en önemli yayınevleri tarafından yayımlanmaktadır.

www.elifsafak.com.tr

Yazmaya ne zaman, nasıl başladınız?

Yazmaya çocuk yaşta başladım. Ama yazar olmaya heves ettiğim için değil. Son derece yalnız ve içine kapanık bir çocukluk geçirdim. Ben de "gerçek" hayattan kaçıp kitapların, hikâyelerin ve kelimelerin renkli dünyasına sığınmayı seviyordum. Böyle başladım yazmaya, günlükler tutarak. Zamanla günlükler hikâyelere, hikâyeler romanlara evrildi. Yazıyla bağım çok derin, varoluşsal. Yazma aşkı benim gözümde yazarlık kariyerinden daha önemli. Günün birinde yazdıklarımı yayımlamaktan vazgeçebilirim. Ama yazmaktan kolay kolay vazgeçemem.

Aşk, geniş bir coğrafyayı, birbirinden çok farklı karakterleri kapsıyor. Bu karakterleri nasıl çiziyorsunuz?

Anlattığım karakterleri yüreğimde hissediyorum. Tüm romanlarımda anlattığım karakterlerle aramda yatay bir bağ kuruyorum. Onlara tepeden bakmıyorum. Benim romanlarım çok odalı, çok katlı binalar gibi. Farklı okurlar, farklı kapılardan geçerek binayı dolaşıyor. Bu esnekliği, çoğulluğu seviyor ve önemsiyorum. *Aşk*'ta anlattığım her karakteri severek yazdım. Onları yargılamak yerine onların hüzünlerini ve sevinçlerini hissetmeye çalıştım. Yazarlık bir nevi aktörlük. Yazarken tek tek tüm karakterlerin hallerine bürünüyorum.

Aşk'ta verilen Kırk Kural okurlardan büyük ilgi gördü. Hatta bunların hakikaten Şems-i Tebrizi'nin yazılı kuralları olduğunu zannedenler var. Bu kurallar kurgu mu?

Tabii ki kurgu. Bu kuralları romanı yazarken, hikâyenin akışı içinde oluşturdum. Ama elbette kendi tasavvuf okumalarımdan da beslendim. Benim tasavvufa ilgim bundan on beş sene evvel henüz öğrenciyken başladı. Tezimi Bektaşi ve Mevlevi düşüncesi üzerine yazdım. Seneler içinde ilgim katlanarak arttı. Başlarda daha entelektüel bir ilgiydi, zamanla akıldan kalbe indi. İlk romanım *Pinhan*'dan bu yana tasavvuf benimle beraber gelen bir alt akıntı oldu. Hep bu alanlarda okumayı, düşünmeyi sevdim. Sadece Anadolu kökenli tasavvufla değil, evrensel Sufizmle de yakından ilgileniyorum. Dolayısıyla on beş seneye yayılan bir okuma var bu romanın ardında. Ama bu romanı bilgiden çok kalp gözüyle yazmaya çalıştım.

Romanlarınızda kendinizden ne kadar izler var?

Dokuz kitabım içinde bir tek *Siyah Süt* otobiyografik bir eser. Yazarken romanlarımı kendi üzerime kurmuyorum. Zaten bence edebiyat "kendini anlatmak" demek değil, aslında "bir başkası olabilme yeteneği". Kendini bir başka insanın yerine koymak. Onun hikâyesini yüreğinde hissetmek. Edebiyatımın bir yanı yerel, bu topraklardan ve kültürden besleniyor. Diğer yanım dünyayı dolaşan pergel gibi. Sanatın evrensel olduğunu düşünüyorum. Kalemim farklı insanları buluşturabiliyorsa, onlar arasında empati kurabiliyorsa bu beni mutlu eder.

Bence sanat insanları buluşturur, ayrım yapmaz, kimseyi dışlamaz. Okurların hem keyifle okuyacağı hem derinlik bulacağı, kalp gözüyle okunacak kitaplar yazmak istiyorum.

Kitapları çok satan bir yazar olarak okurlarla ilişkiniz nasıl?

Ben Türkiye'de çok iyi bir edebiyat okuru olduğunu düşünüyorum. Bunların önemli bir kısmını kadınlar oluşturuyor. Okur ile yazar arasındaki bağa gelince, şöyle bir şey var. Roman yazarı sanatçıların en yalnızı. Biz hep tek başımıza üretiyoruz. Roman okuru da okurların en yalnızı. Roman yazmak da okumak da içsel bir yolculuk aslında. İşte o yolculukta buluşuyoruz. Okurlarıma "ruhdaşım" olarak bakıyorum. Bir kitabın başarısını reklam kampanyasına bağlayanlara katılmıyorum. Reklam sadece kitabı duyurmaya yarar. Kitabı yaşatan okurdur. Okur bir romanı çok severse onu alıp hayatına buyur ediyor. Aynı kitabı yengesine, annesine, kuzenine veriyor. Sevmezse, medyada ne kadar tanıtılırsa tanıtılsın okumuyor. Severse de kim ne derse desin, seviyor, sahipleniyor. Okurlarımdan gelen fikir ve eleştirileri hep dinlemeye gayret ediyorum.

Sevgiyle... ruhdaşlıkla...

... Aşk, bugünün yaşamında sadece iki insan arasındaki tutkulu ilişkiyi anlatmak için kullanılan bir sözcüğe indirgendi. Oysa ilk çağlarda aşkı farklı sözcüklerle ifade ederlerdi; tanrı aşkı, karı koca aşkı, cinsel tutku başka sözcüklerle anlatılırdı. Fakat bedenimizin tam orta yerinde bir sancı olarak hissettiğimiz aşk, aslında tek bir sözcükle de anlatılabilir, aynı Rumi'nin yaptığı gibi.

Elif Şafak'ın *Siyah Süt*'ten sonra beklenen yeni romanı da aşkı tam da tek sözcükle anlatan bir eser. Romana da en basitinden *Aşk* adını vermiş yazar. Basit diyorum ama hiç de basit bir aşk değil anlattığı, zaten ne zaman basitti ki aşk? İçinde her duyguyu ve her tutkuyu eriten bir tek sözcük olduğundan en karmaşık halinde değil midir?

... Bu romanda yazarın özellikle (aşka) kuramsal ve akılcı yaklaşmaktan çekindiğini görüyoruz. Belki çekinmek değil uzak duruyor, çünkü derinlerde, ruhunda hissettiği felsefeyi, yaşam biçimini anlatmaya girişiyor. Akılcı ve bilgi yoluyla ulaştığı felsefeyi anlatmak değil amacı... Tasavvufu da aynı şekilde, bir öğreti olarak değil, gündelik sorunların karşılıklarının bulunduğu bir yaşam bilgeliği olarak sunuyor. Böyle sunduğu için de, Ella adında kırk yaşında bir Amerikalı kadının da anlayabileceği, özdeşlik kurabileceği şekle sokuyor. Bence romanı eşsiz kılan özelliği burada yatıyor...

... Cümlelerin güzelliği, dili inanılmaz bir yaratıcılıkla kullanıyor olması ve bunu şimdiye kadar yazdığı her şeyden üstün bir şekilde becermiş olması, bu romanı tek kelimeyle olağanüstü yapıyor. Yazar, kişiliğini en saf biçimiyle görebileceğimiz bir yapıt çıkarmış ortaya.

Asuman Kafaoğlu Büke – *Dünya Kitap*

Elif Şafak okumak, hele de onun son romanı *Aşk*'ını okumak... İç dünyamda ufuklar açan birkaç romandan biri olduğunu söylemeliyim. Dostoyevski'yi okuduğumda da böyle hissetmiştim.

Romandaki sufi felsefesi de, romanın tekniği de çok etkileyici... Hiçbir kurgu duygusuna kapılmadan, 21. yüzyıl Amerikası'nda Northampton'da yaşayan bir Yahudi ailesi ile 13. yüzyıl Konyası'ndaki Şems ve Mevlâna arasında gidip geliyorsunuz.

... Elif Şafak mükemmel bir roman tekniğiyle birbirine maddeten hiç benzemeyen çağları, insan ruhunda, ruhumuzun sıkıntı, arayış ve keşiflerinde birleştirmiş... Muhteşem gerçekten. *Aşk*, asla soyut, sıkıcı, didaktik bir felsefe kitabı değil. En soyut olanlar ve "aşkın" nitelikli kavramları bile, Elif Şafak'ın kaleminden somut insan örnekleriyle ve olaylarla ete kemiğe bürünüyor.

Şafak bu eseriyle sadece Türk değil, dünya edebiyatına da büyük bir eser kazandırdı.

Taha Akyol – *Milliyet*

DK'da yayımlanmış diğer kitapları

Pinhan

"Nicedir adını bekler dururdu. Velhasıl adı da onu. İşte bugün kavuştular birbirlerine. Adı Pinhan olsun bundan böyle" dedi.

Yazarın ilk romanı olan *Pinhan* 1998'de "Mevlâna Büyük Ödülü"nü aldı.

Şehrin Aynaları

Aynalar şehrine geldim çünkü benim hikâyemin önünü, benden evvel kaleme alınmış bir başka hikâye tıkıyor. Aynalar şehrindeyim çünkü bir kez şu bendi yıkabilsem sular çatlayacak, deli deli akacak; hissediyorum. Aynalar şehrindeyim çünkü ben bir korkağım; ve ne olduğunu bilen her korkak gibi, bu sırrı kendime saklıyorum.

Mahrem

Öyle güzel ki uçmak... Öyle güzel ki tüyden hafif, uçurtmadan serseri, buhardan oynak, toz zerresinden kıvrak, kar tanesinden savruk olabilmek gökkubbede. Niyetim daha, daha da yükseklere çıkmak. (...)

Mahrem 2000 yılında Türkiye Yazarlar Birliği Ödülü'nü aldı.

Bit Palas

Edebi ve yazınsal başarısı, Türk kimliğini ve ülkenin tarihine yaklaşımını edebiyat yoluyla yeniden tanımlayan genç kuşak yazarlar arasında Şafak'ı temsilci olarak öne çıkarıyor...

Bu roman enerji dolu ve gizemli bir yolculuğa davet ediyor insanı; tutkuyla, gülmeceyle ve Türkiye'ye dair bir dolu fotoğraf karesiyle...

The Independent

Araf

İyi de bir insana neden ömür boyu geçerli olacak şekilde tek bir isim veriliyordu başka bir isim de verilebilecekken, hatta isminin harfleri karıştırılıp aynı isimden yenileri türetilebilecekken? Kendimiz de dahil etrafımızdaki her şeyi yeniden adlandırma şansı ne zaman alınmıştı elimizden?

Med-Cezir

"Elif Şafak'ı yalnız romanlarından tanıyanlara, kafalarındaki fotoğrafın eksik karelerini tamamlamak için *Med-Cezir*'deki yazıları okumalarını salık veririm. Burada kanlı canlı, öfkesiyle, inadıyla, kırılganlığıyla, tutkularıyla velhasıl renginin bütün tonlarıyla Elif Şafak var."

Ali Çolak

Baba ve Piç

"Son derece güzel kurgulanmış... Bu canlı ve eğlenceli roman hem bir aile hikâyesi hem de kolektif bir tarihe uzanıyor. Aile hikâyesine güçlü ve nevi şahsına münhasır kahramanlar yön veriyor. Şafak'ın karakterlerine can veren güçlü dili, zihninizin kulaklarıyla duyabiliyorsunuz."

Alan Cheuse, *Chicago Tribune*

Siyah Süt

Bu kitap okunur okunmaz unutulmak için yazıldı. Suya yazı yazar gibi...

Siyah Süt kadınlığın, kadınların hayatının kasvetli ve karanlık ama son tahlilde geçici bir dönemiyle ilgili. Birdenbire gelen ve geldiği gibi hızla dalgalar halinde çekile çekile giden bir haletiruhiye burada incelenen. Bu kitap bir nevi tanıklık. Otobiyografik bir roman.

Kâğıt Helva

(...) Derken o yolculukta bir an geliyor, durup geriye bakma gereği duyuyorum. Geçtiğim yolları, uğradığım durakları, güzergâh boyu karşılaştıklarımı anımsıyorum. Bu kitap dünden bugüne yazdıklarımdan ufacık bir seçkidir. Bir alıntılar kitabı. Karın doyursun diye değil, tadımlık niyetine.

Firarperest

İnsan ki eşrefi mahlukattır, içindeki semavi özü keşfetmekle yükümlüdür. Çıkacaksın yollara, kendine doğru git gidebildiğin kadar.

Keşif boynumuzun borcudur. Kendimizi keşfetmek, aşkı keşfetmek, dünyayı keşfetmek, ötekini keşfetmek...